S0-BOG-210

TREMBLEMENTS DE TERRE,
ÉRUPTIONS VOLCANIQUES
ET VIE DES HOMMES
DANS LA CAMPANIE ANTIQUE

Ouvrage financé par la Direction Générale des Relations
Culturelles du Ministère des Affaires Etrangères.

© Centre Jean Bérard - ISBN 2-903189-29-3

TREMBLEMENTS DE TERRE, ÉRUPTIONS VOLCANIQUES ET VIE DES HOMMES DANS LA CAMPANIE ANTIQUE

Contributions réunies par CLAUDE ALBORE LIVADIE

Avant-propos d'HAROUN TAZIEFF et de GEORGES VALLET

BIBLIOTHÈQUE DE L'INSTITUT FRANÇAIS DE NAPLES
Deuxième série - Volume VII
PUBLICATIONS DU CENTRE JEAN BÉRARD
Naples, 1986

Diffusion des publications:

L'ERMA di
Bretschneider
Via Cassiodoro, 19
00193 Roma

R. Habelt
Am Buchenhang 1
5300 Bonn

Les Belles Lettres
95, bd Raspail
75006 Paris

AVANT-PROPOS

*Il y a des millions d'années que la Campanie, en fait que l'Italie entière est secouée de tremble-
ments de terre d'une violence extrême et, plus rarement, mais de façon parfois plus effroyable encore,
ravagée par des éruptions volcaniques. Des éruptions cent fois, mille fois plus dévastatrices que celles
que le Vésuve a libérées, de l'année 79 à 1944: ce fut ce qui se passa jadis lorsque de grandes calderas
— Trasimeno, Vico, Bolsena, Bracciano, Campi Flegrei, etc. — s'effondrèrent au terme des émissions
d'ignimbrites dont les vastes nappes recouvrent la péninsule, de la Toscane à la Campanie.*

*Séismes et activités volcaniques sont des phénomènes géologiques, ce qui veut dire que leurs mani-
festations se répètent pendant des millions d'années et, donc, que ce qui s'est passé ou se passe durant
la brève époque historique se passait durant la préhistoire et peut se passer dans l'avenir, tout au long
des prochains millénaires.*

*Des millions et des millions d'années... Rien de plus relatif que les fameux critères de courte ou
de longue durée: la longue durée de l'historien des sociétés humaines semble ridiculement petite aux
yeux de l'historien de la terre, pour qui l'unité courte est le millénaire. Les jalons de l'histoire du
volcanisme en Campanie, tels que du moins nous croyons les voir aujourd'hui, sont les grandes éruptions d'il y a 35 millénaires environ que l'on identifie et que l'on date par les ignimbrites campaniennes, puis, une vingtaine de millénaires plus tard, la formation du tuf jaune napolitain, puis, quatre
millénaires plus tard encore, l'apparition des volcans du Monte Gauro et de Punta Epitaffio, et enfin,
à une date qui pour le vulcanologue semble toute proche, il y a cinq mille ans, et moins, les volcans
du Cap Misène et des Astroni. L'historien de Pompéi, lui, sait que, selon Sénèque et Tacite, la cité
campanienne, avant d'être ensevelie par la fameuse éruption de 79, avait été détruite en partie — c'était
en 62 après J.-C. — par un tremblement de terre. Et l'archéologue des cités vésuviennes — et il nous
est agréable de rendre ici, en toute connaissance de cause, un hommage d'estime à nos amis italiens —
s'efforce de faire un bilan des reconstructions partiellement ou totalement effectuées entre 62 et 79, et
des travaux qui restaient à faire lorsque se produisit la catastrophe définitive. Histoire courte donc, qui
s'efforce de serrer toujours au plus près les chronologies: comme le notait J. Andreau dans un article
déjà ancien* (Histoire des séismes et histoire économique. Le tremblement de terre de Pompéi (62
ap. J.-C.) *dans* Annales, Economies, Sociétés, Civilisations, *1973, p. 374), mais qui reste très important: « Il ne serait pas impossible de dresser un schéma chronologique des recontructions établi d'après
l'état actuel des bâtiments », schéma d'ensemble pour lequel, en conclusion, J. Andreau énumère « les
nouvelles recherches pour la plupart archéologiques, certaines plus proprement historiques, dont les
résultats conduiraient à une connaissance plus précise et mieux fondée des problèmes posés par les
dernières années de la colonie de Pompéi » (p. 392).*

*Millénaires, années, échelles à la dimension de l'histoire de la terre, échelles à la dimension de
l'histoire de l'homme considéré non comme espèce, mais comme individu.*

*Est-ce à dire que les géologues d'une part et les archéologues d'autre part parcourent et étudient
les mêmes lieux sans réelle possibilité de rencontre? Certainement pas. Ce n'est ni le hasard, ni les
fonctions qui ont amené les cosignataires de ces lignes à se retrouver une fois de plus côte à côte. Dans
cette amitié de longue durée — toujours à l'échelle de l'homme! — il y a, à la base, l'idée que, dans
nos disciplines, il faut toujours procéder personnellement à une analyse méthodique des lieux et des*

*terrains, ce qui implique aussi, et d'abord, le goût de ces longues marches avec, le soir, cette merveil-
leuse fatigue d'une journée de travail passée au grand air.*

*Cette identité de goût cimente les amitiés. Et ce n'est pas peu! Mais, il y a plus: il existe aujour-
d'hui, il y aura encore davantage demain, une étroite collaboration entre les représentants de nos différentes disciplines. De fait, l'archéologie n'est plus cette recherche systématique des beaux objets qui a
provoqué et caractérisé les premières recherches; aujourd'hui ce qu'on veut comprendre et faire comprendre c'est la vie des hommes, c'est ce que, compte tenu des structures sociales et des formes d'outillage, ceux-là ont fait, aux différentes époques, des ressources naturelles que leur offraient les territoires
où ils vivaient, où ils s'installaient. De là l'importance sans cesse grandissante du concept de territoire,
seule constante des strates successives du temps, qui, avec toutes les variantes que l'on voudra, charpente la verticalité de l'histoire. Or l'étude du territoire suppose d'abord l'examen systématique des
sols, avec toutes les possibilités nouvelles que donnent, chaque jour davantage dans tous les domaines,
les analyses de laboratoire; il n'y a plus d'archéologie sans pédologie, sans la lecture de toutes les
données que peut relever le géologue. Par ailleurs, depuis que la vie des hommes a laissé des traces
durables, l'archéologue, préhistorien ou historien, dispose pour certains contextes de données chronologiques dont le recoupement avec des données provenant d'autres disciplines est précieux pour les uns
et pour les autres.*

*Dans le cas précis des régions comme la Campanie, où éruptions et séismes, hélas, ne sont pas
rares et atteignent souvent une violence qui se traduit par des destructions, l'archéologie peut sans
doute fournir des données très utiles à qui étudie les volcans et les tremblements de terre. En effet,
« une connaissance aussi précise que possible de la sismicité passée d'une région est précieuse à deux
titres au moins: celui de la compréhension des phénomènes profonds qui conditionnent la région en
question et celui de la protection des gens qui l'habitent et de leurs biens ». C'est pourquoi sismologues et vulcanologues ont voulu, en utilisant tous les éléments à leur disposition, dresser une sorte
d'inventaire des tremblements de terre attestés à l'époque historique. D'évidence, leurs sources viennent
essentiellement des documents d'archives et on peut dire, en gros, que ce premier inventaire concerne
surtout la période qui va de l'an mille jusqu'à aujourd'hui. Or, pour les temps les plus anciens, l'archéologie représente à peu près la seule possibilité de savoir si des séismes importants se sont manifes-
tés dans telle ou telle région, et à quelle époque.*

*C'est une chance que dans cette Campanie heureuse et tragique, des équipes de vulcanologues et
de sismologues dont la réputation scientifique n'est plus à faire aient entrepris, sous l'égide du Centre
Jean Bérard, une politique de collaboration scientifique avec les archéologues et particulièrement avec
ceux du CNRS. Ce livre en apporte un premier témoignage: de fait, il est plus le point de départ que
le point d'arrivée de cette collaboration. Cela aussi doit être source de réflexion: on a d'abord travaillé
ensemble par besoin d'une complémentarité nécessaire, par amitié, par plaisir. Et, maintenant, ces premiers contacts dont témoigne ce volume débouchent sur une convention dont voici le début:*

*« A partire dall'inizio degli anni '81, alcuni ricercatori del dipartimento di Geofisica e Vulcanolo-
gia dell'Università di Napoli e del CNRS (URA 18, Naples) hanno avuto frequenti contatti su alcuni
aspetti interdisciplinari della vulcanologia, geofisica ed archeologia di reciproco interesse, spesso
concretizzati in vere e proprie collaborazioni scientifiche. Al fine di inquadrare compiutamente le suddette ricerche fino ad ora portate avanti essenzialmente attraverso contatti personali, si è ritenuto opportuno formalizzare tali iniziative attraverso la stesura di un protocollo d'intesa... » (texte de la
convention).*

*On ne saurait mieux dire, on ne saurait mieux faire: puisque la collaboration donne de bons ré-
sultats, faisons un accord qui ne fait que « formaliser » les initiatives personnelles. A tous nos amis du
Dipartimento di Geofisica e Vulcanologia dell'Università di Napoli, nous voulons dire, pour cette dis-*

ponibilité et pour cette collaboration, notre plus cordiale gratitude. A C. Albore Livadie, nous tenons à exprimer nos félicitations et notre reconnaissance pour avoir veillé à la coordination et à la cohésion de ce premier volume, digne sans aucun doute de la Collection du Centre Jean Bérard, dirigée hier par Mireille Cébeillac Gervasoni et aujourd' hui, avec autant de compétence et de diligence, par Olivier de Cazanove.

Georges Vallet   *Haroun Tazieff*

INTRODUCTION

Cette nouvelle publication du Centre Jean Bérard réunit les travaux de près d'une vingtaine de chercheurs (archéologues, architectes, géomorphologues et volcanologues) autour du thème: " Tremblements de terre, éruptions volcaniques et vie des hommes dans la Campanie antique ".

A travers des approches de types et de contenus divers, ces travaux soulignent les apports complémentaires de la volcanologie, de la sismologie et de l'archéologie à l'histoire de la Campanie antique.

L'intérêt et l'utilité d'une telle confrontation étaient apparus lors d'une rencontre à Naples autour d'Haroun Tazieff avec des archéologues de terrain travaillant sur les terres volcaniques de Campanie, des îles Eoliennes et de Sicile, et d'une manière générale dans les zones sismiques d'Italie méridionale et de Sicile. Elle coïncidait, opportunément, avec une période féconde de contacts et d'échanges scientifiques entre notre Laboratoire et le Département de Géophysique et de Volcanologie de l'Université de Naples d'une part, et avec le Département des Sciences de la Terre de l'Université de Pise d'autre part, sur des problèmes d'archéologie préhistorique en relation avec des épisodes éruptifs anciens du Monte Somma.

Cette entente, d'ailleurs, avait conduit à programmer dans les Laboratoires du CNRS (Centre de Datations et d'Analyses Isotopiques - Lyon; Laboratoire des Faibles Radioactivités - Gif-sur-Yvette) un certain nombre d'analyses C14 de paléosols et de bois brûlés provenant de la région phlégréenne et des territoires à l'entour du Vésuve.

Il était clair, en effet, que certaines observations faites par les archéologues et par les architectes pouvaient intéresser les volcanologues et les sismologues. Ce point avait été récemment souligné par G. P. L. Walker, lors du Congrès sur " *Les volcans actifs de la région napolitaine* " (Naples 1977) à propos des sites romains de la zone du Vésuve: " Mon sentiment est que les archéologues en Italie peuvent ne pas être conscients que la collaboration avec les volcanologues dans une zone comme Herculanum par exemple, peut être utile tant à l'archéologie qu'à la volcanologie, et peut en outre fournir des données qui pourraient dans l'avenir sauver des vies humaines ". Le volcanologue anglais précisait les aspects susceptibles de déterminer la nature, l'extension et les causes des dommages matériels et des pertes de vies humaines à Pompéi et ailleurs. " Il est indispensable aux volcanologues de connaître les conditions des ruines avant les travaux de restauration. Pourquoi les édifices s'écroulent-ils? Parce que le poids des lapilli est trop élevé ou bien parce que les lapilli ont été projetés sur les édifices par une éruption latérale? La carbonisation des bois utilisés dans les constructions, par exemple à Herculanum, est-elle un facteur d'identification des nuées ardentes? La mort fut-elle causée par l'asphyxie ou par l'effondrement des maisons? Les corps sont-ils concentrés au niveau des coulées pyroclastiques? " (Walker 1977).

A ces nombreuses questions sur les effets et les conséquences de l'éruption de 79 après J.-C., il a été possible de donner récemment un certain nombre de réponses (H. Sigurdsson, S. Carey, W. Cornell, T. Pescatore, *The eruption of Vesuvius in A.D. 79*, in *National Geografic Research*, 1985), mais dans bien d'autres cas de violences de la terre, les problèmes restent ouverts.

Par ailleurs, et de façon réciproque, pour essayer d'apporter des éléments de réponse aux questions que se posent les archéologues, il s'avérait utile de présenter un bilan des connaissances et des problèmes relatifs au tecto-volcanisme récent du Somma-Vésuve et de la région phlégréenne.

L'exigence d'un dialogue entre spécialistes des Sciences de la Terre au sens large et archéologues-historiens nous a conduits, au cours de ces dernières années, à poser de façon nouvelle certains des problèmes de l'archéologie campanienne. Toutes les contributions de ce volume sont le fruit de cette collaboration étroite, faite de discussions et de prospections sur le terrain.

La plupart des articles touchent aux problèmes de la région du Somma-Vésuve: l'étude de M. Rosi et de R. Santacroce fait le point des actuelles connaissances de l'histoire éruptive du complexe volcanique, tandis qu'un groupe de chercheurs napolitains a analysé les données volcaniques et archéologiques relatives à deux éruptions protohistoriques du volcan pour tenter d'en fixer la chronologie (C. Albore Livadie - G. D'Alessio - G. Mastrolorenzo - G. Rolandi). La récente fouille de Sarno enrichit les données du problème (A. Marzocchella).

Les effets du séisme de 62 après J.-C. sur les édifices sont examinés à Pompéi par J.P. Adam et de façon indirecte par W. Johannowsky qui présente une nouvelle inscription de *Nuceria* relative à la reconstruction du théâtre. Cette inscription accroît le petit nombre de documents qui font mention explicite d'une cause sismique de destruction. Les récents travaux de G. Luongo incluent *Nuceria* dans l'aire isométrique de degré VIII, supérieure à l'intensité habituellement estimée pour ce secteur. La source sismique, vraisemblablement en relation avec une fracture du substrat calcaire qui aurait pu intéresser l'aire de majeure intensité, a dû provoquer dans cette région des dommages comparables à ceux qu'a subis Herculanum. L'épigraphie parait le confirmer. Les recherches volcanologiques sembleraient exclure, par ailleurs, que les destructions signalées par les inscriptions campaniennes soient dues aux secousses liées à l'éruption de 79 après J.-C., dont l'intensité plutôt légère, fut inférieure au degré IV de l'échelle Mercalli-Cancani-Siebergs (MCS) et les effets à peine ressentis par les populations locales.

La destruction d'une *villa rustica* à Cava Montone, non loin d'Herculanum, constitue un témoignage direct sur l'éruption de 79, dont on sait qu'elle a eu d'importantes conséquences économiques (U. Pappalardo, A. Lagi de Caro, H. Sigurdsson). Le développement de la production et de l'exportation des vins de Gaule du Sud à partir du IIème siècle après J.-C., en effet, pourrait indiquer un renversement de tendance commerciale dû en partie à la destruction des vignobles et des infrastructures artisanales et portuaires de la région pompéienne (F. Widemann).

L'article de G. Pescatori sur *Abellinum*, complété d'une analyse critique des sources littéraires ayant trait aux éruptions tardives du Vésuve, et l'étude de V. Sampaolo sur Nola et Palma Campania permettent de nuancer en particulier les conséquences de la catastrophe de 472 après J.-C. dans le secteur oriental de la plaine campanienne.

En ce qui concerne la Campanie phlégréenne, deux vastes enquêtes sur Ischia (G. Buchner) et sur la terre ferme (C. Albore Livadie) examinent dans quelle mesure l'histoire géomorphologique et volcanique de la région a pu conditionner la vie de l'homme dans l'Antiquité.

Ce volume n'a pas la prétention de présenter des résultats définitifs: c'est un bilan de recherches en cours. Je crois pouvoir ajouter, au nom de toute l'équipe, qu'un des aspects, pour nous, les plus positifs de cette collaboration a été l'esprit dans lequel elle n'a cessé de se dérouler. Il m'est agréable ici d'en donner acte à tous, et particulièrement à nos amis italiens.

CLAUDE ALBORE LIVADIE

LE SOMMA-VÉSUVE

MAURO ROSI - ROBERTO SANTACROCE

L'ATTIVITÀ DEL SOMMA-VESUVIO PRECEDENTE L'ERUZIONE DEL 1631: DATI STRATIGRAFICI E VULCANOLOGICI

(pl. I-IX)

INTRODUZIONE

La vita di un vulcano poligenico supera di molto la lunghezza dell'intervallo di tempo coperto dalla documentazione storica. Anche nei casi più favorevoli, ed il Vesuvio è tipicamente uno di questi, quando il vulcano è situato in un'area abitata sin dagli albori della civiltà, la storia documentata o tramandata oralmente copre soltanto una parte molto ridotta dell'attività del vulcano. I metodi ed i dati usati nella ricostruzione della storia eruttiva del Somma-Vesuvio sono quindi necessariamente diversi in funzione della presenza e della attendibilità di documentazione diretta.

Tre periodi " storici " possono essere distinti. Il più antico ed il più lungo di tali periodi è quello che precede la famosa eruzione del 79 d.C. che distrusse Pompei: la ricostruzione dell'attività deve essere basata esclusivamente su dati di tipo geologico l.s.. Del secondo periodo, compreso tra il 79 ed il 1631 d.C., è disponibile una documentazione disomogenea, largamente incompleta e spesso di problematica interpretazione: i dati storici devono essere controllati ed integrati con dati stratigrafici e determinazioni radiometriche di età. Il periodo più recente (1631-1944) è nel complesso ben documentato; la ricostruzione della storia e del comportamento eruttivo del vulcano devono essere essenzialmente basati sulla raccolta, l'interpretazione e l'omogeneizzazione dei dati storici.

In questo articolo viene presentata una revisione dei dati geologici e vulcanologici relativi ai primi due periodi " storici " dell'attività del Somma-Vesuvio, integrata con numerosi dati originali. Il quadro che ne emerge risulta abbastanza completo ed attendibile nell'intervallo di tempo più recente, fino cioè al 1800 a.C. circa (eruzione delle pomici di " Avellino ").

Dell'attività più antica è stato possibile riconoscere soltanto gli episodi eruttivi principali (e questo soltanto fino a 17.000 anni or sono) ed il quadro vulcanologico appare solo parzialmente confrontabile con quello relativo all'attività più recente.

TIPI DI ATTIVITÀ

Durante la sua lunga vita il Somma-Vesuvio è stato caratterizzato da una attività eruttiva estremamente variabile, con uno spettro continuo compreso tra modeste eruzioni effusive e catastrofiche eruzioni esplosive. Tre principali tipologie eruttive possono essere distinte (Santacroce, 1983):
— eruzioni principalmente effusive di dimensioni moderate (formazioni di coni di scorie e scorrimento di colate di lava);

— eruzioni esplosive di dimensioni medie (tipo l'eruzione del 1631 o quella del 472 d.C.);
— eruzioni catastrofiche, esplosive, di grandi dimensioni tipo " Pompei ".

Il periodo più recente dell'attività del vulcano è stato caratterizzato da una attività semipersistente, relativamente tranquilla (fontane di lava, emissione di gas e vapore dal cratere centrale) frequentemente interrotta da periodi di totale quiescenza, mai superiori ai sette anni di durata. Eruzioni effusive in genere assai modeste si sono talora verificate all'interno dei periodi di attività semipersistente. Eruzioni più importanti hanno invece costantemente rappresentato l'episodio conclusivo dei diversi brevi cicli di attività individuati dai periodi di quiescenza. Grandi quantità di ceneri e lapilli, grosse bombe e brandelli di lava fluida vengono violentemente eiettati dal cratere centrale ed accompagnano l'effusione di colate laviche moderatamente fluide: tali lave talora vengono emesse da coni di scorie eccentrici apertisi improvvisamente sui fianchi del vulcano. Lo scorrimento di colate di fango di dimensioni in genere modeste lungo i valloni radiali che tagliano le pendici del Monte Somma è un fenomeno comune durante queste eruzioni, soprattutto quando, in seguito probabilmente a moderati fenomeni di interazione tra acqua freatica e magma, grandi quantità di cenere vengono prodotte e, accumulandosi sui fianchi del vulcano, possono essere rimobilizzate dalle piogge torrenziali che a queste eruzioni sempre si accompagnano.

Prodotti riferibili ad una attività di questo tipo possono essere riconosciuti non solo nelle colate laviche del Monte Somma (con una età superiore ai 17.000 anni) e nelle lave degli ultimi secoli, ma anche in alcuni coni di scorie eccentrici ed in rare colate intercalati nei prodotti piroclastici relativi all'attività compresa tra 17.000 anni b.p. ed il 1631.

L'assenza di colate laviche provenienti dal cratere centrale tra i depositi piroclastici che ammantano le pendici del Monte Somma è stata interpretata da Delibrias et al. (1979) come dovuta alla presenza della barriera morfologica del Monte Somma, l'inizio della cui formazione tali Autori fanno risalire a 17.000 anni or sono.

Gli eventi eruttivi di scala intermedia si sono verificati meno frequentemente; soltanto tre casi sicuri sono segnalati negli ultimi 3.800 anni. La messa in posto di nubi ardenti e di " surges " caratterizza questo tipo di eruzioni durante le quali le colate di fango (" lahar ") sono comunissime e spesso di dimensioni notevoli. In zone topograficamente accidentate la distribuzione delle nubi ardenti è controllata dalla morfologia ed il loro scorrimento è canalizzato dalle principali valli; su morfologie piane o non incise esse si espandono invece laminarmente. Il meccanismo di formazione di questi prodotti è legato al collasso gravitativo di una colonna esplosiva (Sparks e Wilson, 1976): l'effetto di barriera operato dalla parete calderica del Monte Somma ha una efficacia legata all'altezza alla quale si verifica il collasso della nube eruttiva ed è in genere, per eventi di questo tipo, abbastanza limitato. Un deposito di caduta aerea costituito in genere da materiale pomiceo rappresenta tipicamente l'episodio iniziale di questa tipologia eruttiva.

L'eruzione di Pollena del 472 d.C., descritta da Rosi e Santacroce (1983), può essere presa come esempio tipico. A questo tipo di comportamento eruttivo deve essere ricondotta anche l'eruzione del 1631 che aprì il periodo recente dell'attività del Vesuvio. Tale eruzione è stata fino ad oggi descritta come una eruzione mista, esplosiva-effusiva, e questo sulla base della classica ricostruzione effettuata da Le Hon (1865).

Un'accurata revisione delle cronache contemporanee (Braccini, 1632; Giuliani, 1632) e dettagliate ricerche di terreno hanno in realtà dimostrato l'assenza di colate laviche connesse a questa eruzione, caratterizzata invece dallo scorrimento di devastanti nubi ardenti (Rosi e Santacroce, in stampa).

Le grandi eruzioni esplosive tipo Pompei hanno scala ed effetti catastrofici. Cinque episodi di questo genere sono stati riconosciuti negli ultimi 17.000 anni. Le caratteristiche generali di questa tipologia eruttiva sono costituite da una fase iniziale pliniana della durata di diverse ore (caduta di grandi quantità di pomici e litici lungo traiettorie controllate dalla direzione dei venti alle alte quote) seguita dalla devastante messa in posto di " surges ", di colate piroclastiche, di uragani di fango e di lahar (Sheridan et al., 1981).

La successione di eventi durante eruzioni di questo tipo può essere ricondotta alla ricostruzione ed alla interpretazione che dell'eruzione del 79 d.C. hanno fatto, sulla base di dati storici e vulcanologici, Sheridan et al. (1981) e Sigurdsson et al. (1982). Una valutazione del rischio enorme che tali eruzioni oggi comporterebbero è deducibile dal lavoro di Rosi, Santacroce e Sheridan (1981).

IL PERIODO DI ATTIVITÀ PRECEDENTE L'ERUZIONE DEL 79 d.C.

Come ben noto il Somma-Vesuvio è un vulcano centrale complesso costituito da: 1. uno stratovulcano più vecchio (Monte Somma) la cui attività terminò con un collasso calderico sommitale, e 2. da un cono più recente, il Vesuvio, cresciuto all'interno della caldera ed a più riprese distrutto e riedificato. L'età dell'inizio dell'attività non è perfettamente nota. Il pozzo geotermico Trecase 1 (Bernasconi et al., 1981) ha incontrato lave e prodotti vulcanici fino a 1345 metri di profondità (1125 m. sotto l.m.). Su di una carota prelevata vicino alla base della formazione vulcanica è stata eseguita una misura K-Ar che ha fornito un'età di circa 300.000 anni; tale età è in scarsa concordanza con datazioni di nannoplancton (500.000 - 1.000.000 di anni) relative a siltiti intercalate nelle vulcaniti.

I prodotti più antichi in affioramento sono le lave che pavimentano le incisioni torrentizie più profonde che tagliano le pendici del Monte Somma e che costituiscono le pareti della caldera. Queste lave affiorano anche intorno alla base del Monte Somma sul fondo delle profonde cave aperte per l'escavazione di sabbie pozzolaniche. Tutti questi prodotti sono troppo giovani per essere datati con le metodologie K-Ar standard, ma recentemente misure molto accurate e raffinate (Gillot, pers. com.) hanno fornito un'età di circa 20.000 anni per una colata situata alla sommità dell'impilamento lavico che costituisce la caldera del Monte Somma. Un'età di 25.000 anni è stata inoltre ottenuta da Alessio et al. (1974) su di un paleosuolo coperto da un livello pomiceo di caduta attribuito al Somma-Vesuvio rinvenuto in una cava nei pressi del paese di Codola (circa 20 Km ad ENE del vulcano). Questo livello copre l'Ignimbrite Campana, il deposito del terrificante ash-flow originatosi nell'area flegrea che circa 35.000 or sono coprì più di 500 Km² di superficie emersa (Barberi et al., 1978).

Come già accennato, Delibrias et al. (1979) pongono a 17.000 anni l'età di formazione della caldera del Monte Somma: è questa l'età del paleosuolo coperto dal primo deposito piroclastico (" Pomici di Base ") giacente sopra le lave del Monte Somma.

La figura 2 riassume la successione stratigrafica generale utilizzata in questo lavoro: tale successione modifica significativamente il quadro proposto da Delibrias et al., (1979) nell'intervallo di tempo compreso tra l'eruzione delle Pomici del Lagno Amendolare e l'eruzione delle Pomici di Mercato (in accordo con Rosi, Santacroce e Sheridan, 1981). Nelle pagine seguenti vengono brevemente descritte le sezioni-tipo e sono riassunte le caratteristiche di affioramento e la distribuzione areale delle eruzioni pliniane che hanno preceduto l'eruzione del 79 d.C..

L'ERUZIONE DELLE POMICI DI CODOLA (circa 25.000 anni b.p.).

Di questo evento sono disponibili pochissimi dati: la successione eruttiva (fig. 3) è costituita da un livello di pomici biancastre di caduta aerea sfumante verso l'alto in pomici verdastre che comunemente mostrano bande più chiare. Questo livello è intercalato nella sua parte inferiore con uno straterello massivo di ceneri fini nel quale sono riconoscibili impronte vegetali ed è ricoperto da alcuni letticelli di tufo vescicolato ricco in pisoliti. Uno strato di lapilletto nero spesso circa cinquanta centimetri chiude la sequenza eruttiva. La mancanza di sezioni stratigrafiche vicine al vulcano rende difficoltosa l'interpretazione di questa eruzione; lo strato di tufi vescicolati e pisoliti probabilmente riflette temperature di messa in posto del deposito inferiori ai 100°C e può indicare il carattere freatomagmatico dell'eruzione; lo spessore del deposito di caduta (circa 50 cm) alla distanza di circa 20 Km in direzione ESE dal vulcano suggerisce un volume di prodotti emessi approssimativamente comparabile con quello delle altre maggiori eruzioni pliniane del Vesuvio ed è compatibile con venti in quota di provenienza occidentale durante l'eruzione.

L'ERUZIONE DELLE POMICI DI BASE (circa 17.000 anni b.p.).

In diretta copertura di un paleosuolo datato a 17.050 anni (Delibrias et al., 1979) poggiante sulle lave più giovani del Monte Somma, il deposito delle Pomici di Base costituisce l'eruzione pliniana più antica sicuramente attribuibile al Vesuvio. La sezione tipo è descritta nelle cave del Lagno Amendolare (fig. 4). Un deposito di caduta costituito da pomici bianche costituisce il primo prodotto, immediatamente coperto da un livello di scoriette nere ricco in litici lavici e seguito da un deposito sabbioso con strutture ondulate riferibile ad attività di surge. La sezione prosegue con una breccia grossolanamente stratificata contenente scarse pomici ed abbondanti litici di natura diversa (i carbonati sono abbondanti) coperta da un deposito a stratificazione incrociata di surge piroclastico, intercalato nella parte alta con livelletti più grossolani, che probabilmente rappresentano ancora depositi di surge impoveriti in materiale fine. La successione prosegue con un livello costituito da scoriette nere identico a quello presente nella parte bassa del deposito e con una spessa sequenza di cineriti massive. L'eruzione, nella sezione osservata, termina con uno spesso deposito di colata piroclastica. Le Pomici di Base mostrano quindi una sequenza pliniana abbastanza consueta per il Vesuvio ("fall-surge-flow") ed un incremento dei litici non juvenili nei depositi di caduta procedendo dalle parti più basse verso quelle alte. La successione è tuttavia complicata dalla presenza dei due livelli di caduta costituiti da scorie nere privi di litici carbonatici. Questi strati scuri non sono intercalati con le pomici bianche, come si osserva nell'eruzione delle pomici del Lagno Amendolare (vedi più avanti), ma costituiscono depositi ben distinti ed individualizzati. È possibile che la spiegazione di ciò risieda nei meccanismi di interazione tra magma stazionante in frazionamento all'interno di una camera magmatica, e magma basico profondo periodicamente alimentante detta camera.

Le Pomici di Base sono state identificate in pochi affioramenti: una discussione relativa alla loro distribuzione ed alle variazioni di facies è, conseguentemente, largamente speculativa. I piccoli spessori (20-40 cm) mostrati dai depositi di caduta nelle sezioni 38, 39 e 12 (situate ad una distanza variabile tra i 3 ed i 5 Km in direzione Nord dal cratere vesuviano) confrontati con i 20 cm di spessore dei medesimi livelli incontrati nella sezione 34 (circa 22 Km a NE del vulcano) suggeriscono anche in questo caso che la distribuzione dei depositi di ricaduta aerea è stata controllata da venti occidentali. Gli spessori relativamente importanti dei depositi di colata e di surge piroclastici e la presenza di brecce freatiche nelle sezioni 38 e 39 indicano inoltre l'importanza dei fenomeni di interazione tra magma ed acqua verificatisi durante questo episodio eruttivo. A tali fenomeni sono ricollegabili anche gli imponenti depositi di lahar che qui, più che in altre eruzioni vesuviane, sono tipicamente presenti.

Eruzioni effusive di modeste dimensioni associate alla formazione di coni di scorie saldate si sono verificate nell'intervallo di tempo compreso tra le grandi eruzioni pliniane delle Pomici di Base e delle Pomici Verdoline: ciò è testimoniato dai coni di scorie sepolti e dalle colate laviche interposte tra i depositi delle due pliniane nelle cave di Pollena (n. 12 in fig. 1) e di Case Trapolino (n. 5 in fig. 1).

L'ERUZIONE DELLE POMICI VERDOLINE (circa 15.000 anni b.p.)

Questa eruzione fu datata da Delibrias et al. (1979) a 14420 ± 160 anni sulla base dell'età di un paleosuolo sottostante a prodotti dubitosamente riferiti alle Pomici Verdoline nella sez. 39. Una seconda età 14C stratigraficamente più certa di 15.500 ± 170 anni (paleosuolo sotto i depositi di caduta di quest'eruzione nella sez. 38) è stata successivamente misurata (dato non pubblicato); l'età di 15.000 anni riportata da Rosi et al. (1981) e qui ripresa, fu mediata tra le due determinazioni.

I depositi piroclastici riferibili a questo evento sono stati riconosciuti principalmente nel settore nordoccidentale del vulcano (sezz. 9, 12, 20, 38, 39), ove è in genere osservabile costantemente la sequenza eruttiva completa (fig. 5). In alcuni affioramenti distali nell'area compresa tra Nocera e Mugnano del Cardinale alcuni depositi pomicei di caduta sono stati dubitosamente attribuiti a questa eruzione. La consueta successione pliniana " fall-surge-flow " è una volta di più rispettata. Il colore delle pomici del deposito di caduta diventa progressivamente più scuro verso la parte sommitale della sequenza e nello stesso senso aumenta il contenuto in litici tra i quali i frammenti di rocce carbonatiche sono assai comuni. Un importante deposito di surge (un metro di spessore nella sez. 38) è intercalato tra le due principali unità di colata piroclastica, la più bassa delle quali, per il suo elevato contenuto in pomici, può essere considerata un " pumice-flow ", una caratteristica questa osservata anche nelle eruzioni di Mercato e di Pompei.

La figura 5 mostra i cambiamenti che si verificano nella successione piroclastica lungo una direzione radiale che si estende fino a 9.0 Km NNO dal centro di emissione. Il deposito pomiceo di caduta diminuisce il suo spessore da un metro a 35 cm, mentre il livello intercalato di surge scompare alla distanza di 4.5 Km (sez. 20).

All'aumentare della distanza dal vulcano i depositi di colata piroclastica diventano più coerenti, probabilmente in relazione ad una temperatura di messa in posto progressivamente decrescente, fino alla transizione a lahar per temperature inferiori a 100° C. Lo spessore della colata piroclastica superiore, che è quella di dimensioni maggiori, diminuisce, all'allontanarsi dal centro di emissione, in modo molto più accentuato di quanto non faccia il deposito dell'unità inferiore. Tale diminuzione di spessore marca la drastica sparizione dei grossi blocchi ed accompagna i depositi della piana.

L'insieme di queste osservazioni relative ai depositi di colata piroclastica suggerisce alcune considerazioni di valore generale al Vesuvio. Lo scorrimento delle colate piroclastiche è infatti molto veloce lungo le forti pendenze della parte medio-alta del vulcano: in queste condizioni un sistema eterogeneo incipientemente o poco fluidizzato scorre come fluido denso lungo le incisioni vallive accompagnato da una parte alta molto più fluidizzata costituita da particelle molto fini (" ash cloud ") su cui la morfologia esercita un controllo estremamente più blando; al momento della diminuzione di pendenza connessa con l'apertura nella piana delle valli l'energia cinetica del flusso diminuisce e non è più in grado di sostenere il materiale eterogeneo poco fluidizzato: la colata diminuisce rapidamente di velocità, si raffredda e collassa parzialmente; si formano così i grossi depositi estremamente eterogenei per granulometria e caratterizzati da una distribuzione caotica dei costituenti. In breve tempo i gas condensano ed un fine fango cineritico è spremuto fuori dal deposito e si espande a ventaglio nella piana (torrenti di fango). Contemporaneamente a questo fenomeno l'ash cloud, molto più fluidizzato della colata piroclastica grossolana, prosegue nel suo cammino depositandosi su aree molto più vaste e più lontane dal centro d'emissione. Le due fenomenologie eruttive, nubi di cenere e torrenti di fango, si trovano sovente ad agire congiuntamente ed i loro depositi, soprattutto in facies distale (quando anche l'ash cloud scende al di sotto della temperatura di ebollizione), sono spesso tra loro indistinguibili.

L'ERUZIONE DELLE POMICI DEL LAGNO AMENDOLARE (circa 11.000 anni b.p.).

I prodotti di questa eruzione sono stati riconosciuti in pochissimi affioramenti e sono datati a 11.400 ± 130 anni (Delibrias et al., 1979) sulla base dell'età di un paleosuolo sottostante a depositi dubitosamente riferibili a questo evento. La mancanza di depositi di colata e di surge piroclastici, che al Vesuvio presentano indizi di forte interazione tra acqua e magma, rendono questo episodio esplosivo, costituito esclusivamente da depositi di caduta aerea, assai peculiare (fig. 6). Tipica è anche l'assenza di materiale carbonatico tra i litici presenti nei depositi di questa eruzione. Due differenti liquidi magmatici sono stati eruttati contemporaneamente; il liquido più evoluto ha prodotto pomici bianche mentre quello più primitivo lapilli e scorie nere. L'eruzione ebbe inizio con l'emissione di pomici bianche progressivamente più scure col procedere dell'eiezione, seguita da una successione di sottili depositi nei quali i lapilli neri si rinvengono mescolati o finemente interstratificati con le pomici biancastre oppure formano livelli omogenei. Già si è accennato alla problematica posta da questi depositi magmaticamente eterogenei a proposito delle Pomici di Base: la iniezione di magma basico profondo all'interno di un serbatoio superficiale occupato da un sistema magmatico in differenziazione è un meccanismo di innesco delle eruzioni che probabilmente si è verificato con frequenza al Vesuvio e che comunque appare in grado di spiegare l'eterogeneità magmatica che compare in diverse sequenze eruttive (Santacroce, 1983) ivi compresa forse quella delle Pomici del Lagno Amendolare.

Lo spessore superiore al metro nel deposito di questa eruzione ad una distanza di circa 23 Km ENE dalla bocca (sez. 48) è indicativa dell'ingente volume di prodotti emessi, la cui distribuzione areale sembra suggerire ancora la dominanza di venti occidentali durante l'eruzione.

L'ERUZIONE DELLE POMICI DI MERCATO (circa 7.900 anni b.p.)

I prodotti di questa eruzione costituiscono una voluminosa sequenza piroclastica interposta tra i depositi di due episodi flegrei datati rispettivamente a 4.400 e 9.800 anni. La più giovane di queste eruzioni era stata riferita al vulcano di Astroni (Rittmann, 1950), ma un recente lavoro (Rosi et al., 1983) su basi stratigrafiche e radiometriche la attribuisce ad un centro eruttivo diverso (Agnano Monte Spina). L'eruzione più vecchia costituisce un inconfondibile orizzonte-guida (piccole pomici rosa e verdi totalmente prive di litici) ed è classicamente ascritta al vulcano di Agnano (" Pomici Principali di Agnano ").

Le Pomici di Mercato erano da tempo state riconosciute e descritte (Johnston-Lavis, 1884) ma il nome con il quale sono ora note fu usato per la prima volta da Walker (1977); allo stesso deposito Delibrias et al., (1979) avevano assegnato il nome di " Pomici Gemelle ", mentre molto recentemente Rolandi (comunicazione orale), le descrive sotto il nome di " Pomici di Ottaviano ". E' chiaro che una simile proliferazione di nomi non può che generare confusione: in assenza di criteri assolutamente univoci ci sembra pertanto corretto richiamare la denominazione prima usata ed invitare all'uso esclusivo di essa.

L'età di questa eruzione deve essere fissata a 7910 ± 100 anni (Delibrias et al., 1979), relativa al letto del paleosuolo coperto dai suoi primi depositi. L'età di 8500 anni riportata da Rosi et al. (1981) è infatti stata ottenuta sulla parte centrale del medesimo paleosuolo ed è indicativa del lungo periodo di quiescenza che ha preceduto l'evento. Una discussione più approfondita sulla durata dei periodi di riposo si può trovare in Rosi et al. (in stampa).

Il deposito più tipico di questa eruzione è costituito da due livelli di caduta aerea di pomici bianche, leggermente rosate nella parte centrale, (le " gemelle ") generalmente separati da un sottile deposito cineritico. Entrambi i depositi appaiono grossolanamente stratificati e questa caratteristica si accentua verso la parte alta di ciascun livello. Un terzo importante deposito di caduta, molto ricco in litici, è riconoscibile nella parte subsommitale della sequenza eruttiva; Delibrias et al. (1979) hanno considerato questo livello appartenente ad una distinta eruzione (Pomici e Proietti), ma accurate osservazioni di terreno confortate da dati chimici inediti hanno permesso di concludere (Principe et al., 1982) che esso è sicuramente riferibile alle Pomici di Mercato.

Le sezioni più significative sono riportate in fig. 7; nelle aree di alto strutturale si rinvengono soltanto depositi di caduta e di surge piroclastico (sez. 7) mentre le paleovalli sono riempite da sequenze molto spesse di depositi di colata piroclastica intercalati saltuariamente a depositi di caduta e di surge (sez. 1 e 7). La natura di ash cloud dei depositi di surge intercalati tra i due depositi di caduta più bassi è rivelata dalla transizione laterale a depositi di colata piroclastica osservabile nella cava di Traianello (sez. 1). Secondo Walker (1977), la deposizione delle Pomici di Mercato risulta controllata da venti provenienti da Ovest: i nostri dati del complesso confermano tale indicazione (fig. 8), pur mostrando una distribuzione leggermente diversa delle curve isopache. I depositi di surge piroclastico sono molto spessi nel settore NNO del vulcano, ma la loro estensione nella piana è abbastanza limitata. In genere essi sono caratterizzati da facies planari e massive, un fatto che, secondo Wohletz e Sheridan, (1979), suggerirebbe energie di messa in posto relativamente basse. La contemporanea presenza di numerose (almeno 5) unità di colata piroclastica concentrate anch'esse nel settore settentrionale del vulcano (sezz. 1,38,41) indica che i depositi di surge sono legati a fenomenologie eruttive tipo ash cloud o ground surge (Sparks et al., 1973). Depositi massivi di surge contenenti lapilli accrezionari si estendono invece per 20-25 Km in direzione ENE fino a Mugnano del Cardinale. In numerose sezioni distali (20, 37, 46, 48) la sequenza eruttiva delle Pomici di Mercato è conclusa da tufi vescicolati che, come già accennato, possono essere interpretati come dovuti alla deposizione di fango.

L'ERUZIONE DELLE POMICI DI AVELLINO (circa 3.800 anni b.p.).

I depositi pomicei di caduta relativi a questa eruzione pliniana sono stati distinti per la prima volta da Johnston-Lavis (1884), ma solo in tempi molto più recenti Lirer et al., (1973) hanno operato una chiara discriminazione tra questo evento e la successiva grande eruzione pliniana del 79 d.C.. I depositi pomicei delle due eruzioni sono infatti abbastanza simili, per lo meno ad una sommaria indagine di terreno; dal momento che la loro distribuzione è controllata da venti di direzione molto diversa, i prodotti di caduta aerea delle due eruzioni non si rinvengono inoltre praticamente mai insieme nello stesso affioramento. Entrambi sono caratterizzati da un cambio abbastanza brusco del colore delle pomici che da bianche alla base diventano grigie al tetto e da un elevato contenuto in litici, tra i quali i carbonati sono abbastanza abbondanti. La conoscenza della differente distribuzione areale impedisce a priori che i due depositi vengano tra loro confusi, ma diverse altre caratteristiche discriminanti sono state identificate da Lirer et al. (1973) e da Delibrias et al. (1979) (proporzioni diverse tra litici, cristalli e pomici; natura dei cristalli; chimismo delle pomici; ecc.).

L'eruzione delle Pomici di Avellino è stata datata a 3.700 - 3.800 anni sulla base di età ^{14}C relative a diversi paleosuoli coperti dai suoi depositi; tale età è comunque perfettamente coerente con la presenza di ceramiche dell'Età del Bronzo antico sepolte in tali paleosuoli (Albore Livadie, 1981; Albore Livadie, 1982).

La successione completa dei prodotti emessi può essere osservata in fig. 9. Il deposito pomiceo di caduta si estende, una volta di più, verso NE, in direzione di Avellino (fig. 10); esso mostra una classazione inversa e le pomici grigie appaiono disperse su di una superficie più ampia di quanto non siano le pomici bianche. Questi fatti indicano che l'eruzione, almeno nelle sue fasi iniziali, incrementò di vigore nel tempo. Diversamente da quanto osservato per la distribuzione delle pomici di caduta, i depositi di surge, talora molto potenti, si estendono essenzialmente in direzione ONO: spessori di 1.5-2.0 m si rinvengono infatti fino a 10-15 Km ad Ovest del vulcano mentre già da 8 Km a NE essi sono praticamente ridotti a zero (fig. 11). Intercalati nella parte alta della fitta successione di surges cineritici si rinvengono dei sottili depositi più grossolani molto ricchi in litici (abbondanti i carbonati), legati probabilmente a ricaduta aerea. I depositi di colata piroclastica sembrano assai rari nella sequenza eruttiva delle Pomici di Avellino; a San Sebastiano (sez. 22) un deposito cineritico compatto dello spessore di circa 2.5 m può dubbiosamente essere riferito ad una attività di questo tipo.

L'ATTIVITÀ DEL VESUVIO TRA LE ERUZIONI DI AVELLINO E DI POMPEI

Depositi piroclastici ascrivibili a numerose eruzioni si rinvengono talora intercalati tra le sequenze delle due ultime eruzioni pliniane del Vesuvio. Essendo relativamente scarso il volume di magma di queste eruzioni, la continuità spaziale dei diversi depositi ad esse connessi è spesso molto carente, e ciò impedisce in genere di stabilire buone correlazioni stratigrafiche.

Il massimo spessore di prodotti riferibili a questo periodo di attività è stato osservato in una grande cava situata sulle pendici orientali del vulcano, nei pressi dell'abitato di Terzigno (sez. 17). Circa dieci metri di piroclastiti sono intercalati tra il paleosuolo sottostante i prodotti del 79 d.C. ed un altro piccolo paleosuolo, datato a 3.000 anni, che copre un deposito di ceneri pirolitiche dell'eruzione di Avellino. Pur non essendo riconoscibili chiare evidenze stratigrafiche di interruzione dell'attività vulcanica (episodi di erosione, paleosuoli), all'interno di tale successione è possibile riconoscere sequenze deposizionali relative ad eruzioni diverse, tentativamente distinte in fig. 11.

Un sottile livello di pomici bianche (air fall) giace sul paleosuolo datato a 3.000 anni seguito da un paio di cm di ceneri rosate, da un secondo livello di caduta costituito da piccole pomici e scoriette nere e, infine, da un secondo sottile livello cineritico. È probabile che questa sequenza rappresenti il risultato di una singola eruzione (" A " in fig. 11). Un deposito eterogeneo rimaneggiato in acqua segna una pausa nell'attività del vulcano; esso è coperto da una serie di livelli cineritici massivi, in genere ricchi in pisoliti, interrotta da un deposito di caduta (25 cm di spessore) costituito da pomicette verdi e da litici tra i quali sono presenti frammenti carbonatici (" B " in fig. 11). Al di sopra di un altro livello rimaneggiato, i prodotti della terza eruzione riconoscibile in questa sezione (" C ") sono costituiti da una serie di depositi cineritici massivi (con pisoliti) o finemente stratificati seguiti da un deposito di caduta di pomici scure (20 cm di spessore) e da un tufo vescicolato ricco in pomici, probabilmente legato alla messa in posto di una colata piroclastica " bagnata ". I depositi della quarta eruzione (" D ") sono rappresentati da prodotti genericamente ascrivibili ad attività di surge piroclastico coperti da due livelli cineritici compattati, probabile testimonianza anch'essi dello scorrimento di colate piroclastiche fangose.

Questi primi quattro episodi eruttivi, nel loro complesso, possono essere considerati l'espressione di un'attività essenzialmente esplosiva, con volumi di magma emesso assai mal valutabili, ma nel complesso assimilabili (soprattutto l'episodio " A ") a quelli che caratterizzano le eruzioni a scala intermedia del 472 e del 1631 d.C..

I depositi che si incontrano nella parte superiore della sezione sono significativamente differenti: si tratta di livelli scuri generalmente molto ben stratificati, costituiti da sabbie vulcaniche, piccole scorie, pomici e poca cenere, privi di intercalazioni che in qualche maniera possano suggerire lo scorrimento e la messa in posto di surges e colate piroclastiche; tali depositi testimoniano di un tipo di attività abbastanza simile a quello mostrato dal Vesuvio durante la sua storia più recente (1694-1944). La mancanza di colate laviche è evidentemente attribuibile allo sbarramento morfologico rappresentato dalla caldera del Monte Somma. Nell'area di Terzigno tale effetto è venuto a mancare a partire dal 1834 (prima colata lavica incontrata) a causa del progressivo colmamento della caldera che presenta il suo bordo più basso proprio a monte di Terzigno.

Alcune sezioni incomplete affioranti nel settore nordorientale del vulcano (3,4,5, 35) permettono il riconoscimento dei depositi relativi alle eruzioni, A, B e C di fig. 11 e suggeriscono una deposizione dei prodotti di caduta aerea lungo le direzioni NE di massima dispersione. Lungo le pendici settentrionali e nordoccidentali del Monte Somma i depositi di caduta sono sensibilmente più sottili e scarsamente correlabili con quelli della sezione 17; nella sezione 39 (fig. 11) sono riconoscibili quattro livelli di caduta separati da tre (discutibili) paleosuoli: il più basso di questi paleosuoli ha un'età ^{14}C di 3.500 anni. I due livelli pomicei inferiori non sembrano correlabili con alcun deposito della sezione 17, mentre il terzo livello somiglia abbastanza a quello dell'eruzione " A " (pomici verdi porfiriche a biotite mescolate a scoriette scure). Il deposito superiore è riferibile al medesimo tipo di attività che originò i depositi E, F, G ad H della sez. 17.

L'ERUZIONE DI POMPEI DEL 79 d.C.

L'eruzione pliniana del 79 d.Ç. (considerata l'esempio tipico di questa fenomenologia eruttiva) fu caratterizzata dall'eiezione esplosiva di enormi volumi di pomici e ceneri (approssimativamente tre Km³) in un tempo assai breve (meno di 30 ore) (Sheridan et al., 1981). La fase iniziale del fenomeno fu puramente magmatica con continue esplosioni di magma e gas e conseguente formazione di una colonna eruttiva di altezza superiore ai 20 Km, dalla quale, in un secondo tempo, si staccarono rovinose colate e surges piroclastici, assunti da Sheridan et al. (1981) quali evidenza del progressivo incremento nel tempo del carattere freatomagmatico dell'eruzione. Colate ed uragani di fango furono l'espressione distale di questa seconda fase eruttiva e, possibilmente, rappresentarono anche la fenomenologia vulcanica primaria di chiusura dell'eruzione, con caratteri, in questo caso, francamente freatici.

La testimonianza stratigrafica più completa della sequenza di eventi di questa terribile eruzione è conservata nello scavo (sez. 16) che ha riportato alla luce una splendida villa romana (nota come "Villa di Poppea") a Torre Annunziata (l'antica *Oplontis*). È questa la località alla quale si farà riferimento come sezione-tipo (fig. 12): un livello sottile di pomici bianche fonolitiche sfuma progressivamente verso l'alto in un deposito più spesso di pomici grigie la cui continuità è interrotta da tre livelli prevalentemente cineritici incrociati; la sequenza prosegue con una spessa serie di depositi "sandwave" e con due depositi di colata piroclastica il più basso dei quali è ricco in pomici. La parte superiore della sezione è costituita da cineriti massive contenenti abbondanti pisoliti.

Questa sezione secondo Sheridan et al. (1981) rappresenta una successione di eventi eruttivi differenti: pumice-fall, base-surge, pumice-flow, ash-flow e mud-hurricane. I diversi prodotti, fatta eccezione per i surges in facies sandwave, sono caratterizzati da un progressivo decremento della granulometria (fig. 13) e della temperatura di messa in posto.

La sequenza completa è osservabile in pochissime sezioni: la distribuzione dei prodotti infatti dipende fortemente dal meccanismo di messa in posto, il quale a sua volta sente l'influenza di molti fattori: energia dell'eruzione, granulometria del materiale, direzione dei venti, topografia, temperatura di messa in posto. I depositi prodotti da ciascun meccanismo eruttivo devono conseguentemente essere considerati separatamente.

I DEPOSITI DI CADUTA AEREA sono già stati studiati da Lirer ed al. (1983) e molte delle informazioni fornite nelle righe seguenti sono riassunte da tale lavoro. Il deposito copre un'area di forma ellittica che dal centro del vulcano si estende verso Sud-est (fig. 14) controllato nella sua distribuzione dall'altezza della colonna eruttiva, dalla velocità terminale di caduta delle particelle e, soprattutto, dalla direzione dei venti dominanti alle alte quote (più o meno al di sopra dei tre Km) alle quali si estende le nube convettiva. Le pomici bianche (1.1. Km³ di materiale) mostrano una distribuzione areale meno estesa delle pomici grigie (1.5. Km³) e la composizione del materiale juvenile varia gradualmente dalla base bianca di composizione fonolitica al tetto grigio fonolitico-tefritico. Nel deposito sono osservabili chiaramente aumenti sistematici del rapporto litici/pomici, del contenuto in rocce carbonatiche (fig. 15) e del grado di sorting.

I DEPOSITI DI SURGE PIROCLASTICO del Vesuvio nel complesso sono ancora poco noti nonostante che la loro messa in posto sia stata la principale causa della perdita di vite umane durante l'eruzione del 79 (come indubbiamente dimostrato dalla " posizione stratigrafica " nella quale calchi e scheletri sono stati ritrovati a Pompei ed Ercolano).

Questi depositi possono essere il risultato di quattro tipologie principali di messa in posto: 1. " base surge ", legati ad esplosioni molto superficiali con componente tangenziale cospicua; 2. " ground surge ", prodotti dal collasso di una colonna eruttiva ed essenzialmente legati alla compressione istantanea della massa d'aria interposta tra la nube collassante ed il suolo; 3. " ash cloud surges ", costituiti dal materiale fine elutriato al tetto delle colate piroclastiche alle quali essi sempre sono associati; 4. " mud hurricanes " (uragani di fango), che possono rappresentare i prodotti distali di tutte e tre le fenomenologie precedenti ma che possono altresì prodursi come fenomeno primario di eruzione con componente freatica molto rilevante.

La distribuzione dei depositi di surge durante l'eruzione di Pompei è significativamente influenzata dalle caratteristiche morfologiche del vulcano (fig. 14). Gli spessori maggiori (più di tre metri) caratterizzano infatti il solo settore meridionale ove i depositi di surge di estendono fino a 10 Km dal centro di emissione: è questo un evidente effetto della caldera del Monte Somma, a nord della quale gli spessori sono più ridotti ed i depositi spariscono a non più di 6-7 Km dal bordo calderico. Un certo effetto di canalizzazione operato dalle incisioni vallive del Monte Somma è poi abbastanza evidente in fig. 14.

Non sempre è facile riconoscere la fenomenologia di surge cui far risalire i depositi di questa eruzione. Sheridan et al. (1981) considerano dovuti a base surge quelli intercalati ed immediatamente sovrastanti i depositi di caduta. Oggi riteniamo però che una tale tipologia eruttiva difficilmente possa essersi verificata al Vesuvio e ci sembra più probabile attribuire a ground surges questi depositi che a Oplontis sono caratterizzati da stratificazione incrociata e relativo impoverimento in particelle fini (evidenze di alta temperatura, alta energia ed, ovviamente, assenza di acqua in fase liquida). I depositi di surge della parte superiore della sezione di Oplontis hanno caratteristiche differenti: essi sono infatti tipicamente massivi, sono formati da cenere molto fine e contengono abbondanti pisoliti; numerosi livelli di tufo vescicolato sono riferibili a facies distali di ash clouds e ad uragani di fango.

I DEPOSITI DI COLATA PIROCLASTICA hanno le esposizioni migliori lungo le pendici settentrionali ed occidentali del vulcano. Numerose unità di flusso sono state distinte ed attentamente studiate nella grande cava di Pollena (sezz. 11 e 12) cui fa riferimento specifico la descrizione che segue. La sequenza consiste di cinque unità di flusso la più bassa delle quali appare estremamente più ricca in pomici di quanto non siano le altre, sostanzialmente cineritiche. Le pomici della colata basale sono abbastanza arrotondate e la loro concentrazione decresce verso la parte alta dell'unità. I litici mostrano una zona di accumulo preferenziale in un livello spesso un paio di metri situato presso il tetto dell'unità e raggiungono dimensioni notevoli (fino a 0.5-0.6 m³). I depositi di ash flow hanno uno spessore complessivo variabile tra i 5 e gli 11 metri e sono separati da sottili letti sabbiosi caratterizzati frequentemente da strutture a duna (depositi di ash cloud, con ogni probabilità). Pomici e litici appaiono concentrati verso la base di ciascuna unità di flusso, con dimensioni molto raramente eccedenti i pochi centimetri di diametro massimo. Le variazioni laterali della successione di colate piroclastiche sono illustrate in fig. 16; si può tra l'altro notare come nella sezione D, situata già fuori della paleovalle riempita da queste colate, i quattro ash flows perdano la loro individualità ed appaiano sostanzialmente una singola unità con irregolari discontinuità.

Una correlazione tra le colate piroclastiche dell'eruzione di Pompei può essere tentata confrontando le sezioni 11 (Pollena), 13 (San Sebastiano), 25 (Ercolano) e 16 (Oplontis) nelle figure 12 e 16.

La messa in posto di questi prodotti è nettamente controllata dalla morfologia del substrato. In fig. 14 le curve isopache dei depositi piroclastici di flusso (spessore complessivo delle diverse unità) sono riportate su di una schematica morfologia attuale: si nota come la caldera del Somma, pur non rappresentando una barriera insormontabile, abbia concentrato nell'Atrio del Cavallo le nubi eruttive e le abbia dirette lungo i suoi bordi sia verso Ercolano che verso Oplontis. Il materiale che riuscì invece a scavalcare la caldera ha dato origine a colate piroclastiche che percorsero le valli radiali del Monte Somma per poi sboccare nella pianura. Lo spessore massimo di questi depositi si osserva ad una quota più o meno costante (tra i 200 ed i 300 m.s.l.m.).

I DEPOSITI DI LAHAR. Ad Ercolano (sez. 25) ed in altre località i depositi di lahar coprono direttamente la successione di colate piroclastiche ora descritte. È possibile che questi lahars siano il risultato dello stadio finale " bagnato " dell'eruzione, al quale sono riferibili anche i tufi vescicolati riconosciuti nei pressi di Pompei (sez. 32): ad alta temperatura infatti surges e colate piroclastiche sono saturi di vapore che, al di sotto dei 100°, condensa e provoca, se in quantità sufficiente, la transizione quasi impercettibile a lahar (Sheridan e Wohletz, 1981).

L'ATTIVITÀ DEL VESUVIO TRA IL 79 ED IL 1631

La storia scritta della vulcanologia comincia con l'eruzione del 79 d.C. grazie alla descrizione che ne ha lasciato Plinio il giovane, ma i primi secoli di questa storia sono bui e scarsamente conosciuti. I cronisti e gli storici del Tardo Impero e del Medio Evo, infatti, non avevano l'attitudine e la chiarezza scientifica di Plinio. I dati dei quali disponiamo fino al XVII secolo sono rari, saltuari, spesso poco comprensibili e di dubbia attendibilità.

Prima del 1631 sono storicamente note undici eruzioni del Vesuvio nonché qualche occasionale segnalazione di attività (di tipo stromboliano ?) al cratere.

Sul terreno, la scarsa consistenza e lo scarso numero di paleosuoli indicativi di pause significative di attività, rende assai difficile il riconoscimento di singoli eventi eruttivi. Un primo tentativo di trattazione sistematica dei depositi riferibili a questo periodo è stato recentemente effettuato da Rosi, Santacroce e Sheridan (1985) da cui è tratta la fig. 17. Tre eruzioni sono state riconosciute con precisione grazie a datazioni [14]C (472, 512, 1631), mentre l'attribuzione cronologica degli altri depositi riconosciuti resta abbastanza speculativa (fig. 18).

Dopo un periodo di moderata attività susseguente all'eruzione del 79, la prima importante eruzione si verifica, secondo quanto segnalato da Dione Cassio (in Alfano e Friedlaender, 1929), nel 203 ed ha un carattere prevalentemente esplosivo. Depositi di caduta aerea (lapilli neri) attribuibili a questa eruzione sono riconoscibili nel canale dell'Arena (Johnston-Lavis, 1884) ed a Terzigno (sez. 17).

L'ERUZIONE DEL 472. Successivamente all'eruzione del 203 sembra accertata l'esistenza di un periodo di moderata attività fino al 235; da questa data le informazioni diventano incerte e contraddittorie (vedi anche Stothers e Rampino, 1983) sino al 472 (anche questa data in realtà non è molto sicura: potrebbe essere un anno qualsiasi tra il 469 ed il 474), anno in cui una violenta eruzione esplosiva sconvolge l'area circumvesuviana. L'evento, noto come " eruzione di Pollena ", è stato recentemente studiato in dettaglio da Rosi e Santacroce (1983), da cui è tratta la fig. 19 che schematizza la successione dei depositi osservata, la loro distribuzione ed il significato vulcanologico ad essi attribuito.

I primi prodotti emessi sono costituiti da pomici verdoline molto porfiriche che formano depositi di caduta assai ben rappresentati nel settore nordorientale del vulcano. I dati disponibili sugli spessori di questi depositi hanno permesso la ricostruzione delle curve isopache di fig. 19 e la stima del loro volume a 0,16 Km³. Sottili depositi riferibili a surge piroclastico coprono i livelli di caduta fino ad una distanza superiore a 10 Km in direzione ENE (Palma Campania) mostrando in genere transizioni a tufi vescicolati negli affioramenti distali.

L'eruzione del 472 fu caratterizzata dalla messa in posto di imponenti colate piroclastiche i cui depositi sono riconoscibili essenzialmente nel settore nordoccidentale del vulcano. Tali depositi riempiono spesso strette paleovalli e diminuiscono bruscamente di spessore al momento in cui le valli si allargano nella pianura. Quattro differenti unità di flusso sono abbastanza costantemente riconoscibili; le prime due e l'ultima sono tipici depositi di ash-flow che contengono sparsi e grossi ejecta; la terza unità è costituita da un deposito caotico, non saldato, formato da grosse scorie grigio-scure, abbastanza leggere, molto porfiriche a leucite e clinopirosseno immerse in una matrice sabbiosa contenente anche blocchi di vecchie lave e frammenti vegetali carbonizzati. Nel complesso si può parlare di un tipico deposito di nube ardente. A Pollena (sez. 12) la successione eruttiva termina con un deposito grossolano (" tuff breccia ") composto da scorie palagonitizzate e frammenti litici sparsi in una matrice fangosa compatta di colore brunastro, interpretabile come risultato della messa in posto di una colata piroclastica " bagnata ".

Le direzioni delle paleovalli riempite dalle colate piroclastiche sono grossolanamente radiali rispetto al cono vesuviano (fig. 19) e riflettono nel complesso il drenaggio attuale. Le direzioni di messa in posto dei surges sembrano invece non essere connesse con la posizione della bocca eruttiva: ciò sembra suggerire per tali depositi meccanismi di formazione tipo ash cloud o ground surge.

LE ERUZIONI PRECEDENTI IL 1631. Nella cava di Terzigno (17) i depositi dell'eruzione del 472 sono coperti da tre sottili livelli di sabbia e cenere vulcaniche nere (attività prevalentemente effusiva al cratere centrale ?) che sfumano verso l'alto in un sottile paleosuolo datato a 1550 ± 60 anni, con ogni probabilità riferibile all'eruzione del 512 qui rappresentata da un deposito di caduta aerea spesso circa 40 cm e costituito da lapilli scuri spugnosi, assai alterati.

Prodotti analoghi sono stati spesso riconosciuti soprattutto nel settore nordorientale del vulcano intercalati tra i depositi delle eruzioni del 472 e del 1631. In genere essi sono coperti, con un paleosuolo interposto, da un secondo livello di caduta, di spessore più o meno equivalente, caratteristico per la colorazione ocracea, dovuta all'alterazione, delle pomici che lo costituiscono.

Nel settore meridionale del vulcano tra i due livelli di caduta sono intercalate almeno due colate laviche, sotto la più vecchia delle quali è stato riconosciuto, nella sezione 26, un deposito di colata piroclastica sicuramente successivo al 472.

Nel complesso non è facile trovare una concordanza accettabile tra i dati storici e quelli stratigrafici a tutt'oggi disponibili. Gli episodi lavici potrebbero essere riferiti al periodo compreso tra il 968 ed il 1037 che sembra essere stato caratterizzato da intensa attività effusiva: in questo caso il deposito pomiceo di caduta con alterazione ocracea dovrebbe rappresentare l'eruzione, a carattere essenzialmente esplosivo, del 1139.

Resterebbero quindi da individuare le eruzioni del 685 e del 787; uno studio di dettaglio del settore meridionale del vulcano, al di sotto degli episodi lavici cui è stato sopra accennato potrebbe portare elementi risolutivi.

L'ERUZIONE DEL 1631. Gli studi di terreno sui depositi di questa eruzione sono attualmente ancora in fase di completamento; il quadro che viene di seguito fornito ha quindi un carattere preliminare ed intende delineare solo qualitativamente le caratteristiche dell'eruzione.

Il primo punto importante da rimarcare riguarda il suo carattere esplosivo: gli studi effettuati sul terreno non hanno finora portato al riconoscimento di lave riconducibili a questo evento: tutte le colate descritte prima da Le Hon (1865) e poi da Burri e Di Girolamo (1975) sono infatti risultate indiscutibilmente più vecchie del 1631 e, come prima discusso, probabilmente riconducibili al periodo 968-1037.

Nel settore nord-orientale del vulcano sono riconoscibili i depositi di caduta aerea: si tratta di scorie pomicee con spessori massimi intorno al metro. Tipicamente il deposito mostra una variazione nel colore delle scorie che da verdastre chiare alla base diventano grigio scure al tetto. Le scorie sono molto porfiriche a leucite, clinopirosseno e biotite e la porfiricità sembra aumentare verso l'alto.

Mediamente il deposito presenta una gradazione inversa con componenti juvenili più minute alla base e più grossolane al tetto. I litici sono abbastanza abbondanti e sono costituiti da lave, skarn, calcari termometamorfici e scarse rocce cumulitiche; la loro quantità aumenta verso il tetto del deposito.

I depositi di colata piroclastica riferibili al 1631 sono ben esposti nel settore compreso tra Terzigno e Torre del Greco dove raggiungono spessori massimi intorno ai cinque metri. Solo in poche sezioni essi si sovrappongono direttamente ai depositi di caduta (zona Ottaviano). Per lo più è individuabile una sola unità di flusso costituita da materiale cineritico non saldato in cui si rinvengono abbondanti litici di origine profonda (cumuliti, calcari termometamorfici, ecc.), scorie verdognole porfiriche a leucite, clinopirosseno e biotite analoghe a quelle che costituiscono il tetto dei depositi di caduta, legni carbonizzati. Tali legni appaiono talora (a Terzigno, per es.) completamente ridotti in cenere (combustione e non carbonizzazione) ad indicare l'elevata temperatura di messa in posto della nube.

Al tetto dei depositi è spesso presente un sottile livello di ceneri rosate riferibile alla messa in posto di ash clouds. Tale livello mostra spesso transizioni a tufo vescicolato.

La successione eruttiva è spesso chiusa da depositi di lahar. Nel complesso le caratteristiche dei depositi di questa eruzione sono, come già discusso, abbastanza simili a quelle dell'eruzione di Pollena del 472, forse con volumi di materiale in gioco leggermente inferiori. La scarsa continuità orizzontale dei depositi di colata pirocalstica suggerisce per essi un forte condizionamento morfologico con possibilità di fuoriuscire dalle valli limitata al materiale più fine, altamente fluidizzato, al tetto della nube.

CONSIDERAZIONI CONCLUSIVE

Il vulcanologo può utilmente contribuire ad un volume a carattere prevalentemente archeologico anche fornendo indicazioni sugli sconvolgimenti ambientali che le diverse fenomenologie eruttive presentate a più riprese dal Vesuvio possono aver prodotto.

Gli scavi di Pompei, Ercolano ed Oplontis se da una parte ben illustrano i catastrofici effetti di una eruzione come quella del 79 d.C. sui maggiori centri abitati, dall'altra non ne possono che parzialmente mettere in luce la dimensione areale. Una semplice analisi della distribuzione dei prodotti di questa eruzione (fig. 14) evidenzia infatti una superficie di devastazione enormemente più ampia. In pratica si può affermare che tutte le aree interessate dallo scorrimento di colate pricolastiche e/o dalla messa in posto di surges ebbero a subire sorte analoga a quella di Pompei, con distruzione totale delle costruzioni e sopravvivenza pressoché nulla degli abitanti; anche l'area sepolta sotto più di un metro di pomici di caduta, in una situazione in questo caso di ampia sopravvivenza, fu caratterizzata sicuramente da enormi distruzioni.

Catastrofi di analoghe dimensioni areali sono associabili a tutti i maggiori eventi pliniani del Vesuvio: Avellino (3.800 a.b.p.), Mercato (7.900 a.b.p.), Verdoline (13.500 a.b.p.), Base (17.000 a.b.p.) e forse, Codola (25.000 a.b.p.).

Nel discutere l'impatto che queste eruzioni ebbero sulla società umana ci sembra abbastanza ovvia la necessità di tenere in considerazione le epoche diverse nelle quali i fenomeni si verificarono. Se infatti, pur nelle immani dimensioni del disastro, le conseguenze che la cosmopolita civiltà di Roma imperiale ebbe a subire dall'eruzione del 79 furono probabilmente di scarso rilievo storico per la sua organizzazione socio-economica, così certamente non fu per le civiltà più primitive che affrontarono analoghi eventi essendo poverissime, se non prive, di collegamenti geografici e culturali con i popoli delle aree limitrofe.

Pur nella nostra dichiarata incompetenza in materia, ci sembra ragionevole che lo storico e l'archeologo tengano in conto la possibilità che, a seguito di eventi quali quelli discussi, intere civiltà possano essere state distrutte e spazzate via dalla storia nel corso di un solo giorno. Gli sconvolgimenti provocati da eruzioni di tipo pliniano modificano anche profondamente l'assetto territoriale, ma la natura dei prodotti emessi è tale per cui la terra torna fertile e feconda in tempi brevissimi. I tempi perché un altro evento cataclismico si riproduca sono invece lunghissimi. L'uomo, reso inconsapevole dalla sua corta memoria, ritorna e ricostruisce sempre.

APPENDICE

UBICAZIONE SEZIONI STRATIGRAFICHE MISURATE

n. sezione	località	Tavoletta IGM
1	Traianello (cava Coop. Vesuviana)	Pomigliano d'Arco
2	Vallone Palmentiello	Pomigliano d'Arco
3	Vallone Palmentiello	Pomigliano d'Arco
4	Lagno di S. Teresella (cava colmata)	S. Giuseppe Vesuviano
5	Cave Trapolino	S. Giuseppe Vesuviano
6	Ottaviano	S. Giuseppe Vesuviano
7	Ottaviano	S. Giuseppe Vesuviano
8	Ottaviano	S. Giuseppe Vesuviano
9	Valle Grande	Pomigliano d'Arco
10	Somma Vesuviana	Pomigliano d'Arco
11	Cave di Pollena	Pomigliano d'Arco
12	Cave di Pollena	Pomigliano d'Arco
13	Cave di San Sebastiano	Pomigliano d'Arco
14	Strada per l'Osservatorio Vesuviano	Pomigliano d'Arco
15	Strada per l'Osservatorio Vesuviano	Pomigliano d'Arco
16	Scavi di *Oplontis* Villa di Poppea (T. Annunziata)	Boscoreale
17	Cave di Mauro Vecchio (Terzigno)	Boscoreale
18	Piazzola (cava colmata)	S. Giuseppe Vesuviano
19	Cave dell'autostrada presso Palma Campana	S. Giuseppe Vesuviano
20	Cave di Pomigliano (loc. Passariello)	Pomigliano d'Arco
21	Cave di Pomigliano (masseria Fornaro)	Pomigliano d'Arco
22	Cave di Villa Marsiglia	Pomigliano d'Arco
23	Cupa Falanga presso Cappella Bianchini	Vesuvio
24	Cupa Sabbione presso Cappella Bianchini	Vesuvio
25	Ercolano	Vesuvio
26	Cave di Villa Inglese	Vesuvio
27	Pompei Scavi - Porta di Nola	Boscoreale
28	Località I Romani presso Madonna dell'Arco	Pomigliano d'Arco
29	Autostrada per Avellino tra Monteforte Irpino e Mugnano del Cardinale	Fuori della carta schematica di fig. 1
30	Avellino (presso uscita Ovest Autostrada)	Fuori della carta schematica di fig. 1
31	Monteforte Irpino	Fuori della carta schematica di fig. 1
32	Km 65 Strada Statale tra Monteforte Irpino e Mugnano del Cardinale	Fuori della carta schematica di fig. 1
33	Mugnano del Cardinale	Fuori della carta schematica di fig. 1

34	Cave di Mugnano del Cardinale	Fuori della carta schematica di fig. 1
35	Ottaviano	S. Giuseppe Vesuviano
36	Vallone Palmentiello	Pomigliano d'Arco
37	Cave di Visciano	Fuori della carta schematica di fig. 1
38	Cave del Lagno Amendolare	Pomigliano d'Arco
39	Cave Primavera	Pomigliano d'Arco
40	Cave Primavera	Pomigliano d'Arco
41	Località Traianello	S. Giuseppe Vesuviano
42	Cave Pomigliano (presso Masseria del Duca)	Pomigliano d'Arco
43	Cave di Cercola	Pomigliano d'Arco
44	Cava della cupa dell'Olivella	Pomigliano d'Arco
45	Bosco presso S. Gennaro Vesuviano	S. Giuseppe Vesuviano
46	Cava (colmata) delle cinque Vie	S. Giuseppe Vasuviano
47	Cava di Casola	S. Giuseppe Vesuviano
48	Cave di Castel San Giorgio presso Nocera	Fuori della carta schematica di fig. 1
49	Cave di Casoli presso Nocera	Fuori della carta schematica di fig. 1
50	Stazione di Codola presso Nocera	Fuori della carta schematica di fig. 1
51	Cave di Cercola	Pomigliano d'Arco
52	Autostrada Napoli-Salerno presso bivio per Bari	Vesuvio
53	Autostrada Napoli-Salerno presso svincolo per la tangenziale	Vesuvio

RIFERIMENTI BIBLIOGRAFICI

ALBORE LIVADIE C. (1981) - *Palma Campania (Napoli) - Resti di abitato dell'età del bronzo antico*. Notizie degli Scavi di Antichità, 8, 34, pp. 59-101.

ALBORE LIVADIE C. (1982) - *A propos d'une éruption préhistorique du Vésuve: contribution à la recherche sur l'Age du Bronze en Campanie*. Atti del Convegno internazionale sulla regione sotterrata dal Vesuvio, Napoli, 1979, pp. 836-905.

ALESSIO M., BELLA F., IMPROTA S., BELLUOMINI G., CALDERONI G., CORTESI C., TURI F. (1974) - *University of Rome Carbon - 14 dates XII*. Radiocarbon, 16, 3, pp. 358-367.

ALFANO G. B. e FRIEDLAENDER I. (1929) - *La storia del Vesuvio illustrata dai documenti coevi*. Ulm. a.d. Donau, K. Hölm, pp. 69 e seg. (Bibl. Osserv. Vesuviano).

BARBERI F., INNOCENTI F., LIRER L., MUNNO R., PESCATORE T., SANTACROCE R. (1978) - *The Campanian Ignimbrite: a mayor prehistoric eruption in the neapolitan area (Italy)*. Bull. Volcanol. 41, pp. 1 e seg.

BARBERI F., ROSI M., SANTACROCE R., SHERIDAN M. F. (in stampa) *Volcanic hazard zonation: Mt. Vesuvius*. '' Eruptive disastres forecasting '', H. Tazieff ed., Elsevier publ. Co. .

BERNASCONI A., BRUNI P., GORLA L., PRINCIPE C., SBRANA A. (1981) - *Risultati preliminari dell'esplorazione geotermica profonda nell'area vulcanica del Somma-Vesuvio*, Agip S.p.A., S. Donato Milanese.

BRACCINI G. C. (1632) - *Dell'incendio fattosi sul Vesuvio a 16 di Dicembre 1631 e delle sue cause ed effetti*. Napoli, Roncagliolo (Bibl. Osserv. Vesuviano).

BURRI C. e DI GIROLAMO P. (1975) - *Contributo alla conoscenza delle lave della grande eruzione del Vesuvio del 1631*. Rend. Soc. It. Min. Petr., 30, 2, pp. 705-739.

CRANDELL and MULLINEAUX (1973) in FISCHER R.V. (1979) - *Models for pyroclastic surgers and pyroclastic flows*. I. Volcanology Geoth. Res., 6, pp. 305-318.

DELIBRIAS G., DI PAOLA G. M., ROSI M. e SANTACROCE R. (1979) - *La storia eruttiva del complesso vulcanico Somma-Vesuvio ricostruita dalle successioni piroclastiche del Monte Somma*. Rend. Soc. It. Min. Petr., 35, 1, pp. 411-438.

GIULIANI G. B. (1632) - *Trattato del Monte Vesuvio e dei suoi incendi*. Napoli, Longo (Bibl. Osserv. Vesuviano).

JOHNSTON LAVIS H. J. (1884) - *The geology of the Mt. Somma and Vesuvius: being a study of volcanology*. Q. Journal Geol. Soc. London, 40, pp. 35-149.

LE HON H. (1865) - *Histoire compléte de la grande éruption du Vésuve de 1631*. Bull. Acc. R. Belg., s. II, 20, pp. 8 e seg. Bruxelles.

LIRER L., PESCATORE T., BOOTH B., WALKER G.P.L. (1973) - *Two plinian pumice-fall deposits from Somma-Vesuvius, Italy*, Geol. Soc. Am. Bull., 84, pp. 759-772.

MOORE J.G., NAKAMURA K. e ALCARAZ A. (1966) - *The 1965 eruption of Taal volcano*. Scienze, 151, pp. 955-960.

PRINCIPE C., ROSI M., SANTACROCE R., SBRANA A. (1982) - *Workshop on explosive volcanism - Guidebook of the field excursion to Phlaegrean Fields and Vesuvius*. C.N.R. Dipartimento di Scienze della Terra. Pisa.

RITTMANN A. (1950) - *Sintesi geologica dei Campi Flegrei*. Boll. Soc. Geol. It., 69, pp. 117-128.

ROSI M. e SANTACROCE R., (1983) - *The A.D. 472 '' Pollena '' eruption: a poorly known plinian event in the recent history of Vesuvius* in M.F. Sheridan and F. Barberi (editors), " Explosive Volcanism ", J. Volcanol. Geotherm. Res., 16.

ROSI M., SANTACROCE R., SHERIDAN M.F. (1981) - *Volcanic hazards of Vesuvius, Italy*. Bull. B.R.G.M., IV (2), pp. 169-179.

ROSI M., SANTACROCE R., SHERIDAN M.F. (1983) - *Evidences for a periodically replenished shallow chamber at Vesuvius: Hazard implications*. (abstract). IUGG XVIII General Assembly, Hamburg.

ROSI M., SBRANA A., PRINCIPE C. (1983) - *The Phlaegrean Fields; structural evolution, volcanic history and eruptive mechanism*. I. Volcanology Geoth. Res. .

ROSI M., SANTACROCE R. (in preparazione) - *The 1631 eruption of Vesuvius: its volcanological reinterpretation after historical and geological data*.

SANTACROCE R. (1983) - *A general model for the behavior of the Somma-Vesuvius volcanic complex*, in M.F. Sheridan and F. Barberi (editors), Explosive Volcanism, J. Volcanol. Geotherm. Res., 16.

SHERIDAN M.F., BARBERI F., ROSI M., SANTACROCE R. (1981) - *A model for plinian eruptions of Vesuvius.* Nature, 289, pp. 282-285.

SHERIDAN M.F., WOHLETZ K.H. (1981) - *Hydrovolcanic explosions. The systematics of water-pyroclast equilibration.* Scienze, 212, pp. 1387-1389.

SIGURDSSON H., CASHDOLLAR S. e SPARKS R. S.J. (1982) - *The eruption of Vesuvius in A.D. 79: reconstruction from historical and volcanological evidence.* Am. J. Archaeology, 86, pp. 39-51.

SPARKS R.S.J. (1976) - *Grain size variations in ignimbrites and implications for the transport of pyroclastic flows.* Sedimentology, 23, pp. 147-188.

SPARKS R.S.J. e WALKER G.P.L. (1973) - *The ground surge deposit: a third type of pyroclastic rock.* Natur Physical Science. 241, pp. 62-64.

SPARKS R.S.J. e WILSON L. (1976) - *A model for the formation of ignimbrites by gravitational column collapse.* J. Geol. Soc. London, 132, pp. 441-451.

STOTHERS R.B. e RAMPINO M.R. (1983) - *Volcanic eruptions in the Mediterranean before A.D. 630 from written and archaeological sources.* J. Geophys. Res. .

WALKER G.P.L. (1977) - *Metodi Geologici per la valutazione del Rischio vulcanico.* Atti del Convegno: I vulcani attivi dell'area Napoletana. pp. 53-60. Regione Campania, Napoli.

WOHLETZ K.H. e SHERIDAN M.F. (1979) - *A model of pyroclastic surge* in Chapin C.E. and Elston W.E. (editors). Ash-flow tuffs, Geol. Soc. Am. Spec. Paper 180, pp. 177-194.

DIPARTIMENTO DI SCIENZE DELLA TERRA.
UNIVERSITÀ DI PISA.

MAURO ROSI - ROBERTO SANTACROCE

AMODIO MARZOCCHELLA

L'ETÀ PREISTORICA A SARNO. LE TESTIMONIANZE ARCHEOLOGICHE DI FOCE E SAN GIOVANNI.

(pl. X-XXVII)

Noto nella letteratura archeologica per le necropoli protostoriche (1) e le testimonianze di età ellenistico-romana (2), l'agro sarnese ha ora rivelato, grazie alle indagini condotte dalla Sovrintendenza archeologica per le province di Salerno-Avellino-Benevento (3), chiare evidenze di una intensa e prolungata frequentazione preistorica (4).

Le ricognizioni archeologiche presentate in questo articolo sono state condotte nelle località Foce e San Giovanni, ma solo a Foce, nelle immediate vicinanze del teatro ellenistico, sono stati eseguiti saggi di scavo. Per S. Giovanni si dispone, al momento, di pochi ma significativi materiali provenienti da uno sbancamento.

Entrambe le località, distanti tra loro circa 2 Km., sono ubicate presso due delle sorgenti del fiume Sarno, sulle pendici dei monti che delimitano a nord-est l'agro sarnese.

I dati in nostro possesso permettono di delineare un primo quadro della frequentazione preistorica che risulta compresa tra un momento avanzato del neolitico medio e la media età del bronzo appenninica (5). Ad eccezione di quest'ultimo periodo attestato in loc. S. Giovanni tutta la frequentazione precedente è nota dai saggi condotti in loc. Foce. Di questi viene preso in esame il saggio 1 aperto nel taglio di una parete determinata da uno sbancamento (6).

Detto saggio, condotto a partire dall'humus vegetale attuale, è stato sospeso al raggiungimento di un potente strato di pomici che ne ha impedito, dopo aver seguito per 10 metri le testimonianze archeologiche e geologiche del luogo, il proseguimento in profondità.

---

(1) GASTALDI, 1979, pag. 13 ss.; D'AGOSTINO, 1979, pag. 59 ss. In essi i riferimenti bibl. precedenti. Sugli ultimi scavi nelle necropoli di S. Marzano e S. Valentino cfr. ROTA, 1981, pag. 373 ss.

(2) ELIA, 1938, pag. 1 ss.; SESTIERI, 1949, pag. 175 ss.; NAPOLI, 1965, pag. 193 ss.; JOHANNOWSKY, 1982, pag. 1018 ss.; DE CARO-GRECO, 1981, pag. 142 ss.

(3) Ringrazio il Sovrintendente prof. W. Johannowsky, la dott.ssa L. Rota ed il personale del Museo Comunale di Sarno per aver reso possibile la realizzazione della ricerca cui ha partecipato con perizia e tenacia l'ass. sig. M. Manfredonia.

Lo scavo si è avvalso della attenta partecipazione dei sigg.ri A. Squillante, A. Annunziata e A. Mancuso. La documentazione grafica e fotografica inizialmente curata dai sigg.ri M. Bello e A. Giordano è stata completata dalle sig.ne C. De Filippo e M. Gallo. Al restauro ed alle operazioni connesse hanno partecipato A. Nacchia, A. De Balzo, A. Cammarano e M. Senatore. I disegni dei reperti sono della sig.na L. Paciullo. La composizione delle tavole è della sig.na M. Pierobon (Centre Jean Bérard).

(4) Vaghi riferimenti relativi al rinvenimento di oggetti litici preistorici nell'agro nocerino-sarnese sono in NICOLUCCI, 1874, pag. 5. L'unica testimonianza archeologica definita è costituita dalla tomba di Nocera Inferiore. In merito cfr. le considerazioni di PERONI, 1971, pag. 300 ss. e Id., 1985, pag. 24. Per le ricerche in corso cfr.: MARZOCCHELLA, 1983; Id., 1984; Id., 1985 a, pag. 279 ss.

(5) La fine dell'età del Bronzo e l'inizio dell'età del Ferro sembrano attestate da esigui frammenti dello strato 13.

(6) Sull'individuazione dell'area archeologica di Foce cfr. NAPOLI, 1965, pag. 193. Negli scavi che seguirono furono rinvenuti sporadici frammenti di età neolitica. La necessità di chiarire il significato di tale presenza è all'origine delle nuove ricerche.

Riferisco la stratigrafia notata (Tav. X):

str. 1) Humus vegetale composto da sabbia+pozzolana. Colore grigio, ht. cm. 40-50, formazione alluvionale.

str. 2) Cenere vulcanica compatta in giacitura primaria ma disturbata dalla vegetazione attuale. Ht. cm. 20-25.

str. 3) Lapillo grigio misto a sabbia (nube ardente del 472 d.C.?) in giacitura primaria ma disturbato dalla vegetazione attuale. Ht. cm. 25-35.

str. 4) Sabbia+pietrisco di piccolissime e medie dimensioni. Colore grigio chiaro, ht. cm. 15-25, formazione alluvionale. Conteneva ceramica campana a vernice nera e un minuscolo frammento d'impasto.

str. 5) Humus+sabbia con scarso pietrisco di piccolissime dimensioni. Colore grigio molto chiaro, ht. cm. 10-20, formazione alluvionale. Conteneva impasto preistorico e impasto tornito non determinabile.

str. 6) Pietrisco da piccolissime a grandi dimensioni misto a sabbia. Colore grigio chiaro, ht. cm. 12-27, formazione alluvionale. Conteneva ceramica a vernice nera (campana A), frammenti di mattoni e impasto preistorico non determinabile.

str. 7) Humus+sabbia+pomici. Colore simile allo strato 5, ht. cm. 10-40, formazione alluvionale. Conteneva ceramica a vernice nera, sigillata italica, frammenti di mattoni e impasto preistorico.

str. 8) Pomici miste a sabbia e humus. Colore giallognolo, ht. cm. 25-30 formazione alluvionale. Conteneva sigillata italica (?) e altra ceramica comune non determinabile.

str. 9) Sabbia. Colore grigio-scuro, ht. cm. 8-20, formazione alluvionale. Localmente interrotto dallo strato 8. Non ha restituito frammenti.

str. 10) Humus+sabbia+pomici con scarso pietrisco di piccole dimensioni. Potrebbe essere suddiviso in un livello A(= 2/3 strato) friabile e in un livello B (= 1/3 strato) leggermente compatto e privo di pietrisco. Colore grigio, ht. cm. 38-50, formazione alluvionale. Conteneva ceramica a vernice nera (campana A e C) ed impasto preistorico non determinabile.

str. 11) Pomici del 79 d.C. Colore grigio-chiaro, ht. cm. 0-30, leggermente dilavato e localmente interrotto dai dossi dello strato sottostante. Conteneva ceramica a vernice nera (campana B?) ceramica d'uso comune e impasto preistorico non determinabile.

str. 12) Humus+sabbia con scarso pietrisco di piccole e medie dimensioni. Colore grigio-scuro, ht. cm. 15-45, formazione alluvionale. Ha restituito evidenze di utilizzazione agricola precedenti il 79 d.C. (tav. XIV). Conteneva ceramica campana a vernice nera, ceramica da cucina ed impasto preistorico non determinabile.

str. 13) Humus+sabbia. Colore marrone chiaro, ht. cm. 25-38 di formazione alluvionale. Ha restituito un solo frammento di ceramica a vernice nera (infiltrato dallo strato superiore ?) e frammenti d'impasto preistorico forse databili tra la fine dell'età del bronzo e l'inizio dell'età del ferro.

str. 14a) Cenere compatta. Giacitura primaria, ht. cm. 16-23. Archeologicamente sterile.

str. 14b) Sabbia. Colore grigio-scuro ht. cm. 23-30, giacitura primaria. Archeologicamente sterile.

str. 15) Cenere (con lieve presenza di sabbia) humificata. Colore marrone-scuro ht. cm. 5-10, giacitura primaria. Ha restituito un solo frammento d'impasto preistorico di età non determinabile.

str. 16) Cenere con al centro lenti di sabbia. La base dello strato è più fine e compatta. Colore grigio alla base, tendente al marrone verso l'alto, ht. cm. 23-30, giacitura primaria. Archeologicamente sterile.

str. 17) Pomici di Avellino. Colore bianco, ma esternamente bruno per aver subito un leggero dilavamento, ht. cm. 20-25. Ha restituito frammenti d'impasto riferibili alla facies di Palma Campania infiltrati in esso dalla superficie dello strato sottostante.

str. 18) Humus misto a pomici. Colore marrone, ht. cm. 45-60, formazione alluvionale. Disturbato da una canalizzazione naturale. Ha restituito abbondante impasto riferibile alla facies di Palma Campania e sporadici cocci di ceramica figulina neolitica.

str. 19) Pomici miste ad humus e scarsa sabbia. Colore giallo, ht. cm. 0-15, formazione alluvionale. Non presente in tutta l'area del saggio o, comunque, non distinto o non distinguibile ovunque a causa del sottile spessore, risultava evidente solo nella zona ovest e nella parete esterna a sinistra del saggio stesso, direttamente sovrapposto ai resti della copertura del battuto N. 2 e, limitatamente, allo strato 20. Ha restituito scarsissimo impasto preistorico simile a quello dello strato superiore (str. 18) (Tav. XIII: 1-2).

str. 20) Humus misto a pomici. Colore marrone a chiazze gialle, ht. cm. 5-40, formazione alluvionale. Alla superficie dello strato erano presenti due battuti contemporanei (Tav. XIV-XV). Il N. 2, attestato nella porzione N.W. del saggio, è riferibile ad un fondo di capanna che si prolungava oltre l'area del saggio (Tav. XIII: 1-2), e risultava in parte sottoposto ai resti della relativa copertura in elementi straminei e argilla (ht. cm. 5-8).

Il N. 1 è, invece, riferibile ad un'area di calpestio esterna alla struttura cui si riferisce l'altro battuto.

Nella rimozione del battuto N. 2 e della relativa copertura sono stati recuperati pochi frammenti di facies Palma Campania.

Pochi altri frammenti sono stati recuperati nella rimozione dello strato, ma non presentano alcun elemento diagnostico.

str. 21) Humus misto a pomici con abbondante pietrame di medie e grandi dimensioni nella metà inferiore dello strato ove compare anche scarsa sabbia. Trattasi di una canalizzazione alluvionale che interessa l'intera area del saggio. Ht. cm. 30-65. Conteneva materiale riferibile al neolitico medio-finale.

str. 22) Humus misto a pomici. Colore bruno, ht. cm. 85-95, formazione alluvionale. Ha restituito abbondante materiale fittile databile da un momento avanzato del neolitico medio al neolitico finale (facies Capri-Ripoli (?), Serra d'Alto, Diana).

str. 23) Humus misto ad abbondanti pomici. Colore marrone, ht. cm. 55-63, formazione alluvionale. Privo di evidenze archeologiche.

str. 24) Cenere gialla. Giacitura primaria, ht. cm. 25-30. All'estremità sud-est del saggio erano presenti tre buche di cui una penetrava fin nel sottostante strato 25.

Risultavano riempite dalla cenere dello strato 24 e dall'humus+pomici dello strato 23. Tutte contenevano frustoli di carbone. Completamente assente il materiale fittile.

str. 25) Pomici. Colore giallo, ht. cm. 57-85, giacitura primaria.

str. 26) Cenere grigia. Giacitura primaria. Ht. cm. 8-18. Ad esso risultava sovrapposto, lungo la parete est del saggio, un canale alluvionale composto da sabbia e pietre di medie dimensioni, ht. cm. 0-45.

str. 27) Pomici miste a cenere e sabbia. Colore grigio-scuro, ht. cm. 0-30, formazione alluvionale. Esso ha tagliato i sottostanti strati 28-29 penetrando anche nel livello a dello strato 30.

str. 28) Cenere grigio-chiara in giacitura primaria. Ht. cm. 0-14.

str. 29) Sabbia+cenere. Colore grigio-scuro, ht. cm. 0-10, leggermente rimaneggiato.

str. 30) Pomici bianche. Ht. superiore a mt. 2 ma non determinabile definitivamente per la impossibilità a proseguire il saggio in profondità. É stato suddiviso in due livelli: a) di cm. 30 circa dato da pomici rimaneggiate; b) la restante parte dello strato in giacitura primaria.

Dopo un periodo di intensa attività vulcanica, testimoniato dagli strati di pomici e ceneri che intercalati a fenomeni alluvionali hanno determinato la formazione degli strati 30-23 (7) (Tav. X), si sono incontrate nello strato 22 le prime testimonianze antropiche.

Lo strato, composto di humus misto a pomici, dell'altezza di circa 1 mt. risultava di formazione alluvionale e conteneva, benché con maggiore concentrazione al centro, le testimonianze antropiche suddette per l'intero spessore.

La superficie esplorata, di modeste dimensioni, mt. 3 x 2 ca., a causa del continuo restringimento del saggio in profondità, non ha restituito altre evidenze archeologiche ad eccezione dei frammenti di ceramica e dei resti di fauna.

Si ha l'impressione che lo strato, asportato nello scavo con 5 tagli artificiali, sia il prodotto di un lento accumulo cronologicamente compreso nei limiti indicati dalla tipologia della ceramica neolitica (neolitico medio avanzato-neolitico finale) i cui insediamenti, probabilmente ubicati nell'area immediatamente a monte del saggio, dovrebbero risultare impostati sulla superficie dello strato 23 e all'interno dello strato 22.

Sporadici e minuti frammenti di ceramica neolitica non mancano negli strati superiori fino al raggiungimento delle pomici di Avellino (strato 17) ma il loro stato di conservazione, se confrontato con quello dei fr. dello strato 22, rivela una maggiore azione su di essi degli agenti geo-meteorici.

La conferma che nello strato 22 sia da riconoscere l'unico strato formatosi sul finire dell'età neolitica è data dalla comparsa in quello sovrastante (str. 21) di esigui materiali eneolitici (8).

La tipologia della ceramica indica che la prima occupazione, attualmente nota, di Foce-Sarno si ebbe probabilmente verso la fine del neolitico medio (facies a ceramica figulina tipo Capri-Ripoli e Serra d'Alto) e perdurò nel neolitico finale (facies Diana).

Il neolitico medio è attestato dalla presenza di ceramica figulina di ottima fattura, compatta, di colore variante dal rosa al giallo, farinosa al tatto nei casi in cui non risulta ingubbiata (9). Si distingue da questa classe per il colore grigio-verde un solo frammento pertinente ad una bassa ciotola carenata (10) (Tav. XI: 1).

Alla ceramica figulina ingubbiata appartiene un frammento pertinente ad una forma emisferica con motivo dipinto a fila di punti campiti da linee verticali (Tav. XI: 3) (11). Un altro motivo dipinto, a semplici linee, è su un minuscolo frammento informe (Tav. XI: 4). Esso, come gli altri che seguono, appartiene alla classe della ceramica figulina non ingubbiata. Gli altri elementi diagnostici sono dati da un frammento di parete con ansa a rocchetto recante un foro verticale presso l'estremità integra (Tav. XI: 6) (12), da un frammento di ansa con ravvolgimento ad S di tipo Serra d'Alto recante anch'essa un foro verticale (Tav. XI: 7) (13), da un fondo piatto con attacco di parete convessa (Tav. XI: 5) e dal collo di un vaso globoso (Tav. XI: 2).

(7) Allo studio dei problemi geologici e vulcanologici attende il dott. F. Angelelli del Servizio Geologico d'Italia.

(8) Si tratta di alcuni frammenti di ceramica embricata rinvenuti in un altro saggio.

(9) I frammenti in argilla figulina presentati provengono dai tagli 3-4 dello strato 22. Fanno eccezione i framm. alla Tav. XI: 2 e 6 rispettivamente raccolti nello strato 18 tag. 1 e nello strato 21 tag. 1.

(10) Per gli impasti in argilla figulina chiara e grigio-verde cfr. Capri: BUCHNER, 1954-55 pag. 112 ss.; Ripoli: CREMONESI, 1965, pag. 101. Basse ciotole carenate sono attestate a Ripoli, cfr.: CREMONESI, 1965, pag. 109, fig. 8: 4.

(11) Forme emisferiche e decorazione a punti marginati da linee sono attestate a Capri e Ripoli, cfr.: RELLINI, 1923, col. 328, Tav. II: 4-6; CREMONESI, 1965, pag. 109 e 126-127, fig. 10: 2, 6 e fig. 15.

(12) È largamente attestata in complessi di facies Serra d'Alto sia con esemplari in impasto grossolano che in argilla figulina acroma e dipinta. Cfr.: capanna fondo Gravela: RELLINI, 1925, pag. 285, fig. 24; Altamura: RELLINI, 1934, pag. 66, fig. 37; Lipari-Diana: BERNABÒ BREA e AL., 1960, pag. 32, Tav. VII: 12-13; Lipari-Castello: BERNABÒ BREA e AL., 1980, pag. 467, fig. 65j e pag. 475, fig. 63B; Lipari-Mulino a Vento: CAVALIER, 1979, pag. 79 ss., fig. 17d.

(13) Cfr. con un esemplare da Matera: RIDOLA, 1926, pag. 160 fig. 21b.

La ceramica del neolitico finale di facies Diana-Bellavista si presenta con un impasto mediamente depurato e con un altro nettamente grossolano. Entrambi gli impasti sono caratterizzati da una vasta gamma di colori che vanno dal nocciola rosato al grigio, al bruno, al nero (14). La forma dei vasi è sempre data da ciotole troncoconiche a parete rigida o convessa con anse a rocchetto impostate sull'orlo e da questo distinte mediante una leggera incisione (Tav. XI: 10-11) (15), un esemplare impervio è di dimensioni minuscole (Tav. XI: 12), un altro filiforme.

Unica è una presa a perforazione triangolare orizzontale (Tav. XI: 13) (16).

I restanti frammenti raccolti nello strato 22 (17) rientrano nei due tipi di impasto descritti per i frammenti di facies Diana ma hanno riscontri tipologici sia nella facies di Ripoli che in quella di Diana. Unico è un frammento di collo tronco-conico con orlo everso recante l'attacco di un'ansa o una bugna (Tav. XI: 14).

Tre frammenti con orlo arrotondato o appiattito possono essere riferiti a ciotole con parete convessa (Tav. XI: 15-17).

La forma prevalente è tuttavia data da ciotole tronco-coniche con orlo appiattito o arrotondato (Tav. XII: 1-2, 4, 5, 7). Un frammento pertinente a questa forma, reca un'ansa tubolare insellata (Tav. XII: 3), un altro è decorato sull'orlo da impressioni digitali (Tav. XII: 8). Impressioni digitali o a stecca ricorrono anche in alcuni dei frammenti pertinenti a forme ovoido-cilindriche (Tav. XII: 9-11). I fondi attestati sono sempre piatti (Tav. XII: 12-17).

Sulla base dei materiali presentati si può ipotizzare un'occupazione di Foce-Sarno almeno a partire da un momento finale dello sviluppo delle facies a ceramiche dipinte tipo Capri-Ripoli e Serra d'Alto. Tale occupazione, il cui inizio può essere collocato nella seconda metà del IV millennio, continuò nel neolitico finale con l'affermazione delle ceramiche tipo Diana-Bellavista.

I dati raccolti nel saggio sono utili indizi di una presenza culturale che necessita del proseguimento dello scavo per essere definita sia negli aspetti ergologici che nel ruolo svolto nell'ambito delle culture tardo-neolitiche dell'Italia centro-meridionale. Gli stessi dati risulteranno utili per una migliore comprensione del neolitico in Campania la cui conoscenza, anche per carenza di ricerche, è ferma su dati unici oppure occasionali (18).

Non vi è traccia nello strato 21 del saggio in esame di materiali eneolitici. La frequentazione del territorio di Foce nel corso del III millennio è tuttavia attestata da pochi cocci di ceramica embricata recuperati nel corrispondente strato di un saggio posto a breve distanza e tutt'ora non ultimato.

La documentazione archeologica fornita dal saggio in esame testimonia con gli strati 20-18 l'esistenza di un villaggio della prima età del bronzo di facies Palma Campania. Le strutture ad

(14) Manca la ceramica monocroma rossa attestata, in Campania, solo nel giacimento presso il tempio di Cerere a Paestum (VOZA, 1974, pag. 52) e a La Starza di Ariano Irpino (TRUMP, 1966, pag. 71). Tutti i frammenti con anse a rocchetto di facies Diana provengono dai tagli 2 e 3 dello strato 22. Fa eccezione il solo framm. alla Tav. XII: 8 raccolto nello strato 21.

(15) BERNABÒ BREA E AL., 1960, pag. 42 ss., fig. 20, Tav. XII: 1.

(16) BERNABÒ BREA E AL., 1980, pag. 487, Tav. CIV, 3, j. Prelude alle prese subcutanee del primo eneolitico, cfr.: BERNABÒ BREA E AL., 1980, pag. 501, fig. 86F, Tav. CVI, 3.

(17) Provengono tutti dai tagli 1-3 ad eccezione dei frammenti alla Tav. XII: 1,14 raccolti nel taglio 4 e del frammento alla Tav. XII: 10 raccolto nel taglio 5.

(18) Sul neolitico in Campania cfr.: D'AGOSTINO, 1981, pag. 15 ss. e ALBORE LIVADIE E AL., 1985.

esso relative, incontrate in questo saggio e nell'altro in corso, erano rispettivamente impostate alla superficie degli strati 20 e 18 che, solo nel saggio in questione, sono risultati separati dal fenomeno alluvionale costituito dallo strato 19.

Gli scavi futuri dovranno farci conoscere, unitamente alla consistenza e sistemazione delle strutture del villaggio, la dinamica dei fenomeni alluvionali che hanno comportato un cambiamento stratigrafico nell'impostazione stessa delle strutture del villaggio. Le strutture recenti, cioè quelle incontrate alla superficie dello strato 18 del saggio non preso in esame in questa nota (19), sono risultate direttamente sottoposte allo strato 17 determinato dalle pomici con sovrapposte ceneri (strato 16) relative all'eruzione c.d. di Avellino del Somma-Vesuvio. Nessun dato al momento esiste per mettere in relazione la fine del villaggio con l'eruzione. Le strutture recenti, infatti, sono risultate abbandonate prima della manifestazione vulcanica. Se questo dato non verrà smentito dai futuri scavi, l'abbandono del villaggio di Foce-Sarno risulterà anteriore alla distruzione del villaggio di Palma Campania messa in relazione con l'evento vulcanico (20). I dati di scavo del saggio in esame danno adito all'ipotesi che la formazione degli strati 19 e 18 altro non sia che il prodotto di un accumulo di materiale alluvionale che si sovrappone alle strutture disuse del villaggio. É questo il caso della capanna incontrata alla superficie dello strato 20 il cui scavo ha mostrato, a contatto con il piano di calpestio (=battuto 2), i resti della relativa copertura in elementi straminei.

Le ridotte dimensioni del saggio hanno portato in luce solo il limite est del fondo di capanna di cui non è possibile determinare la pianta (Tavv. XIV-XV). Esso risultava esteso per l'intera lunghezza del saggio e si prolungava per oltre 4 mt. sulla parete esterna a sinistra del saggio (Tav. XIII: 1-2). La pulizia della stessa parete ha messo in luce il relativo focolare le cui pareti continuavano il battuto del piano di calpestio della capanna. Il focolare risultava sigillato da uno strato di battuto (?) che, se tale, potrebbe indicare un cambiamento nell'organizzazione dello spazio interno della capanna.

L'assenza di buche per pali lungo la sezione della parete esterna lascia intendere che il limite sud-ovest della capanna doveva protrarsi oltre la parete stessa; ma, nulla può essere ipotizzato circa le dimensioni. Le buche (Tavv. XV-XVI: 1, 2, 3) poste all'interno del battuto 2, con diametro di cm. 20-25 e profondità di cm. 30 nelle buche 1-2 ma solo dieci nella buca 3, riempite di terreno grasso, talvolta con frustoli di carbone e tutte con piccole pietre di rincalzo per i pali, sono da considerare in funzione dell'alzato della capanna di cui è improbabile che costituiscano la struttura portante. Incerta è l'identità della buca n. 7, colma delle pomici alluvionali dello strato 19, posta all'estremo limite del saggio in un punto in cui il battuto 2 si collegava al battuto 1. Tre piccolissime buche, n. 5-6-7, erano situate all'interno di una rottura del battuto 2. Unico elemento interno alla capanna, oltre al focolare notato nella sezione della parete esterna, un lievissimo dosso preparato con pietre e terra mista ad argilla. Nella zona compresa tra il dosso e le buche 4-5-6 il battuto appariva rossastro e più compatto della restante parte di superficie scoperta. Depressioni poco profonde, colme di materiale grigio (cenere?), erano poste all'estremo limite del battuto presso la parete N-E del saggio. Una striscia di non battuto separava, per l'intera lunghezza del saggio ad eccezione dell'estremità S-W, il battuto 2 dal battuto 1, che consistente solo in un sottilissimo indurimento della superficie dello strato 20, è da considerare estraneo alla capanna anche se ad essa in qualche modo connesso (Tavv. XIV-XV).

La completa assenza sulla superficie di battuto relativo alla capanna di materiale *in situ* conferma l'ipotesi di un abbandono della struttura precedentemente alla sua distruzione. L'attribuzio-

(19) MARZOCCHELLA, 1983.
(20) ALBORE LIVADIE, 1980, pag. 67.

40

ne alla facies di Palma Campania è tuttavia testimoniata dalla presenza sia nella rimozione del battuto 2 che della relativa copertura di esigui ma caratteristici frammenti della facies culturale.

La presenza di strutture riconducibili ad una medesima facies su strati contigui indica che in futuro sarà forse possibile giungere ad una periodizzazione del villaggio e dei relativi elementi ergologici.

Le osservazioni condotte sui reperti fittili recuperati nel saggio (21) permettono una distinzione degli impasti in due gruppi.

Il primo è dato da un impasto semifine, con piccoli inclusi litici e organici, pareti trattate a stecca di colore nerastro ma anche nocciola rosato. La maggiore o minore compattezza unitamente alla quantità di inclusi presenti nell'impasto e al relativo spessore potrebbe determinare una ulteriore distinzione. Vi appartengono le tazze carenate con ansa a nastro sormontante, gli scodelloni tronco-conici con orlo everso, le olle biconiche (e globulari ?) con orlo everso o collo concavo, e piccole olle ovoido-cilindriche.

Il secondo impasto è molto grossolano, ricco di grossi inclusi litici e organici, anche aggiunti (scaglie di calcare e grumi di cocciopesto), per nulla compatto e con pareti grossolanamente steccate di colore nocciola-rosato a chiazze grigio-bruno-nerastre. Con esso furono foggiate grandi e piccole olle ovoido-cilindriche, vasi tronco-conici, scodelloni e sostegni a clessidra (?) (22).

Il complesso dei frammenti riconducibili alle tazze attestano la presenza di sagome simili a quelle note da Palma Campania (23). La forma prevalente è data da tazze carenate con vasca a calotta e fondo convesso o ombelicato (Tav. XVII: 3); due soli frammenti sembrano potersi attribuire ad un tipo di vasca conica (Tav. XVII: 1-2) (24). La parete, più o meno alta, è svasata e concava con diametro maggiore all'orlo (Tav. XVII: 4-9) (25). Ad una forma carenata con piccolo orlo verticale appartiene un frammento di tazza (Tav. XVII: 14) con ampia ansa a nastro sormontante (26). Unico ma non privo di parziale riscontro a Palma C. è un frammento (Tav. XVII: 13) di tazza con parete tesa, rientrante ed orlo everso (27). Un accenno di parete rientrante è anche in un frammento di vasca convessa con carena la cui sagoma non può ulteriormente essere definita (Tav. XVII: 12).

---

(21) I materiali presentati sono una scelta dei frammenti recuperati negli strati 20-17. I frammenti dello strato 17 provengono dalla parte inferiore dello strato a contatto con il sottostante strato 18.

(22) L'impasto semifine può corrispondere alle classi 1b, 2a, 2b di Palma C., quello grossolano alla classe 3 dello stesso sito. Cfr.: ALBORE LIVADIE, 1980, pag. 68 ss.

(23) ALBORE LIVADIE, 1980, pag. 69 ss., figg. 10-16.

(24) Cfr. La Starza: TRUMP, 1963, pag. 20, fig. 16d.

(25) Ulteriori cfr. sono a Vivara Punta Capitello saggio E: DAMIANI e AL., 1984, pag. 4, fig. 2: 6-7; Roccarainola (Monte Fellino) e Camposauro: ALBORE LIVADIE, 1979, pag. 875, pl. VI, figg. 15-16 e pl. VII, figg. 18-19; La Starza: TRUMP, 1963, pag. 20, fig. 16: d, f; Mirabella Eclano-Madonna delle Grazie, tomba 1 inv. 596: inedito; Mezzano I: FRANCO, 1982, pag. 63, Tav. XVI: MI-10, fig. 35, pag. 28, Tav. V e fig. 4: MI-26; grotta Beato Benincasa: RADI, 1981, pag. 81 ss., fig. 19: 3 e 5, fig. 20: 3 e 6, fig. 21: 4 e 10; Buccino-S. Mauro: HOLLOWAY, 1973, pag. 101 ss., pl. LXIX: 113 e 118, 114 e 117; grotta Cardini: BERNABÒ BREA, 1985, pag. 8, fig. 7: m, g, i; Piano del Pirazzetto: BIANCO, 1981, pag. 25, Tav. 7: h; Heraclea - zona B: Id., ib., pag. 42 ss., Tav. 16: f.

(26) Vivara P. Mezzogiorno: DAMIANI e AL., 1984, pag. 7, fig. 2: 8; BUCHNER e AL., 1978, pag. 230, fig. 17: 1 e 7; CAZZELLA e AL., 1975-80, pag. 184, fig. 10: 5. Vivara P. Capitello saggio E: CAZZELLA e AL., 1975-80, pag. 204, fig. 15: 5. Heraclea zona B: BIANCO, 1981, pag. 42 ss., Tav. 16: a, e, n.

(27) Grotta Cardini: BERNABÒ BREA, 1985, pag. 8, fig. 7: f ed h; La Starza: TRUMP, 1963, pag. 20, fig. 16: a, g; Palma C.: ALBORE LIVADIE, 1980, pag. 81 ss., figg. 19 e 21: 833; Naxos: PELAGATTI, 1964, pag. 152, fig. 8: c.

La tazza riprodotta alla Tav. XVII: 11 mostra un profilo sinuoso (28) ed il frammento alla Tav. XVII: 10 è riferibile ad una tazza emisferica in cui l'assenza della carenatura è sostituita da un sottilissimo spigolo nella metà inferiore della vasca (29). In entrambe, come nell'esemplare di cui alla Tav. XVII: 14 l'ansa era a largo nastro sormontante. La stessa ansa è presente su tre frammenti di tazze (Tav. XVIII: 1-3) riconducibili a forme carenate ed a calotta. Un complesso di frammenti di anse a largo nastro (Tav. XVIII: 4-11) può verosimilmente essere riferito alla classe delle tazze descritte, mentre ad olle ovoido-cilindriche, più avanti presentate, sembra pertinente il frammento di ansa a largo nastro di cui alla Tav. XVIII: 12. Unico è un frammento di appendice pseudo-asciforme (Tav. XVIII: 14) (30).

Ad uno scodellone (o piatto) tronco-conico con orlo a tesa è riferibile il frammento riprodotto alla Tav. X: 5 mentre una sagoma meno articolata, con orlo everso, mostra il frammento alla Tav. XIX: 6 (31).

Incerta resta l'attribuzione a questa classe o a quella delle olle biconiche di tre frammenti di orlo a tesa privi dell'attacco della parete (Tav. XVIII: 13, 15-16). Due di essi hanno rilevanza in quanto mostrano, nell'ambito di un complesso e di una facies culturale in cui la ceramica è sostanzialmente inornata, rispettivamente una decorazione ad excisioni sub-triangolari alternate e fasci di linee sottilmente incise. Sottili linee incise ricorrono anche su un frammento informe (Tav. XIX: 1) mentre profonde incisioni regolari e parallele sono attestate sui frammenti alla Tav. XIX: 2-3, certamente pertinenti ad uno stesso vaso (32). Un motivo plastico (Tav. XIX: 4) è dato da un frammento di dischetto rilevato, con probabile depressione, attestato a Palma C. sulla parete di un'olla biconica (33). A questa forma possono essere riferiti due frammenti (Tav. XVIII: 8-10) in cui al di sopra della spalla tronco-conica è innestato un ampio orlo a tesa (34). Ad una forma simile ma di minori dimensioni si riferisce un frammento (Tav. XIX: 11) in cui l'orlo ad ampia tesa è sostituito da una piccola sporgenza piatta; la stessa sagoma è presente in un frammento in impasto grossolano (Tav. XXIII: 1) (35).

(28) Palma C.: ALBORE LIVADIE, 1980, pag. 71, fig. 10: 672.

(29) Palma C.: ALBORE LIVADIE, 1980, pag. 76, fig. 14: 688. Parzialmente grotta Nicolucci: ALBORE LIVADIE, 1985, pag. 53, fig. 6: 2; Pertosa: CARUCCI, 1907, pag. 120, Tav. XVIII: 7.

(30) Il frammento è in impasto grossolano e costituisce, probabilmente, l'appendice di un'ansa a gomito.

Nell'ambito della facies di Palma C. possono essere richiamati un sostegno da Roccarainola - Monte Fellino e un'olla biconica da Camposauro: ALBORE LIVADIE, 1979, pag. 874, pl. V, fig. 10-11 e pag. 879, pl. XI, figg. 28-29. Un frammento identico è nella tomba 2 di Madonna delle Grazie a Mirabella Eclano: inv. 570, inedito; si cfr. anche un esemplare dal Gaudo: CAZZELLA, 1972, pag. 196, fig. 13: 2. Ulteriori cfr. possono essere individuati alla grotta del Beato Benincasa: RADI, 1981, fig. 13: 1, 5, fig. 29: 5, 7, 8, 10, fig. 30: 2-3; a Mezzano 1: FRANCO, 1982, pag. 57, Tav. XV: M1-10 e M1-22, pag. 67, Tav. XVI: M1-21 e Tav. XVII: M1-13, pag. 78, Tav. XIX: M1-28, pag. 83, Tav. XXI: M1-4, pag. 98, Tav. XXVI: M1-8, M1-3; a Laterza - tomba 4: BIANCOFIORE, 1967, pag. 244, fig. 48: 6 e 11; a Spigolizzi: INGRAVALLO e AL.., 1984, pag. 42, Tav. 40: 3-6 e Tav. 41: 1.

(31) Palma C.: ALBORE LIVADIE, 1980, pag. 78 ss., figg. 16-18; Lipari-Pignataro: BERNABÒ BREA, 1985a, pag. 51, fig. 28: k, l, m, o. Ulteriori cfr. a Vivara Punta Capitello saggio E: CAZZELLA e AL., 1975-80, pag. 206, fig. 16: 3 e 17: 4; grotta del Beato Benincasa: RADI, 1981, pag. 49 ss., figg. 17-18, fig. 20: 9 e fig. 21: 1; Torre dei Passeri: DE POMPEIS e AL., 1981, pag. 16, fig. 5: 12; Piano del Pirazzetto: BIANCO, 1981, pag. 26, Tav. 7: d, f.

(32) Motivi ottenuti con sottile incisione sono presenti a Palma C.: ALBORE LIVADIE, 1980, pag. 76, figg. 13-14: 689, pag. 81 ss., figg. 19-20: 833. Per la disposizione della decorazione su orli a tesa cfr. grotta del Beato Benincasa: RADI, 1981, pag. 71 ss., fig. 18: 3.

(33) Palma C.: ALBORE LIVADIE, 1980, pag. 86, fig. 21: 842.

(34) Palma C.: ALBORE LIVADIE, 1980, pag. 83 ss., fig. 21-22; Mezzano I: FRANCO, 1982, pag. 101, Tav. XXVII: M1: 26; Lipari-Pignataro: BERNABÒ BREA, 1985 a, pag. 51, fig. 28 a; Torre dei Passeri: DE POMPEIS e AL., 1981, pag. 16, fig. 5: 4; Piano del Pirazzetto: BIANCO, 1981, pag. 23, Tav. 4: c.

(35) Palma C.: ALBORE LIVADIE, 1980, pag. 87 ss., figg. 25: 849-850.

Il frammento alla Tav. XIX: 7 pertinente ad un vaso biconico in cui al di sopra della carena è innestata una piccola linguetta è certamente riferibile, per i riscontri nel complesso di Palma C. (36), alle olle biconiche appena descritte. Ad esse potrebbe essere riferito anche un frammento di parete con attacco di ansa a nastro (Tav. XIX: 9).

Incerta resta l'attribuzione ad olle biconiche o globulari di due frammenti rispettivamente con orlo everso e accenno di parete tronco-conica (Tav. XX: 2) e di alto collo a profilo concavo (Tav. XX: 1) (37).

Unico nel contesto è un fondo piatto con all'interno due ampie solcature perpendicolari (Tav. XIX: 12) (38). Nello stesso impasto semifine risulta foggiato un cucchiaio (Tav. XIX: 13).

Un ampio gruppo di frammenti sia in impasto semifine compatto che in impasto grossolano rinvia per le sagome ovoidi e per i particolari motivi decorativi alle brocche in impasto grossolano con anse a nastro sormontante di Palma Campania.

Il gruppo in impasto semifine compatto è tuttavia più vicino agli esemplari di Palma C. in quanto testimonia un medesimo gusto decorativo ottenuto mediante l'uso di tecniche simili.

Tre frammenti di orli sono decorati sul labbro da piccoli intacchi curvilinei e recano, alla sommità dell'orlo stesso, brevi nervature verticali (Tav. XX: 4) o bugnette coniche (Tav. XX: 5) da cui può pendere un sottile cordone decorato a intacchi (Tav. XX: 6) (39). Un frammento (Tav. XX: 7) con fondo piatto e corpo a botte è riferibile sia per l'impasto che per la sagoma a questo gruppo di vasi. Non mancano tuttavia sia in questo gruppo che nell'altro in impasto grossolano frammenti di orli con labbro piatto (Tav. XX: 8-9) o arrotondato (Tav. XX: 3) privi di decorazione (40). Gli esemplari in impasto grossolano sono caratterizzati da un labbro decorato ad impressioni digitali e recano poco al di sotto dell'orlo le medesime brevi nervature verticali (Tav. XX: 10-11).

Un solo frammento (Tav. XX: 12) presenta un piccolo orlo distinto verticale (41). A forme simili ma di maggiori dimensioni possono forse essere riferiti un frammento (Tav. XXI: 2) pertinente ad un vaso con corpo a botte e fondo piatto, un frammento (Tav. XXI: 1) di parete convessa con cordone ad impressioni digitali (42), un frammento (Tav. XXI: 3) di ansa a nastro leggermente insellata e due frammenti (Tav. XXI: 4-5) di pareti convesse con attacchi di anse a nastro.

Unico e non riferibile ad alcuna sagoma è un frammento (Tav. XXI: 6) di ansa a sezione sub-circolare.

A grandi vasi dalla forma tronco-conica profonda, con pareti convesse ed orli leggermente rientranti si riferiscono alcuni frammenti (Tav. XXI: 7, Tav. XXII: 1-3) caratterizzati dalla presenza sul labbro di impressioni digitali e, poco al di sotto di questo, da prese semicircolari o sub-

---

(36) Palma C.: ALBORE LIVADIE, 1980, pag. 83 ss., fig. 21: 838 e 840.

(37) Camposauro e Roccarainola - Monte Fellino: ALBORE LIVADIE, 1979, pag. 879, pl. X-XI, figg. 26-29. Si cfr. anche l'olla, i vasi biconici e le anfore da Mezzano I: FRANCO, 1982, pag. 97, Tav. XXV: M1-7, pag. 101, Tav. XXVII: M1: 1 e M1: 33, pag. 104, Tav. XXIX: M1: 26, pag. 110 ss., Tav. XXX: M1: 26, Tav. XXXI: M1-26. Lipari-Pignataro: BERNABÒ BREA, 1985 a, pag. 51, fig. 28 b.

(38) Mezzano I: FRANCO, 1982, pag. 34, Tav. VIII: M2: 36 e fig. 13; grotta dell'Orso di Sarteano: CREMONESI, 1968, fig. 27: 11; grotta della Manca: TINE, 1965, fig. 7: H.

(39) Palma C.: ALBORE LIVADIE, pag. 91 ss., fig. 27-29: 855-861.
Per la sola sagoma e il labbro decorato cfr. Vivara P. Mezzogiorno: BUCHNER e AL., 1978, pag. 235, fig. 18: 1.
Per la presenza di piccole bugne cfr. Cavallino: PANCRAZZI, 1979, Tav. 119: 15-19; Spigolizzi: INGRAVALLO e AL., 1984, Tav. 42: 7 e Tav. 44: 9.

(40) Palma C.: ALBORE LIVADIE, 1980, pag. 92, fig. 29: 859-860; Piano del Pirazzetto: BIANCO, 1981, pag. 24, Tav. 9 a.

(41) Vagamente cfr. Piano del Pirazzetto: BIANCO, 1981, pag. 24, Tav. 9 b.

(42) Mezzano I: FRANCO, 1982, pag. 154, Tav. XLIX: M1: 11.

rettangolari insellate dai cui attacchi si diramano cordoni anch'essi decorati da impressioni digitali (43). Incerta è l'attribuzione alla forma suddetta o a scodelloni tronco-conici di due frammenti (Tav. XXII: 2-4) rispettivamente pertinenti ad un orlo con labbro decorato da impressioni digitali e ad un fondo piatto con parete svasata. A scodelloni tronco-conici a pareti più o meno tese si riferiscono alcuni frammenti (Tav. XXII: 5-7) con labbro arrotondato o piatto, talvolta decorato con impressioni digitali e bugnette coniche sull'orlo (44). Ad una forma più aperta e bassa si riferisce un frammento (Tav. XXII: 8) con labbro decorato da impressioni digitali e con probabile corona di bugnette coniche sul corpo (45). Ad una scodella a calotta è pertinente il frammento alla Tav. XXII: 9.

Problematica è la lettura di alcuni frammenti di orli lievemente eversi (Tav. XXIII: 2, 4, 6) e di un frammento con orlo a tesa. (Tav. XXIII: 3).

Essi sono riferibili rispettivamente o a vasi situliformi e ad uno scodellone tronco-conico con orlo everso oppure a sostegni biconici (46). Ad un sostegno (di tazza?) appartiene invece certamente un frammento di parete forata con base eversa (Tav. XXIII: 5) (47). Unico è un peso cilindrico a pareti convesse con perforazioni oblique (Tav. XXII: 10).

Il costante riferimento che nell'esposizione dei dati stratigrafici e della tipologia delle forme fittili è stato istituito con il vicino insediamento di Palma C., loc. Balle, indica l'appartenenza del complesso di Foce alla medesima facies culturale.

C. Livadie (48) nell'illustrare i materiali della stazione eponima mise in evidenza le affinità con le facies di Capo Graziano, Vallelunga, Mursia, Tarxien necropoli, con complessi dell'Italia centrale tirrenica e con alcune forme attestate in contesti Protoappenninico B. Non mancò tuttavia di sottolineare le possibili correlazioni con l'ambiente mesoelladico che risultavano confermate dal corredo della tomba di Casalsabini (49). Dopo una attenta ricerca in complessi inediti di nuova e vecchia acquisizione: Monte Fellino (Roccarainola), grotta S. Salvatore alle sorgenti del Serino, Camposauro (Vitulano) nonché Vivara, Punta Capitello e Punta Mezzogiorno, concludeva nel riconoscere la presenza nella Campania settentrionale di una nuova facies culturale, detta appunto di Palma C., che tramite i materiali di Camposauro si collegava all'orizzonte definito da R. Peroni « Parco dei Monaci » (50).

Lo schema cronologico stabilito da Peroni e le nuove indicazioni desumibili dai confronti dei materiali di Palma C. concorrevano per un'attribuzione della facies all'antica età del bronzo (XVIII-XVII sec. a.C.) peraltro confermata dalla datazione al C 14 (1810 ± 70 a.C.) del paleosuolo della stazione eponima.

---

(43) Palma C.: ALBORE LIVADIE, 1980, pag. 92 ss., fig. 29: 866-868 e fig. 30; Piano del Pirazzetto: BIANCO, 1981, pag. 27, Tav. 6: e, Tav. 8: a-b.

(44) Piano del Pirazzetto: BIANCO, 1981, pag. 27, Tav. 7: g; Vivara P. Mezzogiorno: BUCHNER e AL., 1978, pag. 235, fig. 18: 7.

(45) Palma C.: ALBORE LIVADIE, 1980, pag. 88, fig. 25: 852; Piano del Pirazzetto, BIANCO, 1981, pag. 24, Tav. 6: b.

(46) La pertinenza a sostegni biconici è probabile almeno per i framm. alla Tav. XV: 3-4. Cfr. Roccarainola - Monte Fellino: ALBORE LIVADIE, 1979, pag. 874, pl. V, figg. 10-11; Palma C.: ALBORE LIVADIE, 1980, pag. 83, figg. 20-21: 835-837; Mursia: TOZZI, 1968, pag. 357, fig. 17: 10.

(47) Palma C.: ALBORE LIVADIE, 1980, pag. 81, figg. 19 e 21: 833; La Starza: TRUMP, 1963, pag. 20, fig. 16 b; Licola: ALBORE LIVADIE, 1985 a, pag. 55 ss., Tav. X: 7-16. L'insediamento di Licola corrisponde a quello segnalato nel Comune di Giugliano in Campania: MARZOCCHELLA, 1979, pag. 326.

(48) ALBORE LIVADIE, 1979, pag. 881 ss.; Ead., 1980, pag. 97 ss.

(49) BIANCOFIORE e AL., 1957, pag. 153 ss.; BIANCOFIORE, 1977, pag. 9 ss.

(50) PERONI, 1971, pag. 297 ss.

Tale facies veniva tuttavia correlata, previo riconoscimento di una maggiore arcaicità, al Protoappenninico B (51) e considerata una facies locale nell'ambito del processo di formazione della civiltà appenninica.

Insoluti restavano i rapporti intercorrenti con la facies del Gaudo rispetto alla quale i materiali di Palma C. mostravano una cesura netta.

Tale cambiamento totale tra le due facies è stato, con scetticismo, sottolineato da R. Peroni che, confermando la datazione della facies all'antica età del bronzo, ha messo in evidenza, sulla base della sequenza di Vivara, lo stretto rapporto di continuità esistente, almeno nelle forme vascolari, tra la facies di Palma e l'inizio della media età del bronzo (c.d. Protoappenninico B). L'assenza parziale della cesura esistente, in Italia meridionale, al passaggio dall'antica alla media età del bronzo costituirebbe « una peculiarità della regione del golfo di Napoli » (52).

Analoga valutazione è stata espressa da Damiani, Pacciarelli e Saltini che, nel proporre una divisione cronologica del Protoappenninico B in due fasi, hanno sottolineato la presenza in alcuni contesti pugliesi (Casalsabini, piccole Specchie del Salento, Cavallino capanna 1) di elementi fittili confrontabili con fogge attestate in facies del bronzo antico peninsulare ed insulare. Questi stessi elementi verosimilmente collocabili in un momento non iniziale dell'antica età del bronzo, compreso tra la fine della cultura di Laterza e il Protoappenninico B fase 1 (inizio bronzo medio), rendono possibile l'ipotesi dell'esistenza in Puglia di un processo analogo a quello riscontrato nell'area del golfo di Napoli (53).

I problemi relativi all'inizio dell'età del bronzo in Italia meridionale e nelle isole Eolie sono argomento di un recente studio di L. Bernabò Brea (54).

In esso l'A., dopo aver descritto la successione stratigrafica di grotta Cardini, delinea l'evoluzione della cultura di Capo Graziano di cui pone l'inizio, sulla base dei confronti con il protoelladico II - III, alla fine del III millennio a.C. Nell'ambito dell'evoluzione di questa cultura, il cui limite inferiore è riconfermato alla fine del XV sec. a.C., l'A. individua due momenti successivi nelle correlazioni esistenti con le facies dell'Italia meridionale.

Il primo momento corrisponde alla formazione dello strato inferiore di grotta Cardini in cui su un fondo culturale Gaudo « evoluto » con apporti dal Protoappenninico A (Laterza-Cellino) si inseriscono elementi rivelanti attinenze con la fase iniziale di Capo Graziano. L'espansione dell'influsso di questa cultura nei contesti dell'Italia meridionale è indicata dalla diffusione delle ciotole con tratto dell'orlo sopraelevato, dalle ollette della tomba 548 di Pontecagnano e dagli attingitoi della tomba 3 di Laterza (55).

Più forti analogie con Capo Graziano iniziale rivelano i complessi della palafitta 1 del lago di Mezzano e di Palma C. che unitamente ai pochi esemplari di Naxos « sembrano rientrare in una catena di insediamenti appartenenti ad una facies culturale che finora solamente possiamo intravedere, ma che ha evidenti origini ed attinenze elladiche ». Tale facies culturale potrebbe rappresentare la testimonianza di una espansione egea lungo le coste tirreniche della penisola analoga a quella delle Eolie e ad essa, per le maggiori attinenze mesoelladiche, successiva (56).

---

(51) Lo Porto, 1963, pag. 280 ss.; Id., 1964, pag. 109 ss.; Id., 1965, pag. 161 ss.

(52) Peroni, 1985, pag. 24 ss. Per lo stesso problema: Peroni, 1971, pag. 336; Id., 1980, pag. 60; Cremonesi, 1977, pag. 42 ss.

(53) Damiani e Al., 1984, pag. 19 ss.; sull'esistenza di una facies analoga a Palma C. cfr. le pagg. 25-27.

(54) Bernabò Brea, 1985, in particolare pagg. 3-20 e 119-154.

(55) Bernabò Brea, 1985, pag. 69, pag. 87 ss. e pag. 137. Per i complessi di Pontecagnano e Laterza cfr.: D'Agostino, 1964, pag. 89 ss.; Id., 1974, pag. 88 ss.: Biancofiore, 1967, pag. 195 ss.

(56) Bernabò Brea, 1985, pag. 139 ss.

Il secondo momento, corrispondente al Protoappenninico B, trova riscontro nella fase evoluta della cultura di Capo Graziano con cui condivide l'insorgenza dei centri costieri che, legati ad un nuovo generale assetto socio-economico, indicano il maggiore sviluppo degli interessi commerciali marittimi (57).

Gli studi esaminati hanno approfondito in modo diverso molti dei problemi relativi alla facies considerata e contribuiscono ad ampliare e a meglio definire l'iniziale inquadramento dato da C. Livadie.

La facies di Palma C., strettamente connessa con la fase iniziale della cultura di Capo Graziano, può essere considerata una manifestazione locale di un esteso fenomeno culturale attestante l'affermazione nel Mediterraneo centrale di apporti egei della fine del protoelladico e del mesoelladico. Tali apporti, che talvolta sembrano potersi configurare come stanziamenti di nuove popolazioni — ad es. Malta: Tarxien necropoli, Eolie: Capo Graziano — (58) danno origine a diversi aspetti culturali locali secondo un processo di differenziazione (etnolisi) già attestato, in Italia meridionale e Sicilia, all'avvento delle culture eneolitiche (59).

Per ciò che attiene l'Italia centro-meridionale, Mezzano I (60) e Palma C. costituiscono, per la particolare integrità e ricchezza del repertorio vascolare, gli esempi migliori del fenomeno culturale delineato da Bernabò Brea.

I molteplici riscontri che entrambe le facies trovano nei complessi centro-meridionali invitano, tuttavia, ad usare prudenza nella delimitazione geografica di esse.

In particolare non mancano evidenze per ipotizzare un'estensione della facies di Palma C. sia alle regioni interne appenniniche — La Starza di Ariano I. e Savignano I. loc. Castello — che meridionali — Buccino S. Mauro, Pertosa, Grotta Cardini (61).

Alcune testimonianze inducono, tuttavia, a non escludere la possibilità di un'eventuale presenza di analoghe manifestazioni in Basilicata e Puglia. Gli indizi di tale fenomeno, già messi in evidenza per complessi della Puglia centro-meridionale (62) possono ora essere riconosciuti anche in materiali da siti della Daunia (63) che mostrano contatti con gli strati inferiori delle trincee V-VI di La Starza. Sulla costa ionica della Basilicata un sito analogo alla facies di Palma C. è indicato dai materiali di Piano del Pirazzetto che potrebbe interporsi tra le testimonianze della cultura Laterza-Gaudo (tomba di Tursi ed ipogei di Policoro) e quelle relative all'inizio del Protoappenninico B (Heraclea zona B, Serre di Pisticci) (64).

(57) BERNABÒ BREA, 1985, pagg. 14-15 e pag. 150 ss.

(58) BERNABÒ BREA, 1982, pag. 27-28; Id., 1985, pag. 23 ss.

(59) BERNABÒ BREA, 1968-69, pag. 36 ss.; MARZOCCHELLA, 1985, pag. 19.

(60) Per il complesso della palafitta I del lago di Mezzano cfr. FRANCO, 1982, pag. 186 ss.; NEGRONI CATACCHIO, 1981, pag. 104 ss.

(61) Si vedano i confronti alle note precedenti. Per Savignano I. informazioni di C. ALBORE LIVADIE che con G. GANGEMI cura lo scavo.

(62) Cfr. le considerazioni di DAMIANI e AL., 1984 citate alla nota 54 ma si consideri anche l'eventuale possibilità di connessione con i corredi delle altre tombe a grotticella del territorio di Altamura: FEDELE, 1966, pag. 75 ss., fig. 19c e 20. Ulteriori cfr. con la facies di Palma C. possono essere individuati in reperti dalla grotta S. Angelo di Ostuni: QUAGLIATI, 1936, pag. 154 ss., figg. 69 e 70 (su questi materiali cfr. PERONI, 1967, pag. 79 e CAZZELLA, 1972, pag. 185); dalla grotta dell'Erba di Avetrana: PUGLISI, 1953, pag. 86 ss. (anche PERONI, 1967, pag. 79) e dal sito di Capo Colonna presso Trani: GAMBASSINI, 1968, pag. 265 ss., fig. 3:5.

(63) Si vedano ad es. alcuni materiali da Masseria Beccarini: NAVA, 1984, pag. 108 e 111; e da Pian Devoto: GRAVINA, 1980, pag. 130 ss., fig. 10: 1-4.

(64) Tursi: CREMONESI, 1976, pag. 109 ss. (cfr. anche PERONI, 1980, pag. 63); per le altre testimonianze: BIANCO, 1981, pag. 13 ss.

La posizione cronologica della facies di Palma C. rispetto al Protoappenninico B è indicata non solo dalle rispettive dichiarate correlazioni con le fasi iniziale ed evoluta di Capo Graziano ma anche da sequenze stratigrafiche e tipologiche che rivelano un graduale passaggio dalla facies di Palma C. e/o analoghe manifestazioni alla fase iniziale del Protoappenninico B (65). La pertinenza cronologica di quest'ultimo aspetto culturale all'inizio della media età del bronzo è ora accertata dall'associazione di ceramica locale con ceramica d'importazione del tardo Elladico I-II a Vivara: Punta Mezzogiorno (struttura superiore) e Punta d'Alaca (66).

Uguale associazione è attestata nelle Eolie durante la fase evolutiva della cultura di Capo Graziano (67). Si può dunque ritenere che il limite cronologico inferiore della facies di Palma C. evidenziato dal graduale affermarsi delle fogge tipiche del Protoappenninico B, corrisponda al passaggio dall'antica alla media età del bronzo (68). L'inizio della facies può, invece, essere riconfermato al XVIII sec. a.C. in concomitanza con le ultime manifestazioni della cultura Gaudo (69) in cui non mancano sporadiche testimonianze riconducibili alla nuova facies (70).

Il sottile strato di humus (strato 15) (Tav. X) formatosi alla sommità dello strato di cenere relativo all'eruzione di Avellino (strato 16) e sottostante ai prodotti piroclastici riferibili ad un'ulteriore eruzione preistorica del Somma-Vesuvio (strati 14a-b) indica un periodo di quiescenza tra i due fenomeni vulcanici (71). La durata di tale periodo è, tuttavia, ignota e nessun indizio ci offre un minuscolo frammento recuperato nello strato 15 del saggio in esame.

Gli strati 13-12 sottostanti alle pomici relative all'eruzione del 79 d.C. costituiscono il prodotto di un lento accumulo di materiale alluvionale formatosi probabilmente a partire dalla tarda età del bronzo. A questo periodo o alla prima età del ferro potrebbero essere attribuiti pochi cocci d'impasto recuperati nello strato 13 e, sporadicamente, nello strato 12 (Tav. XXIII: 7-8). La documentazione archeologica di quest'ultimo strato appartiene tuttavia al periodo della frequentazione ellenistico-romana di Foce ed ha mostrato evidenze relative all'utilizzazione agricola del suolo (Tav. XXIV) (72).

Gli strati 10-4, anteriori all'ultima manifestazione vulcanica (strati 2-3), sono tutti di formazione alluvionale ed hanno restituito materiali non posteriori a quelli presenti nello strato 12.

---

(65) Cfr. La Starza, Masseria Beccarini, Cavallino, Piano del Pirazzetto, Heraclea zona B, Serre di Pisticci, Vivara: Punta Capitello saggio E - Punta Mezzogiorno.

(66) CAZZELLA e AL., 1982, pag. 141 ss.; DAMIANI e AL., 1985, pag. 35ss.

(67) BERNABÒ BREA e AL., 1980, pag. 514 ss., pag. 791 ss.

(68) Tale indicazione cronologica non va tuttavia considerata in modo tassativo in quanto non è improbabile che nell'affermazione di alcuni elementi tipologici del Protoappenninico B possa essere riconosciuta una seriorità dei complessi meridionali tirrenici rispetto a quelli delle regioni interne e del sud-est della penisola. A questa considerazione sembrano, infatti, condurre la sostanziale non partecipazione del versante tirrenico a tutta la fase iniziale del processo di evoluzione dell'ansa ad ascia (nel modo in cui esso è stato definito da Lo Porto cfr., *bibl.* a nota 51) e la constatazione che già dall'inizio della media età del bronzo, se non dalla fine dell'età precedente, il Protoappenninico B rivela caratteri tipologici definiti a Buccino Tufariello. Per Buccino cfr.: HOLLOWAY, 1975 e le considerazioni di PERONI, 1980, pag. 63 ss. sull'ansa ad ascia dall'*Industrial level.*

(69) Cfr. PERONI, 1971, pag. 269 ss.; Id., 1985, pag. 24; ALBORE LIVADIE, 1980, pag. 100 ss.; BERNABÒ BREA, 1985, pag. 139-140.

(70) Oltre allo scodellone con ansa interna, sporadico dalla necropoli del Gaudo (SESTIERI, 1946-48, pag. 265, Tav. II, sp. 3) si vedano i cfr. citati alle note 26, 31, 48.

(71) Sulle eruzioni comprese tra l'eruzione delle pomici di Avellino e quella di Pompei cfr.: ALBORE LIVADIE, D'ALESSIO e AL., in questo volume.

(72) Analoghe testimonianze furono notate a S. Marzano e S. Valentino durante i primi scavi nell'area delle necropoli protostoriche cfr. PAIS, 1908, pag. 472 e pag. 478 ss.

La facies appenninica di S. Giovanni.

Il complesso dei frammenti che seguono è frutto di un recupero effettuato nell'autunno del 1980 nella parete di uno sbancamento aperto nel centro dell'abitato di Sarno, alla base della parete calcarea della collina su cui sorge l'ex Sanatorio (73).

Purtroppo, benché sia stato proprio questo rinvenimento occasionale ad attirare l'attenzione della Sovrintendenza archeologica sulla opportunità di una ricerca intesa ad approfondire i problemi posti dai vecchi e nuovi rinvenimenti occasionali sia in riferimento alla conoscenza del popolamento preistorico dell'agro sarnese sia alla loro posizione stratigrafica rispetto alla sequenza dei fenomeni eruttivi del complesso vulcanico Somma-Vesuvio (74), non è stato possibile effettuare un saggio stratigrafico.

Una veloce pulizia della parete effettuata mesi addietro nella speranza di acquisire indizi stratigrafici utili alla chiarificazione dei problemi sopra accennati non solo non ha dato esiti positivi ma nel mettere in evidenza il fossato relativo alla messa in posa dell'acquedotto romano del Serino, venuto in luce e danneggiato dallo stesso sbancamento, ha posto ulteriori interrogativi sulla giacitura del rinvenimento.

Al di là tuttavia di quelli che potranno essere i risultati di un futuro saggio di scavo, lo stato di conservazione dei materiali è ottimo e sembra non potersi escludere una presenza archeologica in loco.

In base all'impasto i frammenti possono essere divisi in due gruppi:

a) impasto semifine compatto, in cui non mancano inclusi litici e organici con superfici sempre accuratamente trattate a stecca dal colore bruno-nerastro ma anche nocciola rosato;

b) impasto grossolano determinato da una maggiore abbondanza di inclusi litici e organici ma anch'esso compatto e con superfici grossolanamente trattate a stecca di colore nocciola-bruno.

Al primo gruppo appartengono le ciotole carenate e arrotondate, i frammenti di olle a collo tronco-conico e i frammenti decorati; al secondo gruppo, invece, le olle cordonate e singoli frammenti riferibili ad altre forme.

Tre soli frammenti si riferiscono a forme carenate. Una tazza (Tav. XXV: 1), con parete concava e orlo everso, reca un'ansa a nastro verticale con breve sopraelevazione terminante ad espansione arcuata (75).

---

(73) MARZOCCHELLA, 1980, pag. 392.

(74) Sulla sequenza dei fenomeni vulcanici del Somma-Vesuvio cfr.: nota 72; DELIBRIAS, 1979, pag. 411 ss.; ROSI e AL., in questo volume.

(75) Per la sola sagoma cfr. la ciotola con ansa cornuta da grotta Nicolucci: ALBORE LIVADIE, 1985, pag. 52, Tav. IX: 6-9; ma anche esemplari da Panarea: BERNABÒ BREA e AL., 1968, capanna IV, pag. 73, fig. 42: i, capanna XI, pag. 98, fig. 42: f. Ulteriori confronti sono possibili con esemplari dal dolmen di Giovinazzo ove trova riscontro anche l'appendice dell'ansa: LO PORTO, 1967, pag. 163, Fig. 28: 1 e 5, pag. 160, fig. 24: 1 e fig. 26: 1. Per l'ansa cfr. Trinitapoli: DE JULIIS, 1973, pag. 240, Tav. 64: 3 c; S. Maria di Ripalta: NAVA, 1980, fig. 5:3 e fig. 17:5; Canne: GERVASIO, 1938, pag. 423, fig. 16 d; gr. Manaccora: BAUMGARTEL, 1953, pag. 12, fig. 5: 27-28; Coppa Nevigata: MOSSO, 1910, col. 326, Tav. IV: 20. Nell'ambito dello studio condotto sulle anse ad ascia da Ceccanti il migliore cfr. sembra potersi individuare nel tipo C2 (CECCANTI, 1979, pag. 155, fig. 6: C2) attestato in Italia settentrionale durante la media età del bronzo. Le anse ad ascia subappenniniche a taglio espanso flabelliforme o subflabelliforme si distinguono dal nostro esemplare per la morfologia del taglio e per un maggiore sviluppo dell'altezza. Si cfr., infatti, i tipi A-A2-B-B1 di CECCANTI, 1979, pag. 156 ss., figg. 8-9 ma anche i tipi attestati nell'Ausonio I di Lipari: BERNABÒ BREA e AL., 1980, pag. 268 e 572, Tav. CCI: 1 b. Altri esemplari di anse a nastro terminanti con alta sopraelevazione ad espansione piatta, arcuata, in contesti tardo-appenninici sono attestate a Termitito: DE SIENA e AL., 1982, pag. 90 ss., Tav. XXVII: 3;e a Poggio di Castellonchio di Colognole: CECCANTI, 1982, pag. 195, Tav. LXXXI: 4.

Un esemplare con parete tronco-conica ed orlo everso, a tesa obliqua, è decorato con excisioni triangolari (e losanghe?) probabilmente formanti un motivo a duplice nastro angolare liscio con vertici contrapposti (Tav. XXV: 2) (76). Il terzo frammento mostra un'alta carena arrotondata ed orlo a gola (Tav. XXV: 4) (77).

A tazze con corpo arrotondato ed orlo everso a tesa obliqua si riferiscono alcuni frammenti sia inornati (Tav. XXV: 3, 5-7) che decorati (Tav. XXV: 8-9) ad excisione con motivo a nastro angolare e svolgimento a meandro (78).

Un esemplare (Tav.XXV: 10) mostra un profilo sinuoso (79); alla stessa sagoma possono forse essere riferiti un frammento di orlo con attacco di manico a nastro (Tav. XXV: 11) e un frammento di spalla con attacco di manico a nastro recante un foro circolare (Tav. XXV: 12).

A tazze, e in qualche caso forse agli stessi esemplari sopra descritti, si riferiscono alcuni frammenti di pareti rettilinee o convesse recanti decorazioni excise con motivi simili ai precedenti (Tav. XXV: 13-15).

Unico è un frammento di appendice cornuta (Tav. XXVI: 1) (80). A vasi di grandi dimensioni si riferiscono due frammenti di pareti rettilinee rispettivamente con decorazioni a nastro angolare delimitato da incisioni e campito da fitta punteggiatura (Tav. XXVI: 2) e a nastri curvilinei ricorrenti ottenuti con excisione e riempiti da grossi punti (Tav. XXVI: 3).

Ad un'olla globulare è, invece, pertinente un frammento di spalla con decorazione excisa delimitante uno spazio rettangolare entro cui si svolgono due nastri angolari lisci a vertici contrapposti racchiudenti a loro volta un motivo a fiocchi ondulati ricorrenti (Tav. XXVI: 4) (81).

Ad olle globulari di grandi e piccole dimensioni possono verosimilmente essere riferiti due frammenti di collo tronco-conico con orlo a tesa obliqua (Tav. XXVI: 5,7). Un frammento di ansa a nastro con margini leggermente rialzati potrebbe riferirsi ad una forma simile (Tav. XXVI: 8) (82).

La stessa sagoma può essere ipotizzata anche per un frammento di collo cilindrico con orlo a tesa obliqua in impasto grossolano (Tav. XXVI: 6). Nello stesso impasto sono due frammenti for-

---

(76) Un riscontro perfetto per sagoma e decorazione è dato da un framm. inedito da La Starza di Ariano I.: Mus. Naz. Napoli, recuperi di I. Sgobbo. La sagoma può essere cfr. con un framm. da Vivara Punta Capitello: CAZZELLA e AL., 1975-80, pag. 211 ss., fig. 18:1 la cui decorazione non è molto diversa dal framm. in esame. Un ulteriore cfr. per la decorazione (e per la sagoma?) è in un framm. da Toscanella Imolese: PETTAZZONI, 1916, col. 258-9, fig. 24:2. Per la sola decorazione cfr. Teano loc. Torricelle: ALBORE LIVADIE, 1981, pag. 522, Fig. 9: A g. Cfr., anche, FUGAZZOLA DELPINO, 1973, pag. 162 fig. 71: 5-6.

(77) Cfr. Panarea capo Milazzese, capanna XVI: BERNABÒ BREA e AL., 1968, pag. 109, fig. 42 d; parzialmente, grotta del Noglio: VIGLIARDI, 1975, pag. 292, fig. 4: 3.

(78) Per la sagoma della tazza di cui alla Tav. XVI: 3 cfr. Vivara Punta Capitello: CAZZELLA e AL., 1975-80, pag. 211 ss., fig. 19: 4; gr. Noglio: VIGLIARDI, 1975, pag. 314, fig. 4: 4; Panarea capo Milazzese, capanna XVIII: BERNABÒ BREA e AL., 1968, pag. 115, fig. 42 a. Per la sagoma delle tazze di cui alla Tav. XVI: 7-9 cfr. gr. Noglio: VIGLIARDI, 1975, pagg. 292-3, fig. 4: 5; Panarea capo Milazzese, capanna XI: BERNABÒ BREA e AL., 1968 pag. 98, fig. 42 c. Per la decorazione cfr. Teano loc. Torricelle: ALBORE LIVADIE, 1981, pag. 522, fig. 9: A h.

(79) Cfr. gr. Noglio: VIGLIARDI, 1975, pag. 289, fig. 4: 1; Petrella: BARKER, 1976, fig. 9: 18.

(80) Cfr. grotta delle Felci: MARZOCCHELLA, 1985 b, pag. 31, tav. II, 3-9; Vivara P. Capitello: CAZZELLA e al., 1975-80, pag. 213, fig. 19.7; gr. Nicolucci: ALBORE LIVADIE, 1985, pag. 52, Tav. IX, 6.9-10.

(81) Il framm. potrebbe riferirsi ad un'olla del tipo attestato a gr. delle Felci: MARZOCCHELLA, 1985 b, pag. 31, Tav. III: 3.11. Per la decorazione si può, invece, cfr. un framm. dalla gr. di Nardantuono ad Olevano sul Tusciano: PICIOCCHI, 1973, Tav. IV: 15; parzialmente un motivo, su tazza carenata, da Vivara P. Capitello: CAZZELLA e AL., 1975-80, pag. 211 ss., fig. 18: 2.

(82) Per la forma cfr. gr. Felci: MARZOCCHELLA, 1985 b, pag. 31, Tav. III: 3.12; Ischia Castiglione: BUCHNER, 1936-37, pag. 76-77, Tav. I: 1; gr. Noglio: VIGLIARDI, 1975, pag. 294, fig. 9: 1, Panarea capo Milazzese: BERNABÒ BREA e al., 1968, pag. 121, tav. XXXIV: 1-3.

niti di ansa a nastro verticale con attacchi all'orlo e alla sommità della spalla da cui si diramano cordoni ad impressioni digitali (Tav. XXVI: 9 e Tav. XXVII: 2). Essi, unitamente ad un frammento di orlo (Tav. XXVII: 1), possono essere riferiti ad olle ovoidi di piccole e medie dimensioni (83). Ad esemplari di maggiori dimensioni si riferiscono invece un frammento di orlo (Tav. XXVII: 5) (84) e un frammento di parete con ansa a nastro verticale e cordone a impressioni digitali (Tav. XXVII: 4).

Cordoni simili ricorrono anche su altri frammenti che non presentano ulteriori elementi diagnostici.

Altre forme in impasto grossolano sono date da un frammento di scodella tronco-conica ad orlo verticale (Tav. XXVII: 3) e da un frammento di teglia a parete tronco-conica tesa (Tav. XXVII: 6) (85).

Dai confronti istituiti con i materiali di altri siti si evince la stretta connessione del complesso di S. Giovanni con la facies appenninica attestata nell'area del golfo di Napoli. Con essa il complesso in esame condivide sia i numerosi confronti con i reperti appenninici presenti nelle isole Eolie durante la cultura del Milazzese che quelli con insediamenti del litorale tirrenico meridionale.

I rapporti con gli altri siti appenninici meridionali, in particolare pugliesi, sono testimoniati dal confronto dell'ansa a sopraelevazione arcuata nei materiali di Canne e Trinitapoli. Tale riscontro unitamente a quello individuato a La Starza, per il frammento di tazza carenata decorata a triangoli excisi, testimonia ancora una volta il ruolo svolto dallo spartiacque appenninico nella diffusione degli elementi culturali. Con La Starza e non diversamente dagli altri siti appenninici del versante tirrenico meridionale il complesso in esame, testimoniando la convivenza della decorazione a punteggio fitto e ad excisione, ribadisce l'impossibilità di estendere a quest'area la scansione cronologica che, sulla base della disposizione stratigrafica delle tecniche decorative, è stata formulata per alcuni siti (86).

Un utile indizio cronologico circa un eventuale prolungamento del complesso ad un momento di passaggio al bronzo recente può essere considerato il frammento di terminazione di ansa cornuta che ripropone in modo identico a grotta Nicolucci e a Vivara-Punta Capitello la problematica relativa al valore di tali testimonianze (87). Non diverso significato potrebbe essere attribuito anche all'ansa sopraelevata terminante con espansione arcuata ma i molteplici possibili confronti indicati sia in momenti arcaici che recenti della media età del bronzo rendono non improbabile una sua attribuzione all'appenninico tipico. A questo stesso periodo ci riporta, del resto, l'intero complesso dei frammenti che, sulla base dei confronti istituiti con la ceramica appenninica presente alle Eolie nella facies del Milazzese e alle importazioni di ceramica micenea in contesti appenninici, deve essere collocato al XIV sec. a.C.

(83) Cfr. gr. Felci: MARZOCCHELLA, 1985b, pag. 31, Tav. III: 3.16; gr. Nicolucci: ALBORE LIVADIE, 1985, pag. 55, Tav. 6.14.

(84) Gr. Noglio: VIGLIARDI, 1975, pag. 307, fig. 6: 4; FUGAZZOLA DELPINO, 1973, pag. 175, tipo 36B, fig. 75: 6.

(85) Gr. Noglio: VIGLIARDI, 1975, pag. 307, fig. 6: 4.

(86) PERONI, 1969, pag. 249 ss.; ma si cfr. anche BERNABÒ BREA, 1985, pag. 181.

(87) CAZZELLA e AL., 1975-80, pag. 213; ALBORE LIVADIE, 1985, pag. 52.

BIBLIOGRAFIA

ALBORE LIVADIE C., (1979), *A propos d'une éruption préhistorique du Vésuve: contribution à la recherche sur l'Âge du Bronze en Campanie*, in Atti del Conv. Int. « *La regione sotterrata dal Vesuvio. Studi e prospettive* », pp. 863-905.

ALBORE LIVADIE C., (1980), *Palma Campania (Napoli). Resti di abitato dell'età del bronzo antico*, Not. Sc., pp. 59-101.

ALBORE LIVADIE C., (1981), *Teano: area sacra in loc. Torricelle*, St. Etr., XLIX, pp. 520-522.

ALBORE LIVADIE C., (1985), *L'età dei metalli nella penisola sorrentina*, in Cat. Mostra « *Napoli antica* », Napoli, pp. 50-55.

ALBORE LIVADIE C., (1985 a), *Il territorio flegreo: dall'eneolitico al preellenico di Cuma*, in Cat. Mostra « *Napoli antica* », Napoli, pp. 55-62.

ALBORE LIVADIE C., GANGEMI G. (1985), *Nuovi dati sul neolitico in Campania*, in Atti XXVI Riun. Scient. I.I.P.P., in stampa.

ALBORE LIVADIE C., D'ALESSIO G., MASTROLORENZO G., ROLANDI G., (1986), *Le eruzioni del Somma Vesuvio in epoca protostorica*, in questo volume.

BARKER G., 1976, *The appennine bronze age settlement near Petrella, Molise*. P.B.S.R., XLIV, pp. 133-156.

BAUMGARTEL E. (1953), *The cave of Manaccora, Monte Gargano. Part II: The contents of three archaeological strata*, P.B.S.R., XXI, pp.1-31.

BERNABÒ BREA L. (1968-69), *Considerazione sull'eneolitico e sulla prima età del Bronzo della Sicilia e della Magna Grecia*, Kokalos, XIV-XV, pp. 20-58.

BERNABÒ BREA L. (1982), *Dall'Egeo al Tirreno all'alba della civiltà Micenea. Archeologia e leggende*, in Atti XXII Conv. St. Magna Grecia, Taranto 1982 (1983), pp. 9-42.

BERNABÒ BREA L. (1985), *Gli Eoli e l'inizio dell'età del bronzo nelle isole Eolie e nell'Italia meridionale*, Napoli.

BERNABÒ BREA L. (1985 a), *Relitto della prima età del bronzo di Pignataro di Fuori*, in Boll. d'Arte, suppl. al n. 29: *Archeologia Subacquea 2: Isole Eolie*, pp. 48-52.

BERNABÒ BREA L. - CAVALIER M. (1960), *Meligunis Lipára*. Vol. I, Palermo.

BERNABÒ BREA L. - CAVALIER M. (1968), *Meligunìs Lipára*. Vol. III, Palermo.

BERNABÒ BREA L. - CAVALIER M. (1980), *Meligunìs Lipára*. Vol. IV, Palermo.

BIANCO S. (1981), *Aspetti culturali dell'eneolitico e della prima età del bronzo sulla costa ionica della Basilicata*, in *Studi di Antichità*, Univ. di Lecce, Dipartimento di Scienze dell'Antichità, settore storico-archeologico, pp. 13-72.

BIANCOFIORE F. (1967), *La necropoli eneolitica di Laterza. Origini e sviluppo dei gruppi protoappenninici in Apulia*, Origini. I, pp. 195-300.

BIANCOFIORE F. (1977), *Ricerche nell'ipogeo di Casalsabini e le origini del protoappenninico nell'Italia sud-orientale*, Arch. St. Pugl., XXX, pp. 9-33.

BIANCOFIORE F., PONZETTI F.M. (1957), *Tomba di tipo siculo con nuovo osso a globuli nel territorio di Altamura (Bari)*, B.P.I., 66, pp. 153-188.

BUCHNER G. (1936-37), *Nota preliminare sulle ricerche preistoriche nell'isola d'Ischia*, B.P.I., n.s. I, pp. 65-93.

BUCHNER G. (1954-55), *La stratigrafia dei livelli a ceramica ed i ciottoli con dipinti schematici antropomorfi della grotta delle Felci*, B.P.I., 64, pp. 107-135.

BUCHNER G., CAZZELLA A., DI GENNARO F., MARAZZI M., TUSA S., ZARATTINI A. (1978), *L'isola di Vivara. Nuove ricerche*, P.P., 33, pp. 197-237.

CARUCCI P. (1907), *La grotta preistorica di Pertosa (Salerno)*, Napoli.

CAVALIER M. (1979), *Ricerche preistoriche nell'arcipelago eoliano*, R.S.P., XXXIV, pp. 45-136.

CAZZELLA A. (1972), *Considerazioni su alcuni aspetti eneolitici dell'Italia meridionale e della Sicilia*, Origini, VI, pp. 171-298.

CAZZELLA A., DAMIANI I., DI GENNARO F., MARAZZI M., PACCIARELLI M., PETITTI P., SALTINI A.C., TUSA S. (1975-80), *Vivara. Terza campagna di ricerca sull'isola*, B.P.I., 82, pp. 167-216.

CAZZELLA A., DAMIANI I., DI GENNARO F., MARAZZI M., MOSCOLONI M., PACCIARELLI M., RE L., SALTINI A., TUSA S., VALENTE I. (1982), *Isola di Vivara (Procida, Napoli)*, in Cat. Mostra « *Magna Grecia e mondo miceneo. Nuovi documenti* », Taranto, pp. 141-154.

CECCANTI M. (1979), *Tipologia delle anse ad ascia dell'età del bronzo nella penisola italiana*, R.S.P., XXXIV, pp. 137-178.

CECCANTI M. (1982), *Poggio di Castellonchio di Colognole (Pontassieve, Firenze)*, in Cat. Mostra « *Magna Grecia e mondo miceneo. Nuovi documenti* », Taranto, pp. 195-196.

CREMONESI G. (1965), *Il villaggio di Ripoli alla luce dei recenti scavi*, *R.S.P.*, XX, pp. 85-155.

CREMONESI G. (1968), *La grotta dell'Orso di Sarteano*, *Origini*, II, pp. 247-331.

CREMONESI G. (1976), *Tomba della prima età dei metalli presso Tursi (Matera)*, *R.S.P.*, XXXI, pp. 109-134.

CREMONESI G. (1977), *Materiali protoappenninici di Muro Maurizio (Mesagne)*, *Ricerche e Studi. Quaderni del Museo Arch. « F. Ribezzo » di Brindisi*, X, pp. 23-46.

D'AGOSTINO B. (1964), *Di alcuni rinvenimenti preistorici a Pontecagnano (Salerno)*, *B.P.I.*, 73, pp. 89-108.

D'AGOSTINO B. (1974), *Pontecagnano*, in Cat. *Seconda Mostra Preist. e Prot. Salernitano*, pp. 87-108.

D'AGOSTINO B. (1979), *Le necropoli protostoriche della Valle del Sarno: la ceramica di tipo greco*, *AION*, I, pp. 59-75.

D'AGOSTINO B. (1981), *Il neolitico*, in AA.VV., *Storia del Vallo di Diano. Età antica*. Vol. I, Salerno.

DAMIANI I., PACCIARELLI M., SALTINI A.C. (1984), *Le facies archeologiche dell'isola di Vivara e alcuni problemi relativi al Protoappenninico B*, *AION*, VI, pp. 1-38.

DAMIANI I., MARAZZI M., PACCIARELLI M., RE L., SALTINI A.C. (1985), *L'insediamento preistorico di Vivara*, in Cat. Mostra « *Napoli antica* », Napoli, pp. 35-50.

DE CARO S. - GRECO A. (1981), *Campania*, Guide archeologiche Laterza, Bari.

DE JULIIS E. (1973), *Recenti rinvenimenti dell'età dei metalli nella Daunia: tombe a grotticella del tardo eneolitico a S. Severo e della fine della media età del bronzo a Trinitapoli*, in Atti *Coll. inter. Preist. e Prot. Daunia*, pp. 235-243.

DELIBRIAS G., DI PAOLA G.M., ROSI M., SANTACROCE R. (1979), *La storia eruttiva del complesso vulcanico Somma-Vesuvio ricostruita dalle successioni piroclastiche del Monte Somma*, *Rend. Soc. It. Min. e Petr.*, 35, pp. 411-438.

DE POMPEIS C., DI FRAIA T. (1981), *Un insediamento protoappenninico a Torre De' Passeri (Pescara)*, *Quaderni del Museo delle Tradizioni Popolari Abruzzesi*, « *Mostra Archeologica Didattica* », 5, pp. 3-38.

DE SIENA A., BIANCO S. (1982), *Termitito (Montalbano Jonico, Matera)*, in Cat. Mostra « *Magna Grecia e mondo miceneo. Nuovi documenti* », Taranto, pp. 69-96.

ELIA O. (1938), *Un tratto dell'Acquedotto detto « Claudio » in territorio di Sarno*, in *Campania Romana*, pp. 1-11 dell'estratto.

FEDELE B. (1966), *Gli insediamenti preclassici lungo la via Appia Antica in Puglia*, *Arch. St. Pugl.*, XIX, pp. 29-92.

FRANCO M.C. (1982), *L'insediamento preistorico del lago di Mezzano*, Roma.

FUGAZZOLA DELPINO M.A. (1973), *Testimonianze di cultura appenninica nel Lazio*, Firenze.

GAMBASSINI P. (1968), *Una stazione dell'età del bronzo presso Trani*, *RSP*, XXIII, pp. 265-270.

GASTALDI P. (1979), *Le necropoli protostoriche della Valle del Sarno: proposta per una suddivisione in fasi*, *AION*, 1, pp. 13-57.

GERVASIO M. (1938), *Scavi di Canne*, *Japigia*, IX, pp. 389-491.

GRAVINA A. (1980), *L'eneolitico e l'età del bronzo nel bacino del basso Fortore e nella Daunia nord-occidentale. Cenni di topografia*, in Atti *II Conv. Preist. Prot. e Storia Daunia*, pp. 115-183.

HOLLOWAY R.R. (1973), *Buccino. The eneolithic necropolis of S. Antonio and other discoveries made in 1968 and 1969 by Brown University, with a study of human remains from the necropolis by C. Corrain and M.A. Capitanio*, Roma.

HOLLOWAY R.R. ET ALII (1975), *Buccino: the early bronze age village of Tufariello*, *Jour. Field Arch.*, 2, pp. 11-81.

INGRAVALLO E., PICCINNO A. (1984), *L'insediamento protoappenninico di Spigolizzi (Salve)*, in *Studi di Antichità*. Univ. di Lecce, Dipartimento di Scienze dell'Antichità. Settore storico-archeologico, pp. 37-66.

JOHANNOWSKY W. (1982), in AA.VV., *Guida alla storia di Salerno e della sua provincia*, Salerno.

LO PORTO F.G. (1963), *La stazione preistorica di Porto Perone*, *Not. Sc.*, pp. 280-380.

LO PORTO F.G. (1964), *La tomba di S. Vito dei Normanni e il protoappenninico B in Puglia*, *B.P.I.*, 73, pp. 109-142.

LO PORTO F.G. (1965), *Origini e sviluppo della civiltà del bronzo nella regione apulo-materana*, in Atti *X Riun. Scient. I.I.P.P.*, pp. 161-172.

LO PORTO F.G. (1967), *Il dolmen a galleria di Giovinazzo*, *B.P.I.*, 76, pp. 137-173.

MARZOCCHELLA A. (1979), *Giugliano in Campania (prov. di Napoli)*, *R.S.P.*, XXXIV, p. 326.

MARZOCCHELLA A. (1980), *Sarno, loc. S. Giovanni*, *R.S.P.*, XXXV, p. 392.

MARZOCCHELLA A. (1983), *Sarno loc. Foce*, in Atti *XXIII Conv. St. Magna Grecia*, Taranto, in stampa.

MARZOCCHELLA A. (1984), *Sarno loc. Foce*, *R.S.P.*, XXXIX, in stampa.

MARZOCCHELLA A. (1985), *Una brocchetta della prima età dei metalli*, *BCSP. Notizie*, II N. 3, pp. 18-20.

MARZOCCHELLA A. (1985 a), *Scavi preistorici a Sarno*, *Rass. St. Salernitana*, 3, pp. 279-283.

MARZOCCHELLA A. (1985 b), *La grotta delle Felci a Capri*, in Cat. Mostra « *Napoli antica* », Napoli, pp. 29-35.

MOSSO A. (1910), *Stazione preistorica di Coppa Nevigata presso Manfredonia*, *M.A.L.*, XIX, coll. 305-396.

NAPOLI M. (1965), *L'attività archeologica nelle province di Avellino, Benevento e Salerno*, in Atti *V Conv. St. Magna Grecia*, Taranto, 1965, pp. 193-211.

NAVA M.L. (1980), *S. Maria di Ripalta (Cerignola), prima campagna di scavi*, Atti *II Conv. Preist. Prot. e Storia Daunia*, 188, fig. 5:3 e fig. 17:5.

NAVA M.L. (1984), *L'età dei Metalli*, in *La Daunia antica. Dalla preistoria all'alto Medioevo*, pp. 101-136.

NEGRONI CATACCHIO N. (1981), *Le testimonianze archeologiche*, in Cat. Mostra « *Le Sorgenti della Nova. Una comunità protostorica e il suo territorio nell'Etruria meridionale* », Roma.

NICOLUCCI G. (1874), *Ulteriori scoperte relative all'età della pietra nelle province napoletane*, *Rend. R. Acc. Sc. Fis. e Mat.*, 6, pp. 1-14.

PAIS E. (1908), *Per la storia antichissima della valle del Sarno*, *Rend. R. Acc. Lincei*, Ser. V, XVII, pp. 459-482.

PANCRAZZI O. (1979), *Cavallino I, scavi e ricerche 1964-1967*, Galatina.

PELAGATTI P. (1964), *Naxos. Relazione preliminare delle campagne di scavo 1961-64. Boll. d'Arte*, XLIX, pp. 149-165.

PERONI R. (1967), *Archeologia della Puglia Preistorica*, Roma.

PERONI R. (1969), *Osservazioni sul significato della serie stratigrafica di grotta a Male*, *B.P.I.*, 78, pp. 249-258.

PERONI R. (1971), *L'età del bronzo nella penisola italiana, L'antica età del bronzo*. Vol. I, Firenze.

PERONI R. (1980), *Dal « Protoappenninico » al « Gruppo dell'Ofanto »: i problemi della continuità d'insediamento, della cronologia, dei rapporti adriatici, della definizione di un'unità culturale nella Daunia fino al termine dell'età del bronzo*, in Atti *XIII Conv. St. Etruschi e Italici*, pp. 59-74.

PERONI R. (1985), *Dalla preistoria alla protostoria: il golfo di Napoli e la Campania*, in Cat. Mostra « *Napoli antica* », Napoli, pp. 23-27.

PETTAZZONI R. (1916), *Stazioni preistoriche nella provincia di Bologna*, *M.A.L.*, XXIV, coll. 221-308.

PICIOCCHI A. (1973), *La civiltà appenninica nella grotta di Nardantuono ad Olevano sul Tusciano (Salerno), Boll. Soc. Nat. Napoli*, 82, pp. 283-306.

PUGLISI S.M. (1953), *Nota preliminare sugli scavi nella caverna dell'Erba (Avetrana), RSP*, VIII, pp. 86-94.

QUAGLIATI Q. (1936), *La Puglia preistorica*, Trani.

RADI G. (1981), *La grotta del Beato Benincasa nel quadro delle culture dal neolitico all'età del bronzo in Toscana*, Pisa.

RELLINI U. (1923), *La grotta delle Felci a Capri*, *M.A.L.*, XXIX, coll. 305-406.

RELLINI U. (1925), *Matera. Scavi preistorici a Serra d'Alto*, *Not. Sc.*, pp. 257-295.

RELLINI U. (1934), *La più antica ceramica dipinta in Italia*, Roma.

RIDOLA D. (1926), *Le grandi trincee preistoriche di Matera*, *B.P.I.*, XLVI, pp. 134-174.

ROSI M., SANTACROCE R. (1986), *L'attività del Somma-Vesuvio precedente l'eruzione del 1631: dati stratigrafici e vulcanologici*, in questo volume.

ROTA L. (1981), *Pontecagnano e Valle del Sarno*, in Atti *XXI Conv. St. Magna Grecia*, Taranto, pp. 371-377.

SESTIERI P.C. (1946-48), *Primi risultati dello scavo della necropoli preistorica di Paestum*, *Rend. Acc. Arch. Lett. e Belle Arti Napoli*, XXIII, pp. 249-308.

SESTIERI P.C. (1949), *Sarno (Campania). Scoperta di tombe sannitiche*, *Not. Sc.*, 74, pp. 175-178.

SGOBBO I. (1938), *Serino. L'acquedotto romano della Campania: Fontis Augustei Acquaeductus*, *Not. Sc.*, pp. 75-97.

TINÈ S. (1965), *La grotta della Manca nella contrada Romito di Papasidero (Cosenza)*, *R.S.P.*, XX, pp. 345-358.

TOZZI C. (1968), *Relazione preliminare sulla I e II campagna di scavi effettuati a Pantelleria*, *R.S.P.*, XXIII, pp. 315-387.

TRUMP D.H. (1963), *Excavation at La Starza, Ariano Irpino*, *P.B.S.R.*, XXXI, pp. 1-32.

TRUMP D.H. (1966), *Central and southern Italy before Rome*, London.

VIGLIARDI A. (1975), *Il bronzo appenninico della grotta del Noglio (Marina di Camerota, Salerno)*, *R.S.P.*, XXX, pp. 279-346.

VOZA G. (1974), *Considerazioni sul neolitico e l'eneolitico in Campania*, in Atti *XVII Riun. Scient. I.I.P.P.*, pp. 51-84.

SOPRINTENDENZA ARCHEOLOGICA
DELLE PROVINCE DI SALERNO,
AVELLINO E BENEVENTO.

AMODIO MARZOCCHELLA

CLAUDE ALBORE LIVADIE - GUIDO D'ALESSIO - GIUSEPPE MASTROLORENZO - GIUSEPPE ROLANDI

LE ERUZIONI DEL SOMMA-VESUVIO IN EPOCA PROTOSTORICA.
(pl. XXVIII-XXXII)

Nella regione del Somma-Vesuvio si rinvengono i prodotti di due distinte attività esplosive intercalati a quelli delle eruzioni di Avellino e di Pompei (Lirer et al. 1973). I prodotti di queste ultime due eruzioni, come è noto, sono distribuiti su di una vasta area sotto forma di orizzonti uniformi di pomici bianche e grigie, verso N-NE in direzione di Avellino (Pomici di Avellino) e verso Sud in direzione di Castellammare di Stabia (Pomici di Pompei).

Fino ad ora non vi sono state in letteratura esaurienti descrizioni di attività nel periodo intercorrente tra queste due grosse eruzioni.

Rittmann (1933-1950) e Rittmann e Ippolito (1947) avevano però segnalato la presenza di prodotti dovuti ad una forte eruzione che aveva ricoperto l'area occupata dall'attuale cittadina di S. Marzano. Essi avrebbero seppelliti manufatti e deposizioni funerarie che gli scavatori delle necropoli sarnesi datavano intorno all'VIII sec. a.C. Sulla scorta di tali osservazioni, avanzarono l'ipotesi che i prodotti della sottostante eruzione di pomici bianche e grigie, da essi denominati « Pomici di S. Marzano », (« Pomici di Avellino » di Lirer et al. 1973), fossero stati eruttati nel XII secolo a.C. e che l'eruzione che sigillava le tombe era all'incirca coeva al materiale rinvenuto.

Più recenti osservazioni sulle serie stratigrafiche associate a nuovi dati archeologici hanno indotto ad una migliore definizione del numero di eventi, delle tipologie eruttive, nonché ad una più accurata valutazione cronologica degli eventi stessi.

L'attività eruttiva del Somma-Vesuvio e le fonti antiche.

Che il Somma-Vesuvio sia stato una volta un vulcano attivo era noto agli Antichi.

Tranne il babilonese Berosos, le cui dubbiose cronache riportano remote eruzioni del Vesuvio (vedi Appendice), sembra che gli Autori antichi ignoravano quanto addietro nel tempo risalissero le ultime manifestazioni del vulcano.

Vitruvio (II, 6) riferisce che per tradizione sapevasi ai suoi tempi che fosse stato ignivome una volta; Strabone (V, 247) non sa essere più preciso . Pertanto appare di notevole importanza l'evocazione, sebbene fugace, di tali remoti eventi che troviamo in Diodoro (IV, 21; V, 71), nella quale affiorano utili elementi di valutazione cronologica (vedi Appendice).

Si rileva innanzitutto il carattere naturalistico del toponimo « flegreo » spiegato in relazione ai fenomeni vulcanici in una stretta logica di accostamento a « φλέγω ». In altri termini, Diodoro ci induce a pensare che questo nome fu dato all'intera pianura campana, quando il Vesuvio era ancora attivo e che le sue manifestazioni giustificavano tale denominazione. Anche se non allude al vulcano, nel ricordare che una volta così si chiamava la regione di Capua e di Nola, Polibio (Hist. II, 17; III, 91) già si riallacciava evidentemente a tale tradizione. Ma quando fu dato questo nome?

Un utile elemento di valutazione cronologica scaturisce dalla parola stessa di « Flegreo » che è connessa, in Calcidica come a Cuma, alla Gigantomachia cosmica: indica infatti la piana in cui si sarebbe svolto lo scontro degli Dei e di Eracle contro i Giganti. E' noto che ambedue i territori sono stati colonizzati dagli Eubei; appare dunque assai verosimile che la localizzazione del mito ed il nome stesso della Pianura siano opera loro.

E' possibile valutare quando questo avvenne? Forse già nei primi tempi dell'avventurosa impresa euboica nei mari occidentali, quando stabilitisi a Pitecusa i Greci della Grande Isola guardavano al territorio campano stupiti di ritrovare in alcuni luoghi aspetti familiari — o più tardi nel momento della colonizzazione vera e propria dell'area costiera con la fondazione di Cuma. Non vi è dubbio, infatti, che dopo la distruzione dell'abitato indigeno che si arroccava con l'acropoli sulla cupola trachitica, il mito della lotta contro il Caos poteva presentarsi come un momento propagandistico alquanto necessario e la presenza euboica voler apparire come « apportatrice di ordine e di civiltà in ambiti prima dominati dal disordine e dalla violenza dei mitici Giganti » (Valenza Mele 1979).

Mancano, però, nelle fonti antiche testimonianze precise di catastrofici eventi del Vesuvio come nel caso delle eruzioni dell'Epomeo ad Ischia (Strab., V, 248). Pertanto solo un'attenta indagine sul territorio attorno al Vesuvio poteva rivelare nelle stratigrafie conservate in scavi profondi, i segni di tali manifestazioni eruttive.

A tale scopo sono state compiute dagli Autori di questa nota una serie di ricognizioni nelle cave situate alle falde del Vesuvio che mettono chiaramente in evidenza i prodotti di due distinte eruzioni intercalati tra i livelli di pomici dell'eruzione di Avellino e quindi dell'eruzione del 79 d.C.

Stratigrafia e distribuzione dei prodotti.

Nel settore di N-NE dell'apparato del Somma-Vesuvio, costantemente, in sovrapposizione alla formazione delle « Pomici di Avellino », è osservabile un orizzonte piroclastico scuro (orizzonte A) costituito da una serie di livelli di pomici intervallati da altrettanti livelli cineritici di colore grigio scuro (figg. 1, 2, 3).

Gli orizzonti pomicei, a loro volta evidenziano l'andamento ritmico degli atti esplosivi mostrando una tendenza alla stratificazione, dovuta anche alla intercalazione di livelli più sabbiosi. Gli elementi principali sono costituiti da pomici poco vescicolate, con spigoli vivi, talora subarrotondati, contenenti fenocristalli di biotite, le cui dimensioni massime sono di alcuni cm., e le densità sono quasi sempre maggiori di 1g.-cc.

Alle pomici sono associati xenoliti litici costituiti da frammenti lavici, cristalli sciolti di feldspato e biotite, mentre non si rinvengono xenoliti del substrato sedimentario calcareo-dolomitico.

I livelli cineritici intercalati si presentano con tessitura massiva, e talora contengono concentrazioni di pisoliti di dimensioni di qualche mm. omogeneamente distribuite per l'intero spessore.

Gli spessori totali dell'orizzonte A sono variabili. Nei dintorni del centro eruttivo, sono massimi a Terzigno e assai minori verso Ottaviano. Verso Est, nell'antistante pianura diminuiscono sensibilmente; a Sarno si rinviene un piccolo livello di 20 cm., ma in questa località pedemontana intervengono probabilmente anche fenomeni erosionali.

Nel settore di S-E, in località Passanti (Terzigno), si rinvengono, immediatamente a letto della formazione delle « Pomici di Pompei », i prodotti di questa consistente attività eruttiva formata, per uno spessore di metri 6, da una sequenza di livelli di ceneri cui si alternano altri di pomici, in prima ipotesi da porre in relazione con l'attività che ha originato i prodotti dell'orizzonte A (fig. 4).

In tali depositi sono individuabili, infatti, livelli da caduta simili a quelli dell'orizzonte A per caratteristiche strutturali; si distinguono inoltre, associati ai livelli da caduta, altri livelli cineritici, con granulometria variabile da fine a media grossolana, da massima a ondulata.

Nella stessa località la formazione di Pompei presenta la facies da « surges piroclastico » sovrapposta alla facies da « fall » (figg. 4, 5 a, b).

Le analisi granulometriche eseguite sui prodotti di questa eruzione e le relative variazioni con la distanza dal centro eruttivo permettono di dedurre la presenza di una componente da « fall » (fig. 6), a cui si associa una consistente componente freatomagmatica ben rappresentata nella zona di Terzigno.

L'esistenza di un'attività successiva alla precedente, i cui prodotti vengono indicati in questo lavoro come orizzonte B, è comprovata dai rapporti stratigrafici relativi ai due eventi, oltre che dai rapporti più generali con le eruzioni di Avellino e di Pompei.

Tale orizzonte B è costituito da una sequenza di livelli pomicei intercalati a più sottili livelli cineritici. Le analisi granulometriche relative ai livelli pomicei per i diversi affioramenti sono mostrati in fig. 6.

E' evidente un caratteristico andamento unimodale con bassa deviazione standard, indizio di un origine da « fall ».

Nella zona di Ottaviano si rinviene una successione completa, comprensiva, a partire dalle pomici di Avellino alla base, dei prodotti delle due attività protostoriche (A e B) e culminanti a tetto con le pomici di Pompei.

Questo assetto stratigrafico è in realtà poco diffuso nella zona ad Est del Somma-Vesuvio in quanto come è noto i prodotti delle eruzioni di Pompei ed Avellino presentano assi di dispersione di 90 gradi, sicché ad una dispersione verso N-NE dell'una (Pomici di Avellino) si contrappone una dispersione verso S-SE dell'altra (Pomici di Pompei) (Lirer et al., 1973).

Esiste in pratica solo una stretta fascia di territorio situata nelle zone prossime dell'apparato, individuabile tra Ottaviano (Loc. Zabatta) e S. Anastasia, dove è possibile osservare la sovrapposizione in successione stratigrafica dei prodotti di queste due distinte eruzioni.

La stessa cosa accade per i prodotti (A e B) delle due eruzioni prese in considerazione nel presente lavoro, per cui in definitiva, in poche località della porzione di territorio presa in esame (come ad esempio ad Ottaviano), è possibile rinvenire la successione stratigrafica completa dei prodotti ascrivibile alle quattro eruzioni (fig. 1).

I prodotti dei due orizzonti A e B mostrano, inoltre, una diversità di composizione chimica, come viene mostrato nella tabella 1.

Sulla base delle osservazioni fin qui riportate si rileva dunque la presenza, tra i due grandi eventi di « Avellino » e di « Pompei », di prodotti riferibili a due distinte attività esplosive che si sono distribuiti prevalentemente nel settore orientale dell'apparato, secondo assi di dispersione diversi, il cui probabile andamento viene schematizzato nella fig. 7.

L'età delle due eruzioni.

Non sono state effettuate datazioni dirette sui prodotti dei due atti eruttivi descritti. Essi risultano, come si è detto, intercalati tra i proventi delle « Pomici di Avellino » e quelli del 79 d.C.

L'eruzione delle pomici di Avellino è stata attribuita da Rittmann al XII sec. a.C. in base al *terminus ante quem* imposto dalla cronologia delle tombe a fossa di S. Marzano (Rittmann 1933). Infatti le tombe di questa necropoli, scavate immediatamente al di sopra dello strato eruttivo, erano fatte risalire al momento dei primi rinvenimenti, per quel che riguarda le deposizioni più antiche, ad un periodo compreso tra il XII sec. a.C. ed il IX e VIII sec. a.C. (Patroni 1901). Ma l'approssimativa datazione dell'evento alla fine del secondo millennio — ancora accettata da alcuni (Imbò, 1984) — oramai non è più attendibile. Dati recenti, infatti, (Alessio et al., 1974; Delibrias et al., 1979) indicano, per il paleosuolo posto a letto di tale livello eruttivo, un'età ^{14}C di 3870 e 3760 B.P. Nei pressi di Palma Campania, il rinvenimento di materiali archeologici attribuibili ad un momento maturo dell'antica età del Bronzo (Albore Livadie - d'Amore, 1980) ed altri ritrovamenti coevi appartenenti alla stessa facies (Albore Livadie, 1982), trovati sepolti dall'eruzione delle « pomici di Avellino » confermano che tale evento ebbe luogo intorno al 1800 a.C. ([14]C.).

Ciò significa che i due atti eruttivi descritti possono essere posti in un intervallo temporale che va da questa ultima data fino al 79 d.C.

Appariva dalla rilettura di rinvenimenti archeologici fatti in passato nella piana vesuviana che fosse possibile limitare entro un intervallo cronologico più ristretto le date di queste due eruzioni ed addirittura valutare in termini storici le possibili conseguenze dell'attività vulcanica del Somma sugli insediamenti protostorici della regione. In particolare gli scavi condotti nei primi anni del secolo nella necropoli di S. Marzano e di S. Valentino e nelle discusse « palafitte » della regione sarnese sembravano poter offrire elementi di notevole precisione. Era stata infatti notata da chi conduceva l'esplorazione archeologica, la presenza costante di « uno strato di lapillo che ricopriva tombe riferibili ad un'età non posteriore ai primi secoli della colonizzazione greca ». La situazione stratigrafica sembrava non lasciare dubbi.

« Questo strato incominciava a circa tre metri sotto l'attuale livello e per uno spessore di circa mezzo metro ricopriva il più antico piano di campagna dove si trovarono, a quanto pare, tracce della coltivazione. E sotto questo più antico piano di campagna, a meno di mezzo metro di profondità furono trovate alcune tombe che contenevano la suppellettile arcaica » (Pais, 1908).

Così Pais poteva concludere sull'esistenza di « una eruzione del Vesuvio posteriore all'arrivo dei coloni ellenici, molto anteriore d'altra parte a quella storica del 79 d.C. che distrusse Pompei e danneggiò tanta parte della Campania ». Quest'opinione, però, non era condivisa da tutti ed in particolare dal Patroni, primo indagatore della valle del Sarno, che riteneva « in verità non facile ad ammettere che, in un'epoca in cui le colonie greche della costa avevano già alcuni secoli di vita, ed attivo era il commercio con gli indigeni, un simile cataclisma si sarebbe potuto produrre senza lasciar traccia di sé nelle tradizioni storiche » (Patroni, 1909).

Anche se questo lapillo, poiché « di color nerastro », era « diverso affatto da quello degli strati superiori, che si nota in tutta questa vallata », ed al dire del Pais non poteva « essere confuso con quelli della nota eruzione pliniana di Pompei » — quest'ultima eventualità non era del tutto scartata da chi pure si era occupato di scavi nella valle del Sarno e muoveva gravi dubbi sull'interpretazione scientifica della recente esplorazione (Patroni, 1909) e chiedeva, in ultima analisi, ai vulcanologi di pronunciarsi sulla realtà dell'evento eruttivo (Patroni, 1911).

A vanificare ogni perplessità, comunque, sembrava giungere decisiva la testimonianza autorevole nonché attenta del noto archeologo tedesco F. von Duhn (von Duhn, 1910). Infatti egli riferiva che « quando nell'estate 1903 in un punto della Piana del Sarno meridionale, a due ore da Pompei, si cominciarono gli scavi, furono trovate tombe di una popolazione autoctona che, a giudicare dai reperti, erano state chiuse all'incirca tra l'800 e non oltre il 700 a.C. Al di sopra di esse fu trovato un solido strato di pietra pomice, poi uno spesso strato di cenere, al di sopra un terreno fertile; tutto ciò senza traccia di presenza umana, poi di nuovo uno strato di pietra pomice, al di sopra di nuovo cenere e terra e poi numerosi resti di un insediamento romano appartenente al periodo successivo alla distruzione di Pompei. La conclusione era chiara: una densa e pacifica popolazione abitava fittamente la zona, ancora nell'VIII secolo a.C., quando all'improvviso la montagna guastò la loro tranci ha dato notizia. I sopravvissuti erano sopraffatti dallo spavento, nessuno osò tornare. Solo 800 anni più tardi l'uomo ritorna dopo che aveva avuto luogo anche la seconda eruzione cioè la grande eruzione pompeiana. Si comprende che là dove erano avvenute simili catastrofi, i Greci colonizzatori ad Ischia, preferivano evitare la montagna terribile, che si era già fatta sentire con questi violenti segni di vita. Essi si sentivano più tranquilli a Kime che ai piedi del Vesuvio nel golfo di Napoli ». Nel suo lavoro del 1924 appare ormai come un dato acquisito che tutte le tombe dell'area sarnese (Striano, S. Marzano, S. Valentino) giacciano sotto uno strato di ceneri e di lapilli da riferire ad un'eruzione vesuviana ignorata dagli autori antichi (von Duhn, 1924).

L'idea di una catastrofe che avesse tanto determinato con le sue conseguenze dirette e indirette lo svolgere della storia campana non mancò di attrarre gli archeologi. Poco attenti alla reale distribuzione dei prodotti piroclastici dell'eruzione che aveva sepolto i paesi della valle del Sarno, inclusero nelle conseguenze della stessa immane catastrofe, aree assai periferiche come Ischia e Cuma. Nell'isola, la catastrofe vulcanica avrebbe causato la distruzione del villaggio di Castiglione, ed a Cuma avrebbe ricoperto le sepolture elleniche con ampio manto pomiceo (Mustilli, 1961).

La datazione dell'eruzione era comunque strettamente conseguente all'età delle ultime deposizioni di S. Marzano che venivano inquadrate con una certa approssimazione al VII sec. a.C. (Pais, 1908; Patroni, 1909), intorno all'800-700 a.C. (von Duhn, 1910), all'VIII sec. a.C. (Mustilli, 1961).

La realtà di tale evento veniva successivamente autorevolmente confermata dal vulcanologo Rittmann, che a seguito di sopralluoghi fatti nella stessa cava Samengo dove erano state esplorate le tombe all'inizio del secolo, concludeva che « l'attività del terzo periodo del Somma recente terminò del tutto diversi secoli a.C. dopo che una delle sue ultime eruzioni, probabilmente laterale, seppellì i manufatti dell'VIII sec. a.C. presso l'attuale S. Marzano » (Rittmann - Ippolito, 1947). Egli riprende tali analisi nel 1950 nel suo noto articolo sull'eruzione vesuviana del 79 attribuendo addirittura a questa eruzione la decapitazione del monte con largo slabbramento verso il lato SE o E, così come appare nelle pitture pompeiane (Rittmann, 1950).

Le differenti datazioni intorno alle quali oscillava questa eruzione richiedevano però una più attenta valutazione della situazione stratigrafica delle tombe sarnesi. Gli scavi in corso in questi mesi a Striano ed a San Valentino a cura rispettivamente delle Soprintendenze di Pompei e di Salerno hanno fornito agli autori di questa nota una opportunità in tal senso.

Si è potuto, nel corso di varie ricognizioni, osservare come sopra tutte le tombe sia ben visibile uno spesso livello pomiceo biancastro di 50 cm. di spessore. Questo corrisponde però all'eruzione del 79 d.C., il che sembrerebbe rendere giustizia alle perplessità del Patroni (Patroni, 1909) e smentire definitivamente le precedenti ricostruzioni del Pais, di von Duhn ed altri.

Al di sotto di questo livello eruttivo e di un livello agricolo venuto a formarsi successivamente alla fine della necropoli, le tombe protostoriche ed arcaiche si presentano affossate in uno spesso strato di ceneri umificate di circa 60 cm. corrispondenti alla parte terminale dell'eruzione A.

Alcune sepolture poggiano su uno strato sabbioso nero di pomici piccolissime appartenente ai momenti iniziali di tale eruzione, mentre quelle più profonde poggiano sullo strato pomiceo grigio-biancastro dell'eruzione di Avellino. Le tombe non sono in nessun modo ricoperte dall'eruzione A.

L'evento A andrebbe dunque necessariamente inquadrato tra l'eruzione avvenuta nel corso del Bronzo antico (eruzione di Avellino) e la fine del IX sec. a.C., data alla quale risalgono le più antiche tombe.

Materiale archeologico ben datato proveniente da scavi effettuati in livelli profondi nella regione ad Est dell'apparato vesuviano poteva restringere ulteriormente l'intervallo di tempo in cui era avvenuta l'eruzione più antica (A).

A Sarno, nel corso dello scavo dell'insediamento preistorico (località Anfiteatro), si sono individuate tracce di questa eruzione (Tab. 1). L'orizzonte sabbioso cineritico che le appartiene contiene materiale di impasto genericamente attribuibile all'età del Bronzo avanzato - prima età del ferro (Marzocchella in questo volume). Troppo poco ancora per pronunciarsi sulla data dell'evento.

A Pompei, però, si poteva sperare di rilevare nelle sequenze stratigrafiche elementi di ordine cronologico tali da precisare i termini inferiori o superiori dell'eruzione. Nell'area degli scavi, i livelli piroclastici sono ben rappresentati; Rittmann sembra averli individuati in alcuni pozzi dove vari strati di ceneri presentavano caratteristiche proprie dell'eruzione A. Il pozzo scavato nel 1930 nel cortile della Casa dei Vasi di Vetro (poi reinterrato) e quello presso Porta Vesuvio hanno restituito tra i livelli di pomici del 79 d.C. e quelli delle pomici di Ottaviano uno strato di ben 50 cm. di ceneri e sabbia (Rittmann, 1933) riportato nelle stratigrafie da Luongo e Rapolla (1964) posto immediatamente sotto le pomici del 79 d.C.

Analoghi livelli sono stati rilevati dall'Eschebach nel corso di più sondaggi nella cittadina vesuviana (Eschebach, 1976). Purtroppo mancano del tutto probanti elementi di datazione. Di maggior significato si rivela invece il compatto strato piroclastico (20-40 cm. circa) che è stato rinvenuto nei saggi eseguiti nel giardino della Casa di Lucrezio Fronto (V, 4, 11) a Pompei nel 1972 (Brunsting, 1975) e nel 1974 (Wynia, 1982). Ricopre un paleosuolo antropizzato contenente frammenti d'impasto dell'età del Bronzo. Brunsting segnala nel terreno sovrastante il livello eruttivo un frammento di ceramica attica a figure nere datata al 515 da F.L. Bastet, che costituisce inequivocabilmente un *terminus ante quem* per l'eruzione in oggetto.

Il *terminus post quem* è fornito invece dal materiale d'impasto genericamente inquadrato all'età del Bronzo dagli scavatori. In base a queste evidenze S.L. Wynia data tale evento « dopo la fine dell'età del Bronzo ». Anche se la maggioranza dei frammenti rinvenuti sono poco significativi (si tratta per lo più di frammenti di olla con cordone orizzontale con impressioni digitali, di vari labbri rovesci, di una presa a linguetta di olletta) andrebbero comunque, per la presenza tra di loro di un manico verticale a nastro piatto, con estremità inspessita di tipo c.d. protoappenninico B (fase recente), riferiti al momento di passaggio alla media età del Bronzo (Wynia, 1982, fig. 2, 2 fila a destra).

Allo stato attuale della documentazione sembrerebbe che l'intervallo di tempo in cui potrebbe essere avvenuta l'eruzione A sia dunque compreso tra l'avanzato XVI sec. a.C. (limite più comunemente accettato per la seconda fase del protoappeninico B) ed un momento ancora da valutare del Bronzo recente o finale.

Queste considerazioni potrebbero essere suffragate dai dati presentati nel lavoro di Rosi e Santacroce (questo volume). Questi autori riportano la descrizione di prodotti, rinvenuti in una cava nei pressi dell'abitato di Terzigno, compresi tra le eruzioni di Avellino e di Pompei, molto simile a quella dei prodotti da noi indicati come eruzione A; questi prodotti, in particolare, poggiano su di un paleosuolo datato 3000 B.P., cioè in anni veri tra 1405 e 935 a.C. (secondo le tabelle di calibrazione del Gruppo di Tucson).

L'eruzione B interessa invece essenzialmente l'area a N-E del Somma-Vesuvio. Non ha investito la regione dei villaggi indigeni di S. Marzano e di S. Valentino. Non possiamo dunque usare i dati delle necropoli per stabilire un termine cronologico all'eruzione.

Utili elementi stratigrafici e cronologici provengono, però, dagli scavi archeologici eseguiti in tempi diversi nell'area nolana.

Già, nello scavo della necropoli in proprietà Ronga (1937) il livello corrispondente all'eruzione B era stato annotato dall'attento assistente N. Testa, come « strato 4 poco uniforme costituito da pozzolana con sabbia o pozzolana con granelli di lapillo ». Questo strato era posto immediatamente a tetto dello « strato 5 di lapillo bianco », corrispondente, senza dubbio, all'eruzione delle pomici di Avellino e conteneva le « urne cinerarie, le tombe a coppi ed a cappuccina » del periodo sannitico (Bonghi Jovino-Donceel 1961).

Recenti indagini nella necropoli arcaica (scavi Livadie 1973 - scavi Sampaolo 1984) confermano in tutto tali osservazioni.

L'eruzione B, successiva alla A, è pertanto precedente alla fine del VII sec. a.C., data delle più antiche sepolture nolane, di cui possediamo dati stratigrafici precisi. Resta, tuttavia, da precisare ulteriormente il termine cronologico superiore del periodo durante il quale è potuta avvenire tale eruzione.

Conclusioni

L'infittimento del rilevamento vulcanologico dell'area del Somma-Vesuvio ed il confronto dei dati vulcanologici acquisiti, integrati con nuovi dati di carattere archeologico ha permesso di approfondire le conoscenze sull'attività del Somma-Vesuvio precedente all'eruzione del 79 d.C. limitatamente al periodo protostorico. Tali informazioni appaiono di particolare interesse soprattutto quando si considera il carattere di elevata esplosività degli eventi eruttivi che generavano i depositi piroclastici individuati.

Nel corso del II millennio si sono avute tre grosse eruzioni del Somma-Vesuvio che hanno interessato il settore orientale di questo apparato: l'eruzione delle pomici di Avellino che in termini di cronologia assoluta ha avuto luogo intorno all'inizio di tale periodo, l'eruzione A che va inquadrata tra 1045 e 935 a.C., ed infine l'eruzione B che si originò prima del VII sec. a.C.

Come è noto gli elementi essenziali nell'analisi del rischio eruttivo per un'area di vulcanismo attivo sono infatti: la magnitudo, la tipologia eruttiva, il periodo di ricorrenza. Nell'analisi interdisciplinare effettuata si sono definiti proprio questi elementi se pur con delle inevitabili approssimazioni.

In relazione all'aspetto energetico, le tre eruzioni sopracitate, a carattere esplosivo, presentano un'energia in progressiva diminuzione, come appare dal confronto delle mappe di dispersione dei rispettivi prodotti.

Riguardo alla tipologia eruttiva, sia l'eruzione di Avellino che l'eruzione protostorica A sono caratterizzate da eventi pliniani e freatomagmatici; quest'ultima componente non sembra invece presente nell'eruzione protostorica B. Infine, sotto il profilo della valutazione del periodo di ricorrenza, al di là di quanto conosciuto fin'ora, cioè che tra le eruzioni di Avellino e di Pompei sarebbe intercorso un periodo di inattività di circa 2.100 anni, i dati presenti in questo lavoro consentono un notevole abbassamento di tale periodo di ricorrenza, valutabile mediamente intorno ai 500 anni.

Da tale analisi, in conclusione, appare evidente l'elevata frequenza di eventi esplosivi di discreta magnitudo per il Somma-Vesuvio e quindi la necessità di un ulteriore infittimento delle indagini al fine di una più precisa caratterizzazione dei cicli eruttivi che porti alla comprensione della dinamica interna del sistema eruttivo attraverso la definizione della sua evoluzione temporale, con ricaduta sia in un discorso strettamente vulcanologico sia nel contesto dell'analisi del rischio per le persone e per le cose.

Un approccio di questo tipo può, inoltre, essere di supporto ad un'analisi di carattere storico-ambientale qualora si considerino gli effetti sugli insediamenti umani di eventi esplosivi di tale entità. Se ci sfugge del tutto l'atteggiamento e la strategia difensiva dell'Uomo antico davanti a queste due eruzioni, alquanto arduo ci risulta, senza dati archeologici probanti, il valutare le implicazioni economiche. Sappiamo, però, che i tempi per la ripresa di attività agricole in occasione di grossi eventi ed in ambienti culturali primitivi risultano estremamente lunghi e complessi e che la deposizione di pochi centimetri di piroclasti implica un ritardo nella ripresa delle attività agricole di decenni (Walker, 1977).

Il fatto che i due depositi analizzati abbiano spessori nelle zone prossimali di alcuni metri comporta certamente che gli eventi eruttivi in questione hanno potuto indurre all'abbandono delle zone limitrofe al vulcano. Il carattere distruttivo dovuto all'accumulo di notevoli spessori di piroclasti in queste stesse zone è stata compensata da una distribuzione areale dei prodotti non eccezionalmente estesa. Si è dunque trattato di un fenomeno regionale, limitato geograficamente, ben lungi dal cataclisma generale, che è stato ipotizzato da alcuni storici ed archeologi, e che avrebbe messo in causa tutta l'intelligenza di questa regione all'inizio della colonizzazione euboica (von Duhn, 1910, Mustilli, 1961).

TABELLA I: Analisi medie delle due eruzioni protostoriche

	ERUZIONE A			ERUZIONE B
	SARNO	OTTAVIANO	S. VALENTINO	S. ANASTASIA
SiO_2	54.54	54.86	54.47	47.05
TiO_2	0.40	0.36	0.39	0.75
Al_2O_3	20.03	20.07	19.44	18.95
Fe_2O_3	——	——	——	——
FeO	3.90	3.70	4.67	7.63
MnO	0.15	0.14	0.20	0.24
MgO	0.64	0.71	0.73	2.04
CaO	3.94	3.83	4.23	9.34
Na_2O	5.02	5.43	5.61	5.36
K_2O	8.01	8.25	6.71	5.16
Sum.	96.63	97.35	94.45	96.52

Si ringraziano per la collaborazione i dottori L. Rota e A. Marzocchella (Soprintendenza Archeologica di Salerno, Avellino e Benevento), A. D'Ambrosio (Soprintendenza Archeologica di Pompei) e V. Sampaolo (Soprintendenza Archeologica di Napoli e Caserta).

Inoltre, siamo grati alla dott.ssa R. Munno per le analisi chimiche effettuate alla microsonda elettronica in dotazione all'Università di Cagliari ed al prof. L. Lirer (Dipartimento di Geofisica e di Vulcanologia dell'Università di Napoli) per la lettura critica del manoscritto.

Questo lavoro è stato eseguito nel quadro della convenzione di ricerca tra l'URA 18 del CNRS e il Dipartimento di Geofisica e di Vulcanologia dell'Università di Napoli.

APPENDICE

FONTI STORICHE RELATIVE AD UNA REMOTA ATTIVITÀ DEL SOMMA-VESUVIO

Berosos, lib. V, *Antiquitates.*

Anni del Mondo 2106.

Eo tempore, idest anno penultimo Aralis septimi Regis Assiriorum, Italia in tribus locis arsit multis diebus, circa Istros, Cymeos et Vesuvios e vocata sunt illa loca Palensana, idest regio conflagrata.

A quei tempi, cioè nel penultimo anno di regno di Aralio, settimo re degli assiri, l'Italia arse in tre luoghi per numerosi giorni, nei dintorni di Istros, di Kyme e del Vesuvio; questi luoghi sono chiamati Palensana [. . .], cioè regione abbruciata.

L'evento risalirebbe al 1787 a.C. secondo la ricostruzione cronologica del Padre Saliano. È suggestiva la coincidenza con le datazioni attribuite all'eruzione delle pomici di Avellino.

Il brano è ripetutamente riportato, a partire dal seicento con questa paternità dagli storiografi del Vesuvio (vedi G.C. BRACCINI, *Dell'incendio fattosi a XVI di dicembre M.DC.XXXI e delle sue cause, ed effetti,* Napoli, 1632, cap. II, p. 4; F. BALZANO, *L'antica Ercolano ovvero la Torre del Greco tolta all'oblio,* Napoli, 1688, terzo libro, cap. 6, p. 95, ecc.), ma la cronaca è certamente detratta da Annio da Viterbo (1432-1502), il quale fa nelle *Antiquitates* frequenti richiami a Berosos caldeo (IV sec. a.C.), dei cui brani riportati sembra, però, essere stato spesso autore (cf. G. BAFFIONI, P. MATTIANGELI, *Annio da Viterbo; documenti e ricerche,* Contributi alla Storia degli Studi Etruschi ed Italici-1, CNR, 1981, in part. pp. 61-62).

Vitruvius Pollio, *De Architectura*, II, 6 (morto nel 26 a.C)

Non minus etiam memoratur antiquitus crevisse ardores et abundavisse sub Vesuvio Monte, et inde evomuisse circa agros flammam: ideoque nunc qui spongia sive pumex Pompeianus vocatur, excoctus ex alio genere lapidis in hanc redactus esse videtur generis qualitatem.

Si narra parimenti, essersi anticamente acceso il fuoco sotto il Vesuvio, e bollendo essersi versato inondando le vicine campagne; onde quella pietra che si chiama ora spugna, o sia pomice Pompeiana, pare che sia stata un'altra sorta di pietra ridotta poi dal fuoco a questa qualità.
(Trad. Berardo Galiani).

Diodorus Siculus, *Bibliotheca Historica*, IV, 21. (I sec. a.C.)

Μυθολογοῦσιν ...ὠνομάσθαι δὲ καὶ τὸ πεδίον τοῦτο φλεγραῖον ἀπὸ τοῦ λόφου τοῦ τὸ παλαιὸν ἄπλατον πῦρ ἐκφυσῶντος παραπλησίως τῇ κατὰ τὴν Σικελίαν Αἴθνη, καλεῖται δὲ νῦν ὁ λόφος Ὀυεσούουιος, ἔχων πολλὰ σημεῖα τοῦ κεκαῦσθαι κατὰ τοὺς ἀρχαίους χρόνους.

In questa medesima campagna Flegrea anchora chiamata, da un colle il qual a guisa d'Etna di Sicilia, fuoco gettando, si chiama hora Vesuvio, che perfino a hoggi riserva dell'antico fuoco molti vestigi.
(Trad. Francesco Baldelli).

Strabo, *Geographica*, V, 246-247. (ca. 64 a.C.-21 d.C)

Ἐχόμενον δὲ φρούσιόν ἐστιν Ἡράκλειον ἐκκειμένην εἰς τὴν θάλατταν ἄκραν ἔχον, καταπνεομένην λιβὶ θαυμαστῶς ὥσθ' ὑγιεινὴν ποιεῖν τὴν κατοικίαν. Ὄσκοι δὲ εἶχον καὶ ταύτην καὶ τὴν ἐφεξῆς Πομπηίαν ἣν παραρρεῖ ὁ Σάρνος ποταμός, εἶτα Τυρρηνοὶ καὶ Πελασγοὶ, μετὰ ταῦτα δὲ Σαυνῖται: καὶ οὗτοι δ' ἐξέπεσον ἐκ τῶν τόπων. Νώλης δὲ καὶ Νουκερίας καὶ Αχερρῶν, ὁμωνύμου κατοικίας τῆς περὶ Κρέμωνα, ἐπίνειόν ἐστιν ἡ Πομπηία, παρὰ τῷ Σάρνῳ ποταμῷ καὶ δεχομένῳ τὰ φορτία καὶ ἐκπέμποντι. ὑπέρκειται δὲ τῶν τόπων τούτων ὄρος τὸ Ὀυεσούιον, ἀγροῖς περιοικούμενον παγκάλοις πλὴν τῆς κορυφῆς αὕτη δ' ἐπίπεδος μὲν πολὺ μέρος ἐστίν, ἄκαρπος δ'ὅλη, ἐκ δὲ τῆς ὄψεως τεφρώδης, καὶ κοιλάδας φαίνει σηραγγώδεις πετρῶν αἰθαλωδων κατὰ τὴν χρόαν, ὡς ἂν ἐκβεβρωμένων ὑπὸ πυρός, ὡς τεκμαίροιτ'ἄν τις τὸ χωρίον τοῦτο καίεσθαι πρότερον καὶ ἔχειν κρατῆρας πυρός, σβεσθῆναι δ' ἐπιλιπούσης τῆς ὕλης. τάχα δὲ καὶ τῆς εὐκαρπίας τῆς κύκλῳ τοῦτ'αἴτιον, ὥσπερ ἐν τῇ Κατάνῃ, φασί, τὸ κατατεφρωθὲν μέρος ἐκ τῆς σποδοῦ τῆς ἀνενχτείσης ὑπὸ τοῦ Αἰτναίου πυρὸς εὐάμπελον τὴν γῆν ἐποίησεν. ἔχει μὲν γὰρ τὸ λιπαῖνον καὶ τὴν ἐκπυρουμένην βῶλον καὶ τὴν ἐκφέρουσαν τοὺς καρπούς πλεονάζουσα μὲν οὖν τῷ λίπει πρὸς ἐκπύρωσιν ἐπιτηδεία, καθάπερ ἡ θειώδης πᾶσα, ἐξικμασθεῖσα δὲ καὶ λαβοῦσα σβέσιν καὶ ἐκτέφρωσιν εἰς καρπογονίαν μετέβαλε. συνεχὲς δέ ἐστι τῇ Πομπηίᾳ τὸ Συρρεντὸν τῶν Καμπανῶν, ὅθεν πρόκειται τὸ Ἀθήναιον, ὅ τινες Σειρηνουσσῶν ἀκρωτήριον καλοῦσιν.

64

Vi è poi la fortezza di Ercolano su un'eminenza che si estende verso il mare, dove meravigliosamente spira il libeccio, sì da rendervi salutare la residenza. La occupavano i Volsci, come anche la contigua Pompei, presso cui scorre il fiume Sarno; dopo (le conquistarono) i Tirreni ed i Pelasgi, quindi i Sanniti. Anche costoro furono ricacciati da questi luoghi. Pompei, nei pressi del fiume Sarno, dove si ricevono ed inoltrano mercanzie, è il porto di Nola e di Nocera e di Acerra, sede omonima di quella nei pressi di Cremona. Sovrasta questi luoghi il monte Vesuvio, ricoperto di bellissimi campi, tranne che in cima. Questa è per lo più piana, tutta sterile, cinerea all'aspetto e presenta dirupi cavernosi e di roccia combusta lungo la costa come fosse stata avvolta dal fuoco, tanto che si potrebbe pensare che questo luogo sia dapprima bruciato ed abbia avuto bocche di fuoco, quindi si sia spento per mancanza di materiale. Verosimilmente è questa la causa della feracità del circondario. Allo stesso modo, a Catania, dicono, la cenere prodotta dal fuoco dell'Etna rese fiorenti di viti la terra. La fertilità è sia nella terra bruciata sia in quella coltivata. Proprio per questa sovrabbondanza di umori è facile all'incendio, come ogni cosa sulfurea, inaridita, spenta e fatta polvere si converte in terra fertile. Poco lontano da Pompei c'è Sorrento città dei Campani: da qui si dirama l'Ateneo, che alcuni chiamano promontorio delle Sirenuse.
(Trad. Guarinus Veronensis et Gregorius Tiphernas).

BIBLIOGRAFIA

ALBORE LIVADIE C., D'AMORE L. (1980), *Palma Campania (Napoli). Resti di abitato dell'età del Bronzo antico, Not. Scavi*, XXXIV, 1980, p. 59-101.

ALBORE LIVADIE C. (1982), *A propos d'une éruption préhistorique du Vésuve: contribution à la recherche sur l'âge du Bronze en Campanie. La regione sotterrata dal Vesuvio, Atti del Convegno Internazionale 11-15 nov. 1979*, Napoli - Pompei - Castellammare di Stabia, p. 863-905.

ALESSIO M., BELLA F., IMPROTA S., BELLUOMINI G., CORTESI C., TURI B. (1971), *University of Rome - Carbon-14 Dates IX. Radio carbon*, 13, Roma, p. 395-411.

BONGHI JOVINO M., DONCEEL R. (1969), *La necropoli di Nola preromana, Centro Studi Magna Grecia*, Napoli, p. 97-98.

BRUNSTING H. (1975), *Forschungen im Garten des Lucretius Fronto. Neue Forschungen in Pompeji und den anderen vom Vesuvansruch 79 n. Chr. verschutteten Stadten*, Essen, p. 198-199.

DE BLASI S. (1908), *Scavi eseguiti a S. Marzano sul Sarno e a S. Valentino, Rend. Real. Acc. Lincei*, XVII, p. 477-482.

DELIBRIAS G., DI PAOLA G. M., ROSI M., SANTACROCE R. (1979), *La storia eruttiva del complesso vulcanico Somma-Vesuvio ricostruita dalle successioni piroclastiche del Monte Somma, Rend. Societ. Ital. Mineralogia e Petrologia*, 35 p. 411-438.

DUHN (VON) F. (1910), *Pompeji, eine hellenistische Stadt in Italien*, Leipzig, in part. p. 7.

DUHN (VON) F. (1924). *Italische Gräberkunde*, Heidelberg, p. 554-555.

ESCHEBACH H. (1976), *Ein nicht überlieferter, auch Pompeji betreffender Vesuvausbruch?, Mitteilungen Deutsch. Arch. Inst. Romische, Abteil*, 83, p. 71-111.

IMBO' G. (1984), *Il Vesuvio e la sua storia. Caratteristiche, attività e danni, Ediz. Scient. Italiane*, Napoli, in part. p. 27.

LIRER L., PESCATORE T., BOOTH B., WALKER G.P.L. (1973), *Two Plinian pumice-fall deposits from Somma-Vesuvius, Italy, Geol. Soc. Amer. Bull.*, 84, p. 759-772.

LUONGO G., RAPOLLA A. (1964), *Su alcune colate laviche precedenti l'eruzione del 79 d.C., Annali dell'Osservatorio Vesuviano*, 6, 1964, p. 3-21.

MUSTILLI D. (1962), *La documentazione archeologica in Campania. Atti I Convegno Studi sulla Magna Grecia*, Taranto, p. 163-194, in part. p. 175-176.

PAIS E. (1908), *Per la Storia antichissima della Valle del Sarno, Rend. Real. Acc. Lincei*, XVII, p. 459-477.

PATRONI G. (1901), *Necropoli antichissime della Valle del Sarno, B.P.I.*, XXVII, p. 41-56.

PATRONI G. (1904), *Intorno ai più recenti scavi ed alle scoperte archeologiche nella regione corrispondente alle antiche Campania e Lucania, Atti Convegno Internazionale Scienze Storiche*, Roma, V, p. 207-219, in part. p. 217.

PATRONI G. (1909), *La pretesa palafitta del Sarno, Rend. Real. Acc. Lincei*, XVIII p. 265-270.

PATRONI G. ed al. (1911), *Guida al Museo Archeologico Nazionale di Napoli, Edizione Ruesch, II edizione*, p. 154-155.

RITTMANN A. (1933), *Die geologisch bedingte Evolution und Differentiation des Somma-Vesuv-Magmas*, XV.

RITTMANN A., IPPOLITO F. (1947), *Sulla stratigrafia del Somma-Vesuvio, Atti Fondaz. Polit. Mezzog. d'Italia*, Napoli, III, n. 7, p. 18-23.

RITTMANN A. (1950), *L'eruzione vesuviana del 79 d.C.: studio magmatologico e vulcanologico, « Pompeiana ». Raccolta per il Centenario degli Scavi di Pompei*, p. 456-474, in part. p. 471.

ROSI M., SANTACROCE R. (1986), *L'attività del Somma-Vesuvio precedente l'eruzione del 1631: Dati stratigrafici e vulcanologici. Tremblements de Terre, éruptions volcaniques et vie des hommes dans la Campanie antique.* Centre J. Bérard-Napoli.

VALENZA MELE N. (1979), *Eracle euboico a Cuma, la Gigantomachia e la via Heraclea, Recherches sur les cultes grecs et l'Occident, 11, 1979, (Cahiers du Centre Jean Bérard*, V, p. 19-51, principalmente p. 32-42).

WALKER G.P.L. (1977), *Metodi geologici per la valutazione del rischio vulcanico, Atti del Convegno: I vulcani attivi dell'area napoletana*, p. 53-60. Regione Campania, Napoli.

WYNIA S.L. (1982), *The excavation in and around the House of M. Lucretius Fronto. La regione sotterrata dal Vesuvio, Atti del Convegno Internazionale 11-15 nov. 1979*, Napoli-Pompei-Castellammare di Stabia, p. 329-340.

CNRS - URA 18 (NAPOLI)
DIPARTIMENTO DI GEOFISICA E DI
VULCANOLOGIA - UNIVERSITÀ
DI NAPOLI

CLAUDE ALBORE LIVADIE
GUIDO D'ALESSIO
GIUSEPPE MASTROLORENZO
GIUSEPPE ROLANDI

66

JEAN-PIERRE ADAM

OBSERVATIONS TECHNIQUES SUR LES SUITES
DU SÉISME DE 62 À POMPÉI (1)

(pl. XXXIII-LIII)

La première connaissance que nous avons d'un tremblement de terre ayant affecté gravement Pompéi sous le règne de Néron, ne fut pas le fait des découvertes archéologiques; celles-ci ne firent que confirmer, dès les premières années de fouilles, un événement sur lequel Sénèque et Tacite avaient apporté leur témoignage.

C'est au Livre VI de ses *Questions naturelles* (2) que le premier avec les termes émus d'une narration emphatique, relate la catastrophe: « Pompéi, ville célèbre de la Campanie, devant laquelle d'un côté le rivage de Stabies et de Sorrente, de l'autre celui d'Herculanum se rejoignent pour former, en face de la grande mer, un golfe charmant, vient d'être renversée par un tremblement de terre dont ont souffert toutes les contrées voisines; et cela pendant l'hiver, saison que nos ancêtres croyaient à l'abri de ce danger. C'est le jour des nones de Février sous le consulat de Regulus et de Virginius, qu'eut lieu ce séisme (3). La Campanie, toujours exposée à ce fléau et qui, tant de fois déjà, sans autre dommage que la peur, y avait échappé, est aujourd'hui couverte de morts et de ruines. Herculanum aussi s'est en partie écroulé et ce qui reste debout n'est pas sans inquiéter. La colonie de Nocera (4), moins gravement atteinte, cependant n'est pas indemne. Naples légèrement touché par la terrible catastrophe, a beaucoup souffert dans les maisons particulières moins dans les édifices publics (5). Des villas situées sur des sommets ont tremblé sans éprouver de dégâts. Ajoutez à cela un troupeau de six cent brebis tuées, des statues fendues et, après le désastre, des hommes privés de raison et hors d'eux-mêmes, errant au hasard. D'autres secousses suivirent, plus bénignes à la vérité, funestes cependant parce qu'elles s'attaquaient à des édifices éprouvés et disjoints qui, déjà chancelants, attendaient pour s'écrouler, non pas un choc mais un simple ébranlement». (6).

(1) Ces observations ont été rendues non seulement possibles mais grandement facilitées par les autorisations et l'aide amicale des responsables du site de Pompéi, la doctoresse Giuseppina Cerulli-Irelli, les docteurs Stefano De Caro et Antonio d'Ambrosio, qu'ils trouvent ici à la fois un hommage et une sincère reconnaissance. Le Centre Jean Bérard, en la personne de Mireille Cébeillac-Gervasoni, m'a, une fois de plus accordé sa confiance et son aide sans lesquelles ce manuscrit n'aurait pas vu le jour, alourdissant ainsi une dette amicale difficile à éteindre. Enfin, Jean Andreau, particulièrement connaisseur des problèmes économiques attachés à Pompéi, m'a fait l'amitié de relire ce manuscrit et d'en redresser les maladresses et lacunes; à lui vont également mes remerciements les plus vifs.

(2) SÉNÈQUE *Questions naturelles*, VI,1-2.

(3) *Nonis Februaris hic fuit motus Regulo et Virginio consulibus*, cette précision permet de situer au 5 février 62 le jour de la catastrophe. Le calendrier romain faisait commencer ses mois au jour de la nouvelle lune: les *kalendes*, puis décomptait le jours jusqu'au premier quartier: les *nones* et ensuite jusqu'aux *ides*, jour de la pleine lune et enfin de nouveau jusqu'au *kalendes* du mois suivant. Ainsi pour février on avait: *kalendes*, 4ème jour avant les *nones*, 3ème jour avant les *nones*, veille des *nones* et *nones*, ce qui nous donne bien le 5 février. Voir: J. ANDRÉ, *Le calendrier à Rome*, dans *Dictionnaire archéologique des techniques*, Paris, 1963, vol. I, p. 212-214.

(4) Ville située à 12 kilomètres à l'Est de Pompéi.

(5) Deux ans plus tard, Néron s'exhibait en chantant au théâtre de Naples, lorsqu'une légère secousse sismique se produisit; grisé par son rôle, l'Empereur demeurait en scène malgré les exhortations de son entourage. Par un hasard extraordinaire l'édifice, déjà ébranlé par le précédent séisme, s'écroula peu après la fin de la représentation. SUÉTONE, *Néron,* XX, 3 et TACITE, *Annales,* XV, 34,1.

(6) Trad. de H. THÉDENAT, *Pompéi*, 3ème éd. Paris, 1927, vol. I, p. 18.

Tacite, beaucoup plus bref, signale en quelques mots la destruction par un tremblement de terre de la plus grande partie de la célèbre ville de Pompéi (7).

Il est intéressant de noter que ces deux auteurs, dont les narrations sont très inégales, s'accordent à qualifier Pompéi de ville célèbre, titre qui n'est accordé ni à Nocera ni à Herculanum, et donne à penser que de riches familles, influentes à Rome, y résidaient ou y possédaient des biens immeubles (8).

C'est toutefois le premier, on l'a vu, qui nous documente avec précision sur la date de l'événement, que l'on a pu ainsi fixer au 5 février de l'an 62 (9), soit dix-sept ans et six mois avant l'éruption fatale du 24 août 79 (10).

Un autre témoignage, unique dans l'archéologie, nous est offert par deux bas-reliefs représentant tous les deux des monuments de Pompéi au moment même de leur destruction. Le premier fut découvert en 1875, scellé sur un côté du laraire de la maison de L. Caecilius Jucundus (V.1.26) (11), constituant l'ornement en partie haute du podium de l'édicule; c'est une plaque de marbre mesurant 88 cm de longueur et 13 cm de hauteur. On y voit, sur la partie gauche (fig. 2), le Capitole du forum, ou temple de Jupiter, construit dans la seconde moitié du IIè s. av. J.-C. (12) et l'arc de triomphe qui le jouxte à l'Ouest, figurés avec une forte inclinaison destinée à exprimer le mouvement du sol sur lequel ils reposaient. (Fig. 2). Détail particulièrement pittoresque, le sculpteur, d'un talent naïf, afin de mieux exprimer le dynamisme de l'instant, a représenté les deux cavaliers encadrant la façade du sanctuaire, abandonnant leur rigidité de statues pour chercher désespérément leur équilibre compromis, en levant une jambe.

La droite du panneau est occupée par un autel et un boeuf que l'on y conduit pour y être sacrifié; hommage aux dieux du pompéien épargné par le séisme. Le second relief, hélas volé durant l'été 1977, fut découvert à une date inconnue et dans un lieu inconnu, car aucune note de fouille n'en fait mention (13), et après avoir séjourné à l'antiquarium fut, par analogie, scellé dans le mur

(7) TACITE, *Annales*, XV, 22 *Et motu terrae, celebre Campaniae oppidum Pompei magna ex parte proruit.*

(8) La *gens Poppaea*, d'où fut issue Poppée, seconde femme de Néron, possédait à Pompéi la maison des Amours dorés (VI, 16,7) et la maison du Ménandre (I,10,4) et, à faible distance de la ville, sur le littoral de l'actuelle Torre Annunziata, la fastueuse *villa* d'Oplontis.

(9) Jusqu'à, et y compris, la publication de A. MAIURI, *L'ultima fase edilizia di Pompei*, Rome, 1942, on situait le séisme en 63, cf. G. FIORELLI, *Descrizione di Pompei*, Naples, 1875, p. 8 et 9, il est le premier auteur à avoir signalé des traces du tremblement de terre sur les vestiges pompéiens. OVERBECK-MAU, *Pompeji in seinen Gebaüden*, Leipzig, 1884, 4ème éd., p. 72, ces auteurs décrivent la destruction des monuments du forum et les travaux de restauration entrepris; enfin A. MAU et F. DREXEL, *Pompeji in Leben und Kunst*, 1913, p. 37 et suiv. mettent en relation les nouvelles structures architecturales avec la dernière expression picturale. Pourtant, dès 1903, S. Chabert étudiant soigneusement la chronologie consulaire proposait la date du 5 février 62, reconnue comme vraie dans: *Le tremblement de terre de Pompéi et sa véritable date: 5 février 62 ap. J.-C.*; depuis cet auteur, deux études complémentaires sont venues confirmer la proposition de Chabert: R. LECOCQ, *Quelle date assigner à la première catastrophe de Campanie, 62 ou 63 p.c. ?*, *L'Antiquité Classique*, XVIII, 1949, p. 85-91, Louvain, Bruxelles et G.O. ONORATO *La data del terremoto di Pompei: 5 febbraio 62 d.C.*, *Atti dell'Accademia nazionale di Lincei*, Rendiconti, Ser. 8, vol. 4, 1949, p. 644 à 661.

(10) Voir la lettre justement célèbre de Pline le Jeune à Tacite, dont la narration commence au neuvième jour avant les *Kalendes* de Septembre à la septième heure (le 24 août à 13h) au moment où apparaît la nuée au-dessus du Vésuve, (PLINE LE JEUNE, *Lettres*, VI, 16 et VI, 20). Géologiquement l'éruption est décrite par A. RITTMANN, *L'eruzione vesuviana del 79, Studio magmalogico e vulcanologico*, Pompeiana, 1950, p. 456 à 474 et plus récemment: F. BARBERI, R. SANTACROCE, *Le eruzioni pliniane del Vesuvio*, *Nuova Scienza*, Ottobre 1982, p. 85 à 89.

(11) A. MAU, *Bulletino dell'Istituto di Corrispondenza Archeologica*, 1876, p. 149-151; 160-168; 223-224.

(12) A. SOGLIANO, *Il Foro di Pompei, Memorie dell'Accademia dei Lincei*, 6, 1, 1925, p. 221 à 272.

(13) A. MAIURI, *l'Ultima fase*, p. 11 et note 5. Le témoignage ancien le plus sûr est une photographie de A. Normand, datée de 1885, (cliché n. 236 de la collection Normand aux Archives photographiques, 1 rue de Valois à Paris) montrant l'intérieur du temple de Vespasien, sur le forum, transformé en dépôt lapidaire, document sur lequel on peut voir le relief du château d'eau posé sur le sol.

au dessus du laraire de Caecilius Jucundus en 1902 (14). On pouvait y voir le *castellum aquae*, le château d'eau principal où aboutissait l'aqueduc, demeurant debout, tandis qu'à son côté la porte du rempart, dite porte du Vésuve, est abattue par la secousse et que deux mules attelées à une charrette s'enfuient affolées.

Compte tenu de la position réelle des monuments du forum figurant sur le premier relief, et de la direction du mouvement qu'ils subissaient, le géologue M.S. De Rossi avait cru pouvoir y reconnaître la direction majeure de la secousse sismique suivant un axe Est-Ouest (15). Bien que cette analyse soit encore prise en considération, il convient raisonnablement de ne lui accorder qu'une valeur anecdotique, c'est-à-dire en rapport avec la naïveté d'exécution de la sculpture; l'auteur, en réalité n'avait d'autre loisir, voulant montrer le renversement d'un temple et d'un arc, scène dont il n'a peut-être pas été le témoin, que de leur donner une inclinaison latérale suffisante pour que la signification en soit sans ambiguïté. La difficulté d'une expression perspective, surtout sur une surface aussi restreinte, lui interdisait d'utiliser un autre mode d'expression et, de fait, l'objectif recherché est parfaitement atteint, observation tout aussi valable pour l'autre relief; par contre, ce qui ne fait aucun doute c'est la familiarité du sculpteur avec les monuments de Pompéi, un simple regard sur la réalité suffit à s'en convaincre. Si l'on désirait réellement considérer ces deux reliefs comme des documents géologiquement objectifs, on ne pourrait expliquer la forte inclinaison des édifices dans leur entier, autrement que par la manifestation d'un phénomène de liquéfaction du sol (16), seul capable, en effet, de provoquer des gîtes spectaculaires de monuments entiers. Or une telle conséquence des séismes ne peut se produire que dans des terrains humides, à nappe phréatique proche, et plus généralement sablonneux, ce qui n'est nullement le cas de Pompéi, installée sur une coulée de lave épaisse de vingt à trente mètres et parfaitement sèche (17).

En conclusion, il convient de considérer ces deux témoins, comme des informations historiquement et anecdotiquement essentielles mais sans valeur précise du strict point de vue de l'analyse sismologique. Dans la matérialité des faits, le temple de Jupiter a bien été détruit, sa colonnade abattue (18), seuls ne subsistant que le podium et une médiocre élévation des murs de la *cella*, tandis que de l'arc, totalement démuni de ses revêtements de marbre, il ne demeure que la structure de maçonnerie parementée de briques. Le second relief est également conforme aux conséquences du séisme puisque, si la porte du Vésuve a bien été totalement abattue et ses vestiges dégagés, le château d'eau a subsisté (19).

Mais bien avant la découverte et l'identification de ces précieux reliefs, les premiers fouilleurs de Pompéi, par un hasard extraordinaire, devaient, dès 1765 (20) dégager un monument, particuliè-

(14) Le second relief fut identifié et décrit pour la première fois par H. THÉDENAT, *Comptes rendus de l'Académie des Inscriptions*, 1905, p. 464 et suiv.

(15) M. S. ROSSI, *Centenario del seppellimento di Pompei per l'eruzione di 79, Intorno al terremoto che devastò Pompei nell'anno 63 e ad un bassorilievo votivo pompeiano che lo rappresenta, Bulletino del Vulcanismo Italiano*, 1879, fasc. 8-11, p. 109 et suiv.

(16) On peut expérimentalement provoquer une liquéfaction du sol simplement en piétinant rapidement et violemment le sable d'une plage à proximité de l'eau, reproduisant ainsi des secousses sismiques en miniature.

(17) Le choix de cette implantation, répondant à l'origine à des mobiles défensifs, explique la rareté et la profondeur des puits pompéiens.

(18) Les colonnes partiellement remontées sont le fait de restaurations du début du siècle.

(19) La silhouette sur le relief du *castellum aquae* est en effet la fidèle reproduction de l'édifice subsistant, mais on peut se demander si l'actuelle façade de briques n'est pas une reconstruction à l'identique effectuée après 62; il est en tout cas assuré que le côté oriental a été raccordé, en *opus reticulatum*, aux vestiges en grand appareil de la porte du Vésuve.

(20) L.MASCOLI, P. PINON, G. VALLET et F. ZEVI, *Architectes, antiquaires et voyageurs français à Pompéi, milieu XVIIIe - fin XIXe siècle*, in *Pompéi, travaux et envois des architectes français au XIXe s.* Paris, Naples, 1980, p. 10 à 17.

rement bien conservé, et pour cause: il venait d'être achevé en 79 (Fig. 37), qui fut aussitôt identifié grâce à sa dédicace placée au dessus de la porte du péribole: *N. Popidius N.f Celsinus aedem Isidis terrae motu conlapsam a fundamento p (equnia) s (ua) restituit; hunc decuriones ob liberalitatem, cum esset annorum sexs, ordini suo gratis adlegerunt* (21), soit: « Numerius Popidius Celsinus, fils de Numerius a reconstruit depuis ses fondations et à ses frais, le temple d'Isis renversé par le tremblement de terre; pour cette aide généreuse, les décurions, en dépit de ses six ans, l'admirent gratuitement dans leur ordre». Ainsi l'on apprenait, avant même de connaître la ville de Pompéi, que cette dernière avait subi des dommages dûs à un séisme et qu'un citoyen avait fait rebâtir à ses frais un temple à la déesse égyptienne Isis (22).

Jusqu'à ce jour on a mis en relation directe la secousse de 62 et le réveil du Vésuve en supposant, non sans logique, que l'épaisseur considérable du bouchon de lave solidifiée obstruant après des siècles de sommeil la cheminée du volcan, s'était opposée à une première évacuation de gaz, se transformant en explosion souterraine dont les ondes eurent l'effet d'un séisme (23). En réalité, si le Vésuve, comme le Stromboli et l'Etna, sont effectivement la manifestation d'une remontée du magma et de la proximité d'une zone de collision, il n'y a pas nécessairement de responsabilité directe du volcan dans la genèse du séisme, lequel résulte plus généralement du frottement et du glissement des plaques, provoqués par la poussée d'émergence venue des zones d'expansion (24). On a cependant les témoignages, scientifiquement enregistrés, de secousses sismiques, provoquées par le réveil d'un volcan, se terminant par une explosion éruptive parfois plusieurs mois plus tard, suivant un processus comparable à celui de Pompéi. Parmi ces évenements, rappelons l'éruption du Bezymianny. C'est le 29 septembre 1955 que des mouvements telluriques se manifestèrent dans la péninsule du Kamchatka, zone éminemment sismique du nord de la plaque Pacifique; les secousses se poursuivirent, au rythme d'une centaine par jour, durant trois semaines et les sismogrammes en localisèrent les épicentres dans la proximité immédiate du mont Bezymianny, un volcan que l'on avait toujours cru éteint. Le 22 octobre, cependant, une éruption se déclanchait, tandis que les secousses se multipliaient, phénomènes conjoints qui durèrent jusqu'à la fin novembre; puis le volcan s'assoupit plusieurs mois, pour exploser, sans nouveaux signes précurseurs, le 30 mars 1956, explosion qui pulvérisa le sommet du cône sur une hauteur de 200 m, creusa un cratère de plus de 1000 mètres de diamètre et abattit les arbres dans un rayon de 25 kilomètres (25). Compte tenu de la longueur de cette manifestation tectonique, réunissant séismes et éruptions, les géologues purent, en la circonstance, établir le schéma des tremblements de terre d'origine volcanique: le magma en remontant dans la cheminée conduisant à l'exutoire volcanique, exerce des pressions considérables sur les parois du conduit, s'infiltre dans toutes les fissures, réchauffe et dilate une masse rocheuse énorme, phénomènes d'autant plus violents que l'évacuation ne peut se faire en raison du bouchon de lave occultant l'ancien orifice, et se traduisant par des secousses sismiques et, finalement, si le magma poursuit son ascension, par l'explosion vers l'extérieur (26). Pour le séisme de 62 à Pompéi, le seul

(21) *C.I.L.*, X, 846; voir les commentaires de H. THÉDENAT, *Pompei*, vol. II, p. 70-71.

(22) Agé seulement de six ans, N. Popidius était en réalité substitué à son père, dont la position d'affranchi ne permettait pas l'admission à l'ordre des décurions.

(23) Il est intéressant de noter que le tremblement de terre qui détruisit Agadir, sur la côte marocaine, le 29 février 1960 (de Ms=6), fut mis, de la même façon, en relation avec une explosion atomique souterraine expérimentée dans la région de Colomb-Béchar.

(24) Sur le phénomène en général, consulter: A. HALLAM, *Une révolution dans les sciences de la terre; de la dérive des continents à la tectonique des plaques*, (trad. de l'anglais) Paris, le Seuil, 1976.

(25) G.S. GORSHKOV, *Gigantic Eruption of the Volcano Bezymianny*, Bulletin Volcanologique, 1959.

(26) Un phénomène analogue de séismes multiples, dits " en essaim ", fut observé autour du volcan Manua Loa à Hawaï en Avril 1974, volcan en sommeil depuis 25 ans. Les secousses se poursuivirent et s'accrurent jusqu'au 5 juillet 1975, date à laquelle le volcan entra en éruption, soit 15 mois après le début des manifestations. Il faut noter que, à l'inverse, les tremblements de terre peuvent provoquer les éruptions volcaniques, et réveiller des volcans éteints comme ce

témoignage de Sénèque, en dépit de sa grande valeur historique, demeure tout à fait dérisoire au niveau de la description du phénomène et n'autorise aucune conclusion quant aux caractéristiques précises de la secousse et bien entendu aux relations possibles avec le Vésuve; c'est donc à travers les observations archéologiques, que l'on doit s'efforcer d'estimer l'importance de l'événement et les conséquences qu'il eut sur l'architecture, au niveau des restaurations comme des techniques nouvelles et dans la conception de programmes nouveaux (27). Si les présentes observations ne s'attachent qu'à ces seules considérations architecturales, déjà relevées par d'illustres prédécesseurs (28) on ne saurait, dans une perspective historique complète, les dissocier des conséquences sociales et économiques, nécessairement en césure brutale avec la situation précédente, analyse à laquelle s'est déjà attaché Jean Andreau dans deux études successives (29). L'idéal, en présence d'une documentation aussi originale qu'abondante fournie par la seule analyse du site, serait de pouvoir dresser un inventaire typologique complet des dommages encore visibles (restaurés ou non) et des transformations perceptibles dans les programmes et les fonctions, permettant d'établir une véritable statistique portant sur l'ensemble de la cité durant sa réorganisation de 62 à 79. Les obstacles à l'aboutissement d'un tel travail, théoriquement réalisable, résident d'abord dans l'inachèvement de la fouille *intra muros* (30), puisqu'il est en effet possible que les zones enfouies recèlent des secteurs plus atteints que d'autres par le séisme de 62 (le tremblement de terre du 23 novembre 1980 a en effet affecté la région VII plus que les autres) ou, bien entendu l'inverse, de même que l'on ignore tout du caractère de ces quartiers qui pouvaient être consacrés à la résidence comme au commerce ou même aux jardins. D'autre part, l'occultation par érosion des vestiges, récupération de leurs éléments intéressants et absence de notes de fouilles systématiques jusqu'à l'intervention de G. Fiorelli, rend difficile la lecture de nombreux édifices (31). Enfin, l'observation archéologique montre que de nombreuses opérations de récupération, les unes officielles faisant suite à une intervention de Titus (32), les autres étant le fait de survivants ou de voleurs, ont troublé l'analyse de l'occupation des maisons, en raison de la disparition, dans celles visitées, de tout le mobilier transportable (33). Il est par conséquent aujourd'hui impossible de dresser une liste des demeures effectivement habitées en 79, de même qu'il est difficile de se faire une idée exacte de l'état dans lequel se trouvait le forum, en

fut le cas, également à Hawaï, lorsqu'un violent séisme, le 25 novembre 1975, ouvrit des failles profondes dans le Kilanea qui laissa échapper, d'abord de la vapeur surchauffée, puis des torrents de lave.

(27) Rappelons que depuis son réveil en 79, le Vésuve a connu soixante-dix éruptions rapportées par les chroniques, la plus violente étant celle du 16 décembre 1631, précédée précisément et durant six mois, de secousses sismiques. A Pompéi, le " Museo Vesuviano ", intégré au sanctuaire, regroupe une importante collection de documents géologiques et de gravures anciennes sur ces manifestations.

(28) A. MAIURI, *L'ultima fase* et R. ETIENNE, *La vie quotidienne à Pompéi*, Paris, Hachette, 2è éd. 1974, p. 15 à 25.

(29) J. ANDREAU, *Les affaires de Monsieur Jucundus*, Collection de l'Ecole Française de Rome, 19, 1974 (avant 62) et *Histoires des séismes et histoire économique. Le tremblement de terre de Pompéi (62 ap. J.-C.)*, Annales, Economies, Sociétés, Civilisations, 1973, p. 369 à 395.

(30) L'étendue topographique de Pompéi est contenue dans une ellipse définie par le rempart ayant 1250 m de grand axe Est-Ouest et 730 m de petit axe Nord-Sud, enfermant par conséquent une aire de médiocres dimensions, dans laquelle les fouilleurs ont découpé neuf régions, dont quatre-vingt-quinze *insulae* ont été reconnues, soit environ les 3/5 de la surface totale. Il est actuellement, avec sagesse, exclu d'entreprendre le dégagement des zones encore ensevelies, tant que l'énorme travail d'étude et plus encore de restauration, des parties dégagées n'est pas achevé.

(31) F. ZEVI, *La storia degli scavi e della documentazione*, Pompei 1748-1980. I tempi della documentazione, I.C.C.D. Roma, 1981, p. 11 à 21.

(32) DION CASSIUS, LXVI, 23 et SUÉTONE, *Titus*, VIII, l'Empereur fit tirer au sort deux consuls extraordinaires les *consulares restituendae Campaniae* chargés d'estimer les dommages et, autant que possible, de secourir et indemniser les survivants et lui-même, l'année suivante, vint sur place se rendre compte de l'irréparable.

(33) H. THÉDENAT, *op. cit.*, p. 30-31.

raison de la récupération de toutes les statues et ornements de marbre ou de bronze qui en constituaient le décor (34).

Compte tenu de l'ampleur du désastre, et nous verrons plus loin s'il est possible d'en estimer la violence, on est en droit de s'interroger sur une éventuelle intervention du pouvoir en faveur de la ville sinistrée, tout comme plus tard, nous l'avons dit, Titus se préoccupera des villes détruites par le Vésuve. En réalité, Néron ne semble par avoir eu le moindre souci de cet ordre et deux ans plus tard, le gigantesque incendie de Rome devait accaparer toute son attention tant pour la reconstruction de Rome que pour l'édification de la *Domus aurea*. Les Pompéiens, comme les autres campaniens touchés par le séisme, durent organiser eux-mêmes la reconstruction et la reprise des activités; la première intervention impériale, pour laquelle on possède une trace écrite, étant la restauration du temple de la *Mater Deum* à Herculanum (35), pieuse libéralité à partir de laquelle on a cru pouvoir extrapoler des intentions identiques en faveur de Pompéi (36).

La nature des dommages subis par Pompéi en 62, peut être établie suivant un schéma typologique sommaire, en recourant à une simple observation des édifices ayant reçu des restaurations d'importances extrêmement diverses, ou par le constat d'abandon manifeste de l'immeuble.

Les désordres les plus courants, mais aussi de moindre importance, sont les fissures (fig. 3) provoquées par les mouvements imposés à la maçonnerie, fissures pouvant s'accompagner de l'inclinaison sur la verticale, c'est-à-dire la gîte, d'un mur orthogonal auquel le précédent était lié (37). Le très grand nombre d'angles ou d'extrémités de mur reconstruits montre que ces parties de construction sont, dans la maçonnerie, très vulnérables, les premiers parce que l'inclinaison d'un mur le désolidarise, nous venons de le dire, des refends ou des retours mais également parce qu'en fonction de la direction du mouvement l'un des deux murs d'un angle peut jouer le rôle de bélier contre son voisin. Quant aux extrémités de murs que l'on trouve à chaque interruption de porte, leur ruine est provoquée par la chute du linteau et par l'absence d'appui latéral du côté de l'ouverture.

Les fissures ont été rebouchées avec des matériaux récupérés sur les ruines, matériaux parmi lesquels figurent de nombreux fragments de tuiles et de briques rendant les restaurations aisément repérables. La réutilisation des décombres fut en effet systématique en raison même de la nature des maçonneries. Celles-ci, constituées de parements de moellons en *opus incertum* ou en *opus reticulatum* (38) enfermant un blocage de pierraille lié per un mortier terreux à faible teneur en chaux (39), (fig. 4), se sont désolidarisées aisément sous l'effet des secousses et les murs détruits ont constitué de véritables tas de moellons en vrac, mêlés aux fragments des tuiles de couverture, dans lesquels la récupération et la réutilisation pouvaient être immédiates.

Outre les observations que l'on peut faire sur les parois restaurées, il faut rappeler la décou-

(34) M. Della Corte, *Esplorazioni di Pompei immediatamente successive alla catastrofe dell'anno 79, Memoria Vasile Parvan*, Bucarest, 1934, p. 96 à 109.

(35) *C.I.L.*, X, 1406.

(36) Le sanctuaire, inachevé en 79, implanté sur le côté est du forum de Pompéi est, non sans raison, considéré comme attribué au Génie de Vespasien (la présence des feuilles de laurier sur l'autel, motif que l'on retrouve sur les monnaies de cet empereur, en est une présomption favorable). Ce que l'on ignore c'est l'origine de ce sanctuaire: est-il offert par l'Empereur à Pompéi ou s'agit-il au contraire d'un signe de dévotion destiné à appeler les largesses du Prince? Cf. G. Niebling, *Der Tempel und Altar des Vespasian in Pompeji, Forschungen und Fortschritte*, 31, 1957, p. 23 à 29.

(37) D'autres dommages, dont de nombreuses fissures et écroulements, se produisirent lors de l'éruption de 79; demeurées en l'état ces altérations ne devraient pas être confondues avec celles de 62, la distinction, toutefois, n'est pas toujours aisée puisque la restauration au moment de l'éruption était bien souvent inachevée.

(38) Les premiers coexistent avec les plus anciennes constructions pompéiennes du IVè et du IIIè s. av. J.-C., les seconds font leur apparition après l'installation de la colonie des vétérans de Sylla vers 80 av. J.-C..

(39) J.-P. Adam, *Bilan d'une mission à Pompei, causes de destructions et propositions de restauration d'un site antique, Centre Jean Bérard*, Naples, 1982, p. 5 à 8.

verte faite en dégageant l'extérieur des remparts le long du front nord de la ville, entre la porte d'Herculanum et la porte du Vésuve, d'un vaste dépôt de matériaux de destruction, accumulés sur 1,50m de hauteur, et ne contenant pratiquement aucun élément récupérable pour la maçonnerie, puisque constitué essentiellement de fragments d'enduits ou de stucs et de menus morceaux de céramique (40). La nature des vestiges emplissant ce dépotoir ne fait que confirmer la réutilisation systématique de tout ce qui pouvait entrer dans la composition d'une maçonnerie et cette économie de matière a conduit à des compositions de parements insolites, surtout lorsqu'il s'agissait de grandes surfaces reconstruites et non plus de simples fissures, comme la baie condamnée en VI,6,3, et, plus encore, toute une paroi de la *domus* en XI,6,3, (fig. 5) toutes deux faisant appel à des fragments de tuiles de couvre-joints de briques et d'amphores de toutes dimensions.

Bien entendu les moellons de *l'opus incertum* ont été de préférence choisis à tout autre matériau, sans faire le tri toutefois des différentes provenances, donnant aux parements des variétés chromatiques exceptionnelles. La fantaisie, bien involontaire puisqu'imposée par la nécessité, se trouve encore accrue par la présence des nombreux éléments céramiques déjà signalés et plus généralement spontanément mêlés au vrac des récupérations qu'utilisés isolément, et par l'exploitation de fragments aussi divers que des morceaux de bétons de sol, à éclats de céramique ou même à galets (VI,7,2) (fig. 6) et des portions de mosaïque.

Les gîtes de murs, lorsque l'inclinaison de la paroi ne provoquait pas la chute de la charpente, n'entraînaient pas nécessairement la destruction de la maçonnerie et plusieurs exemples montrent que les occupants surent sacrifier les secteurs trop compromis et conserver, malgré les déformations, des surfaces parfois considérables. Bien entendu les nouvelles maçonneries furent élevées parfaitement d'aplomb et la jonction avec les zones déplacées se lit d'autant plus aisément que la déformation est plus importante, comme on peut le remarquer en IX,5,2 (41) (fig. 7), où toute la façade et une importante partie de mur latéral ouest furent reconstruits en *opus incertum* à chaînes de briques, tandis que l'arrière de la maison demeurait en place. Sur la rue de l'Abondance, en I,7,1 (42), c'est au contraire la vieille façade samnite à porte encadrée de chapiteaux cubiques qui fut conservée, tandis que l'on refaisait l'angle ouest et le mur adjacent (fig. 8). Dans l'un comme dans l'autre cas, ces restaurations, à peine achevées en 79, n'avaient pas encore reçu l'enduit grâce auquel on aurait pu masquer la différence de structures et absorber, en partie, le ressaut existant à la jonction des deux maçonneries.

Certaines gîtes ou affaiblissements manifestes des maçonneries purent être repris sans recourir au démontage, en y appuyant des éléments de soutien, sous la forme de contreforts de briques, (VI,5,10 ou IX, 1,5) (fig. 9) qui pouvaient porter aussi les poutres d'étage, ou de murs-contreforts, moins saillants mais juxtaposés à une surface plus importante (VI,2,4). (fig. 10). Toujours dans le cas de gîtes, les portes constituaient des points faibles en raison des désordres engendrés au dessus des linteaux déplacés ou affaissés et des mouvements accentués aux têtes de mur; le moyen le plus sûr, si l'on voulait maintenir la construction, consistait donc à murer ces ouvertures, comme on l'a fait aux thermes de Stabies (43) (fig. 11) et dans une multitude de maisons et de boutiques, où ces obstructions appartiennent autant aux restaurations qu'aux multiples modifications de propriétés et de destination.

(40) A. MAIURI, *L'ultima fase*, p. 174-175.

(41) Maison dite d'Achille, derrière les nouveaux thermes du Centre.

(42) Maison de C. Cuspius Pansa ou de P. Paquius Proculus. Ces noms figuraient sur des inscriptions électorales peintes sur la façade, on ne sait auquel appartenait, ou non, la maison, mais retenons que la famille du premier, les Cuspii, avait financé la restauration de l'amphithéâtre. cf. V. SPINAZZOLA, *Pompei alla luce degli scavi nuovi di via dell'Abbondanza*, Rome, 1953, vol. I, p. 297 à 314.

(43) Voir l'étude de la dernière phase des thermes de Stabies dans H. ESCHEBACH, *Die stabianer Thermen in Pompeji*, Berlin, 1979, pl. 3, 37d et 38 b.

Les effondrements et les brèches ne se sont pas toujours accompagnés de l'inclinaison des murs restant, les restaurations ne sont apparentes alors, que si la paroi n'a pas reçu (ou a perdu) l'enduit destiné à l'uniformiser. L'exemple de l'édifice d'Eumachie, dont la façade sur le forum fut reconstruite en briques, est, à cet égard, particulièrement intéressant par le soin apporté à la restitution de l'aspect primitif du parement originel de moellons (fig. 12). Un stuc blanc devait faire disparaître postérieurement toute trace de modification de structure.

Si les exemples présentés concernent des raccords suivant une ligne approximativement verticale, témoignant de l'effondrement total d'une section de mur, des reprises suivant une ligne oblique ou horizontale montrent que les destructions pouvaient aussi n'affecter que les zones supérieures (44), comme le montre une boulangerie en VI, 6,17 dont la maçonnerie originelle en *opus africanum* arasée à 1,50 m du sol fut remontée avec les matériaux en vrac. (fig. 13).

S'il est assuré que les médiocres maçonneries liées au mortier terreux ont été largement victimes des secousses, on ne peut dire que les murs de grand appareil aient offert une garantie totale, si l'on en juge par la destruction complète de la porte du Vésuve, constituée, il est vrai, essentiellement d'une voûte et par plusieurs maisons n'ayant conservé qu'une partie de leurs murs en gros blocs (I,4,2,-VI, 10,8,-VI, 14,20).

Il convient néanmoins de signaler que, dans son ensemble, le rempart en grand appareil a bien résisté, très certainement parce qu'il était soutenu par la considérable masse de terre de l'*agger* adossé à sa face interne (45) et que la célèbre maison du Chirurgien (VI,1,10) qui ne bénéficiait pas du même support, a conservé intacte sa façade du IVè s. av. J.-C. en gros blocs de calcaire (46), tout comme le mur de tuf de la maison de la Petite Fontaine (VI,8,23) est demeuré rigoureusement appareillé.

Les angles, dont nous avons dit la vulnérabilité, ont fait l'objet de réfections aussi diverses que la fortune des occupants, la plupart étant des reprises faites à l'aide des habituels matériaux de récupération, d'autres, plus soignées, sont faites sous la forme de robustes chaînes de briques soigneusement appareillées et liées à la maçonnerie des deux murs adjacents (fig. 15-16).

Si certains édifices voûtés furent trop ruinés pour recevoir une simple restauration, comme le *tepidarium* et le *caldarium* masculins des thermes de Stabies, totalement effondrés et non reconstruits en 79 (47), ceux qui demeuraient debout, comme, dans ce même ensemble balnéaire, le *vestibulum* et l'*apodyterium* ou les galeries voûtées de l'amphithéâtre, furent consolidés par de massifs contreforts de briques terminés par des doubleaux (48). Dans cet édifice de spectacle, comparable au rempart par sa structure mixte de murs adossés à des massifs de terre (49), les effets du tremblement de terre durent être minimisés et, de fait, on ne remarque pas de traces de brèches ou de

(44) Type le plus fréquent de destructions de Novembre 1980, sur les maçonneries démunies de toiture.

(45) F. KRISCHEN, *Die hellenistische Kunst in Pompeji*, VII, *Die Stadtmauern von Pompei*, Berlin, 1941, et A. MAIURI, *Isolamento della cinta murale fra Porta Vesuvio e Porta Ercolano*, *Notizie degli scavi*, 1943, p. 275 et 294.

(46) Seuls les jambages de la porte ont reçu une étroite chaîne de briques, par contre la maison voisine, en VI, 1, 7 a dû subir suffisamment de dommages pour que sa façade soit reconstruite, cf.: A. et M. DE VOS, *Pompei, Ercolano, Stabia*, *Guide archeologiche Laterza*, Rome, Bari, 1982, p. 228.

(47) Les voûtes de la section masculine des thermes du forum étaient fermées et enduites de stuc en 79; on ne saurait dire si cet état résultait d'une restauration achevée ou d'une meilleure résistance au séisme. cf. A. MAIURI, *L'ultima fase*, p. 73-74.

(48) Dans le grand vomitoire nord se trouvent deux inscriptions rappelant les noms des deux *duoviri* qui financèrent la restauration de l'édifice: C. Cuspius Pansa et son fils. *C.I.L.*, X. 858-859; c.f.A. et M. DE VOS, *op. cit.*, p. 152.

(49) L'amphithéâtre de Pompéi, élevé vers 80 av. J.-C. dans le même programme édilitaire que l'Odéon et les thermes du forum, n'a pas de structure architecturale complète. Partiellement excavé dans le sol, il est en fait un gigantesque coffrage elliptique contenant une énorme masse de terre laissée en place ou rapportée. cf. M. GIROSI, *L'Anfiteatro di Pompei*, *Memorie dell'Accademia di Archeologia, Lettere e Belle Arti di Napoli*, 5, 1936, p. 29 à 55.

fissures et les seules restaurations, ou plutôt renforcements de sécurité, sont ceux des galeries. (fig. 17-18-18b-18c).

Les colonnes, éléments de support verticaux omniprésents dans l'architecture romaine, non seulement subirent elles-mêmes de sérieux dommages, mais leurs déplacements ou leur ruine furent bien entendu la cause de l'effondrement d'innombrables couvertures de péristyles et d'étages de portiques. Il suffit pour s'en rendre compte, de considérer que le forum tel qu'on le voit aujourd'hui n'était guère mieux conservé ou plus précisément guère plus restauré qu'il ne l'était en 79. Si cet ensemble public monumental devait recevoir des colonnades de grand appareil de calcaire, complétant les vieux portiques de tuf (50), les édifices privés moins fortunés mais plus pressés remplacèrent leurs colonnes de tuf par des colonnes de maçonnerie dans lesquelles on retrouve une variété de matériaux qui, si elle n'est pas aussi étendue que dans les murs, (la brique y domine), n'en est pas moins intéressante; tels ces moellons de lave *d'opus incertum* avec lesquels les maçons ont réussi à reconstruire une partie d'un péristyle dans une maison proche du forum (VIII,3,27) (fig. 19).

La restauration de colonnes la plus spectaculaire et la plus originale fut découverte par A. Maiuri lorsqu'il procéda au dégagement de la grande palestre dont le quadrilatère, vaste de 145 m sur 118 m, s'étend immédiatement à l'ouest de l'amphithéâtre (51). Le portique en π bordant cet espace fut gravement ébranlé et si l'on reconstruisit les murs en moellons *d'opus incertum* avec des chaînes d'angles en briques, les colonnes par contre, qui apparemment n'étaient pas tombées à terre mais avaient pris une gîte instable, furent redressées et stabilisées dans cette position. Afin de maintenir commodément et sûrement ces dizaines de fûts, les constructeurs imaginèrent de creuser au pied de chacun d'eux une entaille en coin, dans laquelle, tandis que l'on maintenait l'ensemble, on coulait du plomb fondu à l'aide d'un entonnoir d'argile appliqué sur la paroi; se refoidissant rapidement le métal demeurait prisonnier dans la cavité et assurait le calage de la structure. (fig. 20).

L'aspect du temple de Jupiter sur le forum, simplement dégagé de ses ruines mais non reconstruit, donne une idée de l'état dans lequel devaient se trouver de nombreux édifices pompéiens dont la restauration n'était pas encore entreprise en 79. Un certain nombre d'entre eux, jugés trop ruinés (52), ont été retrouvés par les fouilleurs en complet état d'abandon mais déblayés de leurs décombres par les récupérateurs de matériaux. Certaines de ces constructions devaient du reste être dégagées en priorité dans la mesure où des survivants prouvaient s'y trouver enfermés, ce qui fut peut-être le cas des édifices voûtés partiellement détruits, ou des maisons possédant des cryptoportiques, mais, outre ces urgences immédiates, il fut rapidement nécessaire de libérer toutes les voies de circulation publique afin de faciliter le cheminement des sauveteurs puis des équipes de déblayage et le transport des matériaux de reconstruction, et, de fait les deux grandes portes détruites, celle d'Herculanum dont les voûtes seules s'écroulèrent et celle du Vésuve totalement ruinée, étaient en 79 parfaitement débarrassées de leurs décombres. Dans la ville même, le secteur méridional semble avoir été particulièrement affecté puisque le portique du forum triangulaire avait perdu le tiers de ses colonnes et la totalité de son entablement et de sa couverture, seul le portique d'entrée, aux colonnes ioniques élancées avait été restauré, tandis que dans le quartier voisin, quatre maisons au moins sont demeurées rasées jusqu'au sol (53). Dans la plus grande d'entre elles (en VIII, 5,36) (fig.

(50) A. et M. DE VOS, *op. cit.*, p. 32 et suiv; A. MAIURI, *Saggi nell'area del Foro di Pompei, Notizie degli Scavi*, 1941, p. 371 à 404 et 1942, p. 253 à 320.

(51) A. MAIURI, *Scavo della grande Palestra nel quartiere dell'Anfiteatro, Notizie degli scavi*, 1939, p. 165 à 238 pl. IX à XIII.

(52) La disparition des propriétaires sans héritiers vivants, victimes de la catastrophe, a dû bien sûr poser des problèmes de récupération du bien foncier peut-être par retour à l'autorité municipale qui a pu les mettre en vente à son profit; certaines de ces opérations n'étaient probablement pas encore réalisées en 79. L'absence de documents sur les problèmes économiques de la dernière époque pompéienne ne permet que des hypothèses fragiles.

(53) VIII,2,37 - VIII,6,2 - VIII,6,36 et VIII, 6,5.

21), la présence d'hypocaustes permet de supposer que se trouvait là un établissement de bains dont la disparition totale, ajoutée à la ruine partielle des autres thermes, dut inciter la nouvelle municipalité à programmer la réalisation d'un nouveau balnéaire de vastes dimensions.

Un peu plus à l'Est, la maison voisine de celle des Ceii (en I,6,13) a conservé une partie de sa façade et des cloisons intérieures en " opera a telaio " (ou *opus africanum*), mais dans les pièces, les fouilleurs trouvèrent des amoncellements de matériaux de construction sous la forme de tas de moellons et de sable (54). Compte tenu de l'état d'abandon de la ruine, on peut penser que cette ancienne résidence servait momentanément de dépôt de chantier aux constructeurs travaillant dans les maisons voisines (fig. 22).

Les chantiers en cours, dont les traces sont multiples dans toute la ville, présentent d'ailleurs un enseignement tout aussi riche que les reconstructions et leurs techniques particulières, puisque, plus encore que le résultat récent d'un travail accompli, ce sont véritablement des gestes interrompus que le fouilleur a pu surprendre dans les édifices inachevés.

Les trois chantiers publics les plus importants sont celui du temple de Vénus, celui des thermes du Centre et celui du forum; sur le premier immédiatement à l'entrée sud-ouest de la cité au-dessus de la Porte Marine, on possède le plus bel échantillonnage qui soit de pierres de natures diverses (tuf, lave, marbre), destinées à une construction de grand appareil dont seule une partie du podium était en place (55). Les blocs y sont soit stockés avec leur épannelage grossier tels qu'ils arrivaient de la carrière, soit à différents stades de leur finition (fig. 23). Les traces de tous les outils du tailleur de pierre y sont repérables suivant l'avancement de la taille (56): smille et poinçon pour l'équarrissage et les premières ébauches, gradines à écartement de dents dégressifs pour la taille fine et les finitions et même les traces d'égrisage à la ponce, pour les modénatures.

Des traces de scie, repérables aisément aux ressauts et aux ondulations laissées sur la section tranchée, sont visibles sur des blocs de marbre destinés aux revêtements, déjà débités en dalles ou encore en cubes parallélépipédiques. Parallèlement à la taille des pierres destinées au podium et aux murs, on travaillait déjà la sculpture des éléments d'ordre à modénature, comme en témoignent les pièces d'entablement de marbre et les chapiteaux corinthiens, l'un d'eux étant achevé seulement sur une de ses moitiés.

Sur le second grand chantier public, aux thermes du Centre, essentiellement édifiés en maçonnerie parementée de briques, la pierre de taille en cours d'exécution se limitait au dallage du portique de la palestre partiellement posé, (fig. 24) à deux fûts de colonnes couchés en attente et à quatre chapiteaux doriques à différents degrés de leur achèvement. Les salles des différentes parties de l'ensemble avaient leurs murs montés jusqu'à la naissance des voûtes; seule la voûte du *laconicum*,

(54) A. MAIURI, *Notizie degli scavi*, 1929, p. 43 " . . . l'aver trovato tutta l'area dell'atrio ricolma, per circa un metro e mezzo di altezza, di materiale di demolizione e su di esso la stratificazione eguale dei lapilli e dalle ceneri, la presenza di un gran cumulo di sabbia di mare o di fiume negli ambienti intorno all'atrio, tutto lascia chiaramente scorgere che, ridotta inabitabile la casa, questa venisse più che altro adibita quale deposito privato di materiale da costruzione ".

(55) L'attribution à Vénus de ce sanctuaire est justifiée par la découverte au Sud-Est du temple des morceaux d'une statue identifiée comme celle de la déesse, attestée comme protectrice de la cité depuis l'installation de la colonie des vétérans de Sylla, la *Colonia Veneria Cornelia Pompeianorum* (cf. H. THÉDENAT, *op. cit.*, vol. I, p. 4-5). Les fouilles de 1897-1898 furent suivies de la publication de A. MAU, *Der Tempel del Venus Pompeiana, Römische Mitteilungen*, XV, 1900, p. 270 à 308. Les conclusions de cet auteur sur les modifications subies par ce temple et son état en 62 furent controversées, avec raison à notre avis, par A. MAIURI dans *L'ultima fase*, p. 64 à 67.

(56) Les outils pompéiens sont conservés en majorité à l'antiquarium - (actuellement en cours de réorganisation) d'autres séries sont exposées à " l'abri du squelette de cheval ", à " la maison des Amants ", dans une boutique de la rue de l'Abondance (I,6,12) à la " maison du Moraliste " et à la " maison du Ménandre ".

l'étuve sèche avait été construite et l'on peut y remarquer le choix de matériaux volcaniques de moindre densité, utilisés pour la partie supérieure de cette petite coupole.

Le troisième chantier, celui du forum, en étendue le plus important, a laissé en réalité peu de traces d'une intense activité de remise en état; la grande majorité des colonnes surtout sur le côté Est est absente et peu de blocs en cours de taille ont été retrouvés sur place: un gros parallélépipède de calcaire blanc, long de 307 cm, large de 73 cm et haut de 100 cm, un tambour de colonne et une base, tous trois épannelés, représentent l'essentiel du travail en cours. On peut admettre, face à cette carence, que les récupérateurs d'après l'éruption ont, là plus qu'ailleurs, dérobé les matériaux, marbre et calcaire blanc, non seulement en cours d'exécution mais également déjà mis en place.

Le travail du maçon, tant pour monter les murs et cloisons que pour appliquer les enduits, se détecte partout où l'on retrouve à la fois des matériaux préparés pour la mise en oeuvre et de la chaux pour la préparation des mortiers. Cette chaux pouvait même être fabriquée dans la ville et deux petis fours, destinés aux travaux de restauration, ont été dégagés, l'un à la maison du Ménandre (I,10,4) l'autre à la maison de la chapelle Iliaque (I,6,4) (57) (fig. 25).

A proximité de ce second four on devait trouver également trois gros tas de blocs de gypse dont l'usage n'est pas très clairement expliqué. Il semble que ce matériau ait été utilisé cru et broyé pour les couches épidermiques d'enduit et de stuc, tant pour les parois que les plafonds; on peut aussi penser qu'on le mêlait, après cuisson cette fois, au mortier des plafonds et voûtes pour en accélérer la prise (fig. 26).

La chaux, toujours de la chaux grasse faite à partir de calcaire assez pur, après son extinction était transportée et conservée dans des amphores dont on cassait le col afin d'en élargir l'ouverture (fig.27); de tels récipients ont été retrouvés notamment en V,3,4 et en VII,3,17. On pouvait aussi déposer ce matériàu en vrac à proximité du lieu d'utilisation, comme ce fut le cas à la maison de la chaux (VIII,5,28), à la maison du Moraliste (III,4,3) (fig. 28) ou à la villa des Mystères. Dans la précédente maison de la chapelle Iliaque on a mieux encore, un des plus étonnants gestes interrompus des chantiers pompéiens, sous la forme du contenu d'un seau de chaux grasse retourné sur le sol et autour duquel le maçon avait commencé à accumuler du sable en vue du gâchage qu'il n'a jamais accompli. Ce mortier en préparation, abandonné le matin du 24 août 79, était destiné à la pose des enduits ne revêtant encore que partiellement les parois; dans la pièce où se trouve la chaux, seule la base des murs en était encore démunie (le travail était bien sûr toujours commencé par le haut) mais dans une pièce voisine c'est le tiers supérieur des murs qui était déjà revêtu (58) (fig. 29). Il est particulièrement intéressant de trouver ici un excellent témoignage de réalisation du décor peint sur l'enduit frais, " a fresco ", l'artiste apposant ses couleurs effectivement sur une couche d'enduit qui vient d'être mis en place, sur une surface suffisamment restreinte, afin qu'il ait le temps de la couvrir et que les pigments puissent se combiner avec la chaux du support (59).

Si la majorité des Pompéiens réparait les dommages affectant leurs demeures avec l'aide essentielle de matériaux de récupération, d'autres, plus fortunés, faisaient appel à des matériaux neufs, plus particulièrement des briques, tout comme on le faisait pour les monuments publics, pour restaurer ou reconstuire tout ou partie de leurs biens immeubles.

Les maisons ainsi reconstruites se distinguent extérieurement par la profonde modification d'aspect de leur façade, où la brique tient une place majeure et où l'on note la disparition des habituels pilastres de tuf ou de maçonnerie enduite encadrant la porte selon la tradition samnite, remplacés

(57) V. SPINAZZOLA, op. cit., vol. I, p. 446-447 et fig. 506.

(58) V. SPINAZZOLA, op. cit., vol. I, p. 452 et fig. 515.

(59) Cf. A. BARBET, C. ALLAG, Techniques de préparation des parois dans la peinture murale romaine, MEFRA, 84, 1972, p. 935 à 1069.

par des piédroits nus (IX,3,5) (fig. 30) (probablement destinés à recevoir un décor) ou pour sacrifier à la nouvelle mode, par des colonnes engagées supportant un fronton triangulaire (*praedia* de Julia Felix en II,4 - III,5,2 - VI,1,7 ou Ins. occ., 36) (fig. 31).

Parfois, la façade samnite en grand appareil de tuf a mieux résisté et c'est la structure interne de la maison qui a reçu les modifications majeures; un excellent exemple de ce type de restauration est visible à la maison de la Chasse (VII,4,48) qui n'a pratiquement conservé de son état initial que sa façade sur la rue de la Fortune. Plus rares sont les maisons manifestement rasées et totalement reconstruites, la plus significative d'entre elles étant la maison de Caius Vibius (VII,2,18) (60) dont le gros-oeuvre était achevé mais les enduits à peine commencés. La façade démunie de toute espèce de décor est reconstruite en moellons d'*opus incertum* bien rejointoyés (à joints '' beurrés ''), à chaînes d'angles de briques et d'*opus mixtum*. Dans l'*atrium*, les parements sont constitués de briques au rez-de-chaussée tandis que la maçonnerie d'étage est en *opus incertum*; seul souvenir de la vieille maison un piédroit de calcaire demeure à l'angle d'une *ala* (fig. 32).

Un autre excellent exemple de reconstruction totale, également inachevée, nous est fourni par la grande demeure implantée derrière la Curie, en VIII,2,14-16 (61), dont la façade neuve sur la rue, magnifique de régularité offre l'un des meilleurs exemples pompéiens de parement réticulé. Les moellons de tuf volcanique (8 x 8 cm) parfaitement taillés et dressés, finement jointoyés sont calés aux angles par des chaînes de briques pour les portes et de moellons pour les fenêtres et ont conservé les orifices d'encastrement des boulins de l'échafaudage, parfois soulagés d'un petit arc. (fig. 33).

Plus loin, dans la même région (nous avons signalé plus haut l'importance des dommages dans cette zone méridionale) une autre façade reconstruite dans un réticulé de qualité comparable (VIII,2,30), présente de surcroît des fantaisies graphiques et polychromes (fig. 34), créées par le maçon à l'aide de moellons de nature et de couleurs différentes et de matériaux céramiques (62).

Sur les monuments publics restaurés, reconstruits ou entrepris, la brique tient une place prépondérante marquant bien l'importance prise désormais par ce matériau (63) plus rapide à produire que les moellons et plus facile à mettre en oeuvre en raison de sa régularité. Sur les façades des trois édifices municipaux élevés au sud du forum, (fig. 35) cette nouvelle technique s'impose manifestement, comme à l'édifice d'Eumachie, au mur de scène du théâtre, aux nouveaux thermes du Centre (fig. 36) et au Temple d'Isis, même si les moellons sont encore présents dans les parties hautes des murs ou sur les parois intérieures. Il est, dans l'état actuel de ces monuments, difficile de dire si les façades de briques devaient parfois demeurer nues, ce qui était peut-être la destination des façades des thermes du Centre; on a, en tout cas, la certitude que l'édifice d'Eumachie devait recevoir un placage en raison de la préparation du parement et le temple d'Isis, totalement achevé, était en 79 entièrement recouvert de stuc (64) (fig. 37).

(60) A. Maiuri, *L'ultima fase*, p. 121 à 125 et M. della Corte, *Case ed abitanti di Pompei*, 3è ed., Naples, 1965, p. 271-272.

(61) F. Noack, K. Lehmann Hartleben, *Baugeschichtliche Untersuchungen am Stadtrand von Pompeji*, Berlin, 1936, p. 137 et suiv. Cet ouvrage est consacré en fait à tout le quartier méridional qui s'étend entre le temple de Vénus, le forum et la falaise (VIII,2).

(62) Noack, Lehmann Hartleben, *op. cit.*, p. 55 et suiv.

(63) Bien qu'apparue précocement en Campanie la brique cuite ne s'imposera à Rome qu'à la fin du règne d'Auguste, mais dès Néron elle sera présente dans toutes les maçonneries et ne fera que généraliser son usage pour atteindre son apogée aux époques de Trajan et d'Hadrien.

(64) La publication de ce sanctuaire sur le plan architectural n'est pas encore faite, seul existe le passage que lui consacre A. Maiuri, *L'ultima fase*, 69-70. Par contre son décor et sa fonction ont fait l'objet de plusieurs publications, dont: O. Elia, *Le pitture del Tempio di Iside, Monumenti della Pittura Antica scoperti in Italia*, III, *Pompei*, III-IV, Rome, 1941 et V. Tran Tam Tinh, *Essai sur le culte d'Isis à Pompei*, Paris, 1964.

Il est heureux, pour l'agrément du visiteur, que Pompei n'ait par reçu, comme Rome ou surtout Ostie, de programmes systématiques où la pierre est pratiquement éliminée au profit de la brique, et aucun des monuments publics ou privés de la cité campanienne n'a réellement adopté cette exclusivité. Aux thermes du centre, par exemple, certains panneaux de la façade sur la palestre, ont reçu un parement en appareil réticulé polychrome, les parois des salles (destinées, elles, à recevoir un enduit) font un large appel à l'*opus incertum* et les boutiques ouvertes sur la rue de Stabies ont des façades en *opus mixtum* (fig. 38).

Un autre monument public ayant fait l'objet d'importantes restaurations, le *macellum* ou marché de la viande et des poissons, retient l'attention par une singularité structurale, manifestement en relation avec sa reconstruction, mais où se remarque une césure inexplicable (65). Le côté méridional de cet espace consacré au commerce, est fermé par un haut mur interrompu par une porte ouvrant sur une ruelle. La partie du mur, depuis l'angle Sud-Est jusqu'à cette porte est paramentée d'un magnifique appareil réticulé aussi finement réalisé que sur les façades de la région VIII, (8 x 8 cm), limité par des chaînes d'angles de briques et agrémenté de variations chromatiques, disposées en tranches horizontales, grâce à une sélection des matériaux (trois tufs locaux : gris vert et rosé). Sur la gauche de la porte, ce parement reprend identique au précédent sur toute la hauteur du mur puis, au bout de cinq mètres, est soudainement interrompu suivant une ligne presque verticale et le reste du mur se poursuit en *opus incertum* (fig. 39). En dépit d'une différence aussi radicale on ne peut que conclure à deux phases de la restauration du monument, en effet, si le réticulé à moellons de tuf appareillé avec soin est bien une technique de la dernière époque pompéienne, l'*opus incertum* présent ici, offre également toutes les caractéristiques des reconstructions d'après 62, du moins dans la moitié supérieure du mur où l'on a un rejointoiement généreux, dit à « joints beurrés », avec un mortier jaune, que l'on retrouve sur d'innombrables restaurations. Toutefois l'examen du raccord permet de remarquer une chronologie relative de ces deux sections de mur: le soubassement de la partie en *opus incertum* s'avance sous le parement réticulé sur une longueur d'environ 1,50 m ce qui exclut bien évidemment la construction de ce dernier dans un premier temps avec un porte-à-faux de cette importance. On note également que la base du mur en moellons incertains diffère sensiblement de la partie supérieure, ce qui pourrait,là aussi, impliquer une décantation dans le temps. Ces observations autorisent deux réponses ou deux explications:

1 - totalement abattu, le mur a fait l'objet de deux tranches de reconstruction que l'on peut supposer séparées dans le temps, la reprise du travail, avec le parement réticulé, s'étant faite plus tradivement avec des moyens accrus donc une construction plus soignée. Dans cette hypothèse il est plausible d'admettre que la partie inférieure du mur subsistait de la construction originelle.

2 - toute la partie en *opus incertum* serait antérieure à 62 et seule la partie réticulée serait une restauration.

Toutefois, la même maçonnerie rustique se retrouve sur les murs est et nord (les boutiques sur le forum sont à parement réticulé) ce qui suppose la conservation de ces zones dans l'hypothèse présente.

Dans le contexte d'une existence urbaine aussi élaborée que celle des villes romaines de l'époque néronienne, l'alimentation en eau courante, assurée à Pompéi depuis l'époque augustéenne (66), représentait un élément de commodité quotidienne dont il était difficile de se priver si l'on voulait redonner vie à la cité; or le réseau d'adduction d'eau dans son ensemble avait été mis hors

---

(65) A. MAIURI, *L'ultima fase*, p. 54 à 61.

(66) H. ESCHEBACH, *Die Gebrauchwasserversorgung des antiken Pompeji*, *Antike Welt*, 10.2, 1979, p. 3 à 24. Cette publication avait déjà fait l'objet d'une diffusion ronéotypée à l'issue du colloque sur les aqueducs romains tenu à Lyon en 1977.

d'usage par le séisme; heureusement pour les pompéiens la plupart des *domus* n'avaient pas l'eau courante (on s'alimentait aux fontaines publiques) et de nombreuses citernes étaient encore en usage: on put ainsi pour la consommation immédiate, s'approvisionner sans trop de difficulté; par contre les puits, fort rares, (sept ont été retrouvés), en raison de l'extrême profondeur de la nappe phréatique située sous quelques 30 m de lave (67), avaient été désaffectés au moment de l'installation du réseau urbain. Celui-ci était alimenté par une dérivation de l'aqueduc venant de Serino (dans la région montagneuse au Sud-Est d'Avellino) et allant alimenter Naples et Misène (68); l'arrivée à Pompéi de ce branchement se faisait au point le plus élevé, la porte du Vésuve, située 34 m au dessus du point le plus bas, à la porte de Stabies (fig. 40). Cette importante dénivellation avait contraint les ingénieurs à prendre des dispositions particulières, afin de réduire l'excessive pression qui se fût produite si l'eau avait dévalé une telle pente sans frein.

Le procédé adopté est, en plus élaboré, celui des degrés artificiels créés en montagne pour enrayer la course des torrents; ici, l'eau circulant en canalisations étanches, c'est une succession de siphons de hauteurs dégressives, qui fut installée le long des pentes de la ville, sous la forme de piliers de maçonnerie dans lesquels l'eau montait pour emplir un réservoir de plomb, puis redescendait, avec une perte de charge, dans ses canalisations souterraines (69). On a longtemps douté (et l'on doute encore) que l'alimentation en eau de Pompéi ait été remise en service avant 79, les raisons en sont les suivantes:

1 - le château d'eau principal à la porte du Vésuve, est démuni de ses grilles de filtrage et trois brèches s'ouvrent dans sa façade, là où devaient sortir les canalisations principales distribuant la ville;

2 - de toutes les piles secondaires, une seule, de faible hauteur, a été retrouvée munie de sa cuve de plomb, les autres en étaient dépourvues et, de surcroît, écrêtées;

3 - les tuyaux de plomb retrouvés courant presque en surface des trottoirs ou au pied des murs sont tous interrompus et ne constituent plus un réseau. D'autre part cette situation les rendant particulièrement vulnérables, a été considérée comme une marque d'imprévoyance et de médiocrité de la part des techniciens pompéiens.

Il convient de reconsidérer cet état des choses, il est vrai susceptible de convaincre, en prenant le problème d'abord à son autre extrémité. Bien qu'il soit normal, et vérifié, que les reconstructions suivant les séismes soient très étirées dans le temps (70), et le nombre d'édifices non reconstruits de Pompéi en est une preuve supplémentaire, il est hors de doute, comme l'a remarqué A. Maiuri (71) et ainsi que l'ont prouvé les fouilles de V. Spinazzola, qu'une partie de l'artisanat pompéien était en fonction en 79, et que certaines de ces installations recevaient l'eau courante, comme la tannerie aménagée près de la porte de Stabies (I,5,2,) (72) ou la *fullonica* (la blanchisserie), de Stephanus sur la rue de l'Abondance (I,6,7). Ces deux types d'artisanat avaient recours à d'importantes quantités

(67) Le puits le plus profond, retrouvé près de la porte du Vésuve, descend à 39,25m, le niveau maximum actuel de l'eau est à 35,75m.

(68) L'aqueduc se terminait à la gigantesque " Piscina Mirabile ", la citerne alimentant le port de Misène (Bacoli).

(69) Une installation analogue a été reconnue, très partiellement en raison de la faible étendue des fouilles, dans la cité voisine d'Herculanum.

(70) Cf. J. ANDREAU, *Le tremblement de terre de Pompéi*, p. 375 et notes 32 à 35.

(71) Cet auteur va au delà d'une simple reprise des activités, puisqu'il suppose que la vie active, artisanale et commerçante de Pompei avait, en 79, dépassé celle précédant 62, conclusion excessive et en contradiction avec l'état général de la ville et de ses installations collectives. cf. *L'Ultima fase*, p. 161 et suiv. voir, à cet égard, les remarques de E. LEPORE *Orientamenti per la storia sociale di Pompei, Raccolta di Studi per il secondo centenario degli scavi di Pompei*, Naples, 1950, p. 202 à 208.

(72) M. DELLA CORTE, *op. cit.*, p. 275, n. 562-563. Dans le couloir d'entrée se trouvait l'inscription *Cor(i)ariano*, c'est-à-dire " tanneur ", mot que l'on retrouve dans le français " corroyer ".

d'eau, leur faisant choisir habituellement la proximité d'un cours d'eau, ou, s'ils s'installaient dans une ville, demandaient la présence d'importantes citernes (73), (ce qui n'est pas le cas ici), ou le raccord à une distribution urbaine permanente (74).

Si, dans l'ensemble, les installations balnéaires des *domus* présentent toutes les traces d'un abandon assuré, souvent antérieur à 62, plusieurs établissements publics, par contre, avaient, au moins partiellement, repris leur fonction; tels la section masculine des thermes du forum (75), la section féminine des thermes de Stabies (76) et, comme le prouve une réclame fraîchement peinte sur la rue de l'Abondance, les bains des « praedia » de Julia Felix (II,4) bien que la *natatio* extérieure y soit inachevée (77). Ces différents balnéaires n'auraient pu fonctionner avec des citernes ou des puits, hors d'usage pour les deux premiers et inexistants pour le troisième (78), et ne dépendaient que d'une adduction extérieure. Commerces, artisanats et bains devaient donc, même en quantité limitée, être approvisionnés en eau courante pour fonctionner.

Or, nous l'avons dit, et le constat en est aisé, les tuyaux de plomb courant en surface ne présentent que des sections fragmentées sans relation entre elles ni avec le château d'eau, lui-même en état d'abandon. Nous avons dit aussi que de nombreux récupérateurs et pillards avaient, á l'aide de puits et de galeries, retiré des édifices qu'ils atteignaient, tout ce qui, dans les limites transportables, avait quelque valeur; toutes pièces métalliques en rapport avec l'eau: tuyaux et réservoirs de plomb, robinets et bassins de bronze avaient donc, dans la mesure du possible été arrachés à leur situation d'origine. Le château d'eau notamment, aisément repérable par sa situation élevée et la proximité d'une tour du rempart dépassant nécessairement de la couche de lapilli (épaisse d'environ 4 m) fut visité et dépouillé de ses grilles intérieures, de la plaque de plomb formant barrage de décantation et des trois grosses canalisations (une de 30 cm et deux de 25 cm de diamètre) qui sortaient vers le réseau urbain, créant ainsi l'illusion d'un édifice en cours de réfection et encore inutilisable en 79. De la même façon, les piles secondaires, hautes de 5 à 7 m, furent, sans aucune difficulté privées de leur réservoir de plomb et des canalisations d'arrivée et de départ qui y étaient branchées. Outre ces prélèvements antiques qui affectèrent tout la ville, des opérations semblables eurent lieu dès la découverte de Pompéi au XVIIIè siècle (79) et l'on sait que la recherche des seules oeuvres d'art et la

(73) Par contre les thermes de Stabies et les thermes du forum de Pompéi ont été alimentés, jusqu'à l'époque augustéenne, chacun par un puits dont l'eau, recueillie par une machine élévatrice à godets emplissait des réservoirs. Voir la restauration présentée au " Museo della Civiltà Romana " à l'E.U.R. de Rome, salle XXIX.

(74) D'autres établissements consommateurs d'eau, comme la grande *fullonica* située derrière la maison du Poète tragique (en VI,8,20), n'étaient encore que partiellement aménagés et sans relation avec le réseau de distribution.

(75) A. MAIURI, *L'ultima fase*, p. 73-74.

(76) H. ESCHEBACH, *Die stabianer Thermen*, p. 2 et 3 et fig. 1 et 2, démontre de quelle manière les récupérateurs ont pénétré dans les thermes de Stabies afin d'y dérober toutes les pièces métalliques.

(77) *In praediis Iuliae Sp. f. Felicis locantur:* " *Balneum Venerium, tabernae, pergulae, caenacula . . .* " " dans la propriété de Julia Felix, fille de Spurius, on loue " un bain de Vénus pour gens de qualité, des boutiques avec logement d'étage " et des appartements . . . " voir les commentaires de M. DELLA CORTE, *op. cit.* pp. 390-391.

(78) Toutefois, la partie résidentielle de la maison de Julia Felix, disposait d'un petit réservoir en élévation, destiné à alimenter une petite fontaine de *triclinium*.

(79) W. CHABROL, dans *son mémoire descriptif de Pompéi*, rédigé lorqu'il était pensionnaire de l'Académie de France à Rome en 1867, résume ainsi certains procédés de fouilles:

« Le second système vivement poursuivi par Murat, consistait à percer et couper la colline suivant les rues qu'on frayait pas à pas devant soi. Mais, ęn suivant les rues au ras du sol, on attaquait par le bas le côteau de cendre qui les obstruait et il en résultait des éboulements regrettables. Toute la partie supérieure des maisons, à commencer par les toits, s'écroulait dans les décombres, outre mille objets fragiles qui se brisaient ou se perdaient sans qu'on puisse déterminer l'endroit d'où ils étaient tombés ».

Cette narration, parmi d'autres, ne donne qu'une faible idée des dégradations irréparables subies par Pompéi au moins jusqu'aux interventions de G. Fiorelli et explique les difficultés et les erreurs d'interprétations sur l'état de Pompéi à la veille de l'éruption de 79.

négligence des objets communs permit aux chercheurs de métaux de récupérer tous les tuyaux de plomb si complaisamment installés en surface.

La vulnérabilité d'une telle installation, que l'on s'attendrait à trouver en profondeur sous le sol des trottoirs, trouve une explication logique si on la considère non comme un mode de pose habituel ou permanent, mais comme une adduction de secours ou de dépannage hâtivement et provisoirement mise en place afin d'assurer une distribution minimale aux établissements publics et privés remis en état. Une analogie contemporaine est venue éclairer cette hypothèse à la suite du tragique séisme du 23 novembre 1980: après ce drame naturel, en effet, la ville de Pompéi s'est trouvée dans la nécessité de rénover une partie du réseau d'adduction d'eau et, durant les travaux, afin de ne pas priver les usagers, les techniciens ont simplement posé en surface des canalisations provisoires dont la situation est en tous points analogue à celle des tuyaux antiques. Imaginons sur cet état des choses une éruption cataclysmique du Vésuve. . . (80) (fig. 41-42).

Enfin, il convient de rappeler un fait qui n'est pas en contradiction avec une remise en état partielle et provisoire du réseau urbain, qui est la découverte par A. Maiuri (81) dans la section nord de la rue de Stabies, d'une tranchée profonde de 0,65 m, emplie de lapilli (donc ouverte au moment de l'éruption) et dans laquelle se trouvaient deux segments de canalisation de plomb de fort diamètre, volontairement détachés du reste de la tuyauterie. Cette intéressante trouvaille témoigne d'une part de la poursuite de travaux de remise en état du réseau définitif, travaux entrepris après la pose de l'installation provisoire et, d'autre part, nous rassure quant à la profondeur à laquelle les tuyaux étaient normalement enterrés, parfaitement abrités de l'érosion de passage et isolés thermiquement.

Parmi les modifications sociales et économiques ayant affecté Pompéi au lendemain du séisme, les plus marquantes sont les transformations de maisons d'habitation en locaux commerciaux et artisanaux. Il est assuré que de nombreux pompéiens ont été contraints à abandonner une *domus* devenue une ruine et que, soit sans espoir de retour ils s'en soient démis au profit d'un commerçant, ou bien l'aient mise en location ou en gérance, sans parler des familles disparues, dont la maison a été récupérée d'une manière ou d'une autre. On peut aussi admettre que se soient opérées quelques reconversions de propriétaires devenus eux-mêmes négociants ou artisans; mais quelle que soit la situation réelle, elle ne reflète pas une époque de grande prospérité, mais une multitude de mutations de fortune imposées par les événements.

Les nouvelles installations artisanales sont identifiables par leurs dispositions immobilières, (identiques en cela à celles existant avant 62), dispositions qui présentent la particularité de s'insérer dans des locaux précédemment consacrés à l'habitation, modifiant ainsi l'aspect de ces derniers, es-

(80) On pourrait pousser l'analogie plus loin et, sans vouloir provoquer le moins du monde une polémique, car les solutions hâtives en l'occurrence sont condamnables, rappeler qu'au moment où ces lignes sont écrites (juin 1983) des milliers de personnes sinistrées en novembre 1980 vivent dans des constructions provisoires, que des centaines de commerces sont installés dans des baraques foraines et que le coeur d'Avellino (pour ne citer que cette ville) est toujours à l'état de ruine interdit à l'occupation.

(81) A. MAIURI, *L'ultima fase*, p. 93 et pl. XXVII, fig. a. Rappelons l'analogie technique, notée par G. Ch. Picard, observant qu'à la suite de la catastrophe ayant anéanti Carthage au début du IVè siècle, entre autres grands travaux urbains, toutes les conduites souterraines avaient été refaites. (G. CH. PICARD, *La Carthage de Saint-Augustin*, Paris, 1965, p. 12 à 15 et 41 à 48). Antonino Di Vita a mis en évidence cette catastrophe comme étant une suite de séismes qui en 306 et 310 puis en 365, avaient durement éprouvé les rivages méditerranéens. (*Evidenza dei terremoti del 306-310 e del 365 in monumenti e scavi di Tunisia, Sicilia, Roma e Cirenaica, Africa*, VII-VIII, 1982, p. 127 à 139).

sentiellement dans l'organisation de l'espace intérieur. Les changements que l'on remarque sur les façades, même s'ils sont spectaculaires, comme en VIII,4,26, ne traduisent pas nécessairement un changement de fonction, puisque la plus grande boulangerie de Pompéi, celle de Terentius Proculus (VII,2,3) (fig. 44), quoique installée dans une *domus* complètement bouleversée, ne se laisse aucunement deviner depuis l'extérieur, pas plus que celle de la rue de Nola (V,3,8) (fig. 45) dont le four et les meules se sont installés dans un ancien *atrium* (82).

L'acquéreur de la *domus* située en VI,3,3, afin d'installer une meunerie-boulangerie tout en assurant le logement de sa famille et de son personnel servile, fit aménager le rez-de-chaussée pour l'exercice de son artisanat et installa l'habitation à l'étage (83). Dans ce but, l'*atrium* fut muni de quatre forts piliers de briques destinés à soutenir l'étage résidentiel, tandis que les meules, le four, le laboratoire et l'écurie occupaient le rez-de-chaussée (fig. 46). Si l'on peut lire encore le plan de cette ancienne demeure, la quasi-totalité de l'architecture fut reconstruite en utilisant seulement les fondations et en offrant un échantillonnage complet des différentes maçonneries mises en oeuvre après 62: *opus reticulatum* à chaînes de briques pour la façade principale sur la Via Consolare, *opus mixtum* dans les pièces entourant l'*atrium*, briques pour les piliers, *opus incertum* et briques dans le secteur de production.

Si la boulangerie demandait des aménagements conséquents pour installer le four, le laboratoire et ses plans de travail, l'espace des meules et l'écurie des bêtes de trait, les teintureries se contentaient d'aménager leurs fourneaux à chaudrons dans n'importe quel espace disponible, tel le grand péristyle de VII,2,11, devenu la teinturerie d'Ubonius (84) (fig. 47).

Les foulons (85), dont quatre installations ont été identifiées à Pompéi (86), étaient certainement les plus exigeants en espace, la visite de l'ancienne *domus* située en I,6,7, la plus complète des *fullonicae*, celle de l'affranchi Stephanus (87), déjà citée, montre l'ampleur des aménagements nécessaires à la préparation des étoffes (fig. 48-49).

Dans la pièce ouvrant sur la rue se trouvait une presse à vis pour le repassage des étoffes lavées, tandis que le bassin d'*impluvium* de l'*atrium* voisin était agrandi et muni d'un parapet le transformant en vasque de lavage alimentée en eau courante par une borne fontaine. Au fond de l'ancienne demeure avaient été construits trois bassins communiquants, eux aussi approvisionnés en eau courante, et cinq bacs destinés au foulage des tissus, les *lacunae fullonicae*, dans lesquels des ouvriers piétinaient ceux-ci dans de l'urine afin de les dégraisser (88).

---

(82) En raison de l'utilisation systématique d'animaux de trait, généralement des ânes, pour actionner les meules, l'espace consacré à la meunerie devait être à ciel ouvert.

(83) Cette boulangerie fut, avec celle de la maison de Salluste voisine (VI,2,4), l'une des premières dégagées à Pompéi; on la trouve dans les dessins de Félix Duban, architecte pensionnaire de la Villa Medicis de 1823 à 1828. L'édifice a été publié par A. MAIURI dans *Contributo allo studio dell'ultima fase edilizia di Pompei, Atti del I congresso Nazionale*, 1, Rome 1929, p. 161 à 172.

(84) M. DELLA CORTE, *op. cit.*, p. 156-157 - A. MAIURI, *L'ultima fase*, p. 170.

(85) *C.I.L.* 3478, 7164, 7963, inscriptions évoquant la participation politique de la corporation des *fullones* à l'occasion de campagnes électorales.

(86) La *fullonica* de Stephanus en I,6,7, celle de Fabius Ululitremulus en III,1,1, celle de Vesonius Primus en VI,14,22 et l'installation voisine du n. 21 peut-être dépendante de la précédente et celle de L. Veranius Hypsaeus en VI,8,20, cette dernière inachevée en 79.

(87) V. SPINAZZOLA, *op. cit.*, vol. II, p. 765 à 785.

(88) L'urine était recueillie dans la latrine de la *fullonica* mais aussi dans des amphores dans lesquelles le passant était invité à se soulager. Une peinture de la *fullonica* de la rue de Mercure (VI,8,20) représente le piétinement des étoffes (Musée de Naples).

Les étoffes, de la laine ou du lin, après dégraissage, rinçage, battage et nouveau rinçage étaient cardées et étendues sur des séchoirs installés à l'étage, soit sous un auvent soit sur la vaste terrasse (89). Enfin, pour assurer la subsistance du personnel attaché à Stéphanus, une cuisine était installée sous un abri ouvert, à l'extrémité du péristyle.

La création de nouveaux commerces et de nouvelles installations artisanales, logés dans des édifices construits dans ce but et non récupérés, avait, en 79, déjà fait l'objet d'un programme concerté par les édiles, puisque des séries de boutiques, reconnaissables à leur ample ouverture sur la rue et au logement attenant, soit en arrière soit à l'étage, ont été construites autour du *macellum*, lui-même inachevé, le long de la rue de Nola, autour des thermes de Stabies et autour des thermes du centre. Toutefois, un très grand nombre d'entre elles étaient inachevées ou inoccupées au moment de l'éruption, comme celles bordant les thermes du centre le long de la rue de Stabies, car on devait les découvrir sans le moindre mobilier, sans comptoir, démunies d'enduit et souvent de sol.

Les *thermopolia* et les *cauponae* (les cabarets et les auberges) installées dans des locaux identiques à ceux des autres négoces, largement ouverts sur la rue, ont souffert tout autant que ces derniers de la chute du linteau de façade supportant souvent un étage, mais leurs installations consistant en un comptoir avec petit foyer, rapides à remettre en état, expliquent le très grand nombre de ces commerces en fonctionnement en 79 (90).

Les modifications intervenues dans l'organisation et la distribution des pièces dans les maisons d'habitation n'ont pas eu, comme seul mobile, l'installation d'un artisanat mais également une redistribution des biens immobiliers au gré des infortunes des uns et de la chance des autres.

Il faut également prendre en compte, le fait opportun d'une restructuration rendue possible par la nécessité de restaurer ou de reconstruire, mesure qu'en d'autres circonstances un propriétaire n'aurait pas crue nécessaire ou réalisable. Mais dans le choix de ces hypothèses, une fois encore, le pillage antique et les inconséquences des premiers fouilleurs ont altéré l'état réel des maisons et fait disparaître un nombre considérable de témoins d'occupation et d'identification, réduisant souvent aux suppositions les raisons d'un changement important de destination ou de répartition.

La maison du Cryptoportique et sa voisine, rue de l'Abondance (I,6,2-3-4) (fig. 50) nous offrent un exemple significatif d'une nouvelle partition entre trois propriétaires (ou locataires) d'une vaste demeure d'époque samnite à façade en grand appareil calcaire (au n° 4), occupant toute la profondeur d'une *insula* et munie dans sa partie postérieure d'un vaste jardin (91) et de la propriété mitoyenne avec *atrium* et péristyle (au n' 2). Le jardin étant situé en contrebas en raison de la pente naturelle, la première modification, remontant au milieu du Ier siècle av. J.-C., consista en un apport de terres surélevant le sol et enterrant en partie le portique et les pièces de ce niveau bas. Mais c'est après 62 que les plus grands changements furent opérés; l'une d'entre elles (au 2) reçut la jouissance de tout le secteur du jardin et du niveau inférieur appartenant autrefois à sa voisine; toutefois, les deux galeries sud et ouest du cryptoportique, gravement endommagées, ne furent pas réutilisées mais comblées par les débris du tremblement de terre. La maison du n. 4 précédemment la plus vaste, connue sous le nom de la chapelle Iliaque (déjà évoquée pour son chantier), dut se contenter de deux *atria* exigus autour desquels se pressaient onze pièces enrichies de la présence d'un étage dont la distribution nous échappe en partie. L'une comme l'autre étaient encore en pleins travaux de réfection au moment de l'éruption de 79.

(89) Voir la description du traitement des étoffes dans R. ETIENNE, *op. cit.*, p. 151 à 153.

(90) Il convient de noter que la distinction entre les cabarets et les autres commerces n'est pas toujours aisée, en raison de l'usage évident de comptoirs pour tout négoce, mais la présence des *dolia* à vin, d'un petit fourneau pour les préparations chaudes, d'une réserve d'amphores et surtout d'annonces peintes, permet de nombreuses identifications.

(91) V. SPINAZZOLA, *op. cit.*, vol. I, p. 435 à 869 à 970 - A. et M. DE VOS, *op. cit.*, p. 104 à 108.

Enfin, entre les deux propriétés se trouvait installée la boutique d'un quincailler-marchand d'outils, le *faber aerarius* Verus (92), chez qui fut retrouvée la *groma* de géomètre, aujourd'hui au Musée de Naples (93).

Le plan résultant de ces partitions nous éloigne considérablement de la belle organisation axée et symétrique que l'on peut encore lire à la maison du Chirurgien (VI,1,10), à la maison de Salluste (VI,2,4), à la maison de Pansa (VI,6,1), ou à celle du Faune (VI,12,2), et traduit bien par la disparition de toute rencontre orthogonale des murs, par le désaxement des circulations et *atria* et par l'imbrication des pièces de l'une et l'autre maisons, des aménagements de fortune et des modifications s'insérant dans un découpage probablement déjà partiellement amorcé aux époques antérieures (94).

L'opération inverse, consistant à réunir deux voire trois maisons voisines, est également vérifiable, bien qu'il s'agisse souvent de simples présomptions (maison d'Obellius Firmus en IX, 14,4 ou du Centenaire en IX,8,6) (95); on en a toutefois la certitude à la maison de L. Popidius Secundus Augustianus (I,4,5) formée de trois anciennes *domus*, à la maison de l'Ephèbe (I,7,11) la plus complexe de toutes puisqu'elle regroupe quatre habitations implantées à des niveaux différents (96), ou à la maison de Terentius Proculus (VII,2,3-6), cette dernière utilisant une *domus* pour l'habitation et sa voisine pour la meunerie-boulangerie (97). Retenons cependant, que si le dernier exemple cité est bien un regroupement postérieur à 62, un doute subsiste sur la date de transformation des deux autres qui peuvent avoir été restaurées tout en étant déjà partiellement réunies avant le séisme.

De cet examen très partiel des dommages subis et des solutions architecturales adoptées durant la dernière phase pompéienne se dégagent plusieurs constats d'ordre technique, économique et social.

A l'évidence les maisons d'habitations et les commerces qui y étaient intégrés reçurent les premières restaurations; ces restaurations furent le fait des habitants eux-mêmes ou d'artisans modestes aidés d'une main-d'oeuvre faiblement qualifiée, devenus constructeurs pour la circonstance, car l'on peut imaginer la venue à Pompéi et dans les autres villes sinistrées, d'entrepreneurs professionnels ou occasionnels, attirés par les besoins innombrables, précédant les entreprises de haut niveau, suivis par les artistes peintres et stucateurs, dont la présence ne pouvait que se subordonner aux travaux des maçons et charpentiers (98).

(92) M. DELLA CORTE, *op. cit.*, p. 291 et 292.

(93) J.-P. ADAM, *Groma et chorobate, exercices de topographie antique*, MEFRA, 94, 1982-2, p. 1003 à 1029.

(94) Il suffit pour s'en convaincre d'examiner le plan de la maison de Lucretius Fronto (V,4,a) et son aspect particulièrement tourmenté, bien que celle-ci n'ait partiquement pas souffert du séisme puisqu'elle a conservé son décor peint de IIIè style final (second quart du Ier siècle).

(95) L'agrandissement d'une maison imposait une distribution des pièces autour d'un espace fournissant la lumière (*atrium* ou péristyle) donc la recomposition à côté du noyau primitif d'une seconde maison de dimensions comparables, inversement, le simple percement d'une porte permettait de rendre communicantes deux maisons coexistant depuis longtemps.

(96) A. et M. DE VOS, *op. cit.*, p. 114-115 et fig. p. 113.

(97) A. MAIURI, *L'ultima fase*, p. 168-169.

(98) Les charpentiers pompéiens sont signalés par deux inscriptions électorales (*C.I.L.* 951 et 960) et une peinture figurant un défilé corporatif (au Musée de Naples). Les maçons sont plus discrets puisqu'on ne possède qu'une stèle, celle de Diogènes, qui était une enseigne avec représentations d'outils, retrouvée dans la maison du coq en VII,15,2 (cf. Th. et J.-P. ADAM *Le tecniche costruttive a Pompei, Pompei, i tempi della documentazione*, ICCD, Rome, 1981, p. 102; fig. 25). Les peintres ne sont guère mieux connus puisqu'un seul nom est donné par l'inscription *Lucius pinxit*, peinte sur une couchette du *biclinium* estival dè la maison dite de Loreius Tiburtinus (II,2,2).

Les monuments publics, hormis l'amphithéâtre peu atteint, ne bénéficièrent pas de la même priorité puisque sur le forum, seuls, semble-t-il, les trois édifices municipaux étaient en voie d'achèvement que le seul sanctuaire, sur les sept connus (99), qui ait été totalement achevé et en fonction, grâce à la générosité d'un particulier, était le temple d'Isis.

Par contre des programmes nouveaux, aussi importants que les thermes du Centre, étaient déjà bien avancés en 79 et nous avons dit ce qu'il en était du réseau d'adduction d'eau, ce qui prouve que la municipalité avait eu la capacité de commencer relativement tôt certains ouvrages jugés majeurs. On ne sait du reste, s'il est opportun d'en tirer quelque déduction sur l'importance graduée accordée par les romains du Ier siècle, aux différentes composantes de leur environnement urbain tant sur le plan des nécessités que sur celui du confort et des loisirs. Un chose semble assurée cependant, c'est le faible attachement au culte traditionnel, que l'abandon des temples traduit parfaitement, et que le temple d'Isis ait été le seul témoin en fonction d'une religiosité publique, permet de dire l'attrait ressenti pour les doctrines orientales attachées à la Rédemption et à la Résurrection; les disputes des dieux de l'Olympe paraissant bien vaines en la circonstance. D'autre part, les innombrables laraires domestiques manifestent un repli sur l'univers familial, accueillant et individualisant la divinité de son choix pour son seul profit.

Le choix des pouvoirs publics, car il y a eu nécessairement un choix politiquement calculé, ne s'est pas porté vers le commerce et l'artisanat puisque le *macellum* était inachevé et l'ensemble du forum en chantier, mais, d'une part vers la gestion de la cité, comme le prouvent les trois édifices édilitaires de la *Curia* et d'autre part vers les loisirs, matérialisés par les thermes et les édifices de spectacles. Nous avons vu l'état dans lequel se trouvaient les premiers, partiellement reconstruits ou entrepris, les seconds étant soit totalement en fonction, comme l'Odéon et l'amphithéâtre, soit en restauration avancée comme le théâtre. Enfin, notons que les parties du rempart et les portes de ville n'avaient pas reçu la moindre restauration.

Ainsi, tandis que les particuliers, avec une aide qu'il est impossible d'estimer, réparaient ou rebâtissaient leurs biens immeubles, les édiles assuraient leurs fonctions par la reconstruction de la Curie et redonnaient à la population ce qui leur semblait essentiel: l'eau et les loisirs. Le pouvoir impérial, pour sa part, n'étant représenté, et de la manière ambiguë exposée plus haut, que sous la forme d'un sanctuaire presque achevé, en bonne place sur le forum et consacré à Vespasien.

Pour conclure sur un plan géologique, l'importance des dommages traduits par les ruines et les restaurations, peut permettre une estimation descriptive de l'intensité des secousses subies par Pompéi le 5 février 62. Cette estimation ne peut être proposée qu'en tenant compte de la violence des effets observables sur l'architecture (les effets sur le sol n'étant plus perceptibles) et des quelques renseignements donnés par Sénèque. En effet les géologues estiment la force d'un tremblement de terre soit en fonction des critères pré-cités pour les evènements du passé, soit par des échelles, appelées " échelles d'intensité macrosismique ", au nombre de deux, celle dite de Richter, du nom du physicien qui en établit les normes en 1956, à partir d'une référence précédente due à Mercalli (100) et celle dite MSK, de 1964, plus appropriée aux régions européennes (101). Ces dernières méthodes ajoutent aux critères d'observation, les renseignements fournis par un ensemble de sismographes nor-

(99) Temple d'Apollon (VII,7,32), temple dorique (forum triangulaire), temple de la Fortune Auguste (VII,4,1), temple d'Isis (VII,7,28), temple de Jupiter (forum), temple de Jupiter Meilichios (VIII,7,25), temple de Vénus (VIII,1,3). Un huitième sanctuaire, hors de la ville, fut révélé en 1943 après un bombardement, près de la ligne de chemin de fer à quelque 700m au Sud-Est de l'amphithéâtre; ce modeste temple de 14,4 x 8.3m était consacré, selon le décor de son fronton, à Aphrodite et Dionysos.

(100) Ch. F. RICHTER, *Elementary Seismology*, 1958.

(101) Echelle macrosismique d'intensité de Medvedev, Sponheuer et Karnik de l'Institut de géodynamique d'Iéna.

malisés, constituant un réseau mondial, le WWSSN, permettant d'enregistrer des informations sur l'énergie dissipée par un séisme sous de multiples formes (102).

Indépendamment de ces mesures extrêmement rigoureuses, les deux échelles d'intensité de Richter et de MSK, reprennent dans leur démarche d'enquête, des critères de destruction de l'architecture, de modification du sol et de réactions des témoins, auxquels les géologues du siècle dernier avaient, dans l'ensemble, déjà recours. Elles aboutissent ainsi à douze degrés dont la valeur croissante correspond à une intensité de plus en plus forte, allant ainsi de la secousse non perceptible par l'homme au degré I, à la perception générale avec déplacements d'objets au degré V, jusqu'à l'anéantissement total avec modification du paysage au douzième et dernier degré (103).

Bien entendu, de multiples paramètres retirent toute valeur scientifique à une telle méthode considérée sans les informations de sismographes, car il est évident que les réactions humaines prendront une importance extrême en milieu à forte densité et que la destruction d'un édifice tient elle-même à un faisceau de facteurs, allant de la qualité du mortier à l'état de sa charpente en passant par son emplacement topographique. Néanmoins, en comparant dans leur ensemble les résultats des enquêtes dans des milieux comparables, on obtient une estimation qui est une approche de l'objectivité. C'est ainsi que le séisme de 62 à Pompéi peut être estimé à une intensité de degré IX, en fonction de l'ampleur et des caractéristiques des destructions et des réactions des habitants.

INSTITUT DE RECHERCHES SUR
L'ARCHITECTURE ANTIQUE, CNRS.

JEAN-PIERRE ADAM

(102) Une unité a été créée, l'erg, permettant d'étalonner l'énergie totale d'un séisme.
(103) BRUCE A. BOLT, *Les Tremblements de terre*, Berkeley, 1978, éd. *Pour la Science*, Paris, 1982, p. 156 à 160.

ANNEXE

ÉCHELLE D'INTENSITÉ DE MERCALLI MODIFIÉE (VERSION 1956*)

Maçonnerie A, B, C, D: pour éviter les imprécisions du langage, la qualité de la maçonnerie, brique ou autre, est spécifiée par l'emploi des lettres suivantes:

MAÇONNERIE DE TYPE A: ouvrage sérieux, mortier et conception de qualité. Elle est renforcée, surtout latéralement, et ceinturée par des armatures métalliques, en béton, etc., Conçue pour résiter aux forces latérales.

MAÇONNERIE DE TYPE B: ouvrage sérieux et bon mortier; renforcée, mais pas spécialement conçue pour résister aux forces latérales.

MAÇONNERIE DE TYPE C: ouvrage et mortiers de qualité moyenne. Pas de faiblesse extrême, comme des défauts de liaison aux angles, mais pas de renforcement; non conçue pour résister aux forces latérales.

MAÇONNERIE DE TYPE D: matériaux faibles, comme le pisé, mortiers maigres, ouvrages de mauvaise qualité, peu résistants horizontalement.

DESCRIPTION

La valeur de l'intensité du séisme est indiquée par des chiffres romains, de I à XII.

I. Pas ressenti. Effets marginaux dus aux ondes de grande période provenant des grands séismes.

II. Ressenti par les gens au repos dans les étages supérieurs ou en un endroit favorable.

III. Ressenti à l'intérieur. Les objets suspendus se balancent. Il y a des vibrations comme au passage d'un camion léger. On peut estimer la durée, mais on peut ne pas s'apercevoir qu'il s'agit d'un séisme.

IV. Les objets suspendus se balancent. Il y a des vibrations comme au passage d'un poids lourd; sensation de chocs commme si de lourdes balles rebondissaient contre les murs. Les voitures arrêtées se balancent. Les fenêtres, la vaisselle, les portes vibrent. Les verres tintent, les assiettes résonnent. Pour la partie la plus élevée du degré IV, les murs de bois et les poutres craquent.

V. Ressenti dehors; on peut estimer la direction d'arrivée des ondes. Les dormeurs se réveillent. Les liquides sont agités, certains débordent. Des petits objects instables sont déplacés ou renversés. Des portes s'ouvrent et se ferment. Les volets battent, les tableaux se déplacent. Les pendules à balancier s'arrêtent, repartent, changent le rythme.

VI. Ressenti par tout le monde. Beaucoup ont peur et se précipitent dehors. Des piétons titubent. Des vitres, de la vaisselle et de la verrerie sont cassées. Des bibelots, des livres, etc., sont projetés hors de leurs étagères. Des tableaux sont arrachés des murs. Des meubles sont déplacés ou renversés. Le plâtre peu solide et la maçonnerie de type D se fissurent. Les petites cloches (écoles, églises) se mettent à sonner. On voit les arbres et les buisssons secoués ou on les entend vibrer.

VII. Il est difficile de rester debout. Les conducteurs de voiture ressentent le séisme. Les objets suspendus tremblent. Des meubles sont cassées. La maçonnerie de type D est endommagée et fissurée. Les cheminées peu solides sont brisées au ras du toit. Chute des plâtres, des briques, des pierres, des tuiles, des corniches, des parapets mal fixés et des ornements architecturaux. Quelques fissures dans les maçonneries de type C. Des vagues sur les étangs, l'eau devient trouble et boueuse. Petits glissements et affaissements dans les remblais de sable ou de graviers. Les grosses cloches sonnent. Les fossés d'irrigation cimentés sont endommagés.

VIII. La conduite des voitures est perturbée. Dégâts à la maçonnerie de type C: effondrements partiels. Quelques dégâts à la maçonnerie de type B, rien à celle de type A. Chute de plâtre et des quelques murs en maçonnerie. Torsions et chute des cheminées, des cheminées d'usines, des monuments, des tours, des réservoirs haut placés. Les charpentes des maisons sortent de leurs fondations si elles n'y sont pas boulonnées. Les piles de constructions sur pilotis en mauvais état cassent. Des branches d'arbre sont cassées. Des fissures apparaissent sur les sols humides et sur les fortes pentes.

IX. Panique générale. Les maçonneries de type D sont détruites, celles de type C gravement endommagées, avec écroulement complet parfois, celles de type B sérieusement endommagées. Dégâts à toutes les fondations. Si les charpentes ne sont pas ancrées, elles sortent des murs et sont endommagées. De gros dégâts aux réservoirs d'eau. Les canalisations souterraines sont cassées. De nettes fissures visibles sur la surface du sol. Dans les zones alluviales, projections de sable, de boue et d'eau, cratères de sable.

X. La plupart des maçonneries et des charpentes sont détruites avec leurs fondations. Quelques constructions en bois bien construites et des ponts sont détruits. Sérieux dégâts aux barrages, digues et jetées. Grands glissements de terrain. L'eau déborde des canaux, des rivières, des lacs, etc. Du sable et de la boue sont déplacés horizontalement sur les plages et les terrains plats. Les rails sont légèrement tordus.

XI. Les rails sont complètement tordus. Toutes les canalisations souterraines sont hors service.

XII. Ruine à peu près totale. De grandes masses rocheuses sont déplacées. Topographie bouleversée. Des objets sont projetés en l'air.

* H.O. WOOD et F. NEUMANN, *Échelle d'intensité de Mercalli modifiée en 1931* in *Seismological Society of America Bulletin*, 53, 5, 1956, pp. 979-987. La version originelle de 1931 de l'échelle d'intensité de Mercalli modifiée est republiée in C. F. RICHTER, *Elementary Seismology*, 1958, pp. 137-138.

WERNER JOHANNOWSKY

TERRAE MOTUS: UN'ISCRIZIONE NUCERINA
RELATIVA AL RESTAURO DEL TEATRO
(pl. LIV)

Nel 1980, nel corso dello scavo del settore di iposcenio antistante alla versura O. del teatro di Nuceria Alfaterna (1) sono stati rinvenuti i frammenti dell'iscrizione relativa a lavori di restauro intrapresi sotto Domiziano che qui si presenta. Si tratta di una lastra la cui altezza può essere ricostruita in almeno 91 cm. e la cui lunghezza doveva raggiungere almeno m. 2,30, di uno spessore di 4 cm. La linea di distacco sul lato posteriore copre la frattura di distacco dal blocco e lungo i bordi superiore e inferiore sono due sagome a kymation lesbio incavate rispetto alla superficie con uno dei margini scalpellato. Le almeno cinque righe sono in caratteri molto curati con apici abbastanza sporgenti e di altezze diverse. La prima misura infatti 13 cm. e le altre 9 cm., salvo la terza, alta 7,5 cm.

In particolare la P è ancora abbastanza aperta, la E ha la sbarra centrale solo poco più breve delle altre e le I di *divus* sono come le T di *potestas* più alte. I segni diacritici sono a punto triangolare e le cifre della *designatio* sono sormontate da una linea orizzontale (fig. 1).

La restituzione del testo è, per la coincidenza degli spazi, in gran parte sicura. Tenendo conto della titolatura che risulta per Domiziano, il cui nome è stato cancellato per effetto della *damnatio memoriae*, l'iscrizione dovrebbe essere datata all'82 d.C., anno in cui fu per la nona volta *consul designatus* (2). Per le altre lacune si possono tentare delle ipotesi.

Si leggeva pertanto con ogni probabilità:

[IMP·CA]ESA[R]·DIVI·VESPASIANI·F[IL](ius)/
DOMITIANUS·AUG·PONT·MAX·TRIB·POTEST(ate)/
[II·IMP·II·P·P·COS·VIII·] DESIGNAT·VIIII [...TH]EATR[.....(...)/
.....]VS TERRAE M[OT]IBV[S...../
[.....]VIT

Le possibili interpretazioni delle lacune sono in parte in diretto rapporto con il problema della minore o maggiore lunghezza nella parte terminale delle righe (anche se la prima soluzione è forse più accettabile) e della possibile interruzione di singole parole, che è resa meno probabile dalla presenza di segni diacritici.

(1) Sul teatro di Nuceria Alfaterna v. W. JOHANNOWSKY in *Atti del Convegno " La regione sotterrata dal Vesuvio. Studi e prospettive "*, Napoli, 1982, p. 835 s.

(2) Sulla titolatura di Domiziano v. tra l'altro WEYNAND, in *Pauly-Wissowa, VI, 2* (1909), col. 2550.

È certo d'altra parte che l'iscrizione si riferisce al teatro ed alla riparazione dei danni dovuti ad uno o più terremoti, anche se non si può dire con sicurezza se enumerava più edifici o parti dello stesso edificio o complesso. Infatti il teatro di Nocera, la cui cavea era appoggiata a Sud dell'aggere delle mura, faceva parte di un insieme di edifici pubblici che occupavano una superficie abbastanza estesa, di 4 ettari o poco meno, la cui ubicazione fa ritenere tuttavia improbabile una eventuale connessione diretta con il foro (3).

Ad Ovest, pure appoggiata in parte alle mura, è un'area circondata almeno in parte da portici che misurano per la parte a cielo scoperto in senso E-O 89 m. circa, equivalenti a 300 piedi e a metà di uno stadio, e in senso N-S forse altrettanto, in cui sarà certo da riconoscere, anche per la contiguità a Nord di un complesso termale, una palestra. Ad Est di questa, oltre il tracciato di una strada, è, sempre contiguo alle mura, un edificio della larghezza (in senso E-O) di poco meno di 60 m., le cui strutture sono in gran parte incorporate in abitazioni. Lo spessore dei muri E ed O ed una facciata di 5 nicchioni semicircolari e rettangolari alternati verso Nord, analoga al fronte posteriore dell'edificio scenico del teatro, potrebbero far pensare ad un *odeion*.

Le strutture attualmente visibili e quelle messe in luce e poi reinterrate nel corso degli scavi eseguiti negli anni 50 dall'Amministrazione Provinciale nei portici Est e Sud della presumibile palestra (4) sono, salvo una fase precedente a Sud di questa, prevalentemente in laterizio senza uso di bipedali ed in parte in *opus reticulatum* in tufo e possono essere datate per la tecnica identica a quella della fase augustea del teatro a quella stessa epoca.

Si tratta quindi con ogni probabilità di un complesso organico comprendente edifici per spettacolo ed un ginnasio le cui singole parti sono state concepite forse già in età ellenistica, epoca cui risale la prima fase del teatro scoperto, in un'area forse almeno in parte libera da precedenti costruzioni (5).

Ad età domizianea possono essere attribuiti con ogni probabilità i muri che delimitano attualmente l'iposcenio, in *reticulatum* con ricorsi in laterizio e nel portico S. della presunta palestra le pitture di tardo quarto stile. Pertanto, dato lo spazio di tre lettere prima di *th)eat...*, si potrebbe ipotizzare la parola *duo* piuttosto che un'altra titolatura imperiale non documentata per l'82 o un'abbreviazione del nome di un edificio, mentre per *in*, che come soluzione di ricambio sarebbe senz'altro la più accettabile, o *ad* lo spazio residuo di 25 cm. sarebbe eccessivo, così come sarebbe insufficiente, per es. per *apud*. Rimarrebbe nel caso di *duo theatra* sulla destra uno spazio per 5 o 6 lettere, se vogliamo accettare la lettura più lunga delle parole terminali delle due righe soprastanti, mentre in caso contrario potrebbe esserci anche un vuoto, e si potrebbe pensare per esempio a *xystum* o *campum* oppure ad *aream*, il che implicherebbe forse *publicam*, o ad *aedem* o *aedes* nel caso soprattutto della menzione di edifici siti anche in altri luoghi della città.

Nella riga successiva è possibile che la parola di cui è conservata la parte terminale possa essere (.....*portic)us*, a meno che non sia la terminazione di un avverbio in rapporto con *terrae motus*, per esempio *saevius*. Comunque a *terraem(ot)ibus* dovrebbe seguire, *conlapsa* o *concussa* a seconda del

(3) Su tale scavo v. V. PANEBIANCO, in *F.A.*, XII (1959, n. 5329), tav. XXXVIII, fig. 127; XIII (1960), n. 2352, tav. XII, fig. 34.

(4) Il foro era con ogni probabilità più a Nord, forse tra Via S. Pietro e S. Maria Maggiore.

(5) Il teatro, che si trova nell'asse della strada principale della città in senso N-S secondo una concezione urbanistica tipicamente ellenistica (v. anche su ciò JOHANNOWSKY, *art. cit.*), risale nella sua fase più antica al II sec. a.C. ed il muro Sud della presunta palestra è addossato ad un muro a nicchie che si può forse datare in età sillana o poco più tardi. Un complesso sotto certi aspetti simile, ma più ridotto oltre che condizionato da preesistenze e pertanto meno organicamente distribuito è quello di Pompei, dove si è voluto riconoscere nel portico nel " foro triangolare " lo *xystus* del ginnasio.

grado di danneggiamento che si voleva far apparire, e poi forse un'altra parola se il testo era più lungo.

Di questo frammento fa parte anche la parte terminale della quinta riga da restituire come (*restit*)*uit* o, piuttosto, dato lo spazio disponibile, come (*restaura*)*vit*.

Rimane il problema dei terremoti ai cui danni si riferisce l'iscrizione.

Com'era noto e come è risultato dagli scavi, Nuceria ha subito danni non indifferenti sia dal terremoto del 62 d.C., sia dall'eruzione del 79 d.C., la cui coltre di lapillo raggiunge in posizione primaria fuori delle mura, dove non è stata rimossa, i 50 cm. di spessore. D'altra parte l'eruzione è stata accompagnata da movimenti sismici ed anche un'iscrizione neapolitana dell'81 d.C. si riferisce a danni di più di un terremoto riparati sotto Tito (6).

Inoltre buona parte degli edifici pubblici di Pompei erano al momento dell'eruzione ancora nello stato in cui li aveva lasciati il terremoto del 62, ed anche il tempio della *mater deum* ad Ercolano è stato restaurato soltanto sotto Vespasiano (7).

Pertanto non meraviglia affatto che a Nocera si sia dovuto aspettare fin sotto Domiziano per completare il restauro del teatro e di altri edifici.

SOPRINTENDENZA ARCHEOLOGICA
DELLE PROVINCE DI SALERNO,
AVELLINO E BENEVENTO.

WERNER JOHANNOWSKY

---

(6) *CIL* X, 1481[*Imp(erator) T(itus) Caesar divi Vespasia*]*ni f(ilius) Vespasianus Aug(ustus)* / [*pont(ifex) max(imus) trib(unicia) potest(ate) X imp(erator) XV*] *co(n)s(ul) VIII censor p(er)p(etuus)* / [… *terrae mo*]*tibus conlapsa restituit*. Le integrazioni sono possibili grazie al testo greco. V. sù questo anche Y. BURNAND, in *Tremblements de terre. Histoire et Archéologie*, Antibes, 1983, p. 174 s.

(7) *CIL* X, 1406, del 76 d.C.; cfr. anche *AE*, 1949, 170, sempre da Ercolano, del 75 o 76, che si riferisce ad ignoti edifici pubblici; v. su queste ed altre iscrizioni BURNAND, *art. cit.*

UMBERTO PAPPALARDO, ADELE LAGI DE CARO, HARALDUR SIGURDSSON

ERCOLANO, CAVA MONTONE: VILLA RUSTICA ROMANA DISTRUTTA DAL VESUVIO

(pl. LV-LXVI)

Il 9 giugno 1983 è stata segnalata all'Ufficio Scavi la presenza di ruderi romani in una cava nel Comune di Ercolano posta a circa metà strada fra la città moderna e la sommità del Vesuvio. Vi si accede da Via Viola, oltrepassando l'edificio dell'ex-Orfanotrofio Francescano; sul versante est, ovvero quello verso il vulcano, essa è delimitata dalla Via Comunale Novelle Castelluccio (cfr. I.G.M. foglio 184 II N.E. ÷ qui fig. 1). La località, posta a m. 200 di altitudine, dista circa Km. 3,50 dall'antica *Herculaneum* e Km. 5 dall'attuale cratere (alt. m. 1281). Sul posto si sono subito individuati i resti di una villa rustica romana, resti in parte ulteriormente scavati ed evidenziati nel corso del gennaio 1984 (1).

La parete di cava, alta circa m. 20 sul versante est (fig. 2), appare composta da due colate sovrapposte: una inferiore di m. 6-8 di tufo grigio-giallino (eruzione del 79 d.C.) ed una superiore di m. 8-10 di lava color grigio-bruno (eruzione del 1872) (2).

Resti della villa sono stati individuati in diversi punti della cava, ma le parti più consistenti appaiono nella parete est ed al centro dello sbancamento. I resti inglobati nella parete est sono costituiti da un confuso crollo di fabbrica nel quale si distingue uno spigolo interno di muro rivestito da intonaco bianco (fig. 3). Da questo andito provengono residui di una sega in ferro con manico di legno e tutti i reperti bronzei della villa, eccetto il nr. 31 del catalogo (figg. 15 - 24). Più consistenti appaiono i resti superstiti al centro, i quali insistono su di una montagnola trapezoidale emergente come un isolotto nello sbancamento generale (fig. 4); la loro preservazione è dovuta al fatto che al disopra poggiavano macchinari di cava.

Quanto resta del complesso (figg. 5-10) è costituito da un corridoio largo m. 1,50 e lungo circa m. 7, con pavimento in cocciopesto ed una soglia in basalto lavico sul lato est alta m. 0,20, conservatasi per la lunghezza di circa un metro (fig. 6). Tale corridoio separa due gruppi di ambienti. Sul lato nord insisteva un grande ambiente con muri lunghi rispettivamente m. 6,50 e m. 4,30 almeno. A sud

(1) Alla segnalazione ha fatto seguito l'immediato sopralluogo da parte dello scrivente, del prof. H. Sigurdsson e del restauratore Sig. E. Formigli.

La cava, di proprietà del Sig. Enrico Madonna, è risultata in fitto da parte dei fratelli Biagio e Giovanni Nocerino che si ringraziano per la collaborazione.

I lavori di scavo sono stati condotti dalla Ditta V. Vitiello e diretti dallo scrivente coadiuvato amministrativamente dal Geom. A. Borrelli ed assistito sul campo dal Sig. P. Zichella; le foto dello scavo sono state eseguite dai Sigg. G. D'Auria e N. Orlando, quelle dei reperti dal Sig. A. R. Giugliano; la pianta della villa è stata eseguita dai Sigg. R. Miele ed A. Colantuono; i disegni dei reperti dal Sig. V. Pagano. A tutti vada il più vivo ringraziamento per la collaborazione.

Un ringraziamento particolare va alla dott.ssa M.G. Cerulli Irelli, Soprintendente Archeologo di Pompei, per il continuo e diretto interessamento sia amministrativo che scientifico al corso degli scavi.

Del rinvenimento è stata data un breve notizia preliminare da parte dello scrivente nel *Bollettino dell'Associazione Internazionale ' Amici di Pompei '*, *Pompeii-Herculaneum-Stabiae*, 1, 1983, p. 351, fig. 28.

(2) I locali raccontano che fra le due colate sia rimasto inglobato un villaggio ottocentesco con la c.d. Chiesa di S. Michele. Non sono riuscito a trovarne riscontro e non è da escludere che l'attività di cava abbia eliminato anche questi resti.

del corridoio è disposto un corpo essenzialmente simmetrico rispetto a quello nord, ma diviso in due ambienti, uno ad est di m. 3,50 x 3,20 ed uno ad ovest di almeno m. 3,50 x 2,70. Più a sud si apriva un altro ambiente individuabile grazie a due monconi di muri disposti ad angolo retto, lunghi rispettivamente m. 1,46 e m. 2. Sul versante est sporgono tre muri di contrafforte di m. 1,30 di lunghezza che vengono a creare almeno tre incassi rettangolari, dei quali uno costituisce la fauce di accesso al corridoio.

I muri hanno una larghezza che varia da m. 0,40 a 0,50, quelli di contrafforte raggiungono invece una lunghezza di m. 0,55.

Lo sbancamento di cava ha abbassato la quota attuale di circa un metro rispetto al piano di calpestio dell'edificio antico, mettendo in luce le sue fondazioni in opera incerta alte circa m. 0,60 e poggianti su ceneri compatte grigie-giallognole anteriori al 79 d.C., ovvero quelle prodotte verosimilmente dall'eruzione di Avellino (fig. 7). Sulle fondazioni si ergono i muri con le due facce a vista in opera reticolata composte con tufelli piramidali di m. 0,08 di lato alla base. Pilastri e parti angolari dei muri sono rinforzati da blocchi di tufo oppure opera vittata a blocchi di tufo e duplice filare di mattoni (fig. 8).

I muri si ergono in sito per un'altezza media di m. 1, mentre le parti superiori appaiono tutte violentemente abbattute verso nord-ovest dal flusso piroclastico del 79 d.C. Tale osservazione sembra importante per determinare la direzione di spinta del flusso oltre che la sua forza, che appare maggiore quanto più si è vicini al cratere (3).

Sui frammenti di muro appartenenti agli ambienti disposti a sud e crollati all'interno del corridoio si può notare un foro triangolare nel quale veniva ad incastrarsi un palo della carpenteria edilizia e due finestre strombate aprentisi verso l'interno degli ambienti (fig. 9).

All'interno del grande ambiente a settentrione, nel suo tratto nord-ovest, si è rinvenuto un crollo di mattoni al disopra di una struttura a conci triangolari di tufo sovrapposti a secco, forse reimpiegati da un preesistente colonnato (fig. 10).

Poco si può ricostruire da questi miseri avanzi di quello che fu senza dubbio un ben più vasto complesso. I contrafforti sul lato est devono indicarci l'esterno dell'edificio, come ci insegna - fra gli altri - l'esempio nella Villa di Diomede a Pompei, dove erano posti all'esterno del muro di recinzione del peristilio (4). La soglia in basalto lavico posta all'ingresso del corridoio fa escludere che qui vi fosse un passaggio di carri agricoli, in quanto mancano i tipici solchi di consunzione prodotti dalle ruote (5); questo ingresso doveva essere quindi adibito al solo accesso delle persone. Le finestre strombate negli ambienti a sud sembrano per la loro angustia feritoie di magazzini.

A circa m. 100 a nord da questo nucleo principale delle rovine, il flusso piroclastico del 79 d.C. ingloba grossi tronchi di albero carbonizzati dal diametro medio di m. 0,25 (fig. 11). Non essendo stati rinvenuti accanto tegole o altro materiale edilizio che possa far pensare al crollo di un tetto, si

---

(3) Un'analoga violenza distruttiva appare in una villa romana recentemente scoperta nella Cupa Falanga a Torre del Greco, posta a m. 200 circa di altitudine e ad una distanza di Km. 4 dal cratere: cfr. F. FORMICOLA, *Nuova scoperta archeologica a Torre del Greco. Villa romana in Contrada Scappi*, in *Atti III Conv. Gruppi Archeologici Campania*, Nola 1983 (*preprint*), in partic. fig. 4; U. PAPPALARDO, in *Pompeii-Herculaneum-Stabiae*, 1, 1983, p. 351; F. FORMICOLA - U. PAPPALARDO - G. ROLANDI - F. RUSSO, *Archeologia, Geologia e Vulcanologia nel territorio di Torre del Greco*, in *Atti I Conv. Naz. Gruppi Archeologi d'Italia* (Colleferro, 2-3.XI.1985) (in stampa).

(4) A. MAIURI - R. PANE, *La Casa di Loreio Tiburtino e la Villa di Diomede in Pompei*, Roma 1947.

(5) Come ad esempio nella villa scoperta a Boscoreale in località Villa Regina: S. DE CARO, in *Pompeii-Herculaneum-Stabiae*, 1, 1983, pp. 328-331.

deve supporre che tali alberi abbiano fatto parte di un boschetto nella campagna che circondava la masseria (6).

I locali si tramandano la notizia del rinvenimento di enormi ziri e di una gigantesca pietra circolare (evidentemente dei dolii ed una macina), avvenuto nella precedente generazione.

Per quanto concerne la cronologia, ci soccorrono le strutture murarie ed ancor più i rinvenimenti. I muri in opera reticolata ci consentono una datazione della costruzione dalla seconda metà del I sec. a.C. (7). Questo dato collima bene con quello fornito da un frammento di cornice in stucco della decorazione parietale dipinta (Cat. nr. 40), che pare eseguito nello stile dell'ultima moda decorativa nell'area vesuviana, il c.d. ' quarto stile ' (8).

La maggioranza dei rinvenimenti ceramici datano al I sec. d.C. I punti estremi di riferimento cronologico sono costituiti da frammenti di ceramica a vernice nera risalenti alla metà del II sec. a.C. (Cat. nr. 1 - 5) e da frammenti di un tipo di piatto ad orlo annerito, la cui datazione in area vesuviana è degli anni immediatamente precedenti il 79 d.C. (Cat. nr. 23).

A questi ultimi si aggiungano alcuni frammenti di anfore vinarie in argilla pompeiana tipo Dressel 2-4 (Cat. nr. 25), adibite al consumo domestico di vino pompeiano, le quali datano al I sec. d.C.

Dall'insieme dei dati raccolti si ricava l'immagine di una masseria di considerevoli dimensioni posta sulle pendici del Vesuvio nel territorio dell'antica *Herculaneum*. Particolare rilievo assume il dato di una sua presenza a decorrere dal II sec. a.C.

Anche alcune delle grandi ville pompeiane sembra siano preesistite almeno dal II secolo a.C. (Villa dei Misteri, Villa di Diomede e Villa delle Colonne a mosaico) (9) e F. Zevi ha dimostrato che già da quel tempo vi doveva essere una divisione agraria regolare, che partiva da quella dei suoli in città, divisione precorritrice della centuriazione coloniale romana (10).

J. D'Arms ha dimostrato invece come alcune ville rustiche campane a partire dal II secolo a.C. - con l'aumento della ricchezza privata e pubblica derivante dalle conquiste romane nel Mediterraneo - siano venute sempre più trasformandosi in ville di *otium* (11). Ciò significa che queste ville, conquistate dai soldati sillani nell'89 a.C. non furono distrutte, ma continuarono a servire all'uso dei nuovi padroni (12).

Anche dallo sbancamento di una villa rustica recentemente scoperta a Torre del Greco si sono recuperati frammenti ceramici databili al II sec. a.C., ma sia in quella che in questa nella Cava Montone non si hanno tracce di trasformazioni pretenziose.

Evidentemente la fertile campagna nella fascia pedemontana del Vesuvio fu suddivisa anch'essa parcellarmente in epoca preromana e con la colonizzazione romana solo alcune ville si saranno confor-

---

(6) Analoghi rinvenimenti sono stati effettuati presso la villa rustica romana di recente scoperta a Terzigno: E. M. MENOTTI, *Pompeii-Herculaneum-Stabiae*, 1, 1983, pp. 334-337, in partic. p. 336.

(7) G. LUGLI, *La tecnica edilizia romana*, Roma 1957.

(8) Cfr. A. ALLROGGEN BEDEL, *La pittura*, in: F. ZEVI, *Pompei 79*, Napoli 1979, p. 130ss.

(9) A. MAIURI, *La Villa dei Misteri*, Roma 1960, p. 44s.; A. MAIURI - R. PANE, *La Casa di Loreio Tiburtino e la Villa di Diomede in Pompei*, Roma 1947; V. KOCKEL, *Die Villa delle Colonne a Mosaico in Pompeji*, RömMitt, 90, 1983, pp. 51-89, in partic. p. 60ss.

(10) F. ZEVI, *Urbanistica di Pompei*, in: *La regione sotterrata dal Vesuvio. Atti Conv. Internaz. 11-15.XI.1979*, Napoli 1982, pp. 353-365.

(11) J. D'ARMS, *Ville rustiche e ville di 'otium'*, in F. ZEVI, *Pompei 79*, Napoli 1979, pp. 65-86.

(12) Le uniche eccezioni che conosca sono costituite da due ville rustiche a Stabia risalenti al II secolo a.C. rase al suolo da Silla nell'89 a.C. per ragioni strategiche: P. MINIERO, *Ricerche sull' " ager stabianus "*, in *Scritti in onore di W. Jashemski* (in stampa), schede nr. 8 (Gragnano) e n. 26 (Casola).

mate all'*otium*, mentre le altre saranno andate probabilmente ampliandosi fino a livelli ' industriali ', migliorandosi nelle dotazioni, per soddisfare un mercato che è ormai quello di un impero.

Di tali ville l'agro vesuviano, proprio per la fertilità della sua terra, dovette essere densamente costellato; finora ne sono state calcolate circa un centinaio (13).

La loro serie, sulle pendici del Vesuvio, è venuta arricchendosi con i rinvenimenti fatti negli ultimi decenni, basti citare quelle di S. Anastasia (14), di San Sebastiano (15), di Torre del Greco (Cupa Falanga) (16), di Boscoreale (Villa Regina) (17) e di Terzigno (Cava Ranieri) (18).

Con questa evidenza acquista luce la descrizione diretta che ci ha reso il greco Strabone (64/63 a.C. - 23 d.C.) nella sua Geografia (V 246): ". . . Sovrasta questi luoghi il monte Vesuvio, ricoperto di bellissimi campi, tranne che in cima. . . ".

Contrasta con la tranquilla descrizione di Strabone la dura realtà di oggi, di un Vesuvio martoriato da ogni tipo di speculazione (cave, scarichi, costruzioni abusive etc.).

Benché questo paesaggio, visto da lontano, sembri resistere agli scempi, chi lo conosce dal di dentro ne conosce anche la mortificazione. Si sarebbe potuto parlare infatti degli splendidi scavi di Ercolano, ma di proposito abbiamo voluto presentare invece i miseri resti di quella che fu una ben più cospicua villa romana a Cava Montone, perché testimonianza rappresentativa anche delle condizioni in cui opera oggi chi si occupa della tutela del paesaggio e del patrimonio culturale.

Ovviamente non interessa soltanto un puro e semplice recupero storico, ma un programma più ampio di salvaguardia dell'ambiente - comprensivo degli sviluppi economici e sociali complessivi - nel quale ognuno possa inserire il proprio intervento di competenza (19). In tal senso appare indispensabile che venga istituzionalizzata, proprio in una tale area, la collaborazione fra geologi, vulcanologi ed archeologi.

DIRETTORE DEGLI SCAVI DI ERCOLANO   UMBERTO PAPPALARDO

---

(13) ZEVI, *op. cit.* (*supra* nota 10), p. 353.

(14) V. SAMPAOLO, in questo stesso volume p. 117.

(15) M. G. CERULLI IRELLI, *Not. Scavi*, 1965, suppl., pp. 161-178.

(16) Cfr. *supra* nota 3.

(17) DE CARO, *op. cit.* (*supra* nota 5).

(18) MENOTTI, *op. cit.* (*supra* nota 6).

(19) Tale tema è stato oggetto del Convegno " *Per il parco naturale del Vesuvio-Monte Somma* ", *Trecase 17-18.III.1984*; cfr. " Quaderni Vesuviani " 4, 1985.

I MATERIALI

L'insieme dei materiali rinvenuti nello scavo della villa rustica a Cava Montone, sebbene scarsi e molto frammentari, e per lo stato di distruzione del complesso senza esatta provenienza da punti precisi della villa, sembra offrire fortunatamente un campione abbastanza significativo del quadro delle classi di materiali originariamente presenti sulla cui base avanzare, almeno tentativamente, delle ipotesi sullo sviluppo e sulla vita del complesso fino alla sua improvvisa e violenta fine.

Notevole è anzitutto la presenza di un buon numero di frammenti di ceramica a vernice nera (tredici), alcuni dei quali identificabili e databili con sicurezza dalla metà del II secolo a.C. alla metà del I secolo a.C. (Cat. nr. 1.2.4). Essi, anche se non possono testimoniare con certezza l'epoca dell'impianto della villa, documentano senza dubbio una frequentazione del sito già dal II secolo a.C.

La maggior parte dei frammenti rinvenuti è peraltro da collegare alla vita del complesso fino al momento dell'eruzione; così per la terra sigillata, la ceramica comune (soprattutto da cucina), le anfore e gli oggetti in bronzo. Si tratta certamente di materiali correnti, di scarso valore artistico, ma se si pensa che nella villa rustica in località Villa Regina a Boscoreale, scavata regolarmente e per intero, si sono rinvenuti due soli oggetti in bronzo (una secchia ed una brocca) (20), risulterà evidente come nove oggetti in bronzo - tra cui vasi da mensa, come un'oinochoe, una patera ed un bacile - rappresentino una messe abbondante e conferiscano alla villa rustica un certo tono di ricchezza.

I ventuno frammenti di vasi in terra sigillata si riferiscono a piatti, coppe e tazze (forse con un solo esempio di vaso chiuso) e sono attribuibili per lo più alla produzione italica e tardo-italica.

Sono anche presenti tre frammenti di vasetti a pareti sottili (non compresi in catalogo), uno dei quali presenta una decorazione a due fasce di colore rispettivamente arancio e beige-camoscio, mentre l'altro è decorato da gruppi di solcature parallele disposte a distanze regolari.

Come è ovvio la classe più rappresentata è la ceramica comune da cucina. Le fogge attestate sono le olle, le pentole, i coperchi, con forme tutte databili al I secolo d.C.

Le anfore sono testimoniate da frammenti di orli e di pareti, per lo più di argilla diversa fra loro, al punto che se ne possono ipotizzare non meno di quattro forme. Frammenti di anfore tipo Dressel 2-4 in argilla pompeiana attestano l'uso di queste anfore vinarie per eccellenza che potrebbero tanto aver contenuto vino pompeiano per il consumo domestico quanto essere state riutilizzate in dispensa per altri liquidi.

(20) La pubblicazione della villa di Boscoreale è in corso di stampa da parte del dott. Stefano De Caro, cui si devono le informazioni sui materiali.

CATALOGO

CERAMICA (20)

Vernice nera

1) Coppa (ECM/84/42) (fig. 12, 1).

Argilla compatta rossa con inclusi neri di piccole e medie dimensioni.
Vernice nera iridescente compatta, ma poco omogenea.
Si conserva un frammento di parete con orlo.
Alt. max. cons. 4,2 Larg. max. cons. 10
Vasca leggermente carenata, poco profonda, orlo estroflesso con labbro arrotondato e leggermente rialzato. Sul fondo interno dovevano essere delle solcature concentriche di cui restano tracce nella parte bassa del frammento.
La coppa è vicina alla serie Morel 1440 in particolare alla 1443-1 e databile tra il 150 e il 100 a.C.; per le caratteristiche di argilla e di vernice attribuibile alla produzione Campana A.

2) Coppa (ECM/84/45) (fig. 12, 2).

Argilla rosso-mattone compatta a frattura irregolare.
Vernice nera omogenea e compatta.
Si conserva un frammento di orlo e parete.
Alt. max. cons. 3,2 Larg. max. cons. 2,9
Parete con andamento obliquo leggermente convessa, orlo diritto arrotondato.
La coppa è vicina alla serie Morel 2615 databile intorno alla metà del II sec. a.C.

3) Piatto (ECM/84/43) (fig. 12, 3).

Argilla molto compatta, rosso mattone a frattura regolare.
Vernice nera opaca all'interno e brillante all'esterno, compatta ed omogenea.
Resta un frammento di orlo e parete.
Alt. max. cons. 2,9 Larg. max. cons. 4,4
Vasca appena convessa, orlo estroflesso con labbro arrotondato e pendente.
L'esiguità del frammento rende impossibile l'identificazione della forma.

4) Coppetta (ECM/84/54) (fig. 12, 4).

Argilla beige-rosata porosa, con piccolissimi inclusi neri e lucenti.
Vernice mal cotta, ruvida porosa e poco compatta, disomogenea di colore marrone-rossastro.
Si conserva un frammento di parete ed orlo.
Alt. max. cons. 4,5 Larg. max. 6,7
Parete convessa liscia, orlo diritto leggermente rientrante e assottigliato.
La coppetta è vicina alla serie Morel 2974 in particolare 2974b1 databile al 3° quarto del II sec. a.C.

---

(21) Per la tipologia delle varie forme si rimanda a: J. P. MOREL, *Céramique campanienne: Les Formes*, Roma, 1981; CH. GOUDINEAU, *La céramique arétine lisse. Fouilles de l'Ecole Française de Rome à Bolsena (Poggio Moscini) 1962-67* (Mél. Suppl. 6) Paris, 1968; AA.VV., *Ricerche a Pompei. L'insula 5 della Regio VI dalle origini al 79 d.C.*, Roma 1984.

5) Piede di vaso chiuso (ECM/84/52) (fig. 12, 5).

Argilla rossa, compatta, con piccolissimi inclusi bianchi.
Vernice nera brillante, disomogenea con chiazze rossastre.
Alt. max. cons. 2,1 Larg. max. 5,4
Piede ad anello distinto dalla parete da una solcatura, superficie di appoggio piana.

Sigillata

6) Piatto (ECM/84/74) (fig. 12, 6).

Argilla beige-rosata a frattura irregolare.
Vernice rosso-arancio omogenea e compatta, ruvida al tatto.
Alt. max. cons. 3 Larg. max.8
Resta un frammento di orlo e vasca.
Vasca carenata, orlo verticale distinto da una sola solcatura all'esterno, labbro arrotondato. Ascrivibile al tipo Goudineau 28 databile alla 1ª metà del I sec. d.C.

7) Coppa carenata (ECM/84/78) (fig. 12, 7).

Argilla rosso-arancio compatta.
Vernice rosso-arancio omogenea, ruvida, porosa.
Resta un frammento di orlo e parete.
Parete diritta, orlo estroflesso ed appiattito: nonostante l'esiguità del frammento è possibile riconoscervi una parte di coppa carenata del tipo Goudineau 4l, databile nella 1ª metà del I sec. d.C.

8) Coppa o piatto (ECM/84/64) (fig. 12, 8).

Argilla arancio compatta.
Vernice rosso-arancio, sottile, porosa e disomogenea all'esterno, più compatta all'interno.
Resta un frammento di orlo e parete.
Alt. max. cons. 3,5 Larg. max. cons. 4,5
Parete convessa, orlo indistinto con labbro leggermente arrotondato. Per l'esiguità del frammento non è possibile stabilire il tipo cui appartiene.

9) Piede di coppetta (ECM/84/67) (fig. 12, 9).

Argilla arancio chiaro, ben depurata e compatta.
Vernice arancio chiaro, polverosa, opaca e porosa.
Alt. max. cons. 1,3 Larg. max. cons. 3,2
Piccolo piede ad anello basso con superficie in appoggio ad unghia.

10) Fondo di coppetta (ECM/84/77) (fig. 12, 10).

Argilla beige-rosata compatta, a frattura regolare.
Vernice arancio-chiaro, sottile e compatta, lucente all'interno, disomogenea all'esterno.
Resta un frammento di fondo con attacco di parete.
Alt. max. cons. 1,4 Larg. max. cons. 5,6
Basso piede ad anello con piccola superficie di appoggio. Sul fondo interno si notano tracce di un cartiglio (rettangolare?) per il bollo circondato da una solcatura.

11) Fondo di coppa (ECM/84/55) (fig. 12, 11).

Argilla beige-rosata, compatta a frattura regolare.
Vernice rosso-arancio, omogenea e lucente all'interno, disomogenea e opaca all'esterno.
Alt. max. cons. 1,9 Larg. max. cons. 8,4
Piede ad anello con superficie di appoggio ad unghia, fondo interno ed esterno piano. Sul fondo interno sono due solcature concentriche.

101

La forma del piede e la leggera curva che si intravvede all'attacco della parete suggeriscono l'attribuzione di questo piede ad una coppa di tipo Goudineau 43 databile tra il 2° quarto del I sec. d.C. ed il 79.

Lucerne

12) Lucerna a volute (?) (ECM/84/38) (fig. 13).

Argilla beige ben depurata.
Vernice bruna lucente.
Larg. max. 2 Lung. max. 4,7
Resta un frammento di disco.
Disco distinto da due anelli a rilievo con tracce di decorazione e di una voluta.

13) Lucerna tipo " Vogelkopflampe " (?) (ECM/84/75) (fig. 14).

Argilla beige chiara ben depurata.
Alt. max. 5,5 Larg. max. 6,5
Resta un frammento di vasca con attacco del fondo e tracce dell'attacco dell'ansa orizzontale.
Le caratteristiche dell'argilla, l'attacco dell'ansa e la forma generale del frammento sembrano attribuibili ad una lucerna del tipo c.d. " Vogelkopflampe " databile dall'età tiberiana in poi.

Ceramica comune

14) Olla (ECM/84/19) (fig. 12, 14).

Argilla arancio rossiccia con molti inclusi neri e bianchi di piccole dimensioni, poco compatta, probabilmente locale. Tracce di bruciatura sulle pareti.
Alt. max. 5,9 Larg. max. 4,4
Resta un frammento di parete con orlo.
Orlo svasato concavo arrotondato superiormente. L'olla trova confronto nel frammento CE407 in *Ricerche a Pompei*, tav. 100, n.l, p. 164 la cui datazione è compresa tra il I sec. a.C. e il I sec. d.C.

15) Olla (ECM/84/18) (fig. 12, 15).

Argilla arancio rossiccia con molti inclusi neri e bianchi di piccole dimensioni, probabilmente locale. Parte esterna e superiore dell'orlo annerita dall'uso.
Alt. max. 5,5 Diam. orlo ric. 12,1
Corpo probabilmente ovoidale, orlo estroflesso con incavo all'interno, arrotondato superiormente. L'olla è riconducibile allo stesso tipo della precedente, al quale appartiene anche il frammento ECM/84/115.

16) Olletta (ECM/84/20) (fig. 12, 16).

Argilla arancio con inclusi bianchi e neri di piccole dimensioni.
Orlo annerito dall'uso.
Alt. max. 3 Larg. max. 5,2
Resta un frammento di orlo con attacco di parete.
Orlo estroflesso concavo all'interno e appiattito superiormente. L'olla trova confronto in esemplari attribuiti alla variante 3a del tipo 3 delle olle in *Ricerche a Pompei*, tav. 98,7-10 e 99,1. I sec. d.C.

17) Olla (ECM/84/22) (fig. 12, 17).

Argilla arancio chiaro con pochi inclusi neri di piccole dimensioni, resti di ingubbiatura giallina sulla parete esterna.
Alt. max. 2,5 Larg. max. 2,4
Resta un frammento di orlo con attacco di parete.
Orlo estroflesso ed arrotondato. Nonostante l'esiguità del frammento sembra possibile attribuire l'olla al tipo 4 delle olle nella variante 4c in *Ricerche a Pompei*, tav. 101,2, p. 165.

18) Pentola (ECM/84/25 e 27) (fig. 12, 18).

Argilla arancio rossiccio con inclusi neri e bianchi di piccole dimensioni.
Larg. max. 2,8 Lung. max. 10,5
Resta un frammento di orlo.
Orlo a tesa orizzontale arrotondato all'estremità. Pertinente a pentola la cui forma, date le ridotte dimensioni del frammento, non è identificabile.

19) Pentola (ECM/84/26) (fig. 12, 19).

Argilla arancio rossiccio con inclusi neri di piccole dimensioni.
Larg. max. 2,2 Lung. max. 4
Resta un frammento di orlo.
Orlo a tesa orizzontale inspessito ed arrotondato all'estremità. Pertinente ad una pentola carenata la cui forma non è meglio definibile data l'esiguità del frammento; cfr. *Ricerche a Pompei*, pp. 151-152.

20) Coperchio (ECM/84/29) (fig. 12, 20).

Argilla rossiccia con inclusi bianchi e neri di piccole dimensioni.
Dim. max. 5 × 9,9
Resta l'orlo con parte della parete.
Parete obliqua, orlo diritto arrotondato. tipo 1a in *Ricerche a Pompei*, tav. 110,1 p. 174, I sec. d.C.

21) Coperchio (ECM/84/28) (fig. 12, 21).

Argilla rossiccia con inclusi bianchi e neri di piccole dimensioni.
Dim. max. 2,6 × 6,5
Resta un frammento di orlo e parete.
Orlo estroflesso leggermente volto verso l'alto. Tipo 1b in *Ricerche a Pompei*, tav. 110,4, pp. 174-175. I sec. d.C.

22) Coperchio (ECM/84/30) (fig. 12, 22).

Argilla marrone mal cotta, con inclusi bianchi e neri di piccole dimensioni.
Dim. max. 4,5 × 3
Resta un frammento di orlo e parete.
Parete leggermente convessa, orlo estroflesso, leggermente rivolto verso l'alto. Tipo 1b in *Ricerche a Pompei*, tav. 110, 5, pp. 174-175.

23) Scodella ad orlo annerito. (ECM/84/23) (fig. 12, 23).

Argilla arancio con inclusi neri e bianchi di piccole dimensioni, ingubbiatura arancio all'interno e all'esterno limitatamente ai cm. 2 al di sotto dell'orlo; sull'orlo ingubbiatura bruna.
Resta un frammento di orlo e parete.
Dim. max. 4,4 = 3,5
Parete convessa, orlo diritto, appiattito con solcatura.

Anfore

24) Anfora (ECM/84/14) (fig. 12, 24).

Argilla arancio chiaro fine con piccoli inclusi bianchi e neri.
Dim. max. 5,5 = 4
Resta un frammento di orlo e parete.
Collo troncoconico orlo ad anello appiattito alla sommità. Il frammento trova confronto in un esemplare in *Ricerche a Pompei*, tav. 156, 5, p. 294 il cui diametro dell'orlo è però minore. Alla stessa anfora potrebbero appartenere, per le caratteristiche dell'argilla, i frammenti ECM/84/15, ECM/84/16, ECM/84/36, ECM/84/2. Quest'ultimo è un frammento di ansa costolata con attacco di parete.

103

25) Anfora (ECM/84/1)

Argilla rossiccia-violacea con molti inclusi neri e bianchi di piccole dimensioni, a frattura irregolare. Ingubbiatura biancastra all'esterno.
Dim. Max. 6 × 9
Resta un frammento di ansa con attacco di parete.
Ansa a doppio bastone impostata sul collo cilindrico. Per la forma dell'ansa e per l'argilla tipica l'anfora è attribuibile alla forma Dressel 2-4 e ad officina pompeiana. I sec. d.C.

BRONZI

Vasi da mensa

26) Oinochoe trilobata con collo breve e largo (ECM/84/91) (fig. 15).

Resta l'orlo con parte del collo e della parete.
Alt. max. cons. 11; orlo 7,8 × 7,3

27) Oinochoe trilobata con collo svasato breve e stretto (ECM/84/96) (fig. 16).

Molto incrostata e lesionata, manca il fondo e gran parte della parte bassa del corpo. Sull'orlo restano frammenti di una catenella fatta con fascette di bronzo larghe cm. 5 circa e infilate direttamente nel collo mediante due fori passanti.
Alt. max. cons. 22; larg. max. orlo 6

28) Bacile con orlo orizzontale introflesso (ECM/84/92) (fig. 17).

Restano n. 3 frammenti.
Fr A cm. 32 × 9; fr. B cm. 22,7 × 8; fr. C 22 × 12

29) Olletta con orlo estroflesso ingrossato ed arrotondato all'estremità (ECM/84/94) (fig. 18).

Resta la parte superiore con metà dell'orlo; molto incrostata e corrosa.
Alt. max. cons. 15; diam. orlo 9,2

30) Patera con parete convessa, orlo estroflesso ed appiattito, piede ad anello con solcature concentriche sul fondo esterno (ECM/84/95) (fig. 19).

Manca gran parte della parete, schiacciata e molto corrosa. Si notano tracce dell'attacco dell'ansa.

31) Anforetta a corpo panciuto, collo stretto ed orlo estroflesso (ECM/84/103) (fig. 20).

Alt. 12; diam. orlo 2,6

Vasi da cucina

32) Caldaia con orlo ripiegato all'interno (ECM/84/93) (fig. 21).

Completamente schiacciata. Presenta rattoppi antichi sulle pareti.
Alt. max. 12 Larg. max. 25

33) Pentola troncoconica con orlo orizzontale ripiegato; parete obliqua e fondo piano (ECM/84/97) (fig. 22).

Manca gran parte dell'orlo e della parete subito sotto l'orlo. Tracce di bruciato all'esterno.
Alt. 18,3; Larg. max. 32; diam. fondo 19.

Frammenti vari

34) Candelabro con fuso a forma di clava e piedi anguiformi (ECM/84/104) (fig. 23-24)

Lacunoso della parte superiore.
Alt. max. cons. 68

35) Piede di bacile con fondo esterno a solcature concentriche (ECM/84/98).
    Diam. 9,8; alt. 1,9
36) Fondo di vaso (ECM/84/99).
    Diam. max. cons. 8,5
37) Nr. 2 frammenti di cerniera (ECM/84/102).
    Lung. 10,5 e 9

FERRI

38) Grande chiodo con testa a calotta (ECM/84/100).
    Lung. cm. 20
39) Nr. 3 chiodi di piccole dimensioni.

INTONACI

40) Frammento di cornice in stucco dipinta con decorazione a ' Kyma lesbio ' stilizzato costituito da un'infiorescenza
    iscritta in una duplice voluta (ECM/84/89) (fig. 25).
    IV stile (I sec. d.C.).

ASSISTENTE ARCHEOLOGO, ERCOLANO   ADELE LAGI DE CARO

UMBERTO PAPPALARDO · ADELE LAGI DE CARO · HARALDUR SIGURDSSON

SOME GEO-VULCANOLOGICAL OBSERVATIONS ON CAVA MONTONE

Up to 1983, there were no known outcrops of the 79 deposits between Herculaneum and the crater of Vesuvius. During the 1983 field season we discovered a major section through the 79 deposits in Cava Montone near San Giorgio, about half-way between Herculaneum and the Vesuvius crater. The outcrops are important, not only for geologic interpretation, but also because of the ruins of a villa rustica, rich in bronze and other artifacts, which we discovered in the Cava Montone quarry.

The stratigraphy is shown in Fig. 26. The 79 deposits lie on brown, fertile soil, probably a vinyard. The first layer is 1 to 6 cm thick grey silty ash, very fine grained. It resembles the basal ash-fall at Terzigno and other localities east of the volcano (A-1) and may be product of phreato-magmatic explosions during initial stages of the eruption (cfr. fig. 27).

There is no sign of a pumice-fall layer here; if deposited it may have been eroded off by the overlying surge. The surge layer is 50 to 100 cm thick and consists of two units. The lower unit is 20 to 25 cm thick, coarse, lithics-rich, poorly sorted and massive deposit, with 3 to 7 cm pumice and lithics fragments. The layer thickens near building ruins and incorporates the building rubble. The matrix is fine yellowish grey ash, which also includes soil clasts. The upper unit is 26 to 60 cm thick pumice-rich sandy surge, normally graded overall. This unit is cross-bedded and contains grey pumices, building fragments in the lower part and charcoal.

The two units may represent two surges, or two events during the same surge. They are tentatively designated as S-1 and S-2, but correlation with Herculaneum cannot be made with confidence.

The surge deposits are overlain by a 1 to 3.5 m thick pyroclastic flow. The flow is loose, pumice-rich and fines-depleted. The grey pumices are 2 to 3 cm in diameter - Ca. 200 m further down-hill the flow thickens locally to 6 m and contains a lithics-rich lens in the middle, with up to 70 cm blocks of lava and limestone. A second pyroclastic flow overlies the first one. The second flow is 1 to 2 m thick, with a 12 cm cross-bedded ground surge layer at base. This flow grades laterally into a faintly cross-bedded surge-like layer.

The Cava Montone section indicates minor ash-fall on the west flank of the volcano in the initial stage of the 79 eruption, followed by intense surge activity. The first surge demolished the villa rustica to ground level and was followed by a second surge. Two pyroclastic flows then buried the site.

RHODE ISLAND UNIVERSITY   HARALDUR SIGURDSSON

FRANÇOIS WIDEMANN

LES EFFETS ÉCONOMIQUES DE L'ÉRUPTION DE 79
NOUVELLES DONNÉES ET NOUVELLE APPROCHE
(pl. LXVII-LXIX)

L'étude du commerce entre l'Italie et les provinces révèle, vers le début du Principat, un renversement de tendance: l'Italie républicaine inondait jusque là de ses produits alimentaires, en particulier les provinces occidentales, Gaule, Espagne, Bretagne. Un bon traceur de ce commerce est l'amphore, emballage perdu, dirions-nous aujourd'hui, abondant et indestructible.

S'il est exact que certaines denrées seulement étaient transportées en amphore, c'était des denrées de base: vin, huile, salaisons qui apporteront en même temps des indications sur la nature des productions d'un terroir ou d'une pêcherie, quand on aura su déterminer leur origine; par là aussi sur l'organisation de la société qui les a produites, et sur son degré d'implication dans le grand commerce.

Les amphores vinaires républicaines, du type 1 de Dressel, produites dans l'Italie centrale tyrrhénienne, de la Campanie à l'Etrurie, disparaissent dans la seconde moitié du Ier siècle avant notre ère, après avoir représenté pendant près de deux siècles un énorme commerce d'exportation.

Si les productions d'autres amphores vinaires italiques continuent dans le siècle qui suit, c'est à un rythme nettement ralenti et avec la concurrence renaissante, bientôt croissante, de provinces comme l'Espagne et la Gaule Narbonnaise (1).

A partir de la fin des Julio-Claudiens ou du début des Flaviens, le courant des marchandises vers l'Italie s'amplifie. En particulier, les importations de vin gaulois prennent une importance considérable. L'étude des amphores retrouvées des " terme del nuotatore " à Ostie montre l'augmentation relative et absolue de la part de la Gaule dans l'approvisionnement de Rome en vin (2).

Il est à noter que ce n'est pas l'ensemble de la Gaule, ni même toute la Gaule Narbonnaise, qui contribue à ce courant; les résultats préliminaires d'analyses des amphores gauloises retrouvées dans les fouilles des " terme " montrent que les quelques régions concernées, d'assez faible étendue, y ont tenu des places plus ou moins importantes au cours des temps (3): il semble que la côte provençale de Fréjus à Toulon prédomine au 1er siècle pour s'effacer progressivement devant la basse vallée du Rhône. Arles serait vraisemblablement la place essentielle de ce commerce à partir du IIème

(1) On doit éviter d'entendre par " concurrence " quelque chose de trop précis. Je constate simplement que des provinces où l'on ne trouvait à peu près aucune trace de production d'amphores vinaires à l'époque républicaine redeviennent productives et exportatrices.

On s'étonnera peut-être de ne pas voir mentionner le rôle possible des tonneaux dans le trafic du vin. Remarquons seulement que sur les nombreuses épaves dont la coque s'est conservée, on n'en a jamais retrouvé. C'est pourquoi il me semble qu'on peut raisonnablement en faire abstraction pour le commerce en Méditerranée, au moins en première approximation.

(2) A. NACIRI: *Contribution à l'étude des exportations d'amphores gauloises à Ostie à l'époque impériale*. Thèse de 3ème Cycle. A paraître - voir infra note 12.

(3) F. WIDEMANN, *Résultats préliminaires sur l'exportation d'amphores vinaires gauloises à Ostie, obtenus par analyse par activation neutronique*. Communication au Symposium international sur l'archéométrie et les prospections archéologiques (Naples, 8-22 avril 1983).

siècle (4). De plus, la contribution des régions au commerce dans une direction donnée, ici vers Ostie et Rome, n'est pas nécessairement en rapport avec leur poids dans la production. Ainsi, un type d'amphores gauloises très répandu en Languedoc oriental, dans la vallée du Rhône et plus au Nord, le type Gauloise 1 (5), est absent d'Ostie, autant que je sache. Dressel, d'ailleurs ne l'avait pas non plus décrit dans sa typologie des amphores trouvées à Rome (6) (fig. 1).

Pourquoi donc la période flavienne voit-elle une si forte augmentation des importations de vin originaires de Gaule du Sud? Peut-on imaginer une montée brusque de la consommation de Rome, une popularisation de l'habitude de boire du vin, comme on en constate à Paris au XVIIe siècle? (7). Aucun texte ne semble le suggérer. La population de Rome a-t-elle cru rapidement dans cette période? Les écarts entre les estimations de la population de *l'Urbs* ne semblent pas permettre de le mettre en évidence (8) et l'on imagine mal qu'un tel accroissement puisse se produire aussi rapidement que celui que l'on observe dans la production des amphores gauloises, et dans leur importation (9).

La conjoncture agricole en Italie, telle qu'elle ressort par exemple des études d'Andrea Carandini sur *l'ager Cosanus* autour de Settefinestre est ce qu'il appelle la fin du système de la villa esclavagiste (10); processus certainement étalé dans le temps, entre le milieu du 1er siècle, date à laquelle A. Carandini place le début de la crise, jusque vers le milieu du second siècle, où, du moins dans la région étudiée, le changement de nature des cultures et la concentration foncière semblent achevés.

A Settefinestre, la fin de l'utilisation des pressoirs à vin et à huile, datée du règne de Trajan, est le signe d'un changement profond d'activités agricoles: l'abandon des cultures arbustives: (vigne, olivier), pratiquées de façon intensive sur un territoire restreint avec un personnel d'esclaves nombreux, et qui font alors place à la culture extensive de céréales et à l'élevage (11). Parallèlement, la concentration foncière amène le regroupement des territoires de plusieurs *villae* dans un grand domaine où le maître ne réside plus, comme on le voit à l'abandon du décorum.

Les fouilles de Settefinestre ont révélé dans les couches du début du IIème siècle des amphores vinaires du type Gauloise 4 (12) (fig. 2) montrant sans doute que cette reconversion n'est pas un phénomène local: de larges régions de l'Italie sont touchées. Une amphore du type Gauloise 5 (13)

(4) Arles est avec Narbonne la seule ville de Gaule représentée sur la mosaïque sévérienne de la place des corporations à Ostie. La relativement faible contribution des terroirs du voisinage de Narbonne aux amphores des *terme del nuotatore* signifie peut-être que Narbonne devait son importance pour Ostie davantage au rôle de ses armateurs dans le trafic de l'Espagne vers Rome qu'à l'exportation des produits de son propre arrière-pays, plutôt dirigée vers le Nord via le sillon rhodanien, d'après les rares données dont nous disposons. Voir F. LAUBENHEIMER, P. FONTES, J. LEBLANC, Y. LACHARME, J. LLÉRÈS et F. WIDEMANN, *Analyses par activation neutronique d'amphores gallo-romaines. Mise en évidence d'exportations aux frontières de l'Empire*, Revue d'Archéométrie. Suppl. 1981, pp. 155-175.

(5) F. LAUBENHEIMER, *Amphores gauloises de la région de Nimes*, Caesarodunum, n. 12, 1977, pp. 197-226.

(6) H. DRESSEL, *C.I.L.*, XV, 1899, pl. II.

(7) M. MOLLAT (sous la direction de): *Histoire de l'Ile de France et de Paris*, Toulouse 1971, p. 276.

(8) P. PETIT, *La paix romaine*, Paris, 1971, p. 255-256.

(9) Sans y insister, notons que la même période correspond au début de l'arrivée en grandes quantités de l'huile de Bétique dans les amphores de forme Dressel 20.

(10) A. CARANDINI, *Esclaves et maîtres en Etrurie romaine*, Catalogue de l'exposition organisée par la Maison des Sciences de l'Homme et l'Institut culturel italien, Paris, 1981, p. 55.

(11) *Ibid.*, p. 47.

(12) F. WIDEMANN, F. LAUBENHEIMER, M. ATTAS, P. FONTES, K. GRUEL, J. LEBLANC et J. LLÉRÈS, *Analytical and typological study of Gallo-Roman workshops producing amphorae in the area of Narbonne. Archaeophysika*, 10, 1978, pp. 317-341.

(13) P. FONTES, F. LAUBENHEIMER, J. LEBLANC, M. DODINET, Y. LACHARME, J. LLÉRÈS, F. WIDEMANN, *Nouvelles données analytiques et typologiques sur les ateliers de productions d'amphores en Gaule du Sud*, Revue d'Archéométrie, suppl. 1981, pp. 95-110.

(fig. 3) a d'ailleurs été retrouvée à Pompéi (14), indice intéressant, mais dont on ne peut évaluer la signification quantitative, faute d'une étude assez étendue des amphores de Pompéi.

En Gaule, après une croissance lente, l'époque flavienne voit un nombre considérable d'ateliers de potiers entamer la production d'amphores vinaires. Les formes de ces vases, d'abord très variées, sont « standardisées » sur le type Gauloise 4, pratiquement seul produit en Gaule du Sud à partir du IIème siècle. A Ostie, sous le règne d'Hadrien, d'après C. Panella, les amphores gauloises représentent à elles seules plus de 30% du total des amphores retrouvées aux Thermes du Nageur (15) (fig. 4).

La croissance des importations d'huile de Bétique à cette époque suit une courbe analogue.

Pour ce qui concerne le vin, on est frappé par le caractère massif de l'accélération de la production et du commerce, vers l'époque où l'empereur Domitien publie un édit interdisant de nouvelles plantations de vignes en Italie, et prescrivant l'arrachage de la moitié d'entre elles dans les provinces (16). L'archéologie montre que non seulement l'édit n'a pas été appliqué, mais que le vignoble gaulois s'est au contraire étendu à un degré sans précédent dans la période qui a suivi, et pas exclusivement en Narbonnaise comme le croyait Rostovtzeff. Cette intervention impériale inhabituelle doit correspondre à un marché troublé, officiellement au manque de céréales, délaissées pour la vigne qui rapportait plus. Il semble que les Italiens qui, on l'a vu plus haut, n'avaient pas alors tendance à étendre leurs vignobles, étaient moins visés par l'édit que les Gaulois en pleine expansion viticole. La mesure concernant les Italiens apparaîtrait ainsi comme une « fausse fenêtre » destinée à atténuer le caractère discriminatoire de l'édit.

La crise, et la reconversion pour une part difficile à estimer, du terroir italien, suffisent-elles à expliquer l'expansion de la production et du commerce originaire de Gaule avec sa *rapidité*.

Ne peut-on penser à des causes conjoncturelles, d'effet plus rapide, venant se superposer à ces causes structurelles d'effet lent et progressif? Ces causes conjoncturelles d'ailleurs, auraient-elles pu contribuer à accélérer la pénétration des produits sud-galliques sur le marché du vin en Méditerranée?

La grande catastrophe qui vient naturellement à l'esprit, ce n'est par original, est l'éruption du Vésuve en 79, précédée par le grave tremblement de terre de 62 (17).

Mais peut-on mesurer quel fut l'impact économique de ces événements? Pierre Lévêque avant de disposer des données que nous avons maintenant, a exprimé son opinion à ce propos: « l'économie campanienne conserve ses formes et accroît son importance depuis le IIIème siècle jusqu'à la destruction fortuite d'Herculanum et de Pompéi, à telle enseigne qu'il suffit des fantaisies d'un volcan pour provoquer des remous considérables dans le marché occidental du vin. Dans cette région, nous avons donc un excellent exemple d'intégration liée à la pénétration de l'économie de marché dans une agriculture qui devient spéculative » (18).

(14) C. PANELLA, *Le terme del nuotatore, Studi Miscellanei*, n. 21 (Ostia III), p. 551, et n. 16 (Ostia II), figure 552. Rome, 1973 et 1970.

(15) C. PANELLA, *La distribuzione e i mercati - Società romana e produzione schiavistica II. Merci, mercati e scambi nel Mediterraneo*, Rome, 1981, pp. 68-69. Remarquons que le graphique fournit une estimation-plancher dans la mesure où certains types d'amphores (Dressel 2/4, Pascual 1) communs à la Gaule et à d'autres provinces, ne sont pas inclus dans ces productions; la ventilation de ces types par origine nécessiterait l'analyse des pâtes argileuses.

(16) M. ROSTOVTZEFF, *Social and economic history of the Roman Empire*, 2ème édition. Oxford, 1975, p. 202. L'auteur ne disposait pas des données actuelles sur la viticulture, en particulier en Gaule Chevelue et écrit qu'aucun vignoble n'y a existé jusqu'à Probus, ce qui est évidemment dépassé, après la découverte de nombreux ateliers d'amphores vinaires. Voir aussi R. DION, *Histoire de la vigne et du vin en France*, Paris, 1959, p. 147.

(17) J. ANDREAU, *Histoire des séismes et histoire économique; le tremblement de terre de Pompéi (62 ap. J.-C.), Annales ESC, 28*,1973. pp. 369-395.

(18) P. LÉVÊQUE, *Problèmes théoriques de l'histoire et sociétés antiques. Aujourd'hui, l'Histoire*, Paris ,1974, pp. 71-93. Cette opinion était basée sur un faisceau d'observations faites dans le Nord de l'Italie sur la présence de matériel céramique campanien. Je remercie Pierre Lévêque pour ces précisions sur lesquelles nous reviendrons ailleurs.

La ruine durable de la région de Pompéi semble ressortir des données archéologiques (19). Mais c'est seulement dans la zone du volcan et au Sud-Est, dans la direction du vent dominant où les dépôts pyroclastiques présentent des épaisseurs de plusieurs mètres (20) (fig. 5), qu'une région des plus prospères est soudain devenue, et apparemment pour des siècles, un désert: plus de cours d'eau, plus d'humus, et plus aucune infrastructure: routes, cadastres effacés, la mer comblée dans la zone d'un port de commerce dont dépendait un arrière-pays bien plus vaste que la zone totalement détruite. (fig. 6).

Pour Jean Andreau, « l'étude historique du port de Pompéi, qui selon Strabon (V,4,8) était le débouché d'Acerrae, de Nole et de Nuceria, reste à faire, ainsi que celle de la production vinicole et de la production d'huile, à Pompéi et dans la région » (21).

La boutade de Pierre Lévêque sur les fantaisies du Vésuve pourrait être considérée comme une hypothèse de travail sérieuse, à condition que la relativement petite superficie durablement ruinée ait joué auparavant un rôle particulièrement important dans le grand commerce.

Nous avons vu qu'en Gaule, certaines zones ont joué un tel rôle, sans rapport avec leur étendue géographique, ni avec le volume de leur production. André Tchernia a proposé des arguments pour assigner à la région de Pompéi plutôt une grande production qu'une production de qualité supérieure. « Pompei mi sembra non sia stata tanto il centro di un territorio di vini di qualità, quanto il centro di un considerevole vigneto di produzione » . . . et plus loin: « Sappiamo abbastanza sui vigneti del Vesuvio e sul vino pompeiano, per non meravigliarci di trovare le famiglie di viticoltori o di commercianti di vino al primo rango sociale a Pompei ». Cette remarque suggère l'importance du négoce du vin partant de Pompéi (22).

Il reste à mettre en évidence une *différence* entre les distributions du marché du vin avant et après la catastrophe de 79.

Les viticulteurs et les négociants gaulois, dont l'activité était déjà en expansion régulière, ont-ils su saisir l'occasion d'une rupture d'approvisionnement, pour capter le marché italien, et d'autres dans doute, au détriment d'une agriculture italique déjà en crise?

André Tchernia montre le rôle important de la zone de Pompéi dans les exportations de vin à Carthage, sur l'exemple des timbres sur amphores de L. Eumachius et d'autres, de 43 à 15 avant notre ère (21). De même, nous connaissons maintenant de nombreuses amphores de type Gauloise 4 produites surtout de l'avènement des Flaviens au début du IIIème siècle, et retrouvées en Italie, en Grèce, en Egypte et jusque dans les tombes royales de Méroë, en Nubie (23) ».

L'adoption du type Dressel 30 par l'Afrique du Nord, à l'encontre de toutes ses traditions de formes d'amphore, doit probablement être interprétée comme l'imitation à partir du début du IIIème siècle du type Gauloise 4, alors le plus courant sur les marchés de la Méditerranée occidentale. Il serait intéressant de chercher des indices d'une exportation de vin gaulois vers l'Afrique du

(19) Je suis très reconnaissant au Professeur Fausto Zevi pour ses informations à ce sujet. Aucune trace de réoccupation sous l'Empire de la zone entourant Pompéi n'a été retrouvée. Seules quelques tombes pauvres et tardives apportent un jalon avant la réoccupation médiévale. Voir G. MAGGI, *Scavi a Ercolano e Oplonti - 1976 - Atti del 17° convegno di studi sulla Magna Grecia*, Taranto 9-14 ottobre 1977, Naples, 1978, pp. 339-343. D'après Mme Giuseppina Cerulli Irelli, que je remercie pour cette information, des tombes tardives ont été aussi retrouvées à Boscoreale. Voir G. CERULLI IRELLI, *Intorno al problema della rinascita di Pompei, Neue Forschungen in Pompeji*, B. Andreas et H. Kyrielis ed. Recklinghausen, 1976, pp. 291-298.

(20) L. LIRER, T. PESCATORE, B. BOOTH et G.P.L. WALKER, *Two Plinian pumice fall deposits from Somma-Vesuvius, Italy, Geological Society of America Bulletin*, 84, 1973, pp. 759-772.

(21) J. ANDREAU, *loc. cit*, pp. 389-390.

(22) A. TCHERNIA, *Il vino: produzione e commercio - Pompei 79, raccolta di studi per il decimonono centenario dell'eruzione vesuviana*, a cura di Fausto Zevi, Naples, 1979, pp. 87-96.

(23) F. LAUBENHEIMER. *La production des amphores en Gaule Narbonnaise sous le Haut-Empire*. Thèse, à paraître.

Nord, maintenant que des caractérisations analytiques ont été opérées sur les amphores de l'une et l'autre origine.

Mais, pour Pompéi, il faudrait pousser les recherches sur la dernière période d'Auguste à Titus ce qui nécessiterait des échantillonnages assez importants, et déterminer la place de Pompéi dans le commerce occidental, à la veille de sa destruction.

Quelles méthodes mettre en oeuvre? L'histoire quantitative pour l'Antiquité est un domaine où l'on ne s'aventure pas sans prendre des risques. La pauvreté des documents écrits incite à la prudence.

Moses Finley le rappelle avec humour dans un numéro récent des « Annales » consacré à l'histoire ancienne, en citant l'allocution inaugurale d'A.H.M. Jones, à l'Université de Londres: « Le principal problème auquel se trouve confronté l'historien de l'économie ancienne est tel que j'ose à peine en parler devant un large auditoire . . . de peur de jeter le discrédit sur l'histoire ancienne. Cependant, il est peu probable que je puisse longtemps tenir cachée l'ignominieuse vérité: il n'y a pas de statistiques anciennes ». M. Finley ajoute plus loin cependant: « Si je me limite aux seuls documents qui comportent de l'écriture (ou un équivalent symbolique de l'écriture) fût-ce une estampille sur une brique ou sur une tuile, ce n'est pas que je méprise l'importance croissante des documents archéologiques « silencieux »; c'est plutôt que les méthodes et les problèmes qui ont trait à l'évaluation et à l'interprétation de tels documents requièrent une approche quelque peu différente et une enquête particulière qui outrepasseraient les limites de cette étude » (24).

De fait, l'histoire ancienne me semble aussi vouée à utiliser les documents archéologiques, au sens le plus large, que la préhistoire, et pour les mêmes raisons, si elle veut s'étendre dans le domaine économique, sans nier le moins du monde les apports de l'érudition classique, en particulier la prosopographie.

Dans le cas présent l'analyse par activation neutronique des amphores exportées de la Gaule du Sud vers Ostie semble bien indiquer un phénomène qui, s'il était grosso modo connu, surprend néanmoins par son ampleur et sa rapidité. Il y a déjà matière à réflexion, mais encore nécessité de recoupements, de validation par d'autres échantillonnages, d'autres sites.

L'intérêt de la méthode est qu'elle ne peut en avançant que rendre plus clair ses résultats, quels qu'ils soient, le nombre d'échantillons étant pratiquement illimité, mais le nombre des groupes de composition limité. Ce qui est encore un sondage isolé tendra, à long terme, à devenir un échantillonnage représentatif statistiquement, même si le travail doit durer plus longtemps que nous (25).

Sur l'hypothèse d'une corrélation entre la catastrophe campanienne et l'essor des exportations gauloises vers l'Italie, la même méthode pourrait sans doute apporter des éléments à partir des amphores de la région sud-campanienne; elles sont, certes, déjà connues (26), mais une étude systématique, quantitative, de leur rôle économique, reste à faire, en particulier avec des vérifications analytiques d'origine. La problématique proposée ici suppose en effet un travail limité à des objets bien datés dont l'origine *précise* soit déterminée: dans la zone détruite en 79 ou dans l'arrière-pays coupé de ses débouchés à la mer.

---

(24) M. FINLEY, *Le document et l'histoire économique de l'Antiquité, Annales E.S.C.*, 37, 1982, pp. 697-713.

(25) Les résultats analytiques de notre laboratoire sont calibrés par rapport à ceux des principaux laboratoires étrangers. Ils sont sous la forme d'une base de données informatisée, accessible à la demande.

(26) Voir par exemple: A. TCHERNIA et F. ZEVI, *Amphores vinaires de Campanie et de Tarraconaise à Ostie*, Recherches sur les amphores romaines, Rome, 1972, pp. 35-67. Voir aussi C. PANELLA et M. FANO, *Le anfore con ante bifide conservate a Pompei, contributo ad una loro classificazione, Méthodes classiques et méthodes formelles dans l'étude des amphores*. Rome, 1977, pp. 133-177, et. R. ETIENNE, *A propos du vin pompéien, Neue Forschungen... loc. cit.*, pp. 309-316.

D'ailleurs, on aurait besoin de mieux connaître les limites de la zone abandonnée: un travail de collecte des données et de prospection systématique orienté dans ce but serait fort utile (27) et sans doute des sondages en quelques points seraient nécessaires.

La collaboration des vulcanologues est indispensable. Jean Andreau a étudié très justement les effets du tremblement de terre de 62; il a pu y en avoir d'autres avant et après 79 pour décourager des tentatives de remise en valeur (28). Des stratigraphies de dépôts pyroclastiques ont permis des progrès très importants des connaissances sur l'histoire de l'activité du Vésuve (29). Mais des lacunes subsistent. Certains dépôts de ponces et de cendres ne sont pas, par exemple, attribuables avec certitude à une éruption (30). On pourrait alors recourir à une caractérisation analytique qui a déjà été utilisée avec succès dans d'autres régions (31).

Enfin que cette intrusion des sciences dites exactes, cette froide analyse économique, ne soient pas des raisons pour oublier qu'il s'agit de reconstituer l'histoire d'un drame humain, toujours actuel, que Robert Etienne a su admirablement faire revivre dans sa conclusion au volume du dix-neuvième centenaire (32). *

DIRECTEUR DES PROGRAMMES   FRANÇOIS WIDEMANN
CENTRE UNIVERSITAIRE EUROPÉEN (RAVELLO).

* Je tiens à remercier M. Georges Vallet, Mme Mireille Cébeillac et Mme Claude Albore Livadie pour leur accueil cordial, leurs encouragements, et leurs précieuses informations desquelles ce travail préliminaire est largement redevable. Mes remerciements vont également à Cinzia Vismara-Pergola et à Jean-Pierre Vallat qui m'ont aimablement procuré plusieurs documents peu accessibles.

(27) Cette idée qui pourrait guider des recherches à la fois sur le plan historique et vulcanologique m'a été suggérée par M. Rolandi que je désire remercier ici pour une intéressante discussion.

(28) On trouvera une bibliographie récente dans *Corpus Topographicum Pompeianum*, pars V, Cartography. The University of Texas at Austin, Rome, 1981, pp. 17-34.

(29) La littérature sur le Vésuve est si abondante que l'on pourrait dire: ce n'est pas un volcan, c'est une discipline! En regrettant d'omettre de nombreuses études très importantes, car une bibliographie nous entraînerait loin, notons seulement trois importants travaux récents, outre la référence 20 déjà citée: G. DELIBRIAS, G.M. di PAOLA, M. ROSI et R. SANTACROCE, *La storia eruttiva del complesso vulcanico Somma Vesuvio ricostruita dalle successioni piroclastiche del Monte Somma*, Rendiconti Società Italiana di Mineralogia e Petrologia, 35, 1979, pp. 441-438. C. ALBORE LIVADIE, *Palma Campania (Napoli). Resti di abitato dell'età del bronzo antico*, Notizie degli scavi, série 8, XXXIV, 1980, pp. 59-101; *idem, A propos d'une éruption préhistorique du Vésuve: contribution à la recherche sur l'Âge du Bronze en Campanie, La regione sotterrata dal Vesuvio. Studi e Prospettive. Atti del Convegno Internazionale 11-15 novembre 1979*, 1982, p. 863-905.

(30) L. LIRER et al., *loc. cit.* p. 763: « a bed of white pumice 65 cm thick, without a gray component to be seen, in a large quarry 1 km south of Terzigno, is tentatively correlated with the Pompei pumice ».

(31) Voir par exemple sur la caractérisation de roches et de cendres volcaniques au Guatémala: F.H. STROSS, H.R. BOWMAN, H.V. MICHEL, F. ASARO and N. HAMMOND, *Mayan obsidian trade in Southern Belize, Archaeometry*, 20, 1978, pp. 89-93, ou sur le joli problème des légendes indigènes sur « les temps de l'obscurité » en Papouasie-Nouvelle Guinée couvrant la zone des dépôts pyroclastiques d'une terrible éruption remontant, d'après l'auteur, à environ trois cents ans. Voir J. BLONG, *The time of darkness*, U. of Washington Press, 1982.

(32) R. ETIENNE, *L'eruzione del 79, Pompei 79, loc. cit.* pp. 289-292.

VALERIA SAMPAOLO

DATI ARCHEOLOGICI E FENOMENI VULCANICI NELL'AREA NOLANA
NOTA PRELIMINARE

(pl. LXX-LXXIII)

Questa breve nota riguardante l'area nord orientale della provincia di Napoli vuole portare un contributo alla soluzione dei problemi connessi ai fenomeni sismici e vulcanici in età antica con la presentazione preliminare di una serie di osservazioni effettuate in una zona di interesse archeologico, quale l'area nolana, nota dalle fonti e dalla tradizione ma assai poco conosciuta attraverso i risultati dello scavo.

L'attività di tutela della Soprintendenza Archeologica delle Province di Napoli e Caserta nella zona in questione (1) si è notevolmente intensificata dal 1977 in poi, e per una diversa impostazione del « rapporto col territorio » nei confronti delle aree interne, sino a quella data seguite con minor continuità dei più celebri e celebrati centri della costa, e per l'ampliamento dell'urbanizzazione che ha determinato il moltiplicarsi di occasioni di indagare il sottosuolo; e questa presenza più costante non ha mancato di dare i suoi risultati.

A Nola lo scavo ancora in corso di una villa extraurbana (2) in località Saccaccio si può considerare il primo esempio, nella zona, di indagine sistematica di un'area di abitato. Le prime operazioni di scavo nel 1978 misero subito in evidenza la sovrapposizione di più fasi costruttive. Se ne riconobbero tre, datate tra il II sec. a. C. e il I d.C., cui se ne aggiunsero per lo meno altre due ascrivibili tra il IV-V sec. d.C. e l'età alto medievale. Non è il caso di dilungarsi sull'impianto della villa, non ancora ben definito in tutte le sue parti e all'inizio delle indagini ricondotto ipoteticamente al tipo delle ville rustiche per l'ubicazione in una zona idonea all'agricoltura, situata al di fuori dell'antico centro abitato. Non è però ancora stata individuata la *pars rustica*; gli ambienti sino ad ora esplorati, infatti, presentano tracce più o meno evidenti di decorazione pittorica e musiva (3) che, per quanto modeste non fanno esitare circa il riconoscimento della originaria destinazione residenziale degli ambienti (4), almeno in età proto e medio imperiale; né si è ancora rinvenuta alcuna traccia di appre-

---

(1) Definita per brevità « area nolana », comprende in realtà i comuni ad est di Pomigliano d'Arco più Somma Vesuviana e S. Anastasia rimaste alla Soprintendenza Archeologica di Napoli e Caserta dopo l'istituzione della nuova Soprintendenza Archeologica di Pompei che comprende le zone vesuviane costiere e meridionali.

(2) Il rinvenimento iniziale fu dovuto all'esecuzione dei cavi per la posa in opera del collettore di depurazione del Golfo di Napoli a cura della Cassa per il Mezzogiorno; intervenne immediatamente la Soprintendenza, in particolare S. De Caro nel settembre 1978 e E.M. Menotti nel 1981, delle cui relazioni di scavo mi avvalgo per quanto riguarda le fasi iniziali delle indagini.

(3) Il primo degli ambienti individuati (I) presenta il pavimento di cocciopesto con ornato di tessere bianche che delineano una rete di esagoni; sulla sua parete E rimaneva parte dello zoccolo dipinto nel c.d. IV stile (pannelli rossi con piante); l'ambiente IV è pavimentato in mosaico bianco delimitato da due fasce nere con tessere di 0,5 cm. di lato, e sulle pareti S ed E restava lo zoccolo nero con piante e uccelli (distaccato come il precedente e ora custodito a Pompei), gli ambienti VII e IX erano mosaicati al pari di altri ambienti individuati nell'autunno 1983 e non ancora completamente esplorati. Mentre però in questi ultimi i piani musivi sono completamente conservati, negli altri le tessere sono state totalmente asportate e ne rimangono pochissimi esemplari sotto le pareti perimetrali o le impronte nel nucleus.

(4) Il corridoio III che presenta il pavimento in semplice battuto di tufo, gli ambienti VIII, XII e XIII che lo hanno in semplice cocciopesto non sembrano infatti, ambienti di servizio.

stamenti e impianti per la lavorazione o conservazione dei prodotti della terra o della pastorizia (5) (fig. 1). Alle tre accennate fasi di età repubblicana e proto imperiale, riconosciute dalla sovrapposizione di tre piani pavimentali presenti nell'amb. IV (il I in cocciopesto ornato con rade e irregolari tessere bianche, tipo di pavimento che si ritrova anche sotto l'attuale piano di calpestio dell'amb. VII; il II in cocciopesto con rete di rombi in tessere bianche ed èmblema centrale a mosaico bianco con uso di tessere nere e rosse, cui si associano strutture parietali a grossi blocchi di tufo conservati in parte sotto gli ambienti IV e I e tra gli ambienti III, V e VI; il III in mosaico bianco bordato di nero, in uso fino alla fine, cui si associano differenti strutture murarie - l'opera reticolata con cubilia di 8 cm. di lato è in parte tagliata dalla sovrapposizione di più tarde pareti trasversali ancora in reticolato ma con cubilia di 10 cm.), segue un lungo periodo di uso durante il quale si apportano modifiche e restauri restringendo vani di passaggio (6) (fig. 2), rialzando piani pavimentali (7), rinforzando muri. Questa fase di media età imperiale potrebbe farsi iniziare alla fine del I sec. d.C. e per la tecnica muraria adottata (opera reticolata di grossa pezzatura) e per la presenza, nel rialzamento dei pavimenti, di frammenti di intonaci dipinti databili alla metà del I sec. d.C.. Si può pensare a modifiche all'interno di alcuni ambienti determinate dalle conseguenze che il terremoto che accompagnò l'eruzione del 79 d.C. dovette avere anche nell'area nolana. Sarciture dei muri o restauri evidenti come quelli effettuati a Pompei dopo il terremoto del 62 non se ne vedono, ma bisogna anche tener conto dell'altezza relativamente scarsa delle strutture murarie - conservate al massimo per m. 1,60 - e della continuità di vita del complesso, prolungatasi fino al V sec. d.C.. Tale durata è dimostrata dalla presenza di strutture murarie in blocchetti di tufo piuttosto irregolari, cementati con abbondante malta, che in parte si addossano, utilizzandole, a precedenti strutture, in parte ne obliterano altre impostandosi nell'impianto della villa senza tener conto dell'originaria disposizione degli ambienti (8); e dal rinvenimento di monete di bronzo emesse durante i regni di Costantino, di Costanzo, di Giustino I o di Giustiniano e da quello di ceramica comune databile appunto al V sec. d.C. (9). Per quanto riguarda le condizioni del complesso all'epoca del seppellimento è da notare

(5) Ulteriori indagini cui si accennerà più avanti e recentissime individuazioni di livelli pavimentali sempre nella stessa area a sud del Lagno di Quindici - area certamente extraurbana anche in antico, per la sua dislocazione parallela ai monumenti funerari noti come Torricelle - farebbero piuttosto pensare ad una situazione analoga a quella che si riscontra a Pompei al di fuori di Porta Ercolano, con ville residenziali (Villa di Cicerone, di Diomede, delle Colonne a mosaico) assai prossime alla città e a una delle sue necropoli. L'area in questione viene inoltre a trovarsi a circa 700 m. più a W di via Feudo dove è stata individuata una delle porte urbiche dell'antica Nola.

(6) Il vano tra l'amb. IV e il VII presenta una evidente riduzione di luce da m. 1,80 e m. 0,80 circa, con la realizzazione dello stipite N in opera vittata a blocchetti di tufo addossato al precedente stipite e sovrapposto alla soglia di calcare.

(7) Il pavimento dell'amb. IX poggia su di un riempimento contenente frammenti di intonaco dipinto secondo i modi del IV stile pompeiano.

(8) Il grande amb. XIV con le pareti N ed E in opera listata di tufo utilizza come parete W un precedente muro in opera reticolata di grossa pezzatura, mentre la parete S è in opera incerta di rozza fattura e con uso abbondante di malta per la cementazione dei cretoni di calcare bianco, L'impluvio XVIII (o una vasca?) situato nell'angolo NE dello scavo è tagliato da un muro nella stessa grossolana opera listata utilizzata nell'amb. XIV. Non è stato ancora completamente liberato dall'interro, per cui al momento non è possibile dire se si tratta di una trasformazione del predetto impianto per riutilizzarlo, o piuttosto di una sua obliterazione per disuso. Nella parte S dello scavo, che si spera di poter ampliare, sono appena stati individuati, ma non scoperti del tutto, un pozzo e vasche ancora in opera listata di tufo e con rivestimento interno di frammenti ceramici, realizzati in immediata adiacenza a pavimenti in mosaico bianco e nero databili alla metà del I sec. d.C.

(9) Si tratta di un gruppo di monete di bronzo di peso variabile tra gr. 0,76 e 1,92/2,15 su alcune delle quali è stato possibile individuare la leggenda e attribuirle pertanto al regno di Costantino (306-337) (D/busto di Roma a sin. con elmo crestato VRBS ROMA, R/lupa a sin. che allatta i gemelli, sopra due astri, in esergo lettere incerte) e di Costanzo (353) (D/busto dell'imperatore a dex. e DN CONSTANTIVS PF AVG, R/imperatore stante a sin. nell'atto di trafiggere il nemico caduto FEL TEMP REPARATIO). Una moneta di bronzo di gr. 1,22 riferibile al 518-527 (Giustino I) o 527-565 (Giustinia-

che vi si rinviene scarso materiale di arredo o di uso domestico, e comunque in cattive condizioni (10), che le pareti in molti casi mancano, e quando non sono state asportate sono prive del rivestimento di intonaco dipinto sia monocromo che decorato, pervenutoci solo in qualche caso in frammenti di modeste dimensioni, che i pavimenti a mosaico, fatta eccezione per due casi nei quali sono conservati quasi per intero, sembrano essere stati intenzionalmente asportati (11). Si ha in conclusione, l'impressione di un degrado sistematico del complesso, dovuto ad usura e parziale abbandono, cui si è sovrapposto infine il seppellimento di materiale vulcanico, che non si è tuttavia depositato uniformemente e direttamente sulle strutture abitative, ma le ha in parte colmate, in parte ricoperte dopo che un interro di terreno vegetale e di materiale frammentato le aveva già in parte nascoste. Si riconosce infatti uno strato vulcanico spesso circa 15 cm., costituito per lo più da pomici grigio verdognole poco soffiate e ricche di cristalli, che sfuma verso l'alto in un orizzonte cineritico grigio molto compatto, ben visibile soprattutto nella metà nord dell'area di scavo e nella parte sud. Nel tratto centrale, nella cui stratigrafia si legge un ampio avvallamento, questo strato dalla tessitura caotica è misto a materiale ceramico e frammenti calcarei arrotondati, verosimilmente trascinati sul posto dalle alture circostanti in momenti successivi all'eruzione, forse durante una delle alluvioni che contribuirono, sul finire dell'età imperiale, all'abbandono di Nola (fig. 5 e 6).

Si potrebbe ipotizzare, quindi, che il complesso sorto sul finire dell'età repubblicana, abbia risentito gli effetti dell'eruzione del 79 d.C. che provocò nella regione crolli e danni (12); dopo i restauri realizzati intorno al II d.C., che non mutarono l'originaria destinazione degli ambienti, parte almeno della villa subì trasformazioni radicali intorno alla fine del IV sec. o inizi del V sec. d.C. in coincidenza forse con le agevolazioni concesse da Onorio e Arcadio per esortare le popolazioni,

no I) (D/leggenda non decifrabile, busto dell'imperatore a dex. con diadema e paludamento, R/V in corona di alloro). Ringrazio Teresa Giove di tali letture e interpretazioni. Per quanto riguarda la ceramica si rinvengono scarsi frammenti di sigillata chiara D mentre numerosi sono quelli pertinenti a tipi e forme ancora poco noti che trovano però confronti con pezzi di recente rinvenuti a Napoli. In particolare una casseruola di produzione locale con fondo convesso ed orlo ingrossato all'interno, forse una lontana versione della forma Hayes 23, è confrontabile con pezzi da Napoli (scavo Gerolamini 1984) rinvenuti in un grosso strato databile in base alla sigillata chiara alla metà del IV sec. d.C. e con altri esemplari da Capua ed Atella. Intorno al III secolo è databile invece un'anfora tunisina così detta "africana piccola" della quale resta il collo con l'orlo e bollo incuso CAVS.T, riscontrato, quest'ultimo, per ora solo ad Ostia ove la provenienza non fu accertata (B. PALMA e C. PANELLA, *Anfore, Le Terme del Nuotatore, Ostia I, Studi Miscellanei*, 13, 1968, p. 111 e tav. XLVII, n. 603). (Per la forma cfr. F. ZEVI, A. TCHERNIA, *Amphores de Byzacène au bas-empire, Antiquités Africaines*, 1969, pp. 173-214). Più significativa è la presenza di brocche e zuppiere parzialmente dipinte in rosso o bruno, tipi che in Campania non sembrano anteriori alla metà del V sec., e di una classe di piccole brocche di argilla rossiccia, levigate a stecca che a Napoli (scavi Carminiello ai Mannesi 1983) appaiono in contesti databili a partire dalla metà del V fino almeno agli inizi del VI sec. d.C..

Ringrazio Paul Arthur che con paziente disponibilità è stato generoso di chiarimenti e precisazioni per quanto riguarda il materiale ceramico.

(10) Nell'area fino ad ora liberata dall'interro, m. 20 x 30 circa, si è rinvenuto solo un frammento di monopodio a pilastrino scanalato di calcare, un frammento di elice di capitello di tufo e in terracotta due frammenti di antefissa, uno di fregio figurato e uno di un monopodio da giardino.

(11) Oltre ai resti di pitture già ricordati negli ambb. I e IV sono state trovate tracce di pannelli bianchi con bordo verde nell'amb. V e due frammenti di m. 1,18 x 1,27 e 1,07 x 1,41 con zoccolo e scomparti gialli e riquadri prugna e nero sulla parete E dell'amb. XII, parte dello zoccolo nero con tirsi e motivi geometrici sulla parete W dell'amb. XIV, resta infine parte dello zoccolo nero a pannelli e della zona mediana rossa della decorazione dipinta sulla parete S dell'amb. XVI parzialmente scavato.

(12) Ricordiamo a tal proposito due iscrizioni relative al restauro di un tempio (?) tetrastilo e del teatro danneggiati dal terremoto. L'una attualmente custodita nel cortile del Municipio di Nola, IMP. TITVS. CAESAR DIVI.VESP (asiani aug) /PONT.MAX.TRIB.POTEST.X.IMP.XVII.C(os. VIII p.p. censor restituit); l'altra, già smarrita all'epoca del Mommsen (CIL X, 1264) respuBLICA NOlanorum/THEATRVM/collapSVM RESTituit/refeCTIS COLVmnis/marMORIBVSque/....

fuggite a causa dell'eruzione del 395, a tornare nelle terre abbandonate (13). Durante la seconda metà del V sec. e in concomitanza con l'avanzata dei Vandali di Genserico (455), subentrati dopo quaranta anni alle scorrerie dei Goti di Alarico (410), la villa fu forse gradualmente abbandonata e fu poi in parte coperta dall'eruzione del 472. L'evidenza archeologica non consente di pensare ad una eruzione precedente per la presenza di materiale ceramico databile al V sec. d.C. su pavimenti ancora in uso, o scarsamente ricoperti da terreno humificato. Stando ai dati attualmente disponibili è difficile dire se le strutture della villa di via Saccaccio abbiano subito danni dall'eruzione del 203 d.C. durante la quale, secondo la testimonianza di Dione Cassio (14), i boati si sarebbero uditi fino a Capua. Al di sopra dello strato eruttivo del V sec. si rinvennero, durante gli scavi del 1981, i resti di strutture in opera incerta di fattura assai scadente, databili ad età alto medievale, assolutamente indipendenti, in quanto a orientamento, da quelle di epoca romana, dalle quali erano separate da un interro di circa m. 0,80, il che comprova l'obliterazione totale dei livelli di età romana e la rifrequentazione delle stesse zone, completamente alterate da fattori naturali, in epoca più tarda.

Saggi recenti nella stessa zona, ad una cinquantina di metri più ad ovest della villa, hanno riportato in luce resti di ambienti con pavimenti a mosaico databili alla prima età imperiale. I resti - conservati qui in condizioni migliori di quelle della villa per quanto riguarda i pavimenti (15), peggiori invece per le pareti, data la loro scarsissima altezza - si trovano a circa 1 m. più in alto dei piani pavimentali della villa, e diversa è la stratigrafia del seppellimento per il minore spessore dello strato humificato - solo m. 0,75 contro i m. 1,30 misurati nell'area della villa - al di sopra dello strato durissimo e compatto, di materiali vulcanici di risedimentazione alluvionale spesso m. 0,70 (16).

In altre zone di Nola, ricadenti nell'attuale area urbana, in occasione di brevi indagini di scavo si sono potute riscontrare situazioni stratigrafiche differenti tra loro anche a brevi distanze, accomunate tutte però dalla presenza del già ricordato strato alluvionale duro e compatto di spessore variabile tra 1 m. e 1,60, al di sotto dell'humus, associato ad un ancora più variabile, per spessore e presenza, strato di pomici. Si è potuto osservare, ad esempio in saggi effettuati in via Anfiteatro Laterizio, nella zona nord-occidentale della città che lo strato di pomici è totalmente assente; mentre lo si trova in strati ora di 30 ora di 15 cm. in Traversa Foro Boario a 100 m. più a N in linea d'aria; ancora assente in via Circonvallazione lo abbiamo ritrovato con spessore variabile tra i 25 e i 50 cm. nella quasi perpendicolare via Feudo 500 m. più a SW sul fronte W della trincea effettuata nel corso di saggi che hanno riportato in luce un ulteriore tratto della strada basolata di età romana già individuata negli scorsi anni (17).

(13) *Cod. Theod.*, XI, 28,2 (395 Mart. 24) *Impp. Arcad. et Honor. aa. dextro P.P. - Quingenta viginti octo milia quadraginta duo iugera, quae Campania provincia iuxta inspectorum relationem et veterum monumenta chartarum in desertis et squalidos locis habere dinoscitur, isdem provincialibus concessimus et chartas superfluae discribtionis cremari censemus. Dat. VIIII Kal, April. Med(iolano) Olybrio et P. Probino Conss.*, Ed. Th. Mommsen - P.M.Meyer, Berlino, 1905, p. 617.

(14) Xifilin. nel compendio al LXXVI lib. della *Hist. Rom.* di Dio. Cass. parlando del decimo anno di regno di Settimio Severo: *Per eos dies explenduit in monte Vesuvio ignis maximus tantique mugitus extitere ut Capuam usque audirentur.*

(15) Restano infatti i mosaici di almeno quattro ambienti: il più settentrionale bianco bordato da due fasce; il secondo verso S nero con tappeto centrale con scaglie e piastrelle di marmi policromi bordato di due fasce bianche e soglia verso N con losanghe a lati concavi; del terzo a fondo nero resta la soglia verso E, a fondo bianco con losanga a lati concavi delineata in nero entro un quadrato e tagliata da una colonna in muratura di tufo; del quarto, infine, resta parte del bordo a due fasce nere in campo bianco.

(16) C'è ancora da rilevare come nell'ambito della medesima trincea si siano potute riscontrare variazioni di stratigrafia con assenza del livello eruttivo tipico del 472 d.C. nella parte N più prossima al lagno di Quindici, e variazioni del suo spessore (dai 25 ai 40 cm.) nella parte S dove è più consistente la presenza delle ceneri nei suoi livelli sommitali.

(17) Atti del *XXI Convegno di Studi sulla Magna Grecia*, Taranto, 1981, Napoli, 1982, p. 338.

I saggi in via Anfiteatro Laterizio, che hanno portato al recupero di una piccola parte della necropoli preromana hanno confermato quanto già osservato in passato circa la collocazione delle sepolture arcaiche in uno strato di ceneri vulcaniche miste a pomici bianche di ridotte dimensioni, strato che si sovrappone per lo spessore di circa m. 0,50 al banco di lapillo derivato da un'eruzione preistorica del Somma, (eruzione c.d. di Avellino) (18). E' da ricordare, infine, per quanto riguarda l'area della villa che saggi effettuati nella sua parte più settentrionale, sotto un pavimento di I sec. a.C., hanno messo in evidenza uno strato di pomici grige, ceneri e minuto lapillo spesso 10 cm., derivante da caduta, ben rappresentato nella regione NE del Somma-Vesuvio, dove compare costantemente al di sopra del grosso livello eruttivo preistorico dell'età del Bronzo antico e di cui la cronologia è oggetto di recenti indagini (19).

Spostandoci più a S, quindi ancora più prossimi al Vesuvio, abbiamo potuto riscontrare situazioni diverse da quella nolana e diverse fra di loro, pur trovandosi i due centri nei quali si sono effettuate ricognizioni, S. Anastasia e Palma Campania, all'incirca alla stessa latitudine e alla distanza di solo 12 Km l'uno dall'altro.

Nella prima delle due cittadine, in località Alveo Pollena sulle pendici N del Somma sono stati individuati i resti di due ville (?) di età romana. Della prima si distingue parte delle strutture in opera mista (opera incerta con ricorsi di laterizio) databili al I sec. d.C. anche per il tipo di ceramica che si può raccogliere sul pendio della collina in perfetto allineamento con le predette strutture colmate da materiale vulcanico riferibile al 79 d.C. (fig. 6). Della seconda, sul versante opposto, sono stati individuati i resti della cella vinaria, distrutta da lavori agricoli. Tra i numerosissimi frammenti di dolii e di tegole è leggibile il bollo rettangolare M. ACILIVS. AM che trova precisi confronti a Pompei ed è databile alla seconda metà del I sec. d.C. (20). Anche questa seconda villa sembra abbia cessato di esistere con l'eruzione del 79 (21).

A Palma Campania invece, dopo gli interessanti ritrovamenti di materiale dell'età del Bronzo avutisi nel 1972 (22), nel dicembre 1982 c'è stata un'altra scoperta di tutt'altro genere ma ugualmente significativa ai fini della documentazione dell'attività del Vesuvio in epoca antica. In occasione dei lavori di raddoppio della linea ferroviaria Cancello-Avellino sono tornati alla luce, in località Ponte Tirone, i resti dell'acquedotto Augusteo, ben noto attraverso i monumentali avanzi presenti in più località del suo lungo e variato percorso (23). L'interesse del rinvenimento è legato anche alla chiara evidenza della stratigrafia vulcanica che è stato possibile leggere ai lati del poderoso monumento che

(18) C. ALBORE LIVADIE, *A propos d'une éruption préhistorique du Vésuve: contribution à la recherche sur l'Âge du Bronze en Campanie, La Regione sotterrata dal Vesuvio, Atti del Convegno Internazionale 11-15 novembre 1979*, Napoli, 1982, p. 866.

(19) Si veda in questo stesso volume il contributo di C. ALBORE LIVADIE, G. D'ALESSIO, G. MASTROLORENZO, G. ROLANDI. Ringrazio quest'ultimo per le indicazioni di carattere vulcanologico.

(20) Identico testo con cursus inverso come su questo frammento si trova su un mattone da via Nocera (Pompei, Inv. 11399), altri esemplari analoghi dalle Terme Centrali e dalla Villa Pisanella (fondo De Prisco) attualmente a Pompei. Tra gli altri frammenti di sigillata campana è da ricordare il fondo di una coppetta con il bollo CARM.

(21) La successione stratigrafica messa in evidenza dai lavori agricoli rivela, al di sopra di un livello eruttivo ascrivibile al V sec. d.C., l'eruzione del 79 d.C. che si presenta con un livello di *pomice fall* di circa 20 cm., cui si sovrappone un livello di prodotti di *base-surge*, dello stesso evento eruttivo, spesso oltre 3 m. alla cui forza di trascinamento al suolo può essere imputata la distruzione del complesso.

(22) C. ALBORE LIVADIE, L. D'AMORE, *Not. Scavi*, 1980, pp. 59-101.

(23) I. SGOBBO, *Serino. L'acquedotto romano della Campania: « Fontis Augustei Aquaeductus »*, Not. Scavi, 1938, p. 75 ss. L'iscrizione presentata dallo Sgobbo conferma pienamente la vitalità di Nola in età costantiniana.

in questo tratto presenta due spechi paralleli (24) (fig. 7). Le fondazioni di ambedue i condotti sono state realizzate nel banco di lapillo - che risale alla grande eruzione preistorica nota come l'eruzione '' di Avellino '' ed è alto in questa zona m. 2,80, - per la profondità di m. 1,60 e si trovavano nel terreno vegetale ancora per m. 1,90 (fig. 8). I due condotti, quello nord in opera reticolata, quello sud in opera laterizia presentano evidenti interventi di manutenzione e consolidamento effettuati in epoche successive a quella di costruzione, determinati forse anche dalle conseguenze dei fenomeni sismici e vulcanici del I sec. d.C. Il condotto nord fu forse messo fuori uso dall'eruzione del 79, probabilmente più per i danni causati dal terremoto che la accompagnò che non per il seppellimento di materiale eruttato che, a giudicare dalla stratigrafia non lo ha minimamente ricoperto (25). L'assenza di incrostazioni calcaree all'interno di questo condotto confermerebbe l'ipotesi di una breve utilizzazione dell'impianto, sostituito da quello parallelo, di analoghe dimensioni, realizzato in opera laterizia con copertura a doppio spiovente, pozzi quadrangolari di aereazione e contrafforti a scarpa sul lato esterno e all'interno verso il condotto più antico (26) (fig. 9, 10, 11).

Al di sopra del lapillo del 79, che si interrompe per la presenza del monumento, evidentemente emergente tanto da non esserne ricoperto, si legge uno strato humificato di ca. 60 cm., il che conferma la continuità di vita nella zona almeno per altri quattrocento anni, segue poi ancora uno strato di lapilli di 20 cm. che ricopre, anche se di poco, il monumento. Nel V secolo, quando cioè nel 472 l'eruzione del Somma-Vesuvio colpì le regioni vesuviane, l'acquedotto era già quasi totalmente interrato e rimarrà poi totalmente sepolto sotto i successivi accumuli di terreno vegetale ai quali si sovrapporranno ancora materiali vulcanici dalle eruzioni di epoca moderna, in particolare quella del 1631.

Una prima considerazione che sembra potersi fare alla luce dei dati archeologici sino ad ora emersi è che le conseguenze dell'attività eruttiva del Somma-Vesuvio sui centri del suo versante settentrionale sono state assai notevoli nel raggio di 5 Km. in direzione nord (S. Anastasia, Somma Vesuviana) (27), di una certa portata nel raggio di 12 Km. verso est (Palma Campania) (28) e meno gravi via via che ci si allontana verso nord (Nola, dove la vita e l'economia sembrerebbero non essersi interrotte a causa degli eventi del 62 e del 79 d.C.). Sembra piuttosto che lì dove non c'è stata interruzione di attività a causa degli eventi vulcanici della seconda metà del I sec. d.C., durante i secoli successivi, in particolare il II e il III sec., la vita abbia continuato con tranquillità secondo uno standard medio, probabilmente inferiore a quello mantenuto fino alla metà del I sec. d.C. senza grossi interventi di costruzione o di restauro che avrebbero determinato fosse di scarico, rialzi di piani pavimentali o grossi « butti » di materiale ceramico, assolutamente non individuati almeno a giudicare da quanto sino ad ora esplorato.

---

(24) Brevi cenni descrittivi di questo acquedotto, individuato nella zona di Sarno, in O. ELIA, *Un tratto dell'acquedotto detto claudio in territorio di Sarno, Campania Romana* I, Napoli, 1938, p. 191 ss.

(25) L'eruzione pliniana del 79 è riconoscibile nella sottile fascia chiara che si ferma a metà altezza della fiancata N dello speco in opera reticolata (a dex. nella foto).

(26) Ci si riserva di dare in altra sede una più ampia e particolare descrizione del monumento, una volta completato lo scavo del tratto individuato, lungo circa 20 m. e perfettamente conservato nelle strutture murarie diversamente dai tratti rimasti sempre in vista nel corso del tempo.

(27) Nota fin dagli anni '30 di questo secolo è la presenza a Somma Vesuviana in località La Starza della Regina di un grosso edificio pubblico (?) sepolto dall'eruzione del 79 d.C. riconosciuta nel compatto banco di ceneri alte fino a 6 m., che ingloba le strutture di questo e di altri complessi architettonici individuati nella zona.

(28) Nel centro abitato di Palma Campania sono state ritrovate sepolture in anfore e in tombe alla cappuccina databili al IV sec d.C. collocate al di sotto di uno strato di lapillo spesso circa 40 cm.

118

Sono anzi da approfondire i motivi che hanno determinato, come anche in altre zone, la scarsissima presenza di materiale di quei due secoli. Più che ad un abbandono di Nola e del suo territorio tra il II e il III sec. d.C. - abbandono per altro non testimoniato dalle fonti, - si potrebbe pensare ad un adeguamento della sua economia alle mutate situazioni politiche che portarono, come è noto, allo spostamento verso le province del baricentro della vita dell'impero (29), con un conseguente calo del tenore dell'economia nell'Italia meridionale in cui particolarmente le zone agricole dell'interno tornarono ad essere caratterizzate dal latifondo.

Ancora molto c'è da fare nel nolano e per quanto riguarda lo studio dei dati sin qui acquisiti e per quanto riguarda la prosecuzione dei lavori di scavo già avviati con l'acquisizione di nuovi elementi, ma già utile è stato, grazie anche ai dati vulcanologici stabilire che dobbiamo cercare in cause diverse dai fenomeni eruttivi i motivi che determinarono la lenta graduale scomparsa di Nola dal II sec. d.C. in poi, dal novero dei grandi centri dell'antichità.

SOPRINTENDENZA ARCHEOLOGICA DELLE PROVINCE
DI NAPOLI E CASERTA.

VALERIA SAMPAOLO

(29) Non si sono ancora rinvenute a Nola anfore tardo-antiche, presenti invece in notevole quantità a Napoli, a Ischia ed a Capua, ad eccezione della già ricordata anfora tunisina. Lo scavo di un lembo della necropoli preromana in via S. Massimo, ai limiti occidentali della città moderna, condotto quando questo lavoro era già in bozza, conferma quanto osservato a proposito della collocazione delle tombe - sia a fossa (fine VII-V sec. a.C.) che a cassa (IV sec. a.C.) - in uno strato eruttivo diverso e successivo a quello di " Avellino " da collocarsi certamente per quanto riguarda Nola prima della metà del VII sec. a.C. probabilmente nel corso della piena età del bronzo (Ndr: si tratta certamente dell'eruzione B, v. art. di C. Albore Livadie, G. D'Alessio, G. Mastrolorenzo, G. Rolandi in questo stesso volume). Altre ceramiche comunque attestano attività fino ad almeno la fine del V e gli inizi del VI sec. d.C. (Cfr. n. 9).

GABRIELLA COLUCCI PESCATORI

OSSERVAZIONI SU ABELLINUM TARDO-ANTICA E SULL'ERUZIONE DEL 472 D.C.

(pl. LXXIV-LXXXIII)

La documentazione della seriazione degli eventi vulcanologici del Somma-Vesuvio, è cosa ormai molto frequente durante scavi regolari o sbancamenti fortuiti nel circondario di Avellino.

Studi recenti hanno permesso di chiarire molti aspetti delle eruzioni che interessano i livelli preistorici. L'eruzione più nota e documentata « archeologicamente » è quella delle « pomici di Avellino », (1) che sovrasta un paleosuolo dell'età del bronzo antico (2). Una grossa eruzione più tarda, detta di Pollena, è anche documentata (3).

Per le tre eruzioni presenti nelle sezioni visibili nel Comune di Atripalda (antica *Abellinum*): pomici di Mercato, pomici di Avellino, pomici di Pollena, sono state eseguite datazioni con il radio-carbonio su legni carbonizzati e sugli acidi humici presenti nei paleosuoli; campionature sono state prese nella località Cava dell'Arciprete (Comune di Mercogliano), lungo la statale 7 bis, e pubblicate in uno studio dell'Istituto di Fisica e Geochimica dell'Università di Roma (4).

Questi dati riscontrati nelle sezioni rilevate ad Atripalda confermano la stratigrafia dell'intera serie soprastante il tufo grigio campano, sia in Civita di Atripalda, sia in via Cesinali dello stesso Comune dove era ubicata una delle necropoli monumentali romane dell'antica *Abellinum*, e precisamente quella extraurbana meridionale lungo la strada che collegava questo centro con la regione salernitano-nocerina.

Si ringraziano W. Johannowksy, C. Livadie Albore, G. Camodeca, G. Frieri della Sala, M. Antonietta Iannelli, M. Fariello Sarno, G. Rolandi, M. Romito, M. Salvatore, S. Sorda. I rilievi dei saggi sono stati curati in fase di scavo da R. Cecere, R. Fasulo e O. Maraio, realizzati successivamente da M. Sessa. I disegni dei materiali sono di R. Fasulo, C. Pizzano e M. Sessa. Le foto dello scavo di L. Fasulo e A. Nappa, quelle dei materiali di D. Braione e A. Massa. Per il lavaggio e la selezione dei materiali hanno collaborato F. Maio e R. Maraio.

(1) Per l'identificazione dell'eruzione si veda: L. LIRER, T. PESCATORE, B. BOOTH, G.P.L. WALKER, *Two Plinian Pumice - Fall Deposits from Somma Vesuvius, Italy, Geological Society of American Bulletin*, 84, pp. 759-772, 13 figs, March 1973.

(2) Anche nell'agro avellinese (cava dell'Arciprete) si è rinvenuto anni or sono traccia di un insediamento del Bronzo antico (figg. 1 e 2); il materiale rientra in pieno nella facies di Palma Campania, per il cui inquadramento si veda, C. ALBORE LIVADIE, *Palma Campania (Na). Resti di abitato dell'età del bronzo antico, Not. Scavi*, serie VIII, XXXIV, 1981, pp. 59-101.

(3) Si veda, G. DELIBRIAS, G.M. DI PAOLA, M. ROSI, R. SANTACROCE, *La storia eruttiva del complesso vulcanico Somma-Vesuvio ricostruita dalle successioni piroclastiche del Monte Somma, Rend. Soc. It. Men. Petr.*, 35, 1, 1979, pp. 411-438.

(4) M. ALESSIO, F. BELLA, S. IMPROTA, G. BELLUOMINI, G. CALDERONI, C. CORTESI e B. TURI, *University of Rome Carbon-14 Dates XII, Radio Carbon*, 16, No,3, 1974, pp. 358-367. (Datazioni non calibrate).

Cava dell'Arciprete 1 (R 937). Acidi humici da strati humificati al di sotto delle pomici di Mercato, soprastanti il tufo grigio campano, facies gialla. Paleosuolo: 7870±50; 5920 a. Cr.

Ad Avella, in Loc. S. Paolino (necropoli monumentale romana extraurbana nord-orientale) durante una campagna di scavo eseguita nel maggio 1970, nel paleosuolo al di sotto delle pomici di Avellino, si rinvennero alcuni frammenti d'impasto di ceramica comune ed un piccolo strumento di ossidiana.

121

La serie stratigrafica delle eruzioni venuta alla luce durante gli scavi nell'area di questa necropoli è documentata sino alle pomici di Mercato, mentre in « Civita » (Cava Guanci) (5) si può osservare anche il paleosuolo tra queste ed il tufo grigio campano, che costituiva la collina tra il fiume Sabato ed il torrente Rigatore, su cui si insediò l'*oppidum Abellinatium* (6).

La Necropoli Meridionale

Verso la fine del sec. XIX, a sud della Civita, nei lavori di sterro per l'apertura della via che congiunge Atripalda con la ferrovia di Avellino, fu individuata questa necropoli di *Abellinum*. Lungo una breve traversa, che mette in comunicazione la nuova strada con la « Cupa della Maddalena », fiancheggiata in loco dalle antiche mura, fu scoperta una grande tomba a camera, in « *opus reticulatum* », documento di architettura funeraria di età imperiale.

In questa stessa area, in età più recente, sono venute alla luce altre tombe, sarcofagi in travertino, lastre marmoree con iscrizioni e ceramiche, tra cui due vasi aretini della fabbrica di *M. Perennius Crescens*, che ci fanno certi che la nuova strada che collegava Atripalda con la ferrovia di Avellino, doveva attraversare la necropoli.

Nell'ottobre 1975, in un terreno sempre lungo la stessa provinciale, è stata rinvenuta una tomba « a cappuccina » con le pareti, le testate, ed il fondo formato di tegoloni piani. Il corredo funebre, costituito da otto statuette di cui sei in terracotta e due in marmo, da piccoli oggetti giocattolo, e da due lucerne è da riferirsi cronologicamente al II sec. d.Cr., in base soprattutto alla tipologia delle due lucerne, che sono del tipo a canale aperto. Il complesso è un nuovo esempio di quei cosiddetti larari puerili.

Di recente, durante la còstruzione di un fabbricato per civili abitazioni da parte dell'I.A.C.P. di Avellino, in via Cesinali, sono venute alla luce tombe « a cappuccina » sia ad inumazione che ad incinerazione con corredi funerari costituiti da ollette, lucerne, monete e balsamari in vetro, riferibili cronologicamente al II sec. d.Cr., sarcofagi in terracotta e piombo, mausolei funerari in « *opus latericium* » e « *vittatum* », tombe ad inumazione, con defunto in anfora, che giungono sino alla fine del IV - inizi del V sec. d.Cr.

Inoltre in contrada « Spagnola », sulla direttrice che collega l'odierna Atripalda ad Avellino, sono venute alla luce tombe che hanno la stessa tipologia di quelle rinvenute durante la campagna di

---

Per l'identificazione delle pomici di Mercato si veda: H. J. JOHNSTON LAVIS, *The Geology of the Mt. Somma and Vesuvius: being a study of volcanology, Q. Journal Geol. Soc.*, London, 1884, 40, pp. 35-149; G.P.L. WALKER, *Metodi Geologici per la valutazione del Rischio vulcanico, Atti del convegno: I vulcani attivi dell'area Napoletana*, 1977, pp. 1153-60, Regione Campania, Napoli.

Cava dell'Arciprete 2 (R. 938). Acidi humici da strati humificati sottostanti le pomici bianco-grigie attribuite alle pomici di Avellino e soprastanti le pomici di Mercato. Paleosuolo: 3870±50; 1920 a. Cr.

Per l'identificazione dell'eruzione cfr. nota 1.

Cava dell'Arciprete (R. 939). Acidi humici di strati humificati al di sopra delle già menzionate pomici bianco-grigie, sottostanti ad una eruzione recente, identificata con il nome di pomici di Pollena. Paleosuolo: 1630±50; 320 d.Cr.

Per l'identificazione dell'eruzione si veda: M. ROSI e R. SANTACROCE, *The A.D. 472, « Pollena » eruption: a poorly known Plinian event in the recent history of Vesuvius*, M.F. SHERIDAN e F. BARBERI (editors), *Explosive Vulcanism, Volcanol. Geotherm. Res.*, 16, 1983.

(5) Dal paleosuolo sovrastante le pomici di Avellino, dovrebbero provenire le due tazze appenniniche, conservate nel Museo Irpino, provenienti dalla cava Guanci (figg. 3, 4 e 5).

(6) Per l'identificazione del sito cfr. la nota 18.

scavo in via Cesinali. Tale ritrovamento mostra la grande estensione della necropoli ed il suo andamento che comprendeva non solo l'area a sud della città antica, ma anche quella verso occidente (7).

Sezione I: parete est, sbancamento necropoli di Via Cesinali.

Lo strato archeologico, lungo questa sezione della parete orientale della necropoli, non presenta tombe, ma sembra evidente la traccia di una strada, in direzione nord-sud, non ancora rimessa in luce. Tale zona meno interessata da resti archeologici mostra l'esistenza regolare di tre cicli eruttivi di spessore rilevante intervallati da alti paleosuoli.

La successione degli strati, iniziando dal basso, è costituita dallo strato di pomici di Mercato (VII), molto sottili bianco-gialline, alla cui base lo scavo archeologico non è giunto. Segue un paleosuolo (VI) su cui poggiano le pomici di Avellino bianco-grigie (V). Le due serie formano strati regolari, sono ben inquadrate in una successione temporale perché intervallate da paleosuoli e non sono state modificate da successivi guasti.

I due strati soprastanti le pomici di Avellino corrispondono a due periodi di frequentazione della necropoli romana (IVa, IVb). Uno strato alluvionale (IV) ricoperto da uno straterello di materiale archeologico dilavato (III) separa gli strati archeologici da un'altra eruzione, che è quella c.d. di Pollena, che qui mostra la seconda unità di deposizione: la cenere vulcanica compatta (II).

Sezione II, a: parete sud, sbancamento necropoli (fig. 6).

Iniziando dal terreno agrario, segue un paleosuolo corrispondente alla fase di abbandono definitivo del sito (I). Al di sotto si può osservare l'eruzione di Pollena, distinta in tre unità: lo strato superiore scuro ed intersecato da strati sabbiosi (strato rimaneggiato) (II), la cenere vulcanica compatta (III), e le pomici verdognole incoerenti (IV) (8).

Gli strati archeologici sottostanti si distinguono in due piani, il primo (V) dall'alto corrisponde al periodo finale di frequentazione della necropoli sino al sopraggiungere della eruzione, mentre il secondo (VI), ad esso sottostante, riguarda anche fasi precedenti. In particolare, nella sezione presa in esame, esso appare documentato da alcune tombe non ancora messe in luce del tutto - T. 31 del tipo « a cappuccina » costruita in laterizio e T. 30 « a sarcofago » di terracotta — le quali, per tipologia, si possono riferire cronologicamente ad un periodo che si pone tra il II e il IV sec. d.Cr. Il piano archeologico che è quello relativo alla maggior parte delle tombe esplorate nello scavo sistematico, ha intaccato lo strato (VII) della eruzione delle pomici di Avellino in cui è costantemente ubicato il piano di deposizione delle singole sepolture. Il paleosuolo (VIII) soprastante le pomici di Mercato (IX), non è stato manomesso da guasti successivi.

---

(7) Per la tomba a camera cfr. A. SOGLIANO, *Atripalda, Not. Scavi*, 1881, pp. 298-300.

Per i rinvenimenti dei vasi aretini di *M. Perennius Crescens*, cfr. Archivio del Museo Prov. Avellino.

La tomba (larario puerile) rinvenuta nel 1975, inedita, è conservata presso il Museo Provinciale di Avellino; si veda la relazione C.G. Franciosi, Archivio Soprintendenza Salerno, n. 796/48L del 27.2.1976; cfr. M. DEGANI, *I giocattoli di Giulia Grafide fanciulla brescellese, Bull. Com.*, 1951-52, pp. 15-19; L. MERCANDO, *Il Larario Puerile del Museo Oliveriano di Pesaro, St. Oliveriana*, XIII-XIV, 1965-66, pp. 142-147. L'area è stata vincolata con D.M. del 23-10-1975.

Per la necropoli di via Cesinali, cfr. L. MERCANDO, *Porto Recanati, Not. Scavi*, 1974, pp. 142 e ss.; A. FIAMMENGHI, *La necropoli di S. Marco di Castellabate, Rassegna Storica Salernitana*, II,1,1985, pp. 269-277.

L'esplorazione archeologica iniziata nel giugno 1983, dopo l'interruzione dei lavori d'un fabbricato per civili abitazioni da parte delle I.A.C.P., è continuata sistematicamente dal novembre del 1983 al giugno 1984. L'area vincolata con D.M. Luglio 1983, è ubicata ad est dell'anfiteatro *extra moenia* dell'antica *Abellinum*.

(8) Cfr. M. ROSI e R. SANTACROCE, *op. cit., passim*.

Sezione II, b: parete sud, sbancamento necropoli. QQL2-L4 (fig. 7 e fig. 8).

I primi due strati, (I, II) iniziando dall'humus, sono caratterizzati da materiale ceramico rime-scolato, non databile: ceramica comune e materiale recente.

Il terzo strato (III) di natura alluvionale, distruttivo, è posteriore all'eruzione di Pollena; pre-senta ceramica post-classica (« steccata ») prodotti di argilla ornati « a stralucido » e ceramica comu-ne dipinta (9). Si associano a queste classi, scarsi frammenti ceramici costituiti essenzialmente da terra sigillata chiara D (i frammenti sono troppo minuti per poterne ricavare forme precise) ed un frammento di lucerna africana, a canale aperto (forma Hayes II, A), decorata sulla spalla con motivi a rilievo, la cui cronologia oscilla tra l'inizio del V ed il 500 d.Cr. (10). Il IV ed il V strato sono costituiti dall'eruzione distinta in due unità: la cenere compatta (IV), ed il lapillo incoerente (V).

Alla base di queste si sono raccolti materiali ceramici dilavati; si riscontra presenza di terra sigil-lata chiara D; una forma Hayes 61B, databile tra la fine del IV e la metà del V sec. d.Cr. (11), associata a prodotti post-classici: ceramica « steccata », ceramica ornata « a stralucido » o di imita-zione della sigillata D, presenti nelle due classi di ceramica fine da mensa e recipienti da fuoco. A questi tipi si affiancano ceramica comune e ceramica dipinta.

Il VI strato corrisponde ad uno dei piani di calpestio della necropoli ed anche al periodo di frequentazione del luogo immediatamente precedente all'eruzione di Pollena.

Lo strato contiene una serie di AE riferibili al IV sec. d.Cr., tra cui due, emessi da Valentinia-no I, Valente, Graziano e Valentiniano II (fig. 43) (12). Alle monete si associa la sigillata chiara D: bordi di scodelle, forma Hayes 61 B, e 81, riferibili cronologicamente tra la fine del IV e la metà del V sec. d.Cr. (13), compaiono anche in questo strato la ceramica « steccata », la ceramica ornata « a stralucido », nelle classi già menzionate, e la ceramica dipinta. Il VII strato contiene la T.103 ad inumazione in anfora dall'argilla di color arancio intenso, con una ingubbiatura color crema con or-nato a « cannelures »; la forma è quella dei contenitori tardo-imperiali; essa si presenta lacunosa dell'orlo e del puntale (14), all'interno è stato rinvenuto un minimo, riferibile cronologicamente al V sec. d.Cr., ma illegibile (15).

Lo strato corrisponde al pre-taglio della fossa della T.102, ed in esso si sono raccolti frammenti di sigillata chiara D, di cui una forma Hayes 181 che si rinviene in contesti ostiensi con un'ampia escursione cronologica; compare non prima, comunque, della I metà del II sec. d.Cr. e si attarda sino alla fine del IV-V sec. d.Cr. (16). Gli strati VIII e IX contengono rispettivamente le TT.102 e

---

(9) Si è ritenuto opportuno differenziare questa ceramica da quella denominata « a bande larghe ». Per una suddivi-sione delle classi ceramiche rinvenute ad Atripalda nei saggi di cui si dà notizia in questo articolo cfr. pp. 128 e ss.

(10) Cfr. W. HAYES, *Late Roman Pottery*, London, 1972, pp. 313 e 314, tav. XXIa.

(11) Cfr. HAYES, *op. cit.*, figg. 16-17; EAA, *Atlante delle forme ceramiche*, I, Roma, 1981, pp. 83-84, tav. XXXIV; J. FREED, *Pottery from the Late Middens at San Giovanni, Centro Canadese in Italia e Sopr. Arch. Basilicata. Lo scavo di San Giovanni di Ruoti ed il Periodo Tardo Antico in Basilicata*, Atti Tav. Rotonda, Roma, 4 luglio 1981, Bari, 1983, pp. 95 e 105.

(12) R.A.G. CARSON, P.V. HILL, J.P.C. KENT, *Late Roman Bronze Coinage, AD. 324-498*, London, 1962, II, nr. 106: AE/3 Valentiniano I, Valente, Graziano (367-375); A. ROBERTSON, *Roman Imperial Coins*, V, Oxford, 1982. Cfr. tav. 84, 26: AE/4, Valentiniano II (383-387).

(13) Per la forma 61B, cfr. nota 11; per la forma Hayes 81, HAYES, *op. cit.* fig. 22; *Atl. cit.*, p. 104, tav. XLVIII, 7.

(14) Per la forma dell'anfora si veda M.J. VERMASEREN - C.C. VAN ESSEN, *The excavations in the Mithraeum of the Church of Santa Prisca in Rome*, Leiden, 1965, p. 353, tav. LXXXIII, 4 n. 10 e p. 354, tav. LXXXIV, 3 n. 28; per la cronologia p. 338: *terminus ante quem* 400 d.Cr.

(15) Comunicazione orale della Dott.ssa S. Sorda.

(16) Cfr. HAYES, *op. cit.*, fig. 35, nn. 12-13; *Atl. cit.*, p. 215, tav. CVI, 3.

25, la prima è un sarcofago in terracotta, con copertura in sesquipedali, interamente decorato, sia all'esterno che all'interno con motivo a « losanghe » dipinte in rosso; l'inumato era in posizione supina, con il volto rivolto verso est; la tomba era priva di corredo. La seconda, la cui copertura è stata distrutta dallo strato alluvionale, che ha anche riversato all'interno di essa le pomici incoerenti dell'eruzione del 472 d.C., era ad inumazione, costruita in tufelli e laterizio in maniera molto approssimativa ed aveva come corredo un AE/3 di Valentiniano II, posto alla sinistra della testa del defunto (17) (fig. 44). Più in basso è situata la T.28, interamente costruita in laterizio con copertura piana in sesquipedali, a doppia deposizione, priva di corredo.

Lo scavo è stato sospeso a questo livello, che corrisponde alle pomici di Avellino.

La Città

L'indagine condotta dalla Soprintendenza Archeologica delle province di Salerno, Avellino e Benevento dal 1975 ad oggi nell'antica città romana di *Abellinum* (fig. 11) (18), ha riportato alla luce i resti di una doppia cinta muraria, l'una in « *opus quadratum* », risalente, presumibilmente, ad età pre-annibalica (19), l'altra in « *opus reticulatum* » da riferirsi ad età successiva alla guerra sociale

---

(17) Cfr. *L.R.B.C., cit.*, II, nr. 775 (383-387).

(18) Il Comune di Atripalda dista circa 3 Km. ad Est dell'odierno capoluogo dell'Irpinia. Anticamente la città si estendeva sul piano della collina che domina Atripalda da NO tra il torrente Schiti o Rigatore e la riva sinistra del Sabato. Sicuri dell'identificazione ci fanno alcune testimonianze, risalenti al XVII e XVIII sec. che attestano l'esistenza di antiche vestigia presso « la Tripalda » ed il significativo nome di « civita » che il luogo conserva ancora oggi.

La sua ubicazione è confermata, negli Itinerari quali la *Tabula Peutingeriana* e l'Anonimo Ravennate sul raccordo tra l'Appia e la *Capua-Rhegium*, che partendo da Benevento giungeva a Salerno (*Tab. Peut.*, tav. VI; Rav., p. 72; K. MILLER, *Itineraria Romana*, Stoccarda, 1916, p. 371).

Del primitivo centro irpino, poche sono le testimonianze giunte sino a noi; tale origine è attestata oggi dal nome stesso della città, osco, e dai rinvenimenti archeologici risalenti ad età pre-romana (cinta muraria, ceramica, bolli laterizi).

Non vi sono elementi certi per l'identificazione degli *Abellinates Cognomine Protropi*, menzionati da Plinio (*Nat. Hist.*, III, 105) nell'ambito della divisione amministrativa augustea come abitanti di *Abellinum* (J. BELOCH, *Romische Geschichte*, Berlino, 1926, pp. 493; 495; 586).

′ Durante le guerre sannitiche come la maggior parte dei centri irpini, *Abellinum* fa parte della Lega Sannitica e alla metà del III sec. a.Cr. la sua condizione doveva essere quella di *civitas foederata* e forse tale rimase fino alla guerra sociale.

Le confische territoriali post-annibaliche testimoniate anche dalla presenza di un *limes* di *ager publicus* nel suo territorio, non rendono sicura la deduzione di una colonia in età graccana ammessa dal BELOCH, *loc. cit*, sulla base della tradizione letteraria (*Liber Col.* p. 229). Colonia probabilmente sillana, rinforzata da Augusto e successivamente da Alessandro Severo (*C.I.L.*, 1117, dedica a Gordiano III del 240 d.Cr.: *Colonia Ven(eria) Livia Aug(usta) Alexandrian(a) Abellinatium*), iscritta alla tribù Galeria, *Abellinum* fu nell'ordinamento augusteo, e successivamente in quello dioclezianeo assegnata alla *I Regio* (Plinio, *Nat. Hist.*, III, 62-63; Tol III, 1, 62); R. THOMSEN, *The Italic Regions, from Augustus to the Lombard Invasion*, Copenhagen, 1947, pp. 57-58, pp. 63-64, pp. 74-75. Nel IV sec. d.Cr. *Abellinum* fu sotto la giurisdizione del *Vicarius Urbis Romae* (*Cod. Theod.*, XII, 68; L. CANTARELLI, *La diocesi italiana da Diocleziano alla fine dell'impero occidentale*, Roma, 1903, pp. 18, 50, 112, 128) ed al secolo successivo risale la costituzione della diocesi, per la menzione di un *Timoteo Abellinas*, nel concilio di Papa Simmaco (F. LANZONI, *Le diocesi d'Italia dalle origini al VII sec. d.Cr.*, Faenza, 1927, pp, 239-242).

(19) Presumibilmente di età sannitica; nessun edificio all'interno della cinta muraria sino ad oggi documenta questo periodo.

(20). All'interno di questa, nel settore orientale della città, è situata una delle aree destinate alle abitazioni, cronologicamente diverse, con impianti differenziati, suddivise geometricamente in isolati, delimitati da strade, di cui riconosciamo uno dei cardini minori, ed uno dei decumani maggiori. A Nord di quest'ultimo un importante complesso residenziale si affacciava alla sommità delle mura e comprendeva un intero isolato della città: una « domus » di tipo pompeiano ad atrio e peristilio, il cui primo impianto risale ad età augustea (21), che gli scavi ci hanno fatto conoscere nei suoi aspetti di ricca dimora ellenistico-romana (fig. 12).

Ad ovest della domus oltre una depressione antica obliterata già in età romana, che caratterizza la zona centrale dell'area degli scavi, è ubicata l'area destinata agli edifici pubblici con l'impianto termale. Di questo edificio sono visibili i resti del « calidarium » con abside, costruito parte in « opus reticulatum » e parte in « opus mixtum », ed un grande ambiente a terrazza che utilizza strutture cronologicamente preesistenti (22). Quando l'edificio non fu più in uso, vi si addossarono sepolture di bambino. Ve ne sono state rinvenute quattro, tutte ad inumazione: a fossa semplice o coperte da tegole fittili o da tufi e tegole legate da malta.

L'esame di un gruppo di monete (23) rinvenute in un unico ambiente (24) in « opus vittatum » di tufo giallo, nell'area orientale dell'edificio termale, ma ad esso non più riferibile, tutte emesse tra il 333 e il 348 d.Cr., ci fa supporre che le tombe sono posteriori, ma non è possibile stabilire l'epoca. Infatti nessuna presenta elementi cronologici; né la varietà tipologica offre precisazioni di qualche interesse eccetto che esse sono obliterate dall'eruzione di Pollena, ascrivibile tra il 472 d.Cr. e il 507-511 (25), e che sono poste « intra muros ». Le tombe, sovrapposte, certamente non si ricollegano alle necropoli sinora scavate (26), perché sembrano posteriori alle tombe più tarde delle necropoli stesse; d'altra parte non si può ancora precisare se il loro carattere sia sporadico e casuale, oppure caratterizzi un uso dell'impianto termale ad edificio di culto.

(20) La costruzione di questa cinta muraria in opus reticulatum ed il relativo assetto urbanistico, rientra nell'ottica di quel processo di ricostruzione delle città della Campania e delle regioni sannitico-irpine all'indomani della guerra sociale; E. GABBA, Urbanizzazione e rinnovamenti urbanistici nell'Italia centro-meridionale del I sec. a.Cr., Studi Classici e Orientali, 21, 1972, pp. 93-101, 105-106. Altri monumenti della città, nello schema di primo impianto, hanno la stessa tecnica edilizia (anfiteatro, terme; strutture in opus reticulatum, identificabili con edifici pubblici: basilica, o curia nell'area del foro, cfr. M. DELLA CORTE, Not. Scavi, 1928, pp. 379, 382). Per un'area di diffusione della tecnica reticolata, in età augustea, cfr. M. TORELLI, Tecniche edilizie romane - Tecnologia economica e società nel mondo romano, Atti del Convegno di Como, sett. 1979, Como, 1980, pp. 142, 152, 153.

(21) Un sigillo di bronzo di M. Vipsanius Primigenius un liberto di Agrippa, presumibilmente uno dei primi proprietari della domus, è stato rinvenuto lungo il bordo occidentale della natatio.

(22) L'ambiente « a terrazza », che ha avuto rifacimenti sino ad età tardo-antica, presenta una struttura in opus incertum utilizzata per la II fase in opus reticulatum; il riempimento delle strutture per l'impianto del pavimento dell'ambiente in questa tecnica è interamente costituito da abbondante ceramica a vernice nera.

(23) 86 monete, Costantino I (330-333 d.Cr.) RIC VII, p. 453 n. 219; Costantino II (330-333 d.Cr.) RIC VII, p. 453 n. 220; (336-337), RIC VII, p. 529 n. 223; Costante (336-337), RIC VII, p. 528 n. 225; (337-340) RIC VIII, p. 250 nn. 34-35; (347-348) RIC VIII, p. 253 n. 84; Elena (ante 340 d.Cr.), RIC VIII, p. 143 n. 55; Costanzo II (330-333); RIC VII, p. 453, n. 221; (347-348) RIC VIII, p. 363 n. 182. Il riferimento bibliografico è tratto dalla scheda del rinvenimento illustrata dai dati di scavo, in corso di stampa nella sezione « Vita dei Medaglieri » per gli Annali di Numismatica da parte di M. Fariello Sarno e L. Mangieri.

(24) Q. -α 6, III strato: settembre 1976. Motivi di tutela amministrativa e di esplorazioni archeologiche per successive occupazioni temporanee, hanno reso necessario uno spostamento dello scavo e di conseguenza un temporaneo abbandono dei saggi.

(25) Si veda per la datazione, riportata dalle fonti Appendice p. 135.

(26) La necropoli extra-urbana meridionale in via Cesinali sembra cessare nel corso del V sec. d.Cr.

La depressione antica ha un interro di natura alluvionale (m. 2,10), e presenta al di sotto di esso, in maniera massiccia, lo strato di lapillo grigio con uno spessore di m. 0,35 (onda sabbiosa), m. 0,45 (cenere vulcanica compatta), e m. 0,40-0,60 (pomici incoerenti).

Il lapillo dello spessore di m. 1,50 rinvenuto nel « vallum » che corre parallelo alla doppia cinta muraria settentrionale, interamente obliterato da questa eruzione, potrebbe non essere in posizione primaria (27).

L'aggere di età romana tra il « vallum » e la cinta muraria in « opus reticulatum » fu occupato da una serie di tombe, undici, ugualmente obliterate dall'eruzione del 472 d.C.. Le tombe, presumibilmente, collocabili nel corso del V sec. d.C., coperte da lastre piane, con il piano di deposizione costituito da tegole e muretti perimetrali, composti da filari sovrapposti di tufi e tegole cementate in modo trascurato o da lastre perimetrali, infisse a coltello, erano prive di corredo ad eccezione di quattro (28), il cui corredo era costituito da una brocchetta o da un boccaletto monoansato, posto in prossimità del capo. La tipologia strutturale delle tombe e quella delle brocchette, ancora nella tradizione romano-bizantina, trovano confronti con prodotti provenienti da contesti tardo antichi o alto medievali (29). La brocchetta della T. 15 (fig. 57) ha in particolare un decoro inciso a stecca, sul colletto, in forma di « zig-zag » (30), ed è interamente ricoperta — ne rimane risparmiato solo il piede — di pittura rosso-bruna. Evidenti tracce d'uso sul fuoco nella parte opposta all'immanicatura.

Il saggio (31) preso in considerazione per documentare l'eruzione di Pollena ha interessato, in particolare, il portico intorno all'impluvium dell'atrio tetrastilo della domus ed ha consentito di acquisire una serie di informazioni sulla sua continuità d'uso (fig. 9; fig. 13). Il primo impianto della casa è quello a cui si riferiscono le grandi colonne in laterizio con base attica, in calcare; mentre il suo riutilizzo avviene in due momenti cronologicamente successivi, quando l'atrio, persa la sua funzione specifica, fu sfruttato diversamente. Nel settore sud della domus si installò, infatti, un impianto abitativo che obliterò le colonne dell'atrio, nel senso trasversale (est-ovest), rispetto all'orientamento originario della casa patrizia.

La domus mantenne, certamente almeno sino ad età severiana, il suo aspetto unitario di dimora residenziale. Viceversa durante il tardo impero tale dimora cadde in abbandono per gran parte della sua estensione, continuando a vivere attraverso il riutilizzo di determinati ambienti, presumibilmente in conseguenza di un terremoto (346 d.Cr.?). Lo scavo ha rilevato che nel peristilio nessuno strato di riempimento vi era tra il piano pavimentale e quello appartenente al crollo delle colonne; alcuni materiali da costruzione posti all'angolo sud-est di questo ambiente, davano ad esso l'aspetto di un cantiere di lavoro, interrotto forse da questo improvviso evento (fig. 10).

In questa sede si è ritenuto opportuno, come campionatura della situazione stratigrafica rispetto al livello eruttivo, esaminare i risultati dello scavo di soli tre quadrati, E21, E22, E23 che hanno

---

(27) Comunicazione orale del professore Rolandi; il forte pendio ha potuto, per dilavamento, far coprire dal lapillo il fossato antico.

(28) Lo scavo è stato condotto nel dicembre 1977. Le tombe con corredo sono la 12, 13, 15, 16.

(29) Rimando per i confronti e le considerazioni al volume di recente pubblicazione a cura di P. PEDUTO, *Villaggi fluviali nella pianura Pestana del secolo VII. La chiesa e la necropoli di S. Lorenzo di Altavilla Silentina*, Salerno, 1984, p. 57-58. Per la brocchetta di Atripalda, pubblicata come acroma, cfr. tav. XXVI; altre brocchette simili alla nostra provengono da *Aeclanum*, tav. XXVI; Pratola Serra, tav. XIII; Casalbore, tavv. X e XII; Altavilla Silentina, tav. XVII.

(30) Questo ornato si confronta con un frammento di ceramica dipinta, forma chiusa, dal Q. E.23, strato II - cfr. p. 131.

(31) La scelta di questo saggio è scaturita da motivi pratici. I materiali, rinvenuti negli scavi degli anni precedenti, in altre aree, che potevano costituire una ulteriore documentazione sono conservati in un edificio rurale danneggiato dal sisma del 23-11-1980, e sino ad oggi non è stato possibile poterli studiare.

interessato parte di due vani di questa unità abitativa, presentando una selezione dei materiali datanti.

La grande quantità di ceramica rinvenuta è rilevante per una documentazione di notevole interesse per la conoscenza di *Abellinum* tardo-antica.

Nella abbondanza di materiali di ceramica d'uso comune acromi, si sono distinti prodotti industriali d'importazione: terra sigillata chiara D ed alcuni prodotti, che anche se non d'importazione, si caratterizzano per particolari tecniche di lavorazione e si differenziano nella destinazione.

A. Prodotti industriali. Terra sigillata chiara C e D (figg. 17 e 25).

A1. Prodotti di argilla depurata, nucleo color arancio, derivati dall'imitazione della sigillata tarda (generalmente forme chiuse). Il vaso immerso nell'argilla liquida, veniva successivamente lisciato con una stecca che lascia delle nervature impresse nell'argilla ancora fresca (« steccata ») (32). (fig. 27). Ceramica fine da mensa.

B. Prodotti di argilla, nucleo grigio, più o meno depurata e decorata « a stralucido ».
La decorazione è formata da una serie di bande ottenute con l'uso di una stecca intinta nell'argilla sia all'esterno che all'interno del vaso (funzione antiaderente) (figg. 28 e 29) (33). Ceramica fine da mensa, e recipienti da fuoco.

C. Prodotti di argilla depurata « a pittura rossa » o « bruna ».
La pittura riveste l'intero vaso o ampie parti di esso con o senza decoro « ad incisione » o « rotellatura ». (figg. 30, 31 e 32).

Si riconoscono due varietà nell'argilla: prodotti di argilla « dura » che tendono ad essere conservati in grandi frammenti, su cui è versata la pittura rosso-bruna (fig. 33); prodotti di argilla « polverosa » su cui è versata la pittura rosso-bruna; prodotti di argilla « polverosa » su cui è steso un sottile strato di pittura color arancio che definisce più o meno irregolarmente il bordo del vaso (figg. 36 e 37); questo trattamento certamente imita la contemporanea ceramica d'importazione africana, come anche in alcune forme (34) (fig. 23).

---

(32) Cfr. in questo stesso volume il contributo di V. Sampaolo, dà notizia di ceramiche che sembrano avere la stessa tecnica e che si confrontano con altre rinvenute nello scavo condotto da P. Arthur in via Carminiello ai Mannesi nel 1983, la cui cronologia risale alla metà del V, e giunge sino almeno agli inizi del VI sec. d.Cr.; cfr. anche esemplari inediti da *Venusia Romana* nei depositi della Sopr. Arch. della Basilicata. Si veda anche L. GIARDINO, *Metaponto '77. La campagna di scavo nell'area del castrum*, p. 429, nota 35, *Magna Grecia Bizantina e trad. classica*, Atti del XVII Convegno di Studi sulla Magna Grecia, Taranto 9-14 ottobre, 1977, Napoli 1978.

(33) M. GIUNTELLA, *Cornus (Oristano), Indagini nell'area paleocristiana. Relazione preliminare della Campagna 1978*, *Not. Scavi*, 1981, p. 588, n. 88, fig. 44. M.G. MAIOLI, *La ceramica fine da mensa*, *Ravenna il porto di Classe*, Imola, 1983, pp. 102, 103 n. 437.

(34) Si vedano in questo stesso volume le notizie di Valeria Sampaolo, vedi anche H. BLAKE, *Ricerche su Luni medioevale, Scavi di Luni II*, Roma, 1977, pp. 644-645, tav. 333-334 (1-2); tav. 334 (3-10). Per un inquadramento generale del problema, cfr. J. FREED, *Pottery from Middens at San Giovanni. Lo scavo di S. Giovanni di Ruoti ed il periodo Tardo Antico in Basilicata*, Atti Tav. Rotonda, Roma, 4 luglio 1981, Bari, 1983, pp. 1199 e ss. ed anche M. SALVATORE, *La ceramica alto-medievale nell'Italia Meridionale, Stato e prospettive della ricerca*, Arch. Med. 1982, p. 47 e ss.

D. Prodotti di argilla con decorazione a « bande larghe » (broad-line) documentata sia nelle forme aperte che chiuse (35) (figg. 34 e 35).

E. Prodotti di argilla grezza (impasto grigio-nero) omogenei nella forma, nella decorazione e nella tecnica (36) (fig. 38).

F. Pietra ollare (37) (fig. 39).

G. Prodotti di argilla acroma (figg. 41 e 42).

H. Vetrina. (fig. 40).

Sulla base dei dati offerti dai quadrati E21, E22, E23 si può tentare di formulare una prima interpretazione della situazione stratigrafica.

(Q. E21) Ambiente A.

Al momento dell'eruzione che qui si può osservare in un unico strato di pomici verdognole incoerenti, il vano presentava già un interro di terreno vegetale e materiale ceramico.

La tecnica muraria delle due fasi costruttive successive a quella dell'impianto originario in « opus reticulatum » è costituita da piccoli blocchetti in tufo giallo piuttosto irregolari e cementati con abbondante malta (« opus vittatum » uniforme); successivamente al di sopra del livello eruttivo del 472/507-511 d.Cr., si è impostata una struttura in « opus vittatum » in blocchetti di tufo grigio cementati con malta unita con lo stesso lapillo dell'eruzione (figg. 15 e 16).

Lo strato II (fig. 14) che corrisponde alla fase di costruzione della struttura in tufo grigio, è immediatamente al di sopra del livello eruttivo. I materiali ceramici sono sostituiti da frammenti di terra sigillata chiara D (forma Hayes 65,1; 61B, 13) e da un vaso a listello con decorazione « a rotella » (forma Hayes, 91,D) databili rispettivamente tra la fine del IV sec. e gli inizi del V sec. d.Cr., il V sec. inoltrato e non oltre il 600-650 d.Cr. (38). Si associano frammenti di ceramica fine da mensa e recipienti da fuoco ornati « a stralucido », ceramica dipinta nelle due varietà di argilla su menzionate.

Alla base del livello eruttivo (III strato) una lente di materiali archeologici dilavati ed uno strato sottile di terreno più scuro con tracce di bruciato, non si presentano associati a classi ceramiche datanti (IIIa).

L'interro (IV strato) tra le pomici e il pavimento riferibile alla struttura muraria in tufo giallo (« opus vittatum » II fase), che si è addossata alla colonna dell'atrio, in direzione est-ovest, ha resti-

(35) Si veda P. ARTHUR, Le Terme romane di via Carminiello ai Mannesi: Relazione preliminare di scavo, Arch. Med., 1983, pp. 2, 7, 8. P. PEDUTO, Altavilla Silentina, cit., passim. Per la tecnica delle ceramiche « a bande » dipinta, anche se da un contesto cronologicamente più tardo, cfr. M. A. IANNELLI, La ceramica di un insediamento medievale (XI-XII sec.), Contributo per una individuazione delle aree di produzione ceramica in Campania, Salerno, 1984, passim.

(36) S. GELICHI, La ceramica grezza altomedievale, pp. 127-130, Ravenna, cit: gli esemplari sono ascrivibili a contesti di VII - prima metà VIII sec. d.Cr.

(37) P. ARTHUR, op. cit., p. 389, fig. 2,5: contesto databile al VI sec. d.Cr. S. GELICHI, La pietra ollare, Ravenna, cit., pp. 176-177; la cronologia varia da contesti databili dal IV-V, alla seconda metà dell'VIII sec. che costituisce il terminus ante quem.

(38) HAYES, fig. 65, 1; Atlante delle forme ceramiche, I, Roma, 1981, p. 82, tav. XXXIII, 5; HAYES, 61 B13, fig. 16; Atl. p. 83, tav. XXXIV, 2; 91 D, fig. 143 e ss.; Atl., p. 106, tav. XLIX, 7.

tuito una serie di monete di bronzo, di Massimino il Trace, di Costante, di Costanzo II, ed un minimo illeggibile (figg. 45, 46, 47 e 48) (39). Presenza di ceramica a vernice nera e di un frammento di « orlo annerito » (40); ceramica da cucina con la forma Hayes 23B, attestata non prima della fine del II sec. - inizio III sec. d. Cr.; terra sigillata chiara C: Hayes 50A, databile alla metà del III sec. d.Cr. (41); la sigillata chiara D è presente con varianti della forma Hayes 61B (7,13, 29) databili tra la fine del IV ed il 420-30 d.Cr.; e con le forme Háyes 50B/64 e 62 A, 5 databili tra la fine del IV e il V sec. d.Cr. (42).

Si rinvengono numerose attestazioni di ceramica ornata « a stralucido » tra cui un frammento di casseruola imitante la forma L.10A = Hayes 23B (43), e di ceramica « steccata », presente nella classe fine da mensa; ceramica dipinta e ceramica comune, tra cui un frammento di coppa a largo bordo con applicazioni plastiche (44).

Il livello inferiore del pavimento (Vb), i cui materiali ceramici non ci danno precise indicazioni cronologiche, corrisponde allo strato di risega di fondazione della struttura muraria in tufo giallo che è impostata sul pavimento originario del portico dell'atrio, in scaglie di tufo e laterizi. Alla stessa quota di questo pavimento si è rinvenuta la traccia di un muro che per il suo orientamento nord-sud appartiene allo schema di impianto originale dell'atrio. In questo strato si sono raccolti una grande quantità di reticoli, piccoli frammenti di stucchi parietali, ed altro materiale riferibile alla fase originaria della *domus*. Ad una fase più tarda è riferibile un frammento di lucerna derivante dal tipo « africano » decorato « a spina di pesce ». Infatti il pavimento in cocciopesto ed il suo strato di fondazione (Vb) sono stati interrotti da una fossa « di controllo » (Va) eseguita per la costruzione del muro in « opus vittatum » in tufo grigio. In questo strato di riempimento si sono raccolti frammenti di ossa, chiodi di ferro, frammenti di intonaco ed una lucerna a globetti, di argilla chiara ricoperta da ingobbio bruno, cronologicamente riferibile tra il III ed il IV sec. d.Cr. (45).

QQ. E22-23 Ambiente B.

I due quadrati corrispondono al vano che ha utilizzato in parte le strutture dell'ambiente A, sul lato settentrionale ed in parte quelle riferibili all'impianto originario della *domus* cioè il passaggio tra l'atrio ed il vestibolo. Il livello eruttivo che qui si può osservare nelle tre unità: (1) sabbia mista a terreno, (2) cenere vulcanica compatta, (3) pomici incoerenti, si è depositato direttamente sul piano di calpestio in cocciopesto.

Lo strato di humus che interessa tutti e tre i quadrati (I) (fig. 14) ci ha restituito materiali post-classici: ceramica « a bande larghe » (sei attestazioni) ed un frammento di recipiente in pietra ollare (46). Si associa una lucerna africana del tipo Hayes IIB: al centro del disco un largo *chrismon*, orna-

---

(39) Massimino il Trace, 235-236, asse, zecca di Roma: A. ROBERTSON, *op. cit.*, 1977 III, p. 174, nr. 34; Costante I, 341-346: *L.R.B.C.*, I, 635 e ss.; Costanzo II, 341-346, *op. cit.* n. 959; Costanzo II, 355-361, *op. cit.* II, nr. 2368, p. 100; *op. cit.* II nr. 691.

(40) AA.VV. *Scavi di Luni*, 1973, p. 407, tav. 72, 5.

(41) HAYES fig. 7 p. 217, Tav. CVI,10; 50 A, HAYES fig. 12; *Atl.* p. 65 tav. XXVIII, 10.

(42) HAYES p. 100, 61B, variante; *Atl.* p. 83, Tav. XXXIV; FREED, *op. cit.*, p. 105 fig. 4; 50B/64, HAYES, fig. 12; *Atl.* p. 87, tav. XXXVI, 3; 80A, HAYES p. 127; *Atl.* p. 104, tav. XLVIII, 1-2.

(43) HAYES, forma originale, 62A: HAYES p. 104 fig. 17; *Alt.* p. 120, TAV. LIV, 8.

(44) M. SALVATORE, *La ceramica altomedievale nell'Italia Merid. Stato e prospettive della ricerca*, Arch. Med., 1982, p. 50, tav. I, 1.

(45) J. DENEAUVE, *Lampes de Carthage*, Paris, 1974, p. 211 n. 1121.

(46) Per la forma e la decorazione cfr. P. ARTHUR, Arch. Med., 1983, p. 388, fig. 2, 5,: il contesto è datato al VI sec. d.Cr.

to da elaborate, preziose, decorazioni simili alle croci stampigliate di « stile E » della terra sigillata chiara D. Sul bordo una serie di « coin-impressions » che mostrano alternativamente il diritto ed il rovescio di una moneta di Teodosio II. Lo Hayes data il tipo di lucerna tra la seconda metà del V sec. fino al 550 d.Cr. (fig. 26) (47).

Lo strato II, corrisponde ad un terreno di riporto con strutture in crollo; tra i reperti, oltre i frammenti di sigillata chiara D, si rileva presenza di materiali post-classici. Le forme della sigillata sono: Ostia IV, fig. 61 ed un vaso a listello, Hayes 93B, databili rispettivamente tra la fine del V e la seconda metà del VI sec. d.Cr. (48).

Tra la ceramica dipinta, due frammenti di vasi a listello, imitanti le forme Hayes 91D e 93-94 (49) ed un frammento di parete di una forma chiusa interamente rivestito di pittura rossa, a cui si associa l'ornato ad incisione, ottenuto con una sottile stecca (50). Questo frammento si inserisce tra le attestazioni della ceramica post-classica, insieme con frammenti dipinti a « bande larghe », due frammenti di ollette di argilla grezza , impasto grigio-nero, ornati sul bordo da una decorazione on-dulata a « zig-zag » (51) ed olle di ceramica comune, con anse a presa (52).

È presente un frammento di una piccola ciotola o lucerna « a piattino », con invetriatura inter-na color verde brillante (53).

Alla base delle pomici verdognole incoerenti (III), uno strato di materiale dilavato tra cui molti coppi e tegole, ceramica ornata « a stralucido ». Si è rinvenuto un unico elemento di arredo: un piede di « cartibulum » baccellato di marmo, riferibile alla I fase della domus.

La lente di terra scura (IV) tra le pomici ed il piano di calpestio (V) ha restituito piccoli fram-menti di terra sigillata chiara D, le cui forme non sono identificabili ed un frammento di olpe « a stralucido ». Si associano una serie di monete di bronzo della famiglia di Costantino (fig. 49 e 50), e due minimi, di cui uno è attribuibile a Libio Severo ed un altro con un monogramma di incerta lettura (54).

Sul piano di calpestio (V) si è raccolto un frammento di sigillata chiara D (Hayes 61A, 21) databile tra la fine del IV ed il primo trentennio del V sec. d.Cr. (55), associato ad un gruppo di monete di bronzo: un *follis* di Massimiano, un gruppo della famiglia di Costantino, di Valentiniano

---

(47) HAYES, op. cit., pp. 310-314; p. 222 per le decorazioni « stile E » fig. 57 nn. 328-330. R. GUÉRY, Une reproduc-tion monétaire de Théodose II sur lampes tardives, B. A. Algér, IV, 1970, pp. 271-277. Per l'identificazione delle monete cfr. anche HAYES, op. cit. p. 313, nota n. 7.

(48) Ostia, IV, fig. 61; Atl., tav. CIV, 9, 10; 93B, HAYES, fig. 27; Atl, LI, 9, p. 110.

(49) Per le forme originali cfr. 91D, HAYES, fig. 26; Atl., XLIX, 7: 93 e 94, HAYES, loc. cit; Atl, pp. 101 e 110.

(50) Q. E 23. II strato; cfr. l'ornato della brocchetta della T.15 rinvenuta nella tomba della necropoli addossata alla cinta muraria settentrionale, cfr. p. 60 di questo testo.

(51) S. GELICHI, loc. cit.

(52) Cfr. P. ARTHUR, op. cit., figg. 2, 3 e 4; D. WHITEHOUSE - P. ARTHUR, La Ceramica dell'Italia Meridionale. Produzione e Mercato, tra V e X sec. Arch. Med., 1983, p. 43, fig. 3,3.

(53) Il tipo di vetrina monocroma, cui l'esemplare si può confrontare consente una datazione del pezzo al XIII sec. d.Cr. cfr. AA.V.V. Caputaquis medievale, I, Ricerche 1973, Salerno, 1976, tav. XXXVIII, n. 9; II, Ricerche 1974-1980, Napoli, 1984, pp. 124, 126 e 216.

(54) Costantino, (341-346): L.R.B.C.I., cfr. nr. 1397; Costanzo II, (350-51), II, nr. 897; Costanzo II o Gallo: (352/54-360), II, p. 60, nr. 670-673; II, 674-676. Libio Severo, (461-465), II, p. 110.

(55) HAYES, 61, n. 21, fig. 16; Atl. pag. 84, tav. XXXV 1 e 3, J. FREED, op. cit., p. 95.

I, Valentiniano II, Flavio Vittore o Eugenio, Teodosio I, Onorio e Teodosio II, Marciano, ed un minimo di Vitige (56) (figg. 51, 52, 53, 54, 55 e 56).

Gli strati (III-IV-V) sono stati disturbati dalla fossa di controllo (VI) per la costruzione del muro in « opus vittatum » in tufo grigio, che ha tagliato la cenere vulcanica compatta e rimaneggiato lo strato delle pomici verdognole.

La prima frequentazione dell'area risale all'impianto dell'atrio tetrastilo della *domus*; è possibile che già dalla metà del III sec. d.Cr. questa parte della *domus* sia stata oggetto di rifacimenti (57). Il IV sec., e presumibilmente la seconda metà di esso, dai dati di scavo sembrerebbe rappresentare un momento di ripresa del centro, per i rinvenimenti di ceramica sigillata chiara D (IV-V sec. d.Cr.), associati ai ritrovamenti monetali che coprono l'intero IV secolo e saltuariamente il successivo. Tutto ciò ci conferma quanto già noto anche in altri centri più importanti della Campania, come Nola o addirittura *Puteoli* (58). *Abellinum* si collegava a questa città per l'importante acquedotto augusteo del Serino, situato nel suo territorio, e fatto restaurare nel 324 da Costantino, il che dovette costituire un segno di vitalità per la stessa *colonia Abellinatium* (59). A queste indicazioni fanno riscontro una serie di documenti epigrafici di IV sec. che ricordano dediche onorarie a patroni senatori o personaggi del ceto dirigente regionale che giungono sino agli inizi del V sec. d.Cr.. Non mancano iscrizioni che menzionano anche il funzionamento e le cure di manutenzione della strada che collegava *Abellinum* con il *territorium neapolitanum*, risalente allo stesso periodo (60).

L'impegno pubblico attestato sino a questo periodo non deve trarre in inganno circa le effettive condizioni economiche della città, anche se la presenza di un gran numero di modestissimi *aes*/IV (cosiddetti minimi), consunti e quasi sempre illeggibili, avranno assicurato i piccoli scambi locali (61).

L'unica emissione del primo quarantennio del VI sec. d.Cr., sembra contemporanea, insieme a pochi esemplari più tardi della sigillata chiara D, al diffondersi della « ceramica a bande larghe »

(56) Massimiano (294/6-305), ROBERTSON, *cit.*, p. 32 nr. 112; Costante (?) (335-341), *L.R.B.C.*, I, cfr. p. 16; Costanzo II (347-348), ROBERTSON, V, cfr. p. 302, nr. 7, Tav. 67; Costanzo II, (351-361) *L.R.B.C.*, II, cfr. pp. 96-7; Valentiniano I, (364-378), *L.R.B.C.*, II cfr. p. 52, nr. 338; ---]NTI[---, (388-408): *L.R.B.C.*, II, p. 62; Flavio Vittore o Eugenio (fine IV), ROBERTSON, V, tav. 88, 8 riferimento generico; Onorio e Teodosio II (408-423): *L.R.B.C.*, II, nr. 1114; Marciano (450-457) *L.R.B.C.*, II, p. 463; Vitige (536-540) coniazione di restituzione, cfr. W. HAHN, *Moneta Imperii Byzantini*, III, Wien, 1981, tav. 41, 85.

(57) Da Montoro proviene la dedica (C.I.L. X 1117) onoraria a Gordiano III (240 d.Cr.), in cui è citata una deduzione coloniale dell'imperatore Alessandro Severo. La deduzione e la dedica potrebbero essere in rapporto con questi interventi di risistemazione urbana (?).

(58) Su Nola, si vedano in questo volume le considerazioni di Valeria Sampaolo; su *Puteoli* cfr. CAMODECA, *loc. cit.*.

(59) Per l'acquedotto del Serino, I. SGOBBO, *Not. Scavi*, 1938, pp. 75 e ss. cfr. per la datazione, G. CAMODECA, *Puteoli, Studi di Storia Antica*, IV-V, 1980-81, p. 60: il restauro fu curato dal primo *Consularis Campaniae M. Ceionius Iulianus* (H. JONES, J.R. MARTINDALE, J. MORRIS, *P.L.R.E.*, I, 476), per un successivo restauro ricordato in una costituzione di Onorio (28-12-399: *C.Th.*, XV, 2, 8), cfr. CAMODECA, *op. cit.* p. 84.

(60) Cfr. *C.I.L.*, X, 1126, *P.L.R.E.*, *cit.*, 690: *C. Lucceius Petilius, signo Gaudentius*, fu patrono di *Abellinum*, forse nativo. *C.I.L.*, X, 1125, *P.L.R.E.*, 875: *C. Iulius Tatianus Rufinianus*, fu *Consularis Campaniae* circa il 334; *C. Th.*, XII, 1, 68: si parla di un ignoto *Consularis Campaniae*, colpevole di *nimia arrogatio* ai danni dell'*ordo Abellinatium*; per l'identificazione del *Consularis* cfr. CAMODECA, *cit.*, pp. 105-106; *C.I.L.*, X, 1128 *P.L.R.E.*, II, 244: l'iscrizione è datata al 409 per la menzione del Prefetto del Pretorio *Caecilianus*; in essa si fa anche menzione di un ignoto *magister militum* (*P.L.R.E.*, II, 1223, 19) e si ravvisa il nome, scorrettamente tradito del *Consularis Campaniae Pontius Paulinus* cfr. CAMODECA, *cit.*, p. 409. Su di un cippo miliare inedito (statua reimpiegata), rinvenuto in loc. Torrette di Mercogliano, lungo l'attuale strada statale 7 bis, sono ricordati i nomi degli imperatori sotto i quali sono stati eseguiti i lavori, ed il numero delle miglia: quattro da *Abellinum*. Gli imperatori sono Giuliano e Valentiniano, Teodosio e Arcadio (fine IV-V d.Cr.).

(61) Q. E 22, strato IV: 28 *AE* illeggibili, databili tra la seconda metà del IV e del V sec. d.Cr.

(62) e ci attesta una sopravvivenza del centro, anche dopo l'eruzione.

Pertanto, pur non potendo supporre la fine di *Abellinum*, basandoci sul materiale sinora noto, sul finire del V sec. d.Cr., si ha però l'impressione che al sopraggiungere dell'evento eruttivo, la città doveva essere già in uno stato di generale degrado e di parziale abbandono.

Le pomici, infatti, obliterano un massiccio « crollo » delle strutture murarie. Gli strati, formatisi in un periodo in cui le costruzioni avevano già perduto la loro originaria altezza e fruizione, restituiscono solamente materiali archeologici. Le abitazioni di maggior respiro si trasformano in piccole unità abitative e solo quelle lungo le strade (63) sembrano avere una più lunga frequentazione rispetto alle aree più retrostanti. Le tombe che si addossano ai muri, si situano nelle aree della cinta muraria, e documentano una evidente contrazione dello spazio urbano (64).

---

(62) D. WHITEHOUSE, *Medieval Archeology*, 10, 1966, pp. 36-44.

(63) Nella stratigrafia delle due strade, per ora rimesse in luce, della città antica, un *cardo* ed un *decumanus* non si è mai rinvenuto lo strato di lapillo. Molto probabilmente esso fu tolto di proposito, perchè meglio si potesse utilizzare il fondo stradale. Si può supporre che il decumano, soprattutto, potesse aver avuto una continuità anche quando, in età più tarda, presumibilmente dal VII sec. d.C., *Abellinum*, si va gradualmente riducendo, a favore di nuovi e più sicuri insediamenti sulle sommità di colline quali il *Mons Truppoaldi* (l'odierna collina detta oggi Monte Castello o Castello dei Monaci, sulla riva destra del Sabato) e la collina della « Terra », nell'odierna Avellino (area del Duomo). Per questo problema cfr. AA.VV. *Saepinum, Museo Documentario dell'Altilia*, Campobasso, 1982, p. 174.

(64) Sul problema della contrazione e della disgregazione, in età alto medievale, dei centri urbani; G. GALASSO, *Le città campane nell'alto Medioevo, Archivio storico prov. napoletane*, LXXXVII, n.s. XXXVIII, 1959, 119, 42 e particolarmente pp. 20 ss.

APPENDICE

FONTI ANTICHE RELATIVE ALLE ERUZIONI VESUVIANE ED ALTRI FENOMENI
VULCANICI SUCCESSIVI AL 79 D.C.

III Secolo

Cassius Dio, (65), *Historia Romana*, LXXVI, 2, 1-3l, p.c. 202-205 (ed. U. Ph. Boissevain, Berlino, 1901).

ἐν δὲ τῷ Βεσβίῳ τῷ ὄρει πῦρ τε πλεῖστον ἐξέλαμφε καὶ μυ-
κήματα μέγιστα ἐγένετο, ὥστε καὶ ἐς τὴν Καπύην, ἐν ᾗ, ὁσάκις ἂν
ἐν τῇ Ἰταλίᾳ οἰκῶ, διάγω, ἐξακουσθῆναι· τοῦτο γὰρ τὸ χωρίον
ἐξειλόμην τῶν τε ἄλλων ἕνεκα καὶ τῆς ἡσυχίας ὅτι μάλιστα, ἵνα
σχολὴν ἀπὸ τῶν ἀστικῶν πραγμάτων ἄγων ταῦτα γράφαιμι. ἐδό-
κει οὖν ἐκ τῶν περὶ τὸ Βέσβιον γεγονότων νεοχμόν τι ἔσεσθαι, καὶ
μέντοι καὶ τὰ περὶ τὸν Πλαυτιανὸν αὐτίκα ἐνεοχμώθη. μέγας μὲν
γὰρ ὡς ἀληθῶς ὁ Πλαυτιανὸς καὶ ὑπέρμεγας ἐγεγόνει, ὥστε καὶ
τὸν δῆμον ἐν τῷ ἱπποδρόμῳ ποτὲ εἰπεῖν " τί τρέμεις, τί δὲ ὠχριᾷς;
πλεῖον τῶν τριῶν κέκτησαι ".

« Sul Vesuvio un fuoco enorme bruciava e c'erano boati tanto potenti da essere sentiti sino a Capua dove io vivo quando vengo in Italia.

Ho scelto questo luogo per vari motivi e particolarmente per la sua tranquillità, cosicché quando ho del tempo libero dagli impegni della capitale io posso scrivere questa storia. In relazione a ciò che accadde sul Vesuvio, sembrava probabile che qualche cambiamento stesse per avverarsi; ed infatti ci fu un immediato mutamento nelle fortune di Plauziano (66). Questo uomo era diventato grande, e più grande, in verità, cosicché perfino la folla nel circo una volta esclamò: « Perché tremi, perché impallidisci? Tu possiedi più di quanto posseggono i tre! » (67).

In questo passo i boati del Vesuvio sono intesi come un « avvertimento » in connessione con la caduta in disgrazia di Plauziano.

Sembrano, comunque, fenomeni precursori non associati a nessuna attività eruttiva che troverebbe conforto con la realtà dei luoghi.

Infatti, in tutti gli affioramenti prossimali e distali, non si rinviene in realtà tra il livello delle Pomici di Avellino ed il livello del 472 d.Cr. per il settore Nord-Nord Est, e tra il 79 d.Cr. ed il 472 d.Cr., per il settore Sud-Sud Est, nessun livello significativo, ascrivibile ad un evento di questo periodo.

(65) Cassio Dione Cocceiano, console nel 229 d.Cr., P.I.R. 2, II, 492.
(66) Gaio Fulvio Plauziano, Prefetto del Pretorio di Settimio Severo, già nel 197, sino al 205 (P.I.R. 2, III, 1943, n. 554, pp. 218-221), nativo di Leptis Magna, nella provincia d'Africa: M. TORELLI, *Per una storia della classe dirigente di Leptis Magna, Rend. Lincei*, 28, 1973, pp. 393-394.
(67) Settimio Severo, Caracalla e Geta.

V Secolo

Marcellinus *Comes* (68), *Chronicon*, ed. Th. Mommsen, in M.G.M. (A.A.), XI, 1814, pag. 90.

472 *Marciani et Festi.*

1 Vesuvius mons Campaniae torridus intestinis ignibus aestuans exusta evomuit viscera nocturnisque in die tenebris incumbentibus omnem Europae faciem minuto con texit pulvere. huius metuendi memoriam cineris Byzantii annue celebrant VIII idus Novemb.

2 Anthemius imperator Romae a Recimero genero suo occiditur. loco eius Olybrius substitutus septimo mense imperii sui vita defunctus est.

3 In Asia aliquantae civitates vel oppida terrae motu conlapsa sunt.

Nel 472 d.Cr. sotto il consolato di Marciano e Festo.

1 Il Vesuvio, arso monte della Campania ribollente di fuochi interni, vomitò viscere bruciate, incombendo tenebre notturne durante il giorno, coprì di sottile polvere tutta la superficie dell'Europa. A Bisanzio annualmente ricordano questa terribile polvere. Il 6 di Novembre.

2 L'imperatore Antemio a Roma è ucciso dal genero Recimero. Olibrio, sostituito al suo posto, morì nel settimo mese del suo impero.

3 In Asia un buon numero di città e piazzeforti fu distrutto da un terremoto ».

Si evince la possibilità di una emissione di lava, che non è stata mai riconosciuta sul terreno; tuttavia l'espressione '' vomitò viscere bruciate '', potrebbe accordarsi con qualcosa che fuoriesce e si trascina sul suolo come tipico delle nubi ardenti, ossia di depositi di colate piroclastiche da scorrimento. A tale riguardo va osservato, fra l'altro, che gli studi dell'eruzione del 472 hanno evidenziato la presenza di depositi sul terreno dei prodotti da nubi ardenti (69).

VI Secolo

Cassiodorus (70), *Variae*, ed. Th. Mommsen, in M.G.M. (A.A.) XII, 1814, IV, 50; A. J. Fridh, in C. Ch.. s.l., XCVI, 1973, IV, L, pp. 175-176; trad. G. Frieri Della Sala.

Fausto Ppo (71) *Theodericus Rex, 507 - 511*

Campani Vesuvii montis hostilitate vastati clementiae nostrae supplices lacrimas profuderunt, ut agrorum fructibus enudati subleventur onere tributariae functionis. Quod fieri debere nostra merito

---

(68) Marcellino *Comes*: *P.L.R.E.*, II, p. 710, nr. 9: Marcellino, nativo dell'Illirico; egli fu a servizio come funzionario di palazzo (*cancellarius*) di Giustino *patricius* (521-527). Egli scrisse il suo *Chronicon*, come un seguito di S. Girolamo, da Teodosio I sino all'inizio del regno di Giustiniano, ricevendo così il favore dell'imperatore. Il titolo di *Comes* gli fu probabilmente dato da Giustiniano dopo la prima edizione del *Chronicon*.

(69) Cfr. in questo stesso volume Rosi-Santacroce.

(70) Cassiodoro, *P.L.R.E.*, II, pp. 265-269, nr. 4: Flavio Magno Aurelio Cassiodoro Senatore *quaestor palatii* (ministro responsabile delle questioni legali) di Teodorico, tra il 507-511.

(71) *P.L.R.E.*, II, pp. 454-456, nr. 9: Fausto (9): Flavio Anicio Probo Fausto Nigro, il Giovane, Prefetto del Pretorio d'Italia nel 507-512.

pietas adquiescit. Sed quia nobis dubia est uniuscuiusque indiscussa calamitas, magnitudinem vestram ad Nolanum sive Neapolitanum territorium probatae fidei virum praecipimus destinare, ubi necessitas ipsa domestica quadam laesione grassatur, ut agris ibidem diligenter inspectis, in quantum possessoris laboravit utilitas, sublevetur: quatinus mensurate conferatur quantitas beneficii, dum modus integer cognoscitur laesionis. Laborat enim hoc uno malo terris deflorata provincia, quae ne perfecta beatitudine frueretur, huius timoris frequenter acerbitate concutitur. Sed non in totum durus est eventus ille terribilis: praemittit signa gravia, ut tolerabilius sustineantur adversa. Tantis enim molibus natura rixante montis illius hiatus immurmurat, ut excitatus quidam spiritus grandisono fremitu vicina terrificet. Fuscantur enim aera loci illius exhalatione taeterrima et per totam paene Italiam cognoscitur, quando illa indignatio commovetur. Volat per inane magnum cinis decoctus et terrenis nubibus excitatis transmarinas quoque provincias pulvereis guttis compluit, et quid Campania pati possit, agnoscitur, quando malum eius in orbis alia parte sentitur. Videas illic quasi quosdam fluvios ire pulvereos et harenarum sterile impetu fervente velut liquida fluenta decurrere. Stupeas subito usque ad arborum cacumina dorsa intumuisse camporum et luctuoso subito calore vastata, quae laetissima fuerant viriditate depicta. Vomit fornax illa perpetua pumiceas quidem, sed fertiles harenas, quae licet diuturna fuerint adustione siccatae, in varios fetus suscepta germina mox producunt et magna quadam celeritate reparant, quae paulo ante vastaverant. Quae et ista singularis exceptio unum montem sic infremere, ut tot mundi partes probetur aeris permutatione terrere et sic suam substantiam ubique dispergere, ut non videatur damna sentire? Longe lateque pulveres rorat, vicinis autem quasdam moles eructuat et tot saeculis mons habetur, qui erogationibus tantis expenditur. Quis credat tam ingentes glebas usque in plana deductas de tam profundis hiatibus ebullisse et spiritu quodam efflante montis ore consputas quasi leves paleas fuisse proiectas? Alibi cacumina magna terrarum localiter videntur ardere: huius incendia paene mundo datum est posse cognoscere. Quemadmodum ergo non credamus incolis, quod testimonio potest universitatis agnosci? Quapropter, ut dictum est, talem eligat vestra prudentia, qui et remedia laesis conferat et locum subreptionibus non relinquat.

« Il re Teodorico al Prefetto del Pretorio Fausto (tra il 507-511 d.C.).

I Campani, danneggiati dall'ostilità del monte Vesuvio, implorando la nostra clemenza, versarono lacrime, perché, privati dei frutti della terra, fossero esentati dalla tassa fondiaria. E ciò meritatamente la nostra benevolenza consente che si faccia. Ma poiché non conosciamo il danno di ognuno di essi, ordiniamo che vostra eccellenza destini un uomo di provata fede per il territorio nolano o meglio napoletano dove la fatalità colpisce i prodotti del paese, perché, ispezionati in zona i campi, si aiuti nella proporzione in cui il proprietario fu danneggiato: si conferisca con misura la quantità del beneficio fino al punto in cui è conosciuta la precisa entità del danno.

È travagliata da questo unico male, danneggiata nelle terre, la provincia, la quale, perché non fruisca di una completa felicità, è frequentemente sconvolta da questo angoscioso timore. Ma non pienamente pericoloso è quell'evento terribile: si fa precedere da segni rilevanti così che si tollerino meglio le avversità. Infatti la voragine di quel monte all'interno mormora, rissando la natura per così grandi masse, tanto che un intenso soffio atterrisce i luoghi vicini con un fremito altisonante. Dall'esalazione assai nauseante di quel luogo l'aria è fatta nera e quasi per tutta l'Italia si sa quando accade l'eruzione. Vola per il grande spazio cenere impalpabile e, sollevatesi nubi di terra, piove polvere sulle province al di là del mare e si conosce cosa possa patire la Campania quando il suo male in altra parte della terra è avvertito.

Potresti lì vedere scorrere quasi fiumi di polvere e defluire liquide correnti per l'impeto vorticoso di sterili sabbie. Ti stupiresti che improvvisamente i campi in superficie si siano rigonfiati fino alle cime degli alberi e che siano stati devastati dall'improvviso, rovinoso calore, essi che erano stati fertilissimi, coperti di verde. Vomita quella fornace eterna sabbie di pomice ma fertili, le quali, sebbene siano state rese arse dal lungo bruciare, presto producono germogli di varie piante, e, con grande celerità, fanno rifiorire quelle terre che poco prima avevano devastato. Che è questa singolare eccezione che un solo monte così frema che è provato che atterrisce tanta parte del mondo per lo sconvolgimento dell'aria e disperde ovunque la sua sostanza così che non sembri sentirne i danni? Per ogni dove diffonde polvere, erutta poi nei luoghi vicini dei massi ed è ritenuto per tanti secoli monte, esso che è consumato da tante eruzioni. Chi potrebbe credere che zolle tanto ingenti, spinte in pianura, siano venute fuori da così profonde fenditure e, sputate dalla bocca del monte, per un ribollire interno siano state lanciate come leggera paglia? Altrove, in certi luoghi, grandi cime sembrano ardere: è stato dato quasi a tutto il mondo di poter conoscere gli incendi di questo. Come non credere agli abitanti in ciò che può esser conosciuto dalla testimonianza di tutti? Perciò, come è stato detto, la vostra saggezza scelga un uomo tale che risarcisca i danneggiati e non lasci posto alle frodi ».

Il passo di Cassiodoro è interessante, e per i problemi amministrativi che si evidenziano all'indomani dell'evento eruttivo, e più specificamente per la descrizione dello stesso.

I Campani, in particolare i Nolani e gli abitanti del territorio napoletano, danneggiati dagli effetti dell'evento eruttivo chiedono di essere esentati dalla tassa fondiaria e pertanto fanno richiesta esplicita al Prefetto del Pretorio di nominare un addetto che accerti i danni.

Dal testo si evince l'esistenza di un contenzioso tra gli abitanti della Regione e gli organi statali, che in qualche misura sottovalutano gli effetti dell'eruzione, per cui si rende necessaria da parte di Cassiodoro una dettagliata descrizione e dei luoghi e dell'eruzione, perché siano chiare le necessità reali degli abitanti della Campania.

È evidente la dinamica dell'eruzione riconducibile alla messa in posto di « surges » unitamente alla formazione di depositi di caduta aerea costituiti in genere da materiale pomiceo che rappresentano l'episodio peculiare di questa eruzione (72), avvenuta certamente prima del 507-511 data della lettera come si evince dal testo stesso.

Paschale Campanum, ed. Th. Mommsen, in M.G.M. (A.A.), IX, pagg. 265 e 330.

505 Theodoro (73)
(*Mons Besubius eructuavit V id. Novembres*)

Nell'anno 505 sotto il consolato di Teodoro
(Il monte Vesuvio eruttò il 9 di novembre)

Il passo potrebbe accordarsi all'evento ricordato dal *Comes* Marcellino nel 472 d.Cr.: infatti c'è da notare che entrambe le fonti citano l'avvenimento come accaduto durante il mese di novembre (6, *Comes*, 9, *Paschale*). Inoltre la cronologia di esso precede di poco la data della lettera di Cassiodoro (cfr. pp. 10-11) emessa tra il 507 e il 511, che descrive un evento di grossa entità accaduto precedentemente.

Pertanto anche se una risposta al problema potrebbe essere fornita solo da una revisione critica delle tre fonti, non è da escludere l'ipotesi, tenuto conto in particolare dei rilevamenti specifici sul terreno, che si tratti di un'unica eruzione. Tale ipotesi potrebbe essere avvalorata dalla considerazione che la cronologia dei *chronica* del periodo in questione dalla morte di Teodosio (395 d.Cr.) almeno fino alla fine del V sec. d.Cr., risulta da una serie di differenti epitomi che si completano a vicenda (cfr. M.G.M. (A.A.), vol. XI, pp. 45-47). L'eruzione si identifica con quella che in letteratura è ricordata come « l'eruzione del 472 d.Cr. » ma che allo stato attuale degli studi e considerato quanto sin qui esposto, potrebbe invece essere compresa cronologicamente tra la data tradizionale, appunto, del 472 d.Cr. - che pertanto costituirebbe il limite inferiore - e il 507-511 (lettera di Cassiodoro) che costituirebbe il limite superiore. Viceversa il successivo passo del *Paschale Campanum* del 512 si riferisce ad una eruzione differente (cfr. *infra*)

---

(72) Cfr. ROSI - SANTACROCE, *loc. cit.*
(73) *P.L.R.E.*, II, p. 1097, nr. 62: Flavio Teodoro, console in occidente con Sabiniano (5) in oriente.

512 *p.c. Felicis (74).*

1 [*hoc anno in K. Iul. Sol eclipsin passus est*],
2 [*et monte Besuvio ardente VIII Id. Iulias
tenebrae factae sunt per vicinium montis*] (75)

Nell'anno 512 dopo il consolato di Felice

1 [In questo anno il primo luglio, il Sole subì un'eclisse]
2 [ed ardendo il monte Vesuvio l'otto di Luglio
si fece scuro nelle vicinanze del monte].

Il passo rivela una eruzione di tipo stromboliano, di entità molto limitata. Livelli molto sottili di questa eruzione sono stati rinvenuti in punti vicini al vulcano e ben localizzati (ad es., nel Comune di Ottaviano).

I prodotti, quindi, ascrivibili a questa eruzione, controllati sul terreno, differiscono dai livelli di caduta dell'eruzione " del 472 " che coprono distanze anche molto lontane da cratere in direzione E-NE.

Infatti i Comuni in cui si sono eseguiti i rilevamenti (Palma Campania, Nola, Avella, Mugnano del Cardinale, Monteforte Irpino, Avellino, Atripalda) corrispondono a quel *territorium neapolitanum*, descritto da Cassiodoro, così devastato dall'eruzione. Pertanto si può affermare che gli strati eruttivi rinvenuti ad Atripalda, che dista dal cratere, in linea d'aria circa 30 Km. si possono sicuramente ascrivere all'eruzione avvenuta tra il 472 e il 507-511.

In tal senso per ora solo l'evidenza vulcanologica riscontrata sul terreno ci conferma la diversità delle due eruzioni. La fonte in esame, peraltro, unitamente all'osservazione degli strati in punti vicini al vulcano costituisce un contributo nella distinzione delle due eruzioni diverse, sia nell'entità che nella dislocazione geografica.

Procopius Caesariensis (76), *Bellum Gothicum*, (ed. e trad. D. Comparetti, in F.St.It. Roma 1895).

II, 4: 536 d.C.

Τότε καὶ τὸ ὄρος ὁ Βέβιος ἐμυκήσατο μὲν, οὐ μέντοι ἠρεύξατο, καίτοι γε καὶ λίαν ἐπίδοξος ἀπ' αὐτοῦ ἐγεγόνει ὅτι ἐρεύξεται. διὸ δὴ καὶ τοῖς ἐπιχωρίοις ξυνέβη ἐς δέος μέγα ἐμπεπτωκέναι. τὸ δὲ ὄρος τοῦτο Νεαπόλεως μὲν ἑβδομήκοντα σταδίοις διέχει, τετραμμένον αὐτῇ πρὸς βορρᾶν ἄνεμον, ἀπότομον δὲ ἀτεχνῶς ἐστι, τὰ κάτω μὲν ἀμφιλαφὲς κύκλῳ, τὰ ὕπερθεν δὲ κρημνῶδές τε καὶ δεινῶς ἄβατον. ἐν δὲ τῇ τοῦ Βεβίου ὑπερβολῇ σπήλαιον κατὰ μέσον μάλιστα βαθὺ φαίνεται, ὥστε εἰκάζειν αὐτὸ ἄχρι ἐς τὰ ἔσχατα τοῦ ὄρους διήκειν. καὶ πῦρ ἐνταῦθα ὁρᾶν πάρεστιν, ἤν τις ὑπερκύπτειν τολμήσειε, καὶ χρόνῳ μὲν τῷ ἄλλῳ ἡ φλὸξ ἐφ' ἑαυτὴν στρέφεται, πράγματα οὐδενὶ παρεχομένη τῶν ταύτῃ ἀνθρώπων, ἐπειδὰν δὲ κτύπον τινὰ μυκηθμῷ ἐμφερῆ τὸ ὄρος ἀφιῇ, κόνεως μέγα τι χρῆμα οὐ

---

(74) *P.L.R.E.*, II, pp. 462-463, nr. 20 e nr. 5: Flavio Felice, console nel 511, in occidente, con Flavio Secundino in oriente, durante l'impero di Teodorico.

(75) Questa parte del testo, data in parentesi quadra è una interpolazione dello scrittore campano alle annotazioni storiche successive all'anno 493 d.Cr., non pertinenti al *Chronicon* originale.

(76) Procopio di Cesarea: storiografo del tempo di Giustiniano. Nacque a Cesarea in Palestina verso la fine del V sec. d.Cr.; nel 527 era a Costantinopoli, segretario di Belisario; lo seguì nelle spedizioni militari in Asia, Africa ed Italia sino al 540. Si ritiene che morisse, tra il 562 ed il 563, vedi D. COMPARETTI, *loc. cit.*, prefazione.

πολλῷ ὕστερον ἐκ τοῦ ἐπὶ πλεῖστον ἀνίησι. καὶ ἢν μέν τινα ὁδῷ τὸ κακὸν τοῦτο βαδίζοντα λάβῃ, τοῦτον δὴ τὸν ἄνθρωπον οὐδεμιᾷ μηχανῇ βιώσεσθαί ἐστιν, ἢν δὲ οἰκίαις τισὶν ἐπιπέσοι, πίπτουσι καὶ αὐταὶ τῷ τῆς κόνεως πλήθει ἀχθόμεναι. ἀνέμου δὲ σκληροῦ, ἂν οὕτω τύχῃ, ἐπιπεσόντος, ἀνιέναι μὲν αὐτὴν ξυμβαίνει ἐς ὕψος μέγα, ὡς μηκέτι ἀνθρώπῳ ὁρατὴν γίνεσθαι, φέρεσθαι δὲ ὅπη ἂν αὐτῇ τὸ πνεῦμα ἐπίφορον εἴη, ἐμπίπτειν τε εἰς γῆν, ἢ ὡς ἑκαστάτω τυγχάνει οὖσα. καὶ ποτὲ μέν φασιν ἐν Βυζαντίῳ ἐπειπεσοῦσαν οὕτως ἐκπλῆ- ξαι τοὺς ταύτῃ ἀνθρώπους ὥστε πανδημεὶ ἐξ ἐκείνου δὴ καὶ ἐς τόδε τοῦ χρόνου λιταῖς ἐνιαυσίοις ἐξιλάκεσθαι τὸν θεὸν ἔγνωσαν, ἐς Τρίπολιν δὲ τῆς Λιβύης χρόνῳ ἑτέρῳ ἐμπεπτωκέναι. καὶ πρότερον μὲν ἐνιαυτῶν ἑκατὸν ἢ καὶ πλειόνων τὸν μυκηθμὸν τοῦτόν φασι γενέσθαι, ὕστερον δὲ καὶ πολλῷ ἔτι θᾶσσον ξυμβῆναι. τοῦτο μέντοι ἀπισχυρισάμενοι λέγουσιν, ὅτι δὴ ἐπειδὰν τῷ Βεβίῳ ταύτην ἐρεύξασθαι τὴν κόνιν ξυμβαίη, εὐθηνεῖν ἀνάγκη τὴν ἐκείνῃ χραυ καρποῖς ἅπασιν. ἀὴρ δὲ λεπτότατός ἐστι καὶ πρὸς ὑγείαν ἱκανὸς πεφυκὼς ἐν τῷ ὄρει τούτῳ πάντων μάλιστα. ἐς τοῦτο ἀμέλει τοὺς φθό ἡάλόντας ἐκ τῶν ἄνωθεν χρόνων ἰατροὶ πέμπουσι. τὰ μὲν οὖν ἀμφὶ τῷ Βεβίῳ ταύτῃ πη ἔχει.

« In quel tempo il Vesuvio prese a mugghiare, senza però entrare in eruzione, quantunque tutto facesse credere che ciò farebbe, perloché le genti del paese vennero in grande timore. Questo monte è distante da Napoli settanta stadi e situato a settentrione di essa; è molto arduo; nella parte inferiore coperto di vegetazione tutt'intorno; di sopra è dirupato assai e mal praticabile. Sulla vetta del Vesuvio, quasi nel mezzo, vedesi una spelonca profonda da parere che si estenda fino alle radici del monte; là dentro chi ardisca sporgere il capo può veder del fuoco, e di tempo in tempo una fiamma si svolge, senza dar molestia alcuna alle genti del paese. Ma dopo che il monte ha emesso un rumore simile ad un muggito per lo più suol poco appresso scagliar fuori gran quantità di cenere, che se per mala ventura alcun viandante ne fosse colto, non v'ha possibilità alcuna ch'ei rimanga vivo; se poi venga a cadere sulle case, cadono anch'esse travolte dalla massa delle ceneri; quando avviene che le spiri contro un forte vento, sollevasi quella a grande altezza a perdita di vista e trasportata là dove la spinge il vento, vien poi a cadere sulla terra, a grandissima distanza. Dicesi che una volta andasse a cadere a Bizanzio, con tale spavento di quella gente che da quel tempo in poi furonvi istituite annue preghiere per placare l'ira divina, e che anche in altro tempo ne venisse a cadere a Tripoli in Africa. Dicesi pure che tal muggito prima avvenisse ogni cento o più anni, e più tardi si producesse anche più frequentemente. V'ha chi afferma che quando il Vesuvio abbia eruttato di queste ceneri, quella regione non possa a meno di esser molto ferace. L'aria su quel monte è quanto mai sottile e buona per la salute; ed invero i medici da tempo antico mandan colà i malati di tisi. E tanto sia detto del Vesuvio ».

Negli anni intorno al 536, il Vesuvio evidenzia fenomeni precursori ma non associati ad una eruzione vera e propria. Il passo ne ricorda una precedente: « dicesi che una volta andasse a cadere a Bisanzio » espressione che può riferirsi a quella ricordata dal *Comes* Marcellino (472 d.Cr.). Si caratterizzano per questa: fenomeni precursori, una fase esplosiva e depositi di caduta in aree distali.

Procopio ricorda anche un'altra eruzione che potrebbe essere quella del 79 d.Cr.: « e che in altro tempo ne venisse a cadere a Tripoli in Africa ».

Inoltre fa riferimento agli sconvolgimenti provocati dalle eruzioni di tipo pliniano che modificano profondamente gli assetti territoriali; tuttavia, la natura stessa dei prodotti è tale che al tempo stesso è portatrice di benefici (cfr. in questo senso il passo di Cassiodoro, *loc. cit.*: la terra torna fertile e feconda in tempi brevissimi).

IV, 35: 553 d.C.

Ἔστι δέ τι ὄρος ἐπὶ Καμπανίας ὁ Βέβιος, οὕπερ ἐν τοῖς ἔμπροσθεν λόγοις ἐμνήσθην, ὅτι δὴ πολλάκις ἀφίησιν ἦχον μυκηθμῷ ἐμφερῆ. καὶ ἐπειδὰν αὐτῷ τὸ τοιοῦτον ξυμβαίη, ὁ δὲ καὶ κόνεως ἐπὶ τούτῳ ζεούσης τι χρῆμα μέγα ἐρεύγεται. ταῦτα μὲν ἐς ἐκεῖνό μοι τοῦ λόγου ἐρρήθη. τούτου δὴ τοῦ ὄρους, ᾗπερ καὶ τῆς κατὰ τὴν Σικελίαν Αἴτνης, κενὰ τὰ ἐν μέσῳ ἐσχάτων ἄχρι ἐς τὴν ὑπερβολὴν ἀπὸ ταὐτομάτου τετύχηκεν εἶναι, οὗ δὴ ἔνερθεν διηνεχὲς τὸ πῦρ καίεται. ἐς τόσον δὲ βάθος τοῦτο δὴ τὸ κενὸν διήκειν ξυμβαίνει ὥστε δὴ ἀνθρώπῳ ἐν τῇ ἀκρωρείᾳ ἑστῶτι ὑπερκύπτειν τε τολμῶντι ἐνθένδε οὐ ῥᾳδίως ἡ φλὸξ ὁρατὴ γίνεται. ὁπηνίκα δὲ ξυνενεχθείη τῷ ὄρει τῷδε τὴν κόνιν, ᾗπέρ μοι ἐρρήθη, ἐρεύγεσθαι, καὶ πέτρας ἀποτεμνομένη ἀπὸ τῶν τοῦ Βεβίου ἐσχάτων ἡ φλὸξ ὑπὲρ τὴν κορυφὴν τοῦ ὄρους τούτου μετεωρίζει, τὰς μὲν βραχείας, τὰς δὲ καὶ μεγάλας κομιδῇ οὔσας, ἐνθένδε τε αὐτὰς ἀποπεμπομένη ὅπῃ παρατύχοι διασκεδάννυσι. ῥέει δὲ καὶ ῥύαξ ἐνταῦθα πυρὸς ἐκ τῆς ἀκρωρείας κατατείνων ἄχρι ἐς τοῦ ὄρους τὸν πρόποδα καὶ ἔτι πρόσω, ἅπερ ἅπαντα καὶ κατὰ τὴν Αἴτνην γίνεσθαι πέφυκεν. ὄχθας δὲ ποιεῖται ὑψηλὰς ἑκατέρωθεν ὁ τοῦ πυρὸς ῥύαξ, τὰ ἔνερθεν τέμνων. καὶ φερομένη μὲν ἐπὶ τοῦ ῥύακος τὰ πρῶτα ἡ φλὸξ καιομένου εἰκάζεται ὕδατος ἐκροῇ· ἐπεὶ δέ αὐτῇ ἀποσβεσθῆναι ξυμβαίη, ἀναστέλλεται μὲν τῷ ῥύακι ὁ δρόμος εὐθύς, ἐπίπροσθέν τε ὁ ῥοῦς οὐδαμῆ πρόεισι, τὸ δὲ ὑφιζάνον τούτου δὴ τοῦ πυρὸς πηλὸς φαίνεται σποδιᾷ ἐμφερής.

« Nella Campania trovasi il monte Vesuvio da me già in un precedente libro ricordato; il quale spesse volte emette un suono simile ad un muggito, e tosto che questo avvenga, erutta anche una grande quantità di cenere ardente. Ciò io già dissi in quel libro. Questo monte, come l'Etna in Sicilia, è per fatto naturale tutto vuoto nel mezzo dal piede alla cima, e giù nel fondo arde perpetuo fuoco. Ed il vuoto giunge a tal profondità che un uomo che trovasi sulla vetta ed osi sporgere il capo, a stento riesce a vedere la fiamma. Quante volte accada che questo monte, come già dissi, erutti ceneri, la fiamma, schiantando anche sassi dalle viscere del Vesuvio, li scaglia verso la vetta quali piccoli, quali assai grandi, e di là sparge d'ogni dove; ed anche un torrente di fuoco scorre ivi dalla vetta fino alle radici del monte e più in là ancora; cose tutte queste che avvengono anche nell'Etna. E quel torrente di fuoco, rompendo il terreno, forma alte rive da ambo le parti. La fiamma che corre dapprima sul torrente lo assomiglia ad un corso di acqua accesa; spenta poi ch'essa sia, il torrente tosto arresta il suo corso, né più oltre procede, e quel che rimane di quel fuoco pare come un fango cinereo ».

Il passo evince una emissione di materiali tipo lava ed una presenza di fango cinereo (lahar), forse riconducibili alle emissioni da " base surge " e/o "lahar " legati sempre all'eruzione del 472 d.Cr. (77).

SOPRINTENDENZA ARCHEOLOGICA
DELLE PROVINCE DI SALERNO,
AVELLINO E BENEVENTO

GABRIELLA COLUCCI PESCATORI

---

(77) M. ROSI e R. SANTACROCE, *The A.D. 472, Pollena eruption : a poorly known Plinian event in the recent history of Vesuvius*, M. F. Sheridan e F. Barberi (editors), *Explosive Vulcanism, Volcanol. Geotherm. Res.*, 16, 1983.

LA RÉGION PHLÉGRÉENNE

GIORGIO BUCHNER

ERUZIONI VULCANICHE E FENOMENI VULCANO-TETTONICI DI ETA' PREISTORICA E STORICA NELL'ISOLA D'ISCHIA

(pl. LXXXIV-LXXXVII)

Le fonti classiche che parlano di eruzioni vulcaniche avvenute ad Ischia in età storica erano già tutte ben note agli autori che dalla metà del '500 in poi si sono occupati della storia e dei bagni termali dell'isola e senza fatica si potevano trovare divulgate nelle loro opere. Quando, a cominciare dagli ultimi decenni del '700, naturalisti e geologi si misero a indagare sulle formazioni che compongono quest'isola, era dunque ovvio che si cercasse anche di riferire a determinati vulcani che apparivano meglio conservati e quindi di origine più recente, le eruzioni di cui gli scrittori antichi avevano lasciato memoria. Ma poiché questi, con una sola eccezione, non danno alcuna indicazione topografica, non si poteva fare altro che ricorrere a speculazioni prive di fondamento. Perciò, mentre la conoscenza della geologia dell'isola con il passare del tempo veniva sempre più approfondita, la cronologia delle eruzioni recenti, per oltre un secolo e mezzo, non fece alcun progresso, da Nicola Andria che per primo se ne occupò diffusamente (1783, Parte II, p. 26-50), ai capitoli che a questo argomento sono dedicati nella monografia geologica di C.W.C. Fuchs (1873, p. 45-50), nello studio di Giuseppe Mercalli (1884, p. 104-107) e ancora nella monografia di Alfred Rittmann (1930, p. 135-138), nome che nel nostro discorso dovremo citare ancora innumerevoli volte.

Sarebbe tedioso quanto inutile seguire i ragionamenti con cui i diversi autori hanno cercato di sostenere queste identificazioni che si sono rivelate tutte sbagliate. Ci piace rilevare piuttosto come alcuni naturalisti — che contano proprio tra i più qualificati del loro tempo — trattando della geologia dell'isola d'Ischia, abbiano rinunciato alla tentazione di cimentarsi con questo gioco di congetture: sono Sir William Hamilton (1773), Lazzaro Spallanzani (1792), dalle cui garbatissime parole con le quali rimanda il lettore a quanto aveva scritto a proposito Nicola Andria traspare, per quanto elegantemente sia formulata, la sua critica di simili metodi (vol. I, p. 134), Scipione Breislak (1798) e in fine Ferdinando Fonseca (1847), allievo di Teodoro Monticelli. E' evidente come questi studiosi si siano resi conto di non avere i mezzi per trattare questo argomento in modo scientificamente valido. Infatti, la cronologia di eventi vulcanici recenti può essere affrontata soltanto attraverso lo studio dei paleosuoli. Di fronte alle informazioni che se ne possono ricavare, le fonti scritte, sempre lacunose, hanno ormai soltanto rilevanza secondaria.

La ricognizione dei paleosuoli

E' sorprendente che per lungo tempo i vulcanologi non abbiano prestato alcuna attenzione ai paleosuoli, ovvero livelli umificati, intercalati nelle serie stratigrafiche di piroclastiti e colate di lava, i quali permettono di distinguere le successive eruzioni e forniscono preziose indicazioni per la loro datazione. Soltanto da pochi decenni, infatti, la ricognizione dei paleosuoli è diventata un metodo universalmente seguito, mentre si cercherebbe invano di trovare un cenno al concetto di livello umificato e alla sua importanza nei manuali di vulcanologia meno recenti, come p. es. in quelli di Mercalli (1907), di Sapper (1927) o di von Wolff (1914-1929), o in studi particolareggiati di singole aree vulcaniche. Anche la magistrale opera giovanile di Alfred Rittmann (1930) dedicata alla geologia

145

dell'isola d'Ischia non fa eccezione: nelle descrizioni e nei disegni delle sezioni non si trovano indicati i pur così frequenti paleosuoli. In tutto il libro non compare questo termine, né quello sinonimo di livello umificato, e nemmeno se ne fa cenno nella prima edizione tedesca del suo manuale « Vulcani e loro attività » apparsa nel 1936.

Le prime ricerche sistematiche intente allo studio dei paleosuoli quali livelli-guida nelle serie stratigrafiche vulcaniche, della loro correlazione con tracce di insediamenti umani e della conseguente datazione degli eventi vulcanici, furono eseguite contemporaneamente e indipendentemente, nella seconda metà degli anni '30, in Islanda da Sigurdur Thorarinsson, allora un giovane vulcanologo con spiccati interessi per la storia socio-economica della sua isola nativa, e a Ischia da mio padre e da me, allora studente di archeologia. Le nostre ricerche furono pubblicate nel 1940 in un breve articolo (P. e G. Buchner, 1940) (1). Poiché Thorarinsson, invece, pubblicava le sue più tardi in uno studio molto più dettagliato che rappresentava la sua tesi di dottorato conseguito a Stoccolma nel 1944, poté citarle, insieme a un articolo di Otto de Fiore (1920) sulla regione dell'Etna (2), come gli unici esempi precedentemente pubblicati di ricerche analoghe alle sue (3).

Se l'osservazione dei paleosuoli divenne in seguito una procedura corrente, più che al lavoro di Thorarinsson apparso in svedese e perciò non facilmente accessibile nei particolari, anche se con riassunto in inglese, e alla nostra nota non pubblicata in una rivista specializzata di geologia, lo si deve all'amicizia che presto legò mio padre e me a Alfredo Rittmann.

Quando gli illustrammo il nostro scritto facendogli notare sul terreno i livelli umificati, egli si rese immediatamente conto del validissimo aiuto che la individuazione dei paleosuoli poteva dare a districare la stratigrafia delle pile di successive piroclastiti. Infatti, nel rilevamento geologico dei Campi Flegrei intrapreso da Rittmann nel 1949 insieme a un gruppo di allievi e pubblicato nel 1951, questo metodo è stato ampiamente usato, e pochi sono gli schizzi di sezioni in cui non siano indicati livelli umificati intercalati. E' questo, che io sappia, il primo rilevamento geologico di una regione di vulcanismo recente nel quale è stato sistematicamente applicato questo criterio che presto, attraverso i numerosi allievi italiani e stranieri di Rittmann, si è diffuso (4), tanto che l'osservazione dei paleosuoli in vulcanologia costituisce ormai una norma universalmente applicata, mentre nessuno se ne rende più conto che questo metodo così elementare è un'acquisizione recente.

(1) Un sunto di questi ed altri nostri studi di allora sull'isola d'Ischia è stato fornito da mio padre in una conferenza di carattere divulgativo, tenuta all'Università di Milano il 29 novembre 1942 (P. Buchner, 1943).

(2) Si tratta di una nota preliminare in cui si riferisce del rinvenimento di reperti archeologici che spaziano dal neolitico all'età romana, al di sotto o al di sopra di varie colate laviche. Purtroppo lo « studio completo, già ultimato, sulla preistoria della regione etnea in rapporto ai fenomeni eruttivi del vulcano », promesso dall'autore, non è stato mai pubblicato. Poiché ho ricordato altrove (Buchner, 1977, p. 142 sg., n. 28; 1984, p. 208) che è stato proprio il barone siciliano Otto de Fiore a impartirmi, quando ero studente liceale, le prime elementari nozioni di ceramica greca, vorrei precisare che egli non ci parlò allora dei suoi studi geo-archeologici della regione etnea di cui venimmo a conoscenza soltanto molto più tardi attraverso la pubblicazione di Thorarinsson.

(3) A tutti era sfuggito però — e anche chi scrive se n'è accorto soltanto di recente — che molto tempo prima, nel 1770, l'esistenza di numerosi paleosuoli intercalati tra i prodotti vulcanici era stata osservata, nella regione vesuviana come nei Campi Flegrei, da Sir William Hamilton (1773) che metteva correttamente in risalto l'importanza di questa scoperta al fine di poter distinguere le successive eruzioni, e notava anche come lo spessore del livello umificato poteva dare un'indicazione almeno approssimativa del lasso di tempo intercorso tra le diverse eruzioni. E tanto più è stato dimenticato l'abate Giulio Cesare Braccini (1632), citato invece dallo stesso Hamilton, che aveva osservato e minuziosamente descritto già nel 1631 paleosuoli intercalati tra le formazioni piroclastiche di una sezione esposta in un vallone del Vesuvio. (Vedi Appendice I).

(4) Nella seconda edizione del suo manuale, uscita nel 1960, Rittmann ha aggiunto infatti (cito dalla traduzione italiana del 1967, p. 95): « Le ceneri vulcaniche si alterano rapidamente ad opera degli agenti atmosferici trasformandosi in terreni molto fertili. In pochi anni alla superficie dei depositi cineritici si forma uno strato di humus di colore scuro e che

146

La nostra nota del 1940 è soltanto una breve relazione preliminare alla quale era progettato di far seguire uno studio particolareggiato e più ampiamente documentato. Ma per mio padre l'interesse per la geologia di Ischia era soltanto uno svago dalle ricerche zoologiche sulla endosimbiosi, mentre io ero in seguito troppo impegnato dagli scavi archeologici nel territorio dell'antica Pithecusa a Lacco Ameno, per poter dedicarmi ad altro. Perciò, purtroppo, quell'intenzione non fu realizzata e soltanto incidentalmente si è venuta ad aggiungere qualche nuova osservazione. Ciò è da deplorare tanto più in quanto l'esplosione edilizia avvenuta nell'isola nel corso dei decenni successivi e la facilità prima inimmaginabile con cui sterri di notevoli dimensioni vengono ormai da tempo eseguiti con mezzi meccanici, hanno senza dubbio messo in luce, senza che siano stati osservati, un gran numero di dati che sono andati per sempre perduti.

D'altronde, un controllo sistematico degli innumerevoli cantieri edili avrebbe comportato un'occupazione a tempo pieno per più di una persona. Lo sconforto procurato da questa consapevolezza è compensato almeno in parte dal vedere così largamente recepito e così proficuamente applicato da altri in altre regioni vulcaniche lo spunto da noi offerto quarantacinque anni fa. E ciò non soltanto per quanto riguarda la semplice identificazione dei paleosuoli, ma specialmente anche per quanto riguarda le possibilità di determinazioni cronologiche mediante il metodo del radiocarbonio (C14), ancora sconosciuto quando scrivemmo nel 1940.

L'augurio con il quale chiudemmo la nostra relazione, che ricerche analoghe condotte nelle isole Eolie e nei Campi Flegrei potessero portare a risultati simili a quelli ottenuti ad Ischia, si è verificato puntualmente. Io stesso, durante una breve gita a Lipari, nel 1949, vi trovai in contrada Papesca un paleosuolo ricoperto da una diecina di metri di pomici appartenenti all'ultima fase esplosiva del complesso di Monte Pelato, contenente industria di ossidiana di età neolitica (G. Buchner 1949), ma fu soltanto un'osservazione sporadica. La geologia di Lipari e delle altre isole Eolie e la cronologia delle loro eruzioni più recenti, impiegando il metodo dell'osservazione dei paleosuoli e della datazione per mezzo del C14 e di manufatti, è stata invece chiarita egregiamente da Hans Pichler (1967, 1968, 1980, 1981), allievo di Rittmann e da Jörg Keller (1967, 1969, 1970a, 1970b), a sua volta allievo di Pichler.

Ugualmente la cronologia delle eruzioni dei Campi Flegrei, dove Perozzi (1949) ha rinvenuto per la prima volta resti di ceramica eneolitica in un paleosuolo ricoperto dai prodotti del cratere degli Astroni, ha fatto negli ultimi tempi grandissimi progressi, dovuti specialmente alla raccolta sistematica di numerosissimi campioni di livelli umificati e di carboni negli stessi contenuti, da parte di A. Scherillo, E. Franco, M. Fornaseri, C. Cortesi e G. Calderoni e la loro datazione col metodo del C14 (Alessio et al. 1971a, 1971b, 1973, 1974, 1976). La geocronologia dei Campi Flegrei, in base alle determinazioni radiometriche disponibili fino al 1984 e alle osservazioni stratigrafiche, è stata riassunta da P. Di Girolamo et al. (1984, p. 371 s.).

Non si deve tacere, peraltro, che anche le datazioni C14 e archeologiche sono suscettibili di un margine di incertezza e di possibilità di errore. L'attribuzione di un dato livello piroclastico a un determinato centro eruttivo è infatti spesso discutibile, e la incertezza aumenta con la distanza dallo stesso. Per la datazione in base a reperti archeologici è da tener presente che questi, a rigore, ci danno soltanto un *terminus post quem* in relazione all'oggetto più recente rinvenuto. A tal proposito può essere istruttivo ricordare un caso estremo di divario tra l'età di una eruzione ricoprente un paleosuolo e quella dei manufatti contenuti nel medesimo. Si tratta proprio del paleosuolo con istrumenti neolitici di ossidiana innanzi menzionato, ritrovato e seguito più tardi da Keller. Negli scavi

costituisce un orizzonte guida estremamente utile per lo studio della stratigrafia dei vulcani spenti. Ad Ischia P. e G. Buchner trovarono in questi paleosuoli ricoperti da piroclastiti più recenti, numerosi manufatti che permisero una datazione delle eruzioni dal neolitico al periodo romano ».

archeologici si è riscontrato ovunque a Lipari uno straterello di cinerite bianca al disopra dei resti di età romana, e recentemente Madeleine Cavalier ha ritrovato lo stesso strato, intatto e uniforme, anche al disopra di avanzi di abitazioni tardoromane datate dal rinvenimento di monete dell'imperatore Giustiniano (527-575 d.C.). Gli studi di Keller (1967, 1970a,b; e vedi Pichler 1981, p. 84-87) hanno accertato che queste ceneri appartengono alla stessa ultima eruzione del complesso di Monte Pelato-Rocche Rosse che ha ricoperto di pomici il paleosuolo con avanzi di età neolitica, eruzione che è dunque di età altomedioevale e, secondo una testimonianza storica, potrebbe essere avvenuta precisamente nell'anno 787 d.C. (Cavalier 1978) (4 bis).

Studi recenti sulla geologia dell'isola

Negli ultimi anni la geologia dell'isola d'Ischia ha suscitato rinnovato interesse.

Rittmann stesso, dopo aver pubblicato nel 1948 uno studio in cui apporta alcune importanti modifiche e rettifiche alla monografia del 1930 (5), non si era più occupato di Ischia in particolare. Soltanto nel suo ultimo decennio, durante il mese estivo di ferie regolarmente trascorse nell'isola, egli rivisitò i luoghi descritti in gioventù, con il proposito di pubblicare in versione italiana, coadiuvato da una giovane allieva, una edizione aggiornata della sua *Geologie der Insel Ischia*. Quando ci vedemmo per l'ultima volta a Ischia, nell'agosto del 1980, egli, lucidissimo come sempre, ci raccontò che il manoscritto, tranne che per gli ultimi capitoli, era ormai redatto in forma definitiva. Il 19 settembre 1980 Alfredo Rittmann morì all'età di 88 anni e Violetta Gottini, curando l'edizione postuma, ha preferito non intervenire nel testo lasciato dal Maestro (Rittmann e Gottini 1980 [1981], ma in realtà distribuito soltanto nell'autunno 1983; in seguito citato R-G 1980).

Nel 1977 è stato pubblicato dal gruppo napolitano di G. Capaldi, L. Civetta e P. Gasparini uno studio intitolato *Volcanic History of the Island of Ischia* basato principalmente su nuove datazioni eseguite col metodo potassio-argo (K-Ar), che peraltro non si occupa delle eruzioni più recenti.

Un progetto molto più vasto, intento a un nuovo rilevamento geologico e morfostrutturale dell'isola, è stato realizzato, a partire dal 1978, dal gruppo milanese di S. Chiesa, L. Vezzoli ed altri collaboratori, sotto la guida di G. Pasquaré (6) e con la partecipazione fondamentale di P-Y. Gillot

(4 bis) Per il grande sviluppo che recentemente hanno avuto in generale, specie in regioni extraeuropee, gli studi relativi alla cronologia in base a metodi radiometrici di livelli piroclastici vastamente estesi, subaerei e sottomarini, e alla correlazione degli stessi, vedi ora il capitolo riassuntivo « Tephrochronology » del volume di R.V. Fisher e H.-U. Schmincke *Pyroclastic Rocks*, Berlin Heidelberg New York Tokyo 1984, p. 352-356 e la bibliografia ivi citata.

Non abbiamo usato di proposito i termini *tefra* e *tefrocronologia* che Thorarinsson (1944) ha coniato dalla parola τέφρα cenere, usata da Aristotele (Meteorologica II 8, 19) appunto per la cenere vulcanica. Inizialmente, infatti, Thorarinsson ha compreso con il termine tefra soltanto depositi di fall out cineritico, mentre oggi la voce viene usata generalmente come sinonimo di « materiale piroclastico », di qualsiasi dimensione e formazione, il che ci sembra una estensione non appropriata del termine. « Tefrocronologia » invece appare troppo restrittivo per indicare la cronologia dei centri eruttivi come è intesa nel caso nostro.

(5) Nel 1930 Rittmann aveva interpretato il Tufo Verde dell'Epomeo come un deposito piroclastico sottomarino, allo stesso modo di tutti gli autori precedenti. Mio padre ed io abbiamo osservato invece per primi che la sua tessitura è quella di una formazione subaerea, poiché non presenta una separazione gravitativa dei suoi componenti, e che soltanto per un successivo collasso il Tufo Verde è sprofondato sotto il mare e vi si sono depositate le argille marine fossilifere (P. Buchner, 1943). Questa interpretazione è stata in seguito accettata da Rittmann (1948, p. 646, n. 2) e da tutti gli altri studiosi che fino ad oggi si sono occupati della geologia dell'isola. In seguito è stato riconosciuto che si tratta di una formazione ignimbritica, vale a dire di un deposito di nubi ardenti (Pichler, 1970, p. 96; R-G 1980, p. 262 sg.).

(6) Si tratta di ricerche eseguite nell'ambito del Progetto finalizzato Geodinamica, Sottoprogetto Rischio Vulcanico, del C.N.R.

che ha eseguito le datazioni K-Ar, coadiuvato da L. Vezzoli, presso il Centre des Faibles Radioactivités, Laboratoire mixte CNRS-CEA, di Gif-sur-Yvette. Di queste ricerche, tuttora in corso, a prescindere da due studi particolari che non riguardano da vicino l'argomento nostro (Forcella et al. 1981, 1983), sono stati pubblicati finora soltanto una breve relazione preliminare (Gillot et al. 1982) e un sunto da servire a guida dell'escursione all'isola d'Ischia del Gruppo Vulcanico che ha avuto luogo nel maggio del 1983 (Chiesa e Vezzoli 1983). E' stato perciò particolarmente interessante e stimolante per chi scrive poter apprenderne di più dalla relazione svolta da Sergio Chiesa il 1° ottobre 1983 a un Convegno tenuto a Casamicciola in occasione del centenario del terremoto del 1883, dove erano esposte anche le nuove e ancora inedite carte, geologica e morfostrutturale, in scala 1:10.000, e in seguito poter discuterne in diverse occasioni personalmente con Chiesa e Gillot.

Confrontando lo studio di Capaldi et al. (1977) con quello di Gillot et al. (1982) si resta colpiti dalla sconcertante divergenza tra le datazioni K-Ar ottenute a Napoli nel 1976 e quelle ottenute in Francia soltanto quattro anni più tardi. Ciò vale specialmente per l'età del Tufo Verde dell'Epomeo determinata dai primi in ca. 750.000 ± 70.000 anni, da Gillot in ca. 55.000 ± 3.500 anni, ossia quasi quindici volte di meno. Minore, ma sempre considerevole, è il divario per i più antichi apparati vulcanici della zona costiera orientale e meridionale (Castello d'Ischia, Monte Cotto di Barano, Capo S. Angelo, ecc.) la cui età è stata determinata a Napoli tra i 350-300.000 anni ca., a Gif-sur-Yvette intorno ai 140-125.000 anni. E' evidente che il metodo K-Ar nasconde ancora pericolosi tranelli. Sembra peraltro che gli stessi autori napolitani oggi non siano più così convinti delle loro datazioni e che i metodi perfezionati usati più recentemente in Francia diano risultati molto più attendibili.

In seguito alle loro datazioni K-Ar, Chiesa e collaboratori si sono visti costretti di elaborare un nuovo modello della genesi dell'isola che si differenzia notevolmente da quello di Rittmann, pur restando validi l'origine subaerea del Tufo Verde, il suo sprofondamento sotto il mare e la sua successiva ri-emersione, per cui anche per questi autori l'Epomeo rappresenta sempre un *Horst sollevato*. Le recentissime vedute circa la genesi dell'isola non coinvolgono comunque l'argomento della presente nota.

Per la datazione di eventi vulcanici così recenti come quelli di cui ora ci occuperemo, il metodo K-Ar non può essere impiegato perché troppo grande è l'entità dell'errore, ossia dello scarto di anni in più o in meno. Datazioni col metodo C14, molto più utile a tale scopo perché presenta un margine di errore assai minore, purtroppo non sono state finora mai eseguite per le eruzioni ischitane. Sarebbe perciò di grande interesse, a complemento e conferma delle datazioni mediante reperti archeologici, una campagna sistematica di raccolta e analisi di paleosuoli e carboni, come è stato fatto con tanto successo nei Campi Flegrei (7).

Le eruzioni di età preistorica e storica

Prima di occuparci delle eruzioni avvenute nell'isola da quando l'Uomo vi si è insediato in età neolitica, possiamo notare che la maggior parte di quanto scrivemmo nel 1940 resta tuttora valido. Una eruzione ritenuta storica si è rivelata essere molto più antica, per un'altra considerata neolitica la datazione è diventata incerta, mentre per un numero considerevole di centri eruttivi allora non presi in considerazione una data posteriore al primo insediamento umano è diventata in alcuni casi

---

(7) Come apprendo da comunicazione personale recentissima di S. Chiesa e P-Y Gillot, è stata iniziata ora la determinazione C14 di paleosuoli ischitani, sempre nel ricordato Laboratorio di Gif-sur-Yvette.

certa, in altri per lo meno probabile. In qualche caso siamo oggi più prudenti nell'attribuire certi livelli piroclastici a determinati centri eruttivi e riteniamo che, in attesa dell'auspicata datazione sistematica dei paleosuoli mediante il metodo C14, sia per lo più ancora prematuro voler definire a quali apparati vulcanici si riferiscono le eruzioni menzionate nelle fonti scritte, le quali vengono riportate nell'Appendice.

* * *

Tutte le eruzioni ischitane di data recente, tranne pochissime eccezioni, sono concentrate nella depressione che divide il blocco tufaceo del Monte Epomeo a W dal rilievo costituito dal Monte di Campagnano-Monte di Vezzi a E e che determina la caratteristica sagoma con la quale l'isola si presenta a chi le si avvicina venendo da Napoli. Questa depressione o Graben comprende un'area grosso modo triangolare, con il vertice a Barano e la base formata dalla costa tra Ischia Ponte e la Punta della Scrofa all'inizio di Casamicciola, mentre il lato occidentale è delimitato dalle faglie marginali con direzione N-S del Horst del Monte Epomeo e quello sud-est dal fascio di faglie di importanza regionale dette tirreniche o antiappenniniche con direzione NE-SW.

Benché fosse stata già correttamente intuita da Fonseca (1847, p. 5, 29 sgg.), nella monografia di Rittmann (1930) questa situazione non appariva chiaramente delineata, sebbene vi si poteva intravvederla, come del resto dalla nostra nota del 1940. Più tardi dallo stesso Rittmann essa era messa maggiormente in evidenza (R-G 1980, p. 265). Sono stati tuttavia soltanto Chiesa e collaboratori che hanno puntualizzato questo importante dato di fatto in modo esplicito (Gillot et al. 1982; Chiesa e Vezzoli 1983 con fig. 2f), ed hanno anche riconosciuto la relazione stratigrafica esistente tra le eruzioni di data recente del Graben di Ischia e un potente strato di fine cenere bianca che ricopre tutto il segmento orientale dell'isola. Questa cinerite caratteristica e facilmente riconoscibile, anche perché immancabilmente sovrapposta a uno spesso paleosuolo di colore bruno scuro, si estende a E di una linea pressoché retta con direzione all'incirca NE-SW, lunga 4,6 Km, che va dal limite della colata dell'Arso presso la chiesa di S. Antonio a Ischia Ponte fino a Testaccio (vedi la cartina in Chiesa e Vezzoli 1983, fig. 2e). Sulle alture del Monte di Campagnano-Monte di Vezzi tale cinerite costituisce l'ultima coltre vulcanica, mentre nel tratto NE e in quello marginale SW vi si sono sovrapposte piroclastiti appartenenti a eruzioni posteriori (e all'estremità SW anche recenti colate fangose derivate dalle formazioni detritiche del bacino di Fontana).

Invero, recentemente Rittmann, descrivendo la colata lavica il cui fronte affiora per ca. 450 m sul lato occidentale della strada per Barano in località Rio Corbore (con inizio poco dopo che il tracciato della carrozzabile abbandona la superficie della colata dell'Arso e termine poco prima che lo stesso passa sotto gli archi dell'acquedotto dei Pilastri), ha notato che dirimpetto il fronte lavico, lungo il lato orientale della strada, « alla stessa altezza della lava si trovano delle potenti cineriti stratificate che mancano del tutto sul lato occidentale. E' evidente che la colata è più recente delle cineriti e che una faglia in direzione del canale [di Rio Corbore] ha abbassato la regione occidentale prima dell'effusione della colata lavica. Il solco del Rio Corbore è stato poi inciso dall'erosione lungo il contatto tra la lava e la cinerite » (R-G 1980, p. 207 sg.) (8). Tuttavia, egli non ha osservato che questa situazione non è limitata al tratto descritto, dove è di lampante evidenza, ma che per tutta la sua estensione la cinerite termina all'improvviso e con notevole spessore in corrispondenza con le faglie che delimitano verso SE il Graben di Ischia.

(8) Nel 1930, trattando separatamente di questa coltre cineritica e della lava di Rio Corbore, egli non aveva ancora notato la relazione stratigrafica tra le due formazioni, né indicato la faglia sulla sua carta vulcano-tettonica 1:25.000.

Chiesa e collaboratori (che hanno battezzato questa cinerite « Formazione di Piano Liguori » dal toponimo di una località situata all'incirca al centro dell'area in cui affiora, nome che useremo anche noi d'ora in avanti [FPL]) hanno ipotizzato che la sua messa in posto sia avvenuta nel corso della terza fase del loro II ciclo dell'attività vulcanica ischitana, datato tra ca. 28.000 e 15.000 anni fa, ad opera del grande vulcano della Secca d'Ischia che si trova, oggi sprofondato sotto mare, poco ad E di Punta S. Pancrazio (Chiesa e Vezzoli 1983, fig. 2e; per la Secca d'Ischia cfr. R 1930, p. 68-70 e fig. 30; R-G 1980, p. 221 e fig. 73).

A questo punto si inseriscono le scoperte archeologiche che documentano una origine molto più recente dell'importante livello-guida della FPL. Al di sotto di questa cinerite, come abbiamo già notato, appare costantemente un paleosuolo spesso, di terreno bruno scuro fortemente umificato che indica un lungo periodo di stasi dell'attività vulcanica in quella zona. In questo paleosuolo avevamo trovato un coccio (P. e G. Buchner 1940, p. 554) e poco più tardi, nella zona di Piano Liguori, un raschiatoio di selce (menzionato in R-G 1980, p. 192), sporadici, ma comunque attribuibili a età neolitica. Negli anni '60 vi si aggiunsero rinvenimenti molto più consistenti venuti alla luce in località Cilento, poche diecine di metri a N dell'ingresso al cimitero di Ischia, dove allora era in atto una cava (oggi di nuovo riempita) che sfruttava questo banco di cenere e quelli simili sottostanti come pozzolana da costruzione (fig. 1 e 2; dall'alto in basso si susseguono: scorie dell'eruzione dell'Arso del 1302, ca. m. 0,60; lapilli dell'eruzione del Montagnone - Maschiatta, ca. m. 0,40; la cinerite bianca della FPL, ca. m. 4; paleosuolo fortemente umificato contenente i reperti neolitici; quattro livelli di cinerite simile divisi da tre paleosuoli, per uno spessore complessivo di ca. m. 2. La serie piroclastica è sovrapposta a una formazione di lava, non visibile sulle fotografie). I reperti contenuti nel paleosuolo consistono in lame e schegge di lavorazione di selce e di ossidiana e frammenti di ceramica d'impasto e di argilla figulina dipinta. Quest'ultima, almeno in parte, appartiene al tipo di Serra d'Alto ed è databile intorno alla metà del IV millennio a.C., ossia a circa 5.500 anni prima di oggi. Le fig. 3 e 4 presentano una scelta della ceramica dipinta. Il complesso del materiale è tuttora inedito.

Poco distante, in località S. Michele, Don Pietro Monti ha rinvenuto, in occasione di uno sterro per una nuova costruzione, frammenti di ceramica preistorica d'impasto e qualche lama di ossidiana contenuti in un paleosuolo spesso 30 cm e ricoperto da uno strato di cinerite che qui aveva uno spessore di m 2 e deve corrispondere alla medesima formazione che ha seppellito gli avanzi neolitici. Purtroppo si tratta soltanto di piccoli e per lo più poco caratteristici frammenti (Monti 1980, p. 30 e fig. 5). Da un esame che ho recentemente eseguito insieme al dott. A. Marzochella è risultato che si tratta certamente di una facies differente e più recente di quella rinvenuta in località Cilento. Gli unici due frammenti diagnostici presenti trovano confronto in diverse facies appartenenti alla prima età dei metalli, vale a dire eneolitico e età del bronzo antica, posta cronologicamente tra l'inizio del III e la prima metà del II millennio a.C., ossia tra 5000 e 3500 anni prima di oggi.

Rittmann (R-G 1980, p. 170, 192, 206) attribuisce la cinerite in parola al cratere di Campotese nel SW dell'isola (9). Questa eruzione, per poter depositare uno strato cineritico di rilevante spessore all'estremità opposta, avrebbe dovuto coprire di una potente coltre di pomici e ceneri la maggior parte dell'isola, estinguendovi flora e fauna. Ma di una simile formazione piroclastica non c'è traccia nell'area frapposta tra il cratere di Campotese e la FPL, ragione per cui la sua ipotesi non appare

---

(9) Nel 1930 Rittmann l'aveva attribuita al cratere di S. Michele e noi (1940) lo seguimmo. Più tardi egli si rese conto che questa ipotesi non era valida, dal momento che le formazioni che farebbero parte di tale centro eruttivo sono a loro volta interamente ricoperte dalla FPL (R-G, 1980, p. 206).

accettabile. Chiesa, come abbiamo già detto, attribuisce la FPL al cratere della Secca d'Ischia. Che questo enorme cono vulcanico che presenta un diametro di ca. 4 km, sia interamente di origine così recente, non ci sembra pensabile e comunque avrebbe dovuto riversare sulla vicinissima isola formazioni piroclastiche ben più consistenti. Potrebbe trattarsi quindi soltanto di una sua ultima fase di attività avvenuta dopo un lungo periodo di quiete. Tuttavia, a quanto io sappia, a Ischia, Procida e nei Campi Flegrei non sono documentati esempi di vulcani poligeni, che abbiano dato luogo, cioè, a eruzioni avvenute successivamente attraverso il medesimo condotto a intervalli più o meno lunghi.

Centri eruttivi che potrebbero aver messo in posto la FPL non esistono a Ischia, e ne è riprova che tanto Rittmann quanto Chiesa, cercandoli nell'ambito dell'isola, hanno dovuto ricorrere a ipotesi forzate e inaccettabili. La spiegazione diventa ovvia se si tiene presente che tutta l'isola di Procida è ricoperta da potenti cineriti che hanno livellato la sua superficie nascondendovi la morfologia originaria, tanto che la struttura dei diversi vulcani che la compongono può essere rilevata praticamente soltanto lungo le coste a falesia, e che la stessa formazione ricopre anche la superficie dell'isolotto di Vivara. Rittmann (1951, p. 9 estr. e carta geologica) ha attribuito queste cineriti allogene di Procida e Vivara ai crateri dei Fondi di Baia, ipotesi convincente che è stata pienamente accettata da Di Girolamo e Stanzione (1973, p. 96-98 e carta geologica) e Di Girolamo et al. (1984, p. 356 s., con punto interrogativo, che peraltro non ricompare nella leggenda dello schema stratigrafico dei prodotti vulcanici affioranti nell'isola di Procida, ibid., fig. 13). Uno sguardo alle carte geologiche mostra come il segmento NE dell'isola d'Ischia ricoperto dalla FPL si trova perfettamente allineato con la distribuzione delle cineriti dei Fondi di Baia in terraferma, Procida e Vivara, eiettate mentre spirava un forte vento da NE.

I vulcani dei Fondi di Baia sono costituiti da due crateri, di cui il più vecchio è quello situato più a S. Un paleosuolo divide i suoi prodotti dal cratere attiguo più recente (Di Girolamo et al. 1984, p. 363; vedi anche L. Vighi, in Rittmann et al. 1950, p. 202-204), ed è appunto a quest'ultimo che dev'essere attribuita la FPL. Possibilmente anche gli strati di cinerite sottostanti a questa (vedi fig. 1 e 2) sono dovuti a vulcani dei Campi Flegrei.

Determinazioni radiometriche di età mancano finora per i crateri dei Fondi di Baia (come si rileva dalla tab. I, p. 371, di Di Girolamo et al. 1984), i quali vengono comunque attribuiti per ragioni stratigrafiche a età relativamente molto recente (ibid., fig. 32), che va in accordo con quella più precisamente stabilita in base ai reperti archeologici per la FPL.

Ancora una significativa conferma costituisce il rinvenimento a Monte di Procida, in un paleosuolo ricoperto dalla cinerite attribuibile al medesimo cratere più recente dei Fondi di Baia, di avanzi neolitici appartenenti a una facies del tutto analoga a quella presente nel paleosuolo della località Cilento (vedi C. Albore Livadie in questo stesso volume).

I movimenti tettonici che hanno dato origine alla depressione, anche se sempre relativamente recenti, sono certamente, per lo meno in maggior parte, ben anteriori alla messa in posto della FPL. Non abbiamo elementi che permettano di stabilire se quest'ultima sia stata direttamente interessata dalla faglia a occidente della quale la cinerite improvvisamente scompare, come sembra ammettere Rittmann per il tratto lungo Rio Corbore. In tal caso si avrebbe un ultimo tardivo movimento tettonico « tirrenico ». Ma è anche possibile che la maggiore profondità in cui la FPL deve trovarsi al di là della faglia, sia dovuta alla morfologia preesistente. Il Graben sarebbe stato allora ancora una vallata abbastanza profonda con una ripida parete verso oriente. Al fine della datazione delle eruzioni posteriori tale questione comunque non è rilevante, mentre un fattore di incertezza deriva dalla circostanza che non sappiamo fino a che distanza dalla faglia la FPL prosegue sul fondo della depressione verso occidente.

Nel tratto meridionale del Graben si trova un complesso di grandi dossi di ristagno e di cupole minori per buona parte ricoperte da piroclastiti emesse durante le fasi esplosive delle successive eruzioni dei dossi e delle cupole stesse e dei vulcani recenti situati più a N. Non è facile, perciò, e in parte resterà per sempre impossibile, districare questo viluppo di centri eruttivi. (Per la geologia di questa zona si veda R-G 1980, p. 202 e figg. 59, 60).

Per il dosso della Selva del Napolitano Gillot ha ottenuto una data K-Ar di 9000 ± 1500 anni. Il margine orientale esposto della lava di questo dosso dista 1400 m dal fronte della FPL in località Rio Corbore. Si dovrebbe quindi ammettere che la cinerite non abbia più raggiunto questa distanza, oppure che vi sia stata interamente dilavata dall'erosione.

Per il grande dosso lavico della Costa Sparaina le determinazioni K-Ar di Gillot hanno dato invece un'età di 4000 ± 1800 anni. La sua origine potrebbe dunque ben essere posteriore alla FPL. Ciò è tanto più probabile in quanto il margine orientale esposto della lava di Costa Sparaina si trova a soli 500 m dal limite della FPL presso il cratere di Vateliero per cui, se fosse di età precedente, ci si aspetterebbe di trovarvi traccia della cinerite sovrapposta. Lo stesso vale per le cupole minori di Casa Materace e Casa Cufa a E della Costa Sparaina.

Sicuramente posteriore alla FPL è la colata di lava il cui fronte è esposto lungo la strada statale in località Rio Corbore, di cui abbiamo già detto. Secondo Rittmann è molto probabile che sia stata emessa da un centro eruttivo che egli ha individuato in località Spalatriello presso la quota 121 (R-G 1980, p. 207 sg. e fig. 62). Posteriore alla FPL è anche il vulcano Testa, così chiamato da Rittmann dal nome della collina semicircolare situata subito a W della Statale, tra I Pilastri e Molara, « interpretabile come il resto sud-occidentale di un cratere squarciato verso NE » (R-G 1980, p. 206 sg.).

Lungo il margine SE del Graben si trova una serie di centri eruttivi allineati definiti da Rittmann (1930, p. 37-40; R-G 1980, p. 204 sg.) come crateri di Cava Nocelle, Molara e Vateliero, i cui condotti hanno traforato la FPL. Di morfologia semplice è il cratere di Vateliero che dista dal paese di Testaccio ca. 1 km in direzione NE ed ha emesso soltanto piroclastiti che formano un baluardo del diametro di ca. 400 m. Come ha osservato Rittmann già nel 1930 queste scorie non giacciono direttamente sulla FPL, ma si inserisce tra le due formazioni un banco di colata fangosa di detriti provenienti dal bacino di Fontana (di cui si tratterà più oltre), come si vede nella sezione ai lati del sentiero che dalle case di Vateliero conduce a Barano. Egli non ha notato tuttavia che la stessa colata fangosa recente si estende più oltre fino a 1 km di distanza in direzione NE dal punto anzidetto. Essa si trova infatti, intercalata tra la FPL e le piroclastiti emesse dal cratere di Molara, esposta tra l'altro lungo il sentiero che conduce alla chiesa della Madonna di Montevergine e nel più orientale dei due burroni laterali perpendicolari alla Cava Nocelle. Ed è alla fine di quest'ultimo che trovammo, inclusi nella colata fangosa che qui ha ancora uno spessore di ca. 1,5 m, ca. 10-15 cm al disopra del paleosuolo (con carboni) che forma la superficie della FPL, alcuni cocci grezzi non molto caratteristici ma comunque databili all'incirca tra il VI e il IV sec. a.C. Rittmann (R-G 1980, p. 204) riferisce erroneamente che avrei trovato questi cocci nella ricordata sezione tra Vateliero e Barano, mentre in realtà sono stati trovati sotto le piroclastiti del cratere di Molara. Poiché non può essere stato che il medesimo evento che ha trascinato questi detriti in posizione così avanzata verso NE, la svista è peraltro irrilevante per la cronologia del Vateliero che dev'essere comunque posteriore.

Più problematico appare il complesso Molara-Cava Nocelle. Il piccolo casale di Molara dal quale deriva la designazione del centro eruttivo, deve il suo nome alla circostanza che in quei paraggi affiora una lava particolarmente adatta per ricavarne pietre da macina come attesta Giulio Jasolino

153

(1588), e che è stata usata a tale scopo fino in tempi a noi vicini (10). Secondo Rittmann si tratterebbe di due crateri attigui con baluardi di scorie, ciascuno dei quali presenterebbe una piccola colata di lava intercraterica emessa dopo la prima fase esplosiva (1930, p. 38-40 con le sezioni fig. 16 e 17, e vedi l'annessa carta geologica 1:10.000; e più brevemente, ma senza modifiche, R-G 1980, p. 204 sg.). In realtà sul fondo del burrone della Cava Nocelle si osserva che la lava « intercraterica » del centro eruttivo di Molara prosegue verso NE e vi è esposta fin quasi a congiungersi con la formazione lavica del presunto cratere di Cava Nocelle, per ricomparire ancora per un tratto a NE di quest'ultima, subito a W della Statale. Da questi affioramenti non indicati sulla carta geologica di Rittmann è evidente che la formazione lavica è precedente alla emissione delle scorie e ricoperta da queste. Inoltre, nelle sezioni esposte nella Cava Nocelle che attraversa la formazione di scorie, non siamo riusciti a scorgere una distinzione tra quelle del centro eruttivo di Molara e quelle che sarebbero state emesse dal centro eruttivo attiguo. Siamo perciò dell'avviso che non esista un distinto « cratere di Cava Nocelle » e che tutte le scorie appartengano invece al cratere di Molara. Che la formazione lavica sottostante, esposta a tratti per una lunghezza complessiva di ca. 800 m in direzione SW-NE, costituisca un'unità genetica, si desume anche da un'altra circostanza. Non tutta questa lava presenta la conformazione particolare che la rende utile per farne pietre da macina. La varietà adatta a questo scopo, molto dura e nello stesso tempo molto vescicosa, piena di bollicine vuote ravvicinate, si trova soltanto in certi livelli che sono distribuiti, tuttora qua e là reperibili, per tutta l'estensione indicata. A tal proposito vale forse la pena di ricordare che nel 1940 un vecchio contadino del luogo mi raccontò che in una cava di pietre abbandonata nel burrone di Cava Nocelle tempi addietro si cavavano pietre da macina, ma che poi quella « vena » si esaurì. Ed è da notare anche che in nessun altro luogo dell'isola si trova della lava che presenta quella conformazione caratteristica. Macine di questa pietra tipica abbiamo trovato nell'abitato preistorico sulla collina del Castiglione tra Porto d'Ischia e Casamicciola che ebbe vita tra il XIV e la prima metà dell'VIII sec. a.C. A suo tempo, ammettendo al seguito di Rittmann che la formazione lavica appartenga al cratere di Molara, concludemmo perciò che il medesimo debba essere anteriore alla metà del II millennio a.C. (P. e G. Buchner 1940, p. 562). Perciò attribuimmo allora al cratere di Vateliero le piroclastiti ricoprenti un paleosuolo contenente frammenti di tegole e cocci grezzi di età romana, messo allo scoperto in un fosso nei pressi del punto in cui il sentiero che scende dalla chiesa di Montevergine si biforca. Riscontrando ora senza tale prevenzione i nostri vecchi appunti, appare più probabile che quelle scorie fossero invece appartenenti al cratere di Molara. Una data molto recente dello stesso è comunque indicata dai cocci più sopra menzionati rinvenuti (dopo la pubblicazione della nostra nota del 1940) nella colata di detriti fangosi ricoperta dalle piroclastiti sicuramente emesse dal cratere di Molara.

In attesa di una auspicabile ricognizione più approfondita di tutta la zona, ci sembra di poter concludere che vi insistano 1. una formazione lavica, probabilmente un dosso di ristagno, posteriore alla FPL, che si estende per almeno 800 m in direzione SW-NE, per buona parte sepolto sotto le piroclastiti emesse dal cratere di Molara. Potremmo chiamarla con il vecchio toponimo tramandato da Jasolino « formazione dei Crovoni ». Un certo livello di questa lava è stato usato, dalla seconda

---

(10) Giulio Jasolino (1588, p. 39): « Vi è di più la minera delle pietre molari, detta la Molara, che al presente è in uso quotidiano per tutti luoghi convicini; et è appresso al luogo detto il Crovoni ». Le macine a mano di questa pietra caratteristica si potevano trovare fino a pochi decenni fa, non più utilizzate, giacenti presso le case dei contadini, e forse qua e là ve ne sono ancora oggi. Alla fine dell'ultima guerra alcuni le rimisero anche in uso per macinare in casa il granturco. Il toponimo Crovoni trova riscontro, con metatesi, in quello di Corbore indicato in quei pressi sulla carta al 10.000 dell'IGM e di Rio Corbore che segue più verso NE.

metà del II millennio a.C. fino in tempi recenti per la fabbricazione di pietre da macina. 2. il centro eruttivo di Molara e 3. quello di Vateliero; ambedue hanno emesso esclusivamente piroclastiti e ambedue sono posteriori alla colata di detriti fangosi in cui sono inglobati cocci del VI-IV sec. a.C. Almeno uno di essi, probabilmente il cratere di Molara, è databile in età romana.

Ci rivolgiamo ora alla zona settentrionale del Graben. Il più antico evento vulcanico databile in quell'area è il dicco eruttivo di Cafieri che l'erosione marina ha messo in luce operandovi una sezione (oggi purtroppo largamente manomessa e non più così bella come era ancora qualche decennio fa) lungo la spiaggia di quel nome tra Porto d'Ischia e Casamicciola. Nel tratto di spiaggia sollevata obliquamente durante l'estrusione del dicco, visibile ad ovest dello stesso (R 1930, p. 31 sg. e fig. 14; Pichler 1970, p. 127 sg. e fig. 36 [sezione aggiornata]; R-G 1980, p. 213 sg. e fig. 68 che ripete la sezione pubblicata nel 1930), si rinvengono infatti frammenti arrotondati dalle onde dei grandi ziri caratteristici per il periodo finale di vita del vicino abitato preistorico di Castiglione, archeologicamente databile appunto alla prima metà dell'VIII sec. a.C. (11), abitato che fu abbandonato in seguito a questa catastrofe.

Il complesso vulcanico di Monte Rotaro (R 1930, p. 21 sgg. e figg. 7-11; Pichler 1970, p. 102 sgg. e figg. 25-28; R-G 1980, p. 217 sgg.) si è formato interamente in età molto recente. Il suo primo periodo in cui è stato messo in posto il Rotaro propriamente detto (Rotaro I) (12), sembrerebbe diviso in due fasi separate da un periodo di quiete, a giudicare da un paleosuolo che si osserva nella sezione incisa al suo fianco occidentale dalla Cava del Puzzillo (P. e G. Buchner 1940, p. 556 e fig. 5). Oggi, tuttavia, non ci sembra più così sicuro che il materiale piroclastico e il banco di lava che coprono questo paleosuolo provengano realmente dallo stesso centro eruttivo che ha eiettato le piroclastiti sottostanti, che a loro volta sono sovrapposte a un paleosuolo esposto poco sopra il fondo della Cava del Puzzillo, come ritenemmo a suo tempo. In tal caso si avrebbe infatti una eccezione alla regola innanzi ricordata che i vulcani ischitani sono tutti monogenici. Sembra perciò più probabile che la formazione piroclastica inferiore appartenga invece alla fase esplosiva di uno dei dossi e cupole di ristagno che si trovano a S del Rotaro.

Successivamente il condotto si è spostato di ca. 300 m verso N e si è aperto sul fianco settentrionale del Rotaro I un cratere di esplosione riempitosi poi di lava viscosa che ha formato una cupola di ristagno (Rotaro II).

In seguito il condotto si è spostato ancora di ca. 300 m aprendo alla base settentrionale della cupola un piccolo cratere (Rotaro III) dal quale uscì una colata di lava che arrivò fino alla costa formando il tetto della Punta della Scrofa sulla quale si trova oggi il cimitero di Casamicciola.

L'attribuzione degli svariati livelli piroclastici, sotto alcuni dei quali sono stati trovati cocci di età romana imperiale, alle singole fasi del complesso del Monte Rotaro spesso non è agevole e meriterebbe uno studio dettagliato. E' certo comunque che tanto il Rotaro II quanto il Rotaro III si sono formati in età romana. Sembra abbastanza probabile che uno strato vulcanico di sabbia pumi-

(11) E non « frammenti di tegole dell'età del ferro (VII sec. a.C.) », come erroneamente scrive Rittmann (R-G, 1980, l.c.).

(12) L'imbuto craterico del Rotaro I profondo 125 m, chiamato Fondo d'Oglio, già una delle località più suggestive dell'isola, coperta da rigogliosa vegetazione, è stato purtroppo da pochi anni parzialmente riempito e irrimediabilmente deturpato ad opera dell'amministrazione comunale di Casamicciola che lo ha usato come luogo di discarica di sfabbricatura e di rifiuti urbani solidi.

155

cea osservato durante gli scavi della necropoli di San Montano a Lacco Ameno e databile, in base ai corredi delle tombe trovate al di sopra e al di sotto dello stesso, intorno all'anno 600 a.C., sia da attribuire all'eruzione del Rotaro I (13), mentre due straterelli di fine cenere vulcanica riscontrati nei successivi livelli romani della necropoli potrebbero forse appartenere al Rotaro II e III (Buchner e Ridgway, in corso di pubblicazione).

Due cospicue formazioni vulcaniche hanno cambiato profondamente in età storica la configurazione dei luoghi circostanti l'odierna cittadina di Porto d'Ischia. La prima fu l'eruzione del cratere-lago del porto stesso (R 1930, p. 34 sg.; R-G 1980, p. 213 che modifica l'interpretazione di questo vulcano fornita nel 1930) (14). Al margine NE della collina di S. Pietro, presso la Spiaggia dei Pescatori, in un paleosuolo ricoperto dalla zona marginale di un banco di brandelli di lava saldati emessi dalla bocca del cratere, ed esposto grazie all'erosione marina, trovammo ceramica greca a vernice nera del V sec. a.C. e frammenti di tegole dipinte a larghe fasce nere e rosse del VI o V sec. a.C. che devono aver fatto parte della copertura del tetto di un tempio. Non ci può essere dubbio che a questa catastrofe si riferisce il passo di Plinio (*Nat. Hist.* 2, 203) che a proposito degli eventi vulcanici dell'isola d'Ischia scrive tra l'altro *oppidum haustum profundo, alioque motu terrae stagnum emersisse*, dal momento che non esiste altro lago nell'isola (v. Appendice II). E' da notare che la fonte di Plinio distingue come dovuti a due eventi diversi l'inghiottimento della cittadina nella profondità del cratere e la formazione del lago avvenuta ad opera di un successivo movimento della terra.

A SW del cratere-lago incombe l'emergenza tondeggiante del Montagnone (254 m) che insieme al retrostante Monte Maschiatta (311 m) rappresenta una grande cupola di ristagno il cui tetto è

---

(13) La data media K-Ar di 1500 ± 1000 anni prima di oggi ottenuta da Gillot (Gillot et al., 1982) per la trachite del Rotaro I (Fondo d'Oglio) — le sue quattro misurazioni diverse spaziano tra 1000 ± 1000 e 2000 ± 1400 anni — è compatibile tanto con una data di ca. 600 a.C. quanto con una data in epoca romana. Questo esempio evidenzia come il metodo K-Ar non sia utile per la datazione di eruzioni così recenti. Basterebbe invece una misurazione C14 dei carboni che si rinvengono frequenti nel ricordato paleosuolo per conoscere con sufficiente approssimazione la data dell'eruzione del Rotaro I.

(14) Il taglio della stretta fascia che separava il lago dal mare e la sua trasformazione in porto sono stati eseguiti nel 1853-54 per volontà di re Ferdinando II di Borbone.

Poco comprensibile è l'affermazione di Chiesa (Chiesa e Vezzoli, 1983) che nel centro del cratere vi sarebbe stato un cono di scorie che sarebbe stato « eliminato negli anni 60 per facilitare la navigazione portuale ». Dal contesto è chiaro che l'autore intende gli anni 60 di questo secolo. La dettagliata carta nautica del Porto d'Ischia alla scala 1:5000 dell'Istituto Idrografico (Piano 189), rilevata nel 1895, indica che la parte allora più profonda del porto, contornata dall'isobate di m - 5, si trovava proprio nel suo centro, con profondità che variano da - 5,2 fino ad un massimo di - 6. È vero che entro quest'area c'era una piccola zona allungata un pò più elevata, di m 60 per 25 circa, con quote tra - 4,9 e - 4,6, alla quale forse si riferisce la dragata menzionata da Chiesa, ma il rialzo appare troppo lieve per poter riconoscervi un cono di scorie. E del resto il fondo del lago dev'essere riempito per un notevole spessore dei lapilli del Montagnone depositatisi durante l'eruzione dello stesso e soprattutto accumulatisi nei secoli successivi per trasporto alluvionale.

Piuttosto è da notare l'esistenza di una estrusione di lava compatta, alquanto eccentrica rispetto all'attuale specchio d'acqua, ma in posizione quasi perfettamente centrale se si tiene conto dei terreni alluvionali che hanno riempito il tratto SW del cratere. Questo isolotto è stato indicato da Fonseca (1847, p. 37: « Il Lago del Bagno ha presso a un miglio di circuito con uno scoglio in mezzo, su cui è posta una casipola pescareccia ». La roccia di cui lo scoglio è composto viene descritta come « Trachite bigio-chiara, cellulosa con grana cristallina »). I geologi moderni hanno ignorato invece la sua esistenza. Ciò si spiega, perché l'isolotto oggi non esiste più nella sua forma naturale. In occasione dell'apertura del porto

sprofondato formando un cratere di collasso (R 1930, p. 29-31; R-G 1980, p. 211-213, 253). Nella prima fase esplosiva dell'eruzione furono eiettate pomici in grande quantità che ricoprirono tutto il settore NE dell'isola e si estendono verso S sulle colline dei dossi e cupole del Monte Posta Lubrano, Monte Toppo e Monte Trippodi e raggiungono ancora la zona orientale del Piano di S. Paolo, le pendici meridionali del Colle Jetto fino ai tratti superiori della Cava di Candiano e la zona di Casa Vetta. Ovunque queste pomici che si possono seguire continuatamente costituiscono l'ultima, più recente coltre vulcanica, tranne in quelle zone in cui si sono sovrapposti i prodotti dell'eruzione dell'Arso del 1302 (v. sotto).

Intorno al versante orientale della bocca eruttiva le piroclastiti formarono un grosso bastione a falce che a S inizia presso Casa Arcamone dove raggiunge la sua massima altezza nella vicina quota 234, abbassandosi a quota 194 presso Casa Onorato e continuando nel R.ne Sacchetta per scomparire poi sotto il detrito di falda della cupola di ristagno. (Le indicazioni fanno riferimento, qui come in genere, alla carta 1:10.000 dell'I.G.M.). La base del bastione coincide più o meno con il versante occidentale della strada che da Porto d'Ischia conduce a Fiaiano (Via dei Conti). Questa nostra interpretazione si distanzia da Rittmann che non identifica la zona indicata come bastione di materiale piroclastico del Montagnone-Maschiatta.

In molti punti dell'area di Porto d'Ischia, nelle località di S. Alessandro, Le Pezze e Campitelle, abbiamo trovato nel paleosuolo ricoperto da questi lapilli frammenti di ceramica di cui i più antichi (ceramica a vernice nera di tipo campano) sono databili al III-II sec. a.C. e i più recenti (terra sigillata) tra la seconda metà del II e gli inizi del III sec. d.C. Cocci dei medesimi periodi si trovano anche a E della colata dell'Arso nel paleosuolo corrispondente, p. es. nella zona del cimitero di Ischia, e ugualmente nelle zone elevate, testè ricordate, a SSW del Montagnone-Maschiatta. Così p.es. alle falde settentrionali del Monte Trippodi nei pressi di quota 402 e sulle pendici sottostanti, attraversate dal ramo dell'acquedotto, oggi abbandonato, che portava alla Casina Reale di Porto d'Ischia l'acqua potabile delle sorgenti fredde che sgorgano più in alto. Il pianoro che costituisce la zona meridionale del Piano di S. Paolo, a ca. 470 m s.m., è cosparso fittamente di cocci appartenenti per lo più al III-I sec. a.C., i quali, nel tratto orientale, sono ancora ricoperti dai lapilli. La frequenza degli avanzi di ceramica in quel sito indica che vi doveva esistere un insediamento più consistente che si spiega con la presenza delle vicine sorgenti di acqua potabile. Ancora più a S, subito a E del tratto terminale della Cava di Candiano e verso Casa Vetta, si possono trovare cocci romani più rari sotto le estreme propaggini SW della coltre di lapilli del Montagnone-Maschiatta.

Sergio Chiesa ha rinvenuto cocci romani del II sec. d.C. in un paleosuolo ricoperto da piroclastiti che egli attribuisce alla prima fase esplosiva del dosso di Monte Trippodi (relazione al Convegno di Casamicciola, 1-10-1983). Senza conoscere il punto preciso del rinvenimento, non è possibile

---

esso venne infatti rimpicciolito, ritagliato in forma circolare, rivestito lateralmente di muratura laterizia e munito di bitte di pietra per servire da ormeggio ai battelli. Il suo aspetto originario, con la casupola del guardiano della pesca, ci è stato tramandato tuttavia nella nota tempera di Philipp Hackert, datata 1792 e custodita nella Reggia di Caserta, che riproduce assai fedelmente il Lago del Bagno (vedi: *Immagini di Ischia tra XVIII e XIX secolo*, Bologna, 1984, catalogo mostra, n. 2). Un dipinto di Francesco Mancini che rappresenta una veduta del lago durante i lavori di apertura del porto nel 1853, fa vedere che lo scoglio, anche se è ritratto più sommariamente, era allora ancora nelle medesime condizioni (*ibid.*, n. 9), mentre un acquerello di Giacinto Gigante datato 1855 (*ibid.*, n. 10), lo mostra già ridotto nello stato in cui si trova tuttora. Per completare la storia dell'isolotto nel Lago del Bagno aggiungiamo che nel '500 vi si trovava una cappella, indicata sulla carta di Jasolino (1586) con le sigle T.S.N. (= *Templum Sancti Nicolai?*) e che già nella prima metà del II sec. d.C. vi era una casetta abitata come si rileva da una lettera del Cesare Marco, il futuro imperatore Marco Aurelio (121-180) al suo precettore Frontone (*M. Cornelii Frontonis epist. ad M. Caesarem et invicem*, III, 7).

giudicare se si tratta del medesimo paleosuolo, ma è comunque da escludere con certezza che la messa in posto del Monte Trippodi sia così recente, dal momento che sovrapposto alle sue falde, come abbiamo appena ricordato, si trova il paleosuolo con cocci romani ricoperto dai lapilli del Montagnone-Maschiatta (15).

Dopo l'ultima eruzione di età romana, avvenuta secondo una fonte di autore non identificato (v. Appendice II) sotto il regno di Diocleziano (284-305 d.C.), non si hanno testimonianze scritte o archeologiche di eruzioni prima di quella della colata dell'Arso (16) avvenuta nel 1302, alla quale fino ad oggi non sono seguite altre (17). Dalla bocca apertasi il 18 gennaio 1302 presso l'attuale paese di Fiaiano, proprio nel mezzo del Graben, furono lanciate scorie, pomici e ceneri in grande quantità.

L'anonimo monaco che ha annotato la data precisa dell'inizio dell'eruzione, ricorda che in quella notte piovvero le ceneri dal cielo a Cava dei Tirreni, distante in linea d'aria ca. 65 Km verso E dal centro eruttivo. Secondo una ulteriore testimonianza contemporanea, - finora sfuggita all'attenzione di quanti si sono occupati della storia e della geologia di Ischia e comunicatami recentemente dall'amico prof. Vladimiro Valerio che vivamente ringrazio -, parte delle campagne di terraferma, quasi come da una coltre di neve, furono coperte dalla cenere che arrivò fino ad Avellino, distante 75 Km verso ENE. Bartolomeo Fiadoni riferisce che le pomici eiettate si diffondevano sulla superficie del

---

(15) Rittmann interpreta la depressione senza deflusso del Fondo Ferraro che si inserisce tra la base S della cupola del Montagnone-Maschiatta e quella N della cupola del Monte Posta Lubrano, come avanzo di un cratere il cui recinto sarebbe ancora conservato nei tratti W e E, mentre a N e a S sarebbe seppellito dalle due cupole anzidette. Il versante E del cratere sarebbe rappresentato dal rilievo allungato della Costa del Lenzuolo che costituirebbe una specie di Monte Somma rispetto alla cupola del Montagnone-Maschiatta. Si avrebbe quindi una successione analoga a quella del Rotaro I e II (R, 1930, p. 35; donde Pichler, 1970, p. 102; più breve R-G, 1980, p. 210). Chiesa e collaboratori pongono similmente nella zona Fondo Ferraro-Costa del Lenzuolo una serie di eventi eruttivi in relazione genetica con la successiva cupola del Montagnone-Maschiatta che sarebbero avvenuti tra l'VIII e il V sec. a.C., come indicato sulla carta geologica che era esposta al Convegno di Casamicciola.

A noi, per contro, non sembra che dalla configurazione morfologica di quell'area, superiormente tutta coperta di piroclastiti, si possa desumere l'esistenza di un « cratere di Fondo Ferraro ». E comunque, la Costa del Lenzuolo non è affatto un bastione piroclastico come afferma Rittmann, ma un altro dosso di ristagno. Per tutta la sua lunghezza affiora infatti qua e là, sotto la coltre superficiale di piroclastiti dell'Arso e del Montagnone, una lava grigia e dura con cui sono costruiti i muri a secco che sostengono le terrazze dei vigneti in quella zona. Alla stessa formazione appartiene molto probabilmente anche la lava che si trova, esposta in qualche fosso scavato dai contadini, sotto la potente coltre di pomici del Montagnone, nella località Campitelle (Capitelli sulla carta 1:10.000) che forma la continuazione verso N della Costa del Lenzuolo.

(16) Tutti gli autori del '500 riferiscono che la colata di lava si chiama *vulgo Le Cremate*, e così anche Jasolino (1588, p. 28) che in altro contesto (p. 337) aggiunge ...*Cremate, o pietre arse, che vogliamo dire*. Dom. Bottoni (*Pyrologia topographica*, Napoli, 1692, p. 162) riporta solamente *vulgo le pietre arse*, mentre il D'Aloisio (1757, p. 17) ci dà il toponimo ormai nella sua forma attuale: ...*s'incontra un incolto, orrido e tutto scompaginato, e sconvolto tratto di paese, che dal volgo chiamasi l'Arso, cioè le Cremate*. Una buona immagine di questo aspetto desolato della colata di nude rocce nerastre prive di vegetazione che perdurò ancora per tutta la prima metà del secolo scorso, ci dà una incisione di Florian Grospietsch (ca. 1825, riprodotta in P. Buchner, *Gast auf Ischia*, München, 1968, p. 152-153). La felice iniziativa di imboschirla con l'impianto di una pineta, attuata verso gli anni 1855-60, è dovuta al botanico di Corte Giovanni Gussone (1787-1866).

(17) Negli studi di geologia ischitana, come nelle pubblicazioni di storia locale, le notizie storiche sull'eruzione dell'Arso sono riportate sempre in modo poco esatto e incompleto. Conviene perciò darne qui un ragguaglio più ordinato, mentre per i testi, le indicazioni bibliografiche e la questione dell'anno in cui avvenne l'eruzione, si rimanda all'Appendice II.

mare fino a una distanza di 200 miglia. Alla fase esplosiva, come di consueto, seguiva quella effusiva che produsse una colata di lava lunga 2,7 km, con una larghezza massima, nel tratto terminale, di ca. 1 km e uno spessore che varia tra ca. 5 e 15 m, la quale si spinse per un centinaio di metri nel mare formando la Punta Molino. Secondo Giovanni Villani l'eruzione durò più di due mesi. (Per una descrizione geologica particolareggiata si veda R 1930, p. 36 sg., p. 138-140; R-G 1980, p. 208-210, (18); i testi delle fonti storiche sono riportati nell'Appendice II).

Conosciamo cinque testimonianze indipendenti di cui quattro sono dovute a cronisti contemporanei, mentre la quinta, benché di un autore posteriore, è non meno attendibile perché risale a documenti d'archivio sincroni da tempo perduti.

La descrizione più ampia si trova in una cronaca del domenicano Bartolomeo Fiadoni, nativo di Lucca e perciò detto latinamente Ptolomaeus Lucensis, che negli anni 1301 e 1302 era priore di S. Maria Novella a Firenze. Pubblicata dal Muratori nel vol. XI del *Rerum Italicarum Scriptores*, è stata riportata per la prima volta dal geologo Leopold von Buch (1809) cui era stata comunicata dallo storico Johann von Müller.

I fatti narrati dal Fiadoni vengono confermati da Giovanni Pontano, umanista e uomo di stato al servizio dei re Aragonesi di Napoli (1426-1503), che in una delle due versioni del suo racconto dell'eruzione dichiara espressamente di averlo ricavato dai registri di Carlo II d'Angiò.

La notizia contenuta nel *Chronicon Cavense*, ugualmente pubblicato già dal Muratori (*R.I.S.* VI), era sfuggita a quanti prima si sono occupati della storia e della geologia dell'isola ed è stata rintracciata e segnalata per la prima volta da noi (P. e G. Buchner 1940, p. 563).

Al prof. Vladimiro Valerio devo la comunicazione di una ulteriore testimonianza sincrona di notevole interesse, annotata al margine di un manoscritto della Bibbia proveniente da Bovino e ora nella Biblioteca Vaticana, che era rimasta finora ignorata, pur essendo stata pubblicata già nell'anno 1900.

Nota da sempre era invece la descrizione contenuta nell'VIII libro della *Nuova Cronica* del fiorentino Giovanni Villani (ca. 1274-1348), ben presto conosciuta anche a Napoli (vedi A. Altamura, *Cronaca di Partenope*, Napoli 1974, p. 43 dell'introduzione).

Una versione latina del brano del Villani, completato con l'aggiunta di una descrizione dell'aspetto desolato della colata lavica, delle misure della sua estensione e del suo nome locale, è inserita nel *Libellus de mirabilibus Putheolorum et locorum vicinorum*, stampato a Napoli nel 1475 e ristampato ivi nel 1507. Il medesimo testo si trova ripetuto nella *Succinta instauratio de balneis totius Campanie* del medico napoletano Giovanni Elisio (Napoli 1519 ?), in seguito varie volte ristampata. Sempre lo stesso testo, ritradotto in italiano, appare nella versione volgare dell'opuscolo elisiano, unito alla sua prima edizione, e nel trattatello sui bagni aggiunto all'edizione del 1526 della *Cronica di Partenope*.

Attraverso questi opuscoli di argomento locale balneologico stampati a Napoli nei primi decenni del '500, la descrizione dell'eruzione dell'Arso nella forma contenuta nel *Libellus* del 1475, si diffondeva e, variamente parafrasata, intorno alla metà del secolo XVI entrò in testi di carattere generale di argomento naturalistico, geografico e storico di autori come Giorgio Agricola (*De natura eorum, quae effluunt ex terra*, I ed. 1545), Leandro Alberti (*Isole appartenenti alla Italia*, I ed. 1561), Tommaso Fazello (*De rebus siculis decades duae*, I ed. 1558), e divenne quindi universalmente nota.

Non sono stati pubblicati, che io sappia, documenti archivistici che si dovevano trovare, come attesta il Pontano, nei registri angioini di Napoli, relativi specie alla petizione degli isolani per ottenere lo sgravio fiscale in seguito ai danni subiti (cfr. più sotto sulla documentazione analoga riguardante il terremoto del 1275), ed è probabile che siano andati perduti già in epoca remota. Si sa soltanto che nel 1305 gli abitanti furono obbligati a pagare nuovamente le decime al vescovo, pur soffrendo ancora delle conseguenze del disastro.

(18) Recentemente Rittmann ha tentato anche una particolareggiata ricostruzione dell'andamento dell'eruzione dell'Arso (R-G, 1980, p. 251-253). La circostanza che nelle testimonianze scritte non si faccia cenno a scosse sismiche potrebbe significare, a suo avviso, che l'eruzione non fosse preceduta dall'apertura di una frattura, ma fosse innescata da una esplosione freatica. C'è da dire, però, che il terremoto del 1275, di cui purtroppo non si conosce la localizzazione precisa, potrebbe ben essere stato un evento precursore (v. più sotto). Attratto dall'espressione di Giovanni Villani ...*l'isola d'Ischia* ... *gittò grandissimo fuoco per la sua solfonaria*..., egli ipotizza che vi esistesse prima dell'eruzione un campo solfatarico nel quale si sarebbe avuta l'esplosione freatica che « aprì così al magma la strada in superficie ». Ci sembra tuttavia molto dubbio che debba intendersi in tal senso la parola *solfonaria* che non si trova negli altri testi. Nella traduzione latina contenuta nel *Libellus de mirabilibus* il passo è reso con *processit ex venis terre ignis sulfureus* e Fiadoni scrive *ignis virtute sulphuris et ventorum evaporavit de insula Ischie*. A nostro parere è più probabile che anche la parola inconsueta usata da Villani rispecchi soltanto la comune credenza che il fuoco vulcanico sia generato dall'accensione di zolfo, provocata dall'aria compressa contenuta nei meandri sotterranei, e non indichi affatto un preesistente campo solfatarico.

Nella zona tra Fondo Bosso e S. Antuono (S. Antonio Abate, da non confondere con la chiesa di S. Antonio di Padova più sopra nominata) si sono trovati nel paleosuolo ricoperto dalle piroclastiti emesse durante la prima fase esplosiva dell'eruzione avanzi di costruzioni rurali e ceramica medioevali e monete di Carlo II di Angiò allora regnante, insieme con abbondanti resti di alberi carbonizzati (P. e G. Buchner 1940, p. 563 sg.; Jovene 1971, (1945) p. 97 sg.) (19) e rinvenimenti analoghi sono stati fatti anche al di sotto della colata stessa (Monti 1980, p. 368, n. 16).

Ci resta ancora di accennare alle poche eruzioni recenti avvenute al di fuori della depressione del Graben di Ischia.

Rittmann stesso aveva trovato un raschiatoio neolitico di selce a Citara « immediatamente sotto i tufi incoerenti del cratere di Campotese, ma al disopra dei tufi pisolitici di Citara » (R 1930, p. 135). Senonché egli attribuiva allora alla eruzione del Campotese il primo strato di pomici (dall'alto) che si riscontra nella parte meridionale della falesia che delimita la spiaggia di Citara, in località Agnone (R 1930, fig. 26), mentre ora egli assegna queste pomici all'eruzione della Bocca, poiché « coprono con grande spessore anche la parte centrale » del Campotese e quindi « devono essere il prodotto di una eruzione più recente che può essere soltanto quella fessurale avvenuta alla base del versante occidentale del massiccio dell'Epomeo » (R-G 1980, p. 172 sg.), e attribuisce invece al Campotese il sottostante più potente banco piroclastico.

Poiché non si conosce purtroppo con precisione il livello stratigrafico in cui è stato trovato il manufatto di selce e controversa è la interpretazione delle formazioni in località Bocca (v. più sotto), la datazione del cratere di Campotese resta incerta, in attesa che nuovi rinvenimenti possano portare un chiarimento, ma rimane comunque il dato di fatto che nel settore sud-occidentale dell'isola, formato in massima parte da una complessa sequenza di eruzioni vulcaniche ben più antiche (Forcella et al. 1981), dev'essere avvenuta almeno una eruzione di data recente.

Nel settore nord-occidentale una eruzione di vaste proporzioni, anche se non è di età storica come si è creduto per lungo tempo, appartiene pur sempre al ciclo eruttivo recente dell'isola. Si tratta della formazione di lava trachitica di Marecocco-Zaro situata tra Lacco Ameno e Forio che copre un'area di ca. 1,2 km^2 (vedi R-G 1980, p. 164 sg. che modifica i concetti espressi nel 1930 sul meccanismo dell'eruzione). Giuseppe Mercalli (1884) (20) aveva espresso l'ipotesi che a questa eruzione debba riferirsi la descrizione che lo storico siciliano Timeo, vissuto ca. 356 - 260 a.C., aveva dato di una spaventosa catastrofe vulcanica avvenuta nell'isola « poco prima dei suoi tempi ». La sua Storia della Sicilia è andata perduta, ma questo brano si è fortunatamente conservato perché è stato riportato da Strabone (V 248 C). Tale identificazione che appariva plausibile sia per l'aspetto ancora fresco della superficie lavica, sia perché i fenomeni descritti da Timeo potevano ben confarsi a que-

(19) Pensavamo allora erroneamente che queste piroclastiti che comprendono anche un banco di scorie saldate, siano dovute ad un contemporaneo centro eruttivo secondario indipendente.

(20) Mercalli, invero, era soltanto il primo a introdurre nella letteratura scientifica moderna tale identificazione già sostenuta precedentemente dallo storico locale Giuseppe D'Ascia (Storia dell'isola d'Ischia, Napoli, 1867, reprint Bologna, 1982, p. 34 sg.) il quale peraltro, come egli stesso annota, nel suo capitolo sulle eruzioni di età storica non fa che riportare quanto aveva trovato scritto sull'argomento nell'anonimo Tableau topographique et historique des isles d'Ischia, de Ponza, de Vandotena, etc., par un Ultramontain, Naples, 1822, p. 55 sgg., il cui autore era lo svizzero C. Haller, colto commerciante e agente della banca Rothschild a Napoli. Lo Haller, a sua volta, segue da vicino le argomentazioni di Nicola Andria (1783), tranne che nell'attribuire la descrizione di Timeo all'eruzione di Marecocco-Zaro, anziché a quella del Rotaro, come aveva fatto Andria.

sta eruzione, era stata accettata da Rittmann (1930) e anche da noi (1940). Successivi rinvenimenti archeologici hanno rivelato invece che è stata una supposizione errata. Abbiamo trovato infatti al disopra della lava di Marecocco-Zaro gli avanzi di un abitato preistorico dell'età del bronzo appartenente alla civiltà appenninica, databili al XIV sec. a.C. (Buchner 1971, p. 65), e di quella pietra sono costruiti i tumuli delle tombe greche a cremazione dell'VIII e VII sec. a.C. nella vicina valle di S. Montano (21).

Le recenti determinazioni K-Ar che assegnano alla formazione di Marecocco-Zaro un'età di 6000 ± 3000 anni prima di oggi (Chiesa, relazione al Convegno di Casamicciola, 1-10-1983) lasciano aperta la possibilità che questa eruzione sia avvenuta quando l'Uomo si era già insediato nell'isola.

Resta la domanda a quale altro evento vulcanico possa riferirsi il testo di Timeo che costituisce la sola descrizione più circostanziata di una eruzione ischitana tramandata dalle fonti antiche.

Recentemente Rittmann ha identificato questa catastrofe con l'evento che ha messo in posto la formazione lavica della regione Bocca situata sul versante occidentale dell'Epomeo a 280 - 300 m di altezza, interpretata come eruzione fessurale che ha prodotto un dosso di ristagno embrionale (R-G 1980, p. 160, 256-259 e fig. 86). Egli dà una suggestiva ricostruzione dell'andamento di questa eruzione, durante e dopo della quale sarebbero avvenuti i vistosi assestamenti vulcano-tettonici che hanno interessato il Tufo Verde del massiccio dell'Epomeo a monte della fessura eruttiva. « Scossa dai terremoti, tutta la parte sommitale dell'antico Monte Epomeo - probabilmente già in equilibrio precario - fu squassata e sprofondò per circa 500 metri lungo grandi faglie subverticali che delimitano le zolle crollate della Regione Falanga e della Montagna Nuova. Una terza zolla più piccola fu dislocata lungo un piano inclinato. Il versante occidentale della zolla dell'Epomeo, sovrastante la fessura eruttiva, fortemente fracassato franò sotto forma di blocchi grandi e piccoli di tufo verde che seppellirono la zona costiera e la massima parte delle lave e dei tufi della stessa eruzione ». La freschezza delle faglie, particolarmente evidente nella cresta seghettata dei Frassitielli e nella parete che delimita verso monte l'altipiano della Falanga, denota che la loro origine dev'essere di data relativamente recente, trattandosi di tufo facilmente erodibile. Ugualmente il campo fumarolico molto attivo lungo tutta la fessura eruttiva è indizio di una data recente. Da tempo noi avevamo pensato che allo sprofondamento della Falanga si debbano riferire le parole di Plinio (*Nat. Hist.* 2, 203) . . . *mox in his montem Epopon, cum repente flamma ex eo emicuisset, campestri aequatum planitie* (P. Buchner 1943, p. 55). Non avevamo però connesso questo evento con l'eruzione della regione Bocca che ora spiegherebbe molto bene quel *cum repente flamma ex eo emicuisset*. Insorgono peraltro fondati dubbi sull'attendibilità di questa notizia di Plinio (v. sotto).

La medesima formazione della regione Bocca è stata tuttavia vista in maniera affatto diversa da Chiesa e collaboratori, per i quali quella trachite giace invece al disotto della formazione del Tufo Verde ed è notevolmente più antica di questo, avendo Gillot ottenuto per la trachite della Bocca determinazioni K-Ar tra 135.000 ± 8.000 e 122.000 ± 3.000 anni.

Non intendiamo esprimere qui un parere in merito alle due spiegazioni diametralmente opposte, anche perché quella di Chiesa e collaboratori è stata finora pubblicata soltanto in sunto estremamente conciso (22). Il fatto stesso che sia possibile una simile disparità di interpretazione di una data

---

(21) Per la nostra rettifica vedi Buchner, 1971, [1962], p. 529, n. 2; 1969, p. 99 sg., n. 1; donde Pichler, 1970, p. 100; Buchner, 1975, p. 62 sg.

(22) « ...lava units associated with breccia can be individually identified under the Green Tuff at the foot of the Western slope of Monte Epomeo (Rione Bocca), bearing witness to the existence of a phase of activity before the formation of the Green Tuff », e la determinazione K-Ar del campione n. 11 referentesi a « Rione Bocca, trachytic flow, under the Green Tuff » (Gillot et al., 1982). La breccia menzionata è evidentemente la stessa descritta da Rittmann come contenente « blocchi rigettati di trachiti e plutoniti corrispondenti, *di tufo verde tipico e di tufo della Citara* » (corsivo mio) e inter-

situazione geologica, pur abbastanza bene esposta alla vista, è comunque sconcertante.

L'identificazione dell'eruzione descritta da Timeo, che ben potrebbe riferirsi a quella della regione Bocca se l'interpretazione di Rittmann fosse quella giusta, rimane dunque incerta.

È da aggiungere in fine che nella tradizione scritta si è conservato, a nostro avviso, il ricordo di una eruzione sottomarina con la formazione di una isoletta effimera che forse potrebbe essere identificata con il piccolo vulcano sommerso della « Secca verso Ventotene » a W di Forio (per i particolari vedi Appendice II, nota 5 del commento al testo di Strabone).

Eventi vulcano-tettonici e di erosione: le frane.

La metà occidentale dell'isola, risparmiata tranne poche eccezioni da eruzioni di data recente, è stata funestata invece da un'altra calamità che spesso ha avuto conseguenze non meno disastrose per gli insediamenti umani e per le colture e che costituisce tuttora un pericolo da non sottovalutare, vale a dire le frane di cui sono da distinguere due tipi nettamente diversi.

I settori nord-occidentale e occidentale dell'isola, da Casamicciola fino a Panza e Ciglio, su cui incombe il Horst dell'Epomeo con i suoi ripidi fianchi instabili, sono stati interessati da estesi franamenti di Tufo Verde che vi si è distaccato in blocchi che da piccoli frammenti possono raggiungere ·un volume fino a parecchie decine di metri cubi (Forcella et al. 1981, p. 330 sg.) (23). I detriti di queste frane di crollo composti esclusivamente di Tufo Verde, ricoprono interamente i settori indicati, dalla zona pedemontana fino a mare (ad eccezione della formazione lavica di Marecocco-Zaro e del piccolo apparato vulcanico della Fundera tra Casamicciola e Lacco Ameno) con forte spessore che nasconde ovunque le formazioni a muro (vedi la carta geologica 1:25.000 in R-G 1980, in attesa che venga pubblicata la dettagliata carta morfo-strutturale dell'isola curata da Luigina Vezzoli. Sulla sua carta geologica al 10.000 del 1930 Rittmann non distingue ancora i due tipi di frane).

Specie le frane di proporzioni maggiori sono state determinate da movimenti di assestamento del Horst, altre sono dovute semplicemente a fenomeni erosivi, come quella recente del 24 ottobre 1910 che ha devastato la località Piazza Bagni a Casamicciola (Donzelli 1910).

Abbiamo appena ricordato il passo di Plinio in cui sarebbe suggestivo vedere un ricordo dello sprofondamento dell'originaria vetta dell'Epomeo e della genesi dell'altopiano della Falanga, evento che sarebbe accaduto in tal caso in età storica. Oggi, tuttavia, siamo piuttosto propensi a considerare le parole *campestri aequatum planitie* soltanto una esagerata e malintesa parafrasi della sua fonte (vedi Appendice II). La freschezza del piano di faglia che delimita la Falanga verso SE con una pendenza di ca. 70° e un rigetto di oltre 150 m come, p. es, delle faglie che interessano la cresta

---

pretata come « breccia di apertura che svuotò la fessura eruttiva dalla quale furono emessi durante la fase esplosiva dell'eruzione, dapprima sabbie e lapilli trachitici, poi brandelli di lava e finalmente lava piuttosto viscosa che si accumulò sulla fessura e quindi defluì verso W » (R-G, 1980, p. 160).

(23) Alcuni di questi grandi blocchi isolati di Tufo Verde sono caduti fino nel mare (il cosidetto Fungo di Lacco Ameno, gli scogli emergenti davanti alla spiaggia di Citara), ma la maggior parte si è fermata a diverse altezze nella zona pedemontana e sull'altipiano della Falanga. Molti di essi sono stati internamente scavati e trasformati in case di abitazione, cellai, ripostigli, cisterne o palmenti. Paul Buchner (1939) ha fermato per la prima volta l'attenzione su questi singolari manufatti rupestri che risalgono al XVI, XVII e XVIII sec. d.C., mentre Nicoletta D'Arbitrio e Luigi Ziviello (1983) ne hanno fornito recentemente un'ampia documentazione fotografica e grafica.

seghettata dei Frassitielli, indicano comunque che si tratta di dislocazioni tettoniche molto recenti le quali, anche se non fossero di età storica, devono essere avvenute in tempi in cui l'uomo si era già insediato sull'isola. (Per la tettonica del versante NW dell'Epomeo vedi R-G 1980, p. 152-154).

Nella parte settentrionale della falesia alle spalle della spiaggia di Citara si trovano cocci romani del II - III sec. d.C. inglobati nella coltre superiore di detriti di frana.

Un disastroso terremoto accompagnato da frane avvenuto nel 1228 è ricordato nella cronaca di Riccardo di S. Germano con queste parole: *Eodem mense Julii* [1228] *mons Isclae subversus est, et operuit in casalibus sub eo degentes fere septingentos homines inter viros et mulieres*. La zona colpita non può essere che quella tra Casamicciola e Forio.

Nel settore centro-meridionale dell'isola, invece, la vasta conca di Fontana che si presenta con pendio dolcemente digradante dalla cresta fino al mare, incisa da profondi burroni di erosione che sboccano sulla spiaggia dei Maronti, localmente detti « cave », è interamente riempita di una enorme massa detritica rimaneggiata a tessitura caotica, composta prevalentemente da piccoli frammenti di Tufo Verde e delle tufiti e argille sottomarine originariamente situate a tetto di quello (vedi Bortoluzzi, Grimaldi, Italiano 1984, [1983], p. 259-261). Questa formazione poco coerente, esposta nelle « cave » per spessori che arrivano a 200 m senza scoprire i livelli a muro, ha alimentato in età recente frane, o meglio colate fangose di notevoli spessori che sono distinguibili e databili, allo stesso modo delle eruzioni, attraverso la ricognizione dei paleosuoli ricoperti dal materiale detritico.

Di una di queste colate fangose che rappresenta l'estrema propaggine verso SE di tali formazioni, contenente cocci del VI-IV sec. a.C. e ricoperta dalle piroclastiti emesse dai crateri di Molara e Vateliero, abbiamo già detto più sopra. Nei particolari il loro studio resta peraltro ancora tutto da fare. Ricordiamo a proposito soltanto che già nella nostra nota del 1940 abbiamo accennato al rinvenimento di un paleosuolo intercalato tra questi livelli detritici e contenente cocci di tipo preistorico non meglio determinabili, riscontrato in diversi punti della zona di Barano, e di un altro presso Succhivo con ceramica del VII sec. a.C. che si può seguire fino a S. Angelo.

Recenti movimenti vulcano-tettonici locali delle zone costiere.

Infine sono da ricordare ancora alcuni fenomeni particolari che hanno colpito più o meno limitate zone costiere in epoca molto recente.

Rinvenimenti archeologici sottomarini documentano uno sprofondamento locale che in età romana ha interessato un tratto della costa NE dell'isola, tra la spiaggia di Carta Romana e l'isolotto del Castello d'Ischia. Alla profondità tra 5 e 7 m sotto il mare sono stati trovati in quella zona resti appartenenti a uno stabilimento metallurgico, precisamente a una fonderia di piombo e stagno, consistenti in blocchi di galena - il minerale, cioè, da cui si ricava il piombo, probabilmente importato dalla Sardegna -, scorie residuate dalla fusione, ghiande missili e altri manufatti di piombo e soprattutto un buon numero di lingotti di piombo, del peso di oltre trenta chili ciascuno, e di lingotti di stagno puro, tutti con i loro marchi di fabbrica impressi. Insieme a questo materiale si sono rinvenuti scarsi avanzi di strutture murarie romane e ceramica, in maggior parte grezza. I frammenti diagnostici più antichi appartengono alla ceramica Campana a vernice nera del III-II sec. a.C., quelli più recenti sono di tipo Aretino (24). L'evento può essere datato perciò in età augustea, tra la fine del I sec. a.C. e l'inizio del I sec. d.C.

_____

(24) Manca tuttora una pubblicazione scientifica del materiale di cui la maggior parte è conservata presso il deposito di Lacco Ameno della Soprintendenza Archeologica di Napoli. Ne tratta peraltro abbastanza diffusamente P. Monti (1980, p. 170 sgg.).

La sommersione non può essere avvenuta per effetto del lentissimo e costante abbassamento bradisismico cui l'isola va soggetta almeno dall'età romana in poi, perché in tal caso non sarebbero certamente stati abbandonati sul posto i numerosi lingotti di piombo e stagno che rappresentavano un notevole valore. Deve trattarsi quindi di uno sprofondamento repentino di un limitato tratto costiero (25).

Rittmann (R-G 1980, p. 253) pensa che questo sprofondamento sia da collegare con l'eruzione del Montagnone, che peraltro dista quasi 3 Km. Data la differenza cronologica tra la ceramica più recente rinvenuta sotto i lapilli del medesimo e quella trovata insieme ai lingotti di piombo e stagno, sarebbe da ammettere comunque un notevole intervallo di tempo tra il supposto evento precursore e la successiva eruzione.

Sappiamo ancora di un terremoto avvenuto nel 1275 in concomitanza con il quale un tratto costiero dell'isola è sprofondato nel mare. Il documento relativo, contenuto nei registri angioini dell'Archivio di Stato di Napoli, era sfuggito sorprendentemente all'attenzione di tutti gli studiosi napoletani di storia medioevale. Dobbiamo la sua conoscenza al prof. Eduard Sthamer che a suo tempo ce lo comunicò avendolo fortunatamente rintracciato e trascritto prima che questi volumi, insieme con gli altri manoscritti più preziosi di quell'Archivio fossero stati dati barbaramente alle fiamme il 30 settembre 1943. Ne diede notizia Dora Buchner Niola (1965, p. 52), mentre il testo viene qui pubblicato per la prima volta (vedi Appendice II).

Il 2 novembre 1275 re Carlo I d'Angiò ordina di inviare nell'isola d'Ischia una commissione d'inchiesta in seguito a una petizione degli isolani che chiedevano di essere alleviati dalle tasse per la calamità sofferta: *Ex parte hominum Yscle . . . porrecta excellencie nostre peticio continebat, quod, cum nuper ex quodam infortunio terremotus nonnulli ipsorum hominum, parte dicte terre in mari submersa, perierint et possessiones multe omnino perdite et alique edes sint destructe . . .* Purtroppo non si è conservata la relazione degli inviati che dovevano riferire *quando ed in qua parte ipsius terre* [*terremotus fuit*], *quodque dampnum evenit propterea*, e rimane perciò incerto quale zona dell'isola sia stata colpita allora e se poteva trattarsi forse di un evento precursore dell'eruzione dell'Arso del 1302. In tal caso, e se fosse da ritenere valida l'ipotesi di Rittmann di una connessione tra lo sprofondamento della zona di Carta Romana e l'eruzione del Montagnone, si sarebbe avuto un fenomeno analogo a quello.

Un notevole sollevamento bradisismico molto recente ha interessato la costa meridionale dell'isola. La testimonianza più evidente è costituita da una spiaggia sollevata lungo la Marina dei Maronti che insiste sopra la falesia che delimita la spiaggia attuale. Questa formazione, pur così appariscente, è sfuggita all'osservazione di Rittmann (1930) e non è menzionata nemmeno nella sua recente versione italiana (R-G 1980), mentre noi ne avevamo dato un breve cenno (P. e G. Buchner 1940, p. 562 sg.).

(25) Pur essendo convinti che, per la presenza dei numerosi lingotti, si deve necessariamente ammettere uno sprofondamento repentino, non vogliamo nascondere che ciò implica una difficoltà che non sapremmo spiegare. Poiché il valore medio dell'abbassamento bradisismico dell'isola è di ca. 3 mm all'anno, la profondità in cui si trovano gli avanzi della fonderia di piombo corrisponde infatti all'incirca al livello che dovremmo aspettarci se la sua sommersione fosse dovuta soltanto a quest'ultima causa.

Il punto più avanzato verso E della spiaggia antica si trova sul piccolo dosso che separa dalla riva lo sbocco della Cava di Terzano, a ca. 30 m sul mare (26). Da qui si può seguirla continuatamente fino all'ingresso della Cava Scura verso il quale essa si abbassa fino a un'altezza di ca. 20 m s.l.m. Sul tratto più alto della falesia che segue verso W, la spiaggia antica manca, per ricomparire ancora una volta sul lato occidentale dello sbocco della Cava Petrelle, dove si è abbassata ancora a ca. 15 m s.l.m.

Una bella sezione è visibile sul lato orientale dell'ingresso nella Cava dell'Olmitello (o Cava dell'Acquara). La spiaggia sollevata poggia con discordanza nettissima sul sottostante banco di detriti di colata fangosa ai piedi del quale si addossa la spiaggia attuale. Con uno spessore complessivo di un paio di metri, essa si compone di livelli alternati di grossi ciottoloni, ghiaia e sabbia grossolana. Un pò dovunque si trovano inclusi piccoli frammenti di ceramica attribuibili all'età romana, fortemente levigati e arrotondati dall'attrito. A suo tetto si trova per uno spessore di ca. 6 m nuovamente il solito detrito di colata fangosa che nella sua parte più bassa, per ca. 2 m, è misto a ciottoli levigati, con qualche straterello intercalato di sabbia marina, mentre per lo spessore restante, che contiene ogni tanto qualche coccio grezzo e poco diagnostico con rotture vive, si è depositato in ambiente subaereo e non è stato più rimaneggiato dal mare. Lungo la parete orientale dell'ingresso nella Cava dell'Olmitello si può seguire la spiaggia sollevata per una cinquantina di metri verso l'interno. Questa sezione trasversale permette di osservare che la zolla sollevata si abbassa verso monte con un'inclinazione di ca. 5°. Essa ha subito dunque un basculamento verso NNW.

Lo stato dei luoghi si presenta oggi purtroppo profondamente alterato e sconsideratamente manomesso rispetto al tempo al quale risalgono i circostanziati appunti relativi alle osservazioni fatte a riguardo da mio padre e da me (1937), qui brevemente riassunti. L'essenziale è peraltro sempre ancora osservabile e talvolta il livello di spiaggia antica si può vedere in freschi tagli operati dalle ruspe nel corso di sbancamenti (cfr. Bortoluzzi, Grimaldi, Italiano 1984, [1983] p. 261).

Altre due testimonianze di un sollevamento molto recente sono da collegare con ogni probabilità con quello della costa dei Maronti. Fin dal 1930 Rittmann aveva osservato che, tra Punta Chiarito e S. Angelo, « parecchi solchi di erosione sono profondamente incisi nei tufi e sboccano a mare a circa mezza altezza della falesia. Ciò dimostra che in questa parte dell'isola si è verificato un sollevamento recente da 10 a 15 m » (R 1930, p. 66; R-G 1980, p. 181). Inoltre, nella lava compatta che forma lo zoccolo di Punta Imperatore, Rittmann ha notato un solco di battigia a 12 m s.l.m. (1930, p. 61; 1980, p. 169) e già Ferdinando Fonseca aveva osservato nello stesso posto, « pochi metri sul livello del mare, una breccia vulcanico-calcarea conchiglifera di non molta spessezza, che incrosta la trachite sorgente dal mare. Essa è composta di ciottoli di trachite arrotonditi e di conchiglie tutte viventi nel vicino mare, ligate da un forte cemento calcareo » (1847, p. 19 sg., con un elenco di 39 specie di gasteropodi e lamellibranchi). Pare che nel frattempo questa breccia, non più ritrovata, sia caduta in preda all'erosione marina.

Quasi certamente, dunque, il sollevamento non ha interessato soltanto la spiaggia dei Maronti, come pensavamo nel 1940, ma tutta la costa meridionale dell'isola. Credevamo anche di dover ammettere un nesso causale tra il sollevamento e la colata fangosa e quindi la loro contemporaneità. Oggi ci sembra molto più probabile che si tratti di due eventi indipendenti e che il sollevamento sia avvenuto in età assai più recente della colata fangosa di età romana non meglio precisabile.

Soprastante alle primitive cabine termali dei bagni di Cava Scura scavate nella parete della « cava » omonima, vi è una seconda fila di celle analoghe oggi completamente inaccessibili, con un disli-

(26) Segnato appunto con la quota 30 sulla carta 1:10.000 dell'I.G.M.

vello di ca. 6-7 m di parete verticale tra i rispettivi pavimenti, di cui stranamente non si trova alcun cenno nella bibliografia ischitana (fig. 5). Pensiamo che le cabine superiori potrebbero essere state rese inutilizzabili proprio a causa del sollevamento della costa, piuttosto che in seguito a qualche evento di erosione strettamente circoscritto a quella località. Ma le cabine termali superiori non possono essere che recentissime. Giulio Jasolino (1588) che pur menziona la sorgente di Cava Scura che sgorga più a monte a una certa distanza dalle celle scavate nella parete alle quali viene fatta affluire per mezzo di un canaletto, e la indica sulla sua carta dell'isola con la dicitura *acqua fervens cavae obscurae*, non parla affatto del suo uso a scopo terapeutico. Il medico casamicciolese Gian Andrea D'Aloisio, nel suo *L'infermo istruito nel vero salutevole uso de' rimedi minerali dell'isola di Ischia* (1757) la ignora del tutto. Invece Chevalley de Rivaz, altro medico che operò a Casamicciola dal 1830 al 1863, autore di una *Description des eaux minéro-thermales et des étuves de l'île d'Ischia* che ebbe vasta diffusione, scrive nel 1835 che gli abitanti dei casali vicini molto frequentemente fanno uso dei bagni di Cava Scura per curare dolori reumatici e postumi di fratture (2 ed., 1835, p. 124 sg., nota l, e con le medesime parole nelle successive edizioni). Il silenzio di D'Aloisio, che quando scrisse il suo libro ebbe alle spalle non soltanto la propria esperienza ultraquarantennale, ma anche quella di suo zio Orlando D'Aloisio « il quale per settant'anni continui attese con vero e felice metodo a curare quasi ogni sorte d'infermità con l'uso di questi nostri naturali rimedi » (27), sembra indicare che tra gli ultimi due decenni del XVII sec. e il 1757 la sorgente di Cava Scura non sia stata usata a scopi terapeutici.

D'altra parte è difficile pensare che l'evento che comunque mise fuori uso le cabine superiori dei bagni di Cava Scura e abbassò il fondo del burrone, sia così recente da essere avvenuto dopo il 1859, data dell'ultima edizione del libro di Chevalley de Rivaz. Ne conseguirebbe che le medesime siano state scavate tra la fine del XVI e la prima metà del XVII sec. e siano divenute inutilizzabili entro lo stesso XVII sec., mentre le attuali cabine inferiori risalirebbero al periodo compreso tra il 1757 e il 1835.

Se il nostro ragionamento si dimostrasse valido, il sollevamento tra ca. 30 e 10 m della costa meridionale dell'isola, dalla Marina dei Maronti a Punta Imperatore, sarebbe avvenuto dunque entro il XVII sec. d.C. Il movimento bradisismico ascendente cui abbiamo assistito recentissimamente a Pozzuoli, con valori fino a 5 mm. al giorno, insegna che sollevamenti di quella entità possono verificarsi nel corso di due o tre decenni.

Resta da segnalare infine un forte terremoto seguito da un maremoto le cui tracce chiaramente leggibili nel terreno sono apparse durante gli scavi della necropoli di Pithecusa a Lacco Ameno. La terra nella Valle di S. Montano si è spaccata con numerose fenditure profonde fino a 3-4 m e larghe in superficie fino a 30 cm, restringentisi tanto da diventare capillari nei tratti più profondi (fig.6 e 7). Subito dopo la valle è stata invasa da un tsunami, ossia da una enorme ondata provocata da un maremoto. La sabbia marina mista a terriccio e pietrisco trascinata dall'ondata, ha riempito le fenditure e nel defluire ha ricoperto la superficie dello stesso materiale alluvionale. La circostanza che la sabbia ha riempito anche i tratti capillari terminali delle fenditure, che erano dunque ancora beanti, indica che soltanto brevissimo tempo può essere intercorso tra il terremoto e il susseguente tsunami. I fenomeni descritti sono stati riscontrati fino a una distanza di c. 200 m dalla spiaggia attuale della baia di S. Montano. In un altro scavo eseguito ca. 70 m più verso SE, cioè verso l'in-

---

(27) D'Aloisio (1757), prefazione, pp.nn.; a p. 154 n. 2 e 206 n. 3 egli ricorda che nel 1748 lo zio Orlando era ancora vivente.

terno dell'isola, non vi era invece più traccia né di fenditure, né dello strato di detriti portati dall'ondata marina. Si deduce dunque che l'epicentro del terremoto doveva essere situato nel mare antistante e che non si è trattato di uno dei soliti terremoti ischitani dovuti a movimenti di assestamento del Horst del Monte Epomeo. L'evento, in seguito al quale la valle non è stata usata più come luogo di sepoltura, si data archeologicamente allo scorcio del II sec. d.C. (per maggiori particolari vedi Buchner e Ridgway, in corso di pubblicazione).

Ripercussioni sulla vita umana nell'isola.

Troppo frammentaria è la conoscenza del popolamento dell'isola nei periodi preistorici per poter giudicare in quale misura abbia risentito dei fenomeni vulcanici e vulcano-tettonici. La pioggia di cenere che produsse la Formazione di Piano Liguori dev'essere stata in ogni caso micidiale per gli insediamenti che si trovavano allora nell'area interessata da quell'eruzione. Si può dire inoltre che il piccolo abitato sulla collina del Castiglione visse indisturbato dal XIV fin entro la prima metà dell'VIII sec. a.C., quando fu abbandonato in seguito alla estrusione del dicco eruttivo di Cafieri, probabilmente senza, o comunque con poche vittime poiché in quell'occasione sulla collina non caddero materiali piroclastici (28).

Intorno al 770-760 a.C. Greci provenienti da Calcide e Eretria nell'isola di Eubea si stabilirono nell'isola d'Ischia che chiamarono Pithekoussai e vi fondarono una città con il medesimo nome che durante tutta la seconda metà dell'VIII sec. a.C. fu il più importante emporio commerciale per i traffici tra il Mediterraneo Orientale e l'Italia Centrale oltre che centro di industria metallurgica nonché figulina (29). Con intuito felice gli Eubei scelsero per il loro insediamento il sito più sicuro che l'isola poteva offrire. L'acropoli sul promontorio di Monte di Vico all'estremità NW dell'isola, con l'area circostante che comprendeva i nuclei suburbani al margine NE della collina di Mezzavia, la zona portuale e la necropoli nella valle di S. Montano, dopo la messa in posto della vicina formazione lavica di Marecocco-Zaro, non è stata infatti mai più direttamente interessata da eventi vulcanici, a prescindere dalle ceneri che per tre volte vi sono cadute in quantità molto limitata (v. sopra). L'area abitata si trova anche a riparo dalle frane di crollo dell'Epomeo che hanno appena sfiorato il suo estremo limite orientale (30).

Secondo Strabone i coloni vissero inizialmente in fortunata prosperità (ed è precisamente quanto attestano i reperti archeologici relativi alla seconda metà dell'VIII sec. a.C.), ma poi, dopo che una parte di essi aveva già lasciato l'isola in seguito a dissidi interni, la abbandonaro « più tardi » a

---

(28) Appartengono a eruzioni posteriori del complesso di Monte Rotaro i due distinti livelli di pomici e scorie che ricoprono la parte superiore della collina del Castiglione, collina che è costituita da una protrusione di lava in massa con ripide pendici. L'affermazione di Rittmann (R-G, 1980, p. 216) che l'abitato preistorico sia stato « seppellito dal materiale piroclastico emesso da una eruzione avvenuta nell'ottavo secolo a.C. », è errata. Un saggio di scavo sulla sommità della collina ha insegnato che l'abitato, impiantato direttamente sulla superficie lavica, era già abbandonato e distrutto da parecchio tempo, quando i suoi resti furono coperti dal primo livello piroclastico, con ogni probabilità appartenente al Rotaro I. Riteniamo che si tratti ugualmente di una svista, se Rittmann prosegue affermando che « sotto la stessa lava » si sarebbero trovati « tufi pomicei con frammenti vitrofirici, simili a quelli del Rotaro I affioranti nella Cava del Puzzillo ». Questi si trovano soltanto, messi in luce in qualche grotta scavata dai contadini, nel tratto tra la strada statale e il piede della rupe lavica, mentre le formazioni a muro della stessa non sono mai state visibili.

(29) Sul ruolo che Pithecusa ebbe in quel periodo vedi ora il recentissimo libro di David Ridgway (1984), mio collaboratore da molti anni, in cui sono riassunti i risultati degli scavi trentennali a Lacco Ameno.

(30) Per la topografia dell'insediamento vedi la cartina in Buchner, 1975, tav. I.

causa di terremoti e eruzioni vulcaniche (31). È molto probabile che tali eventi siano da identificare con l'eruzione che ha messo in posto nella valle di S. Montano lo strato di cenere e sabbia pumicea, databile intorno all'anno 600 a.C. e forse da attribuire al Rotaro I (v. sopra).

Dalla ricerca archeologica si deduce che tra la fine dell'VIII e l'inizio del VII sec. a.C. Pithecusa cessa di essere un rilevante emporio commerciale, e da allora si assiste anche a un progressivo calo della sua consistenza demografica. Ciò è dovuto tuttavia più che altro a cause politiche e economiche, anzitutto allo sviluppo della vicina Cuma, e non a calamità naturali. L'affermazione di Strabone che l'isola sarebbe stata abbandonata dai Greci, è sicuramente errata, poiché gli scavi archeologici hanno documentato, tanto nella necropoli quanto nell'abitato sul promontorio di Monte di Vico, il popolamento continuo, senza alcuna interruzione. L'abbandono di un'isola in seguito a un'eruzione vulcanica è un avvenimento che « fa notizia », e perciò viene volentieri esagerato dai cronisti, anche quando si tratta in realtà soltanto di un abbandono temporaneo di un gruppo dei più timorosi. Istruttiva a tal proposito è la tradizione relativa all'eruzione dell'Arso nel 1302, dove possiamo seguire come nasce un'affermazione esagerata del tutto analoga (32).

Strabone prosegue raccontando che anche la guarnigione siracusana mandata da Hierone I a presidio dell'isola cedutagli dai Cumani in compenso dell'aiuto prestato nella battaglia navale combattuta contro gli Etruschi nel 474 a.C., abbandonò l'isola in seguito a una eruzione vulcanica. Diversi autori tra cui Fazello (1558, v. Appendice II), Mercalli (1884 p. 106) e Rittmann (1930, p. 137), hanno ritenuto che si trattasse della medesima catastrofe descritta da Timeo e avvenuta poco prima dei suoi tempi, ossia nella prima metà del IV sec. a.C., e che ben sembrava prestarsi poichè veniva identificata, erroneamente, con la formazione di Marecocco-Zaro vicinissima alla città greca. E' tuttavia del tutto improbabile che Siracusa abbia potuto mantenere per un periodo così lungo, intorno a un centinaio di anni, il possesso di Pithecusa, ed è da ritenere perciò che la descrizione di Timeo si riferisca a un altro, successivo evento vulcanico. E' ragionevole pensare che la sede del presidio siracusano sia stata sull'acropoli di Monte di Vico e che quindi non poteva essere stata direttamente colpita da un'eruzione vulcanica, la quale avrà servito piuttosto da buon pretesto per giustificare il ritiro della guarnigione dovuto in verità a ragioni politiche (33).

Si può affermare, in conclusione, che le pesanti calamità naturali che hanno colpito l'isola tra il 770 ca. e il 350 a.C., tre o quattro eruzioni e inoltre terremoti e frane, non hanno influito in modo determinante sulla vita della Pithecusa greca.

(31) E' chiaro che Strabone sottintende che per la στάσις soltanto una parte dei Greci lasciò l'isola, ché altrimenti non ci sarebbero più stati abitanti che avrebbero potuto abbandonarla ὕστερον a causa delle calamità naturali. Si è pensato che i dissidi interni sarebbero sorti tra oriundi Calcidesi e Eretriesi al momento dello scoppio della Guerra Lelantina in cui si dissanguarono vicendevolmente le due vicinissime città dell'Eubea, e di cui purtroppo ben poco si sa.

(32) Mentre Giovanni Villani, la fonte prima contemporanea, scrive ... *e molti per iscampare fuggirono all'isola di Procita e di Capri, e a terra ferma a Napoli, e a Baja, e a Pozzuolo, e in quelle contrade,* ... cosa senz'altro credibile, nella versione di Giorgio Agricola si legge ...*et praeter reliquas animantes multos homines consumpsit. Caeteri fuga dilapsi se salvos et incolumes a tanta calamitate servarunt. Quorum pars navigavit proximam Pandatariam* [sic, erroneamente per Prochytam!], *pars Capreas se contulit, pars petiit Baias, aut Puteolos, aut Neapolim.* ... (*De natura eorum, quae effluunt ex terra,* prima edizione 1545, testo citato secondo l'ed. Basilea, 1558). In modo simile si esprimono Tommaso Fazello (1558) e Leandro Alberti il quale scrive ...*uccidendo molti huomini et animali per sì fatta maniera, che furono costretti gli huomini ad abbandonare il luogo, fuggendo fuori dell'isola, chi a Procida, chi a Capre, chi a Baia, chi a Pozzoli, et chi a Napoli (Isole appartenenti alla Italia,* prima edizione 1561, testo secondo l'edizione Vinegia, 1588, p. 29).

(33) Vedi in ultimo Martin Frederiksen, *Campania,* British School at Rome, 1984, p. 93 sg. con n. 77 e p. 103, che ugualmente ritiene che la fortezza di Hierone I doveva essere situata sul Monte di Vico e che la stessa non poteva essere stata mantenuta dai Siracusani ancora per molto tempo dopo la caduta della tirannide seguita alla morte di Hierone nel 466 a.C.

Ben diversamente l'attività vulcanica ha condizionato in modo negativo lo sviluppo dell'isola durante l'età romana. Per questo periodo si aveva notizia di un solo evento vulcanico nel 91 a.C., tramandato da uno scrittore tardo del IV sec. d.C. (Julius Obsequens, *Prodigiorum liber* 54, 114), mentre poco credito sembravano meritare Simone Porzio (1538) e Tommaso Fazello (1558) che riferiscono di quattro eruzioni che sarebbero avvenute nell'isola ai tempi di Augusto, Tito, « Antonino quarto » e Diocleziano, dal momento che fino ad oggi non è stato possibile rintracciare la fonte antica alla quale il filosofo napolitano e lo storico siciliano avrebbero potuto attingere (v. Appendice II).

Lo studio dei paleosuoli ha rivelato invece inaspettatamente che proprio in età romana imperiale l'isola è stata di continuo flagellata da numerose eruzioni vulcaniche, oltre che da frane, colate fangose e terremoti. Quale mai possa essere stata la fonte di Porzio e Fazello, non abbiamo perciò più motivo di non ritenerla valida.

Ischia è estremamente ricca di sorgenti termali che erano predilette dai Romani (34), eppure non vi è traccia di edifici termali monumentali, né di grandi ville signorili, i cui resti abbondano invece nella regione dei Campi Flegrei, tra Pozzuoli, Baia e Miseno. E' evidente che le persone facoltose e colte erano consapevoli del fortissimo rischio vulcanico e sismico cui sarebbero andati incontro se avessero costruito e soggiornato nell'isola.

E' molto probabile che questo sia stato anche il vero, fin ora insospettato motivo per cui Augusto volle disfarsi del possesso di Ischia, che nel frattempo era diventata proprietà del demanio dello Stato romano e aveva mutato il suo nome in Aenaria (35), restituendola ai Napolitani in cambio dell'isola di Capri, pur quasi cinque volte più piccola, tutta rocciosa e priva dell'attrattiva delle sorgenti termali. Stando a quanto racconta Svetonio nella vita di Augusto (*Aug.* 92,2), la ragione della permuta sarebbe stata un'altra: all'arrivo di Augusto a Capri, nel 29 a.C. secondo Dione Cassio (52, 43, 2), un vecchio elce già quasi disseccato sarebbe improvvisamente rinvigorito. Allietato da questo buon augurio egli volle tenere l'isola per sé e, come riferisce Strabone (V 248), subito cominciò a costruirvi una residenza. La bella favola è stata inventata, si può presumere, per giustificare uno scambio apparentemente svantaggioso. E' noto quanto vantaggio ne abbia tratto invece l'isola di Capri che è stata coperta da ville imperiali e per alcuni decenni, fino alla morte di Tiberio nel 37 d.C., ebbe un posto importante nella storia dell'impero romano. A Ischia, per contro, si trovano soltanto un po' dovunque gli umili avanzi — cocci di stoviglie di uso comune e tombe povere con copertura di tegole — lasciati da una caparbia popolazione contadina, che, noncurante del pericolo, continuava a coltivare questa terra insidiosa.

---

(34) L'uso delle sorgenti termali ischitane nell'antichità, oltre che dalle poche e scarne notizie che si trovano nelle fonti scritte (vedi Appendice II), è documentato dai rilievi votivi di età romana dedicati ad Apollo e le ninfe Nitrodi, rinvenuti nel 1757 presso la sorgente che porta tuttora il nome di Nitroli e conservati nel Museo Archeologico Nazionale di Napoli (vedi L. Forti, *Rilievi dedicati alle Ninfe di Nitrodi, Rend. Acc. Archeol., Lettere e B.A. di Napoli*, 26, 1951).

(35) Pithecusa aveva perduto ben presto, presumibilmente fin dagli inizi del VII sec. a.C., la sua autonomia per diventare una dipendenza di Cuma, che nel 474 a.C., come è stato già menzionato, dovette cedere l'isola a Siracusa. Dopo il ritiro della guarnigione siracusana, Ischia fu occupata dai Napolitani, come riferisce Strabone, senza tuttavia precisare meglio quando ciò fosse accaduto. Durante le guerre civili tra Mario e Silla, Napoli e Ischia avevano parteggiato per il primo e quando Napoli, nell'82 a.C., fu presa dalle truppe di Silla dovette cedere a Roma l'isola d'Ischia, mentre poteva conservare il possesso di Capri.

APPENDICE I

LE OSSERVAZIONI DI WILLIAM HAMILTON (1770)

E GIULIO CESARE BRACCINI (1631)

SU PALEOSUOLI INTERCALATI TRA FORMAZIONI PIROCLASTICHE

Gli scritti vulcanologici di Sir William Hamilton, inviato straordinario e plenipotenziario di S.M. britannica alla Corte di Napoli, redatti in forma di lettere inviate alla Royal Society di Londra tra il 1766 e il 1795, sono stati pubblicati inizialmente nelle Philosophical Transactions della medesima. Le prime sei lettere — di cui ci interessa la quinta, datata Napoli, 16 ottobre 1770 e intitolata *Remarks upon the nature of the soil of Naples, and its neighbourhood* — furono ripubblicate con il titolo *Observations on Mount Vesuvius, Mount Etna and other volcanos*, London, Cadell, 1773, con due ristampe identiche nel 1774 e 1783, e sono riprodotte anche nella monumentale opera *Campi Phlegraei*, Napoli, 1776-1779, illustrata da Pietro Fabris (1), mentre uscirono tradotte in tedesco a Berlino nel 1773 e in francese a Parigi nel 1781, dunque in non meno di sette edizioni nel corso di poco più di un decennio (2).

Pur avendo avuto a suo tempo così vasta diffusione, le osservazioni di Hamilton sull'importanza dei livelli umificati intercalati non ebbero alcuna risonanza nemmeno tra i naturalisti contemporanei che si sono occupati delle medesime regioni. Nessun cenno a proposito si trova infatti nelle opere di Spallanzani (1792-97) e di Breislak (1798).

Vale la pena di riportare per intero il brano sui paleosuoli in cui Sir William si rivela osservatore acuto, e perspicace nelle deduzioni esposte con esemplare chiarezza.

« *The growth of soil by time is easily accounted for, and who, that has visited ruins of ancient edifices, has not often seen a flourishing shrub, in a good soil, upon the top of an old wall? I have remarked many such on the most considerable ruins at Rome and elsewhere. But from the soil which has grown over the barren pumice that covers Pompeii, I was enabled to make a curious observation. Upon examining the cuts and hollow ways made by currents of water in the neighbourhood of Vesuvius and of other Volca-*

---

(1) La dibattuta questione circa l'autore delle 59 splendide tavole che illustrano quest'opera di Hamilton è stata recentemente risolta in modo definitivo da Carlo Knight che ha potuto documentare come tutte siano dovute a Pietro Fabris (*Sir William Hamilton's Campi Phlegraei and the artistic contribution of Peter Fabris*, in: E. Chaney and N. Ritchie (eds.), *Oxford China and Italy, Writings in Honour of Sir Harold Acton*, London, 1984, p. 193-208).

(2) Per la bibliografia completa delle pubblicazioni vulcanologiche di Hamilton si veda F. Furchheim, *Bibliografia del Vesuvio*, Napoli, 1897, p. 73-77, e *Bibliografia geologica d'Italia, vol. III, Campania*, a cura di G. D'Erasmo e M. L. Benassai Sgadari, Napoli 1958, p. 259-260.

nos, I had remarked that there lay frequently a stratum of rich soil, of more or less depth, between the matter produced by the explosion of succeding eruptions [e]; and I was naturally led to think, that such a stratum had grown in the same manner as the one abovementioned over the pumice of Pompeii. Where the stratum of good soil was thick, it was evident to me that many years had elapsed between one eruption and that which succeeded it. I do not pretend to say, that a just estimate can be formed of the great age of Volcanos from this observation; but some sort of calculation might be made: for instance, should an explosion of pumice cover again the spot under which Pompeii is buried, the stratum of rich soil abovementioned would certainly lie between two beds of pumice; and if a like accident had happened a thousand years ago, the stratum of rich soil would as certainly have wanted much of its present thickness, as the rotting of vegetables, manure, etc. is ever increasing a cultivated soil. Whenever I find then a succession of different strata of pumice and burnt matter, like that which covers Pompeii, intermixed with strata of rich soil, of greater or less depth, I hope I may be allowed reasonably to conclude, that the whole has been the production of a long series of eruptions, occasioned by subterraneous fire. By the size and weight of the pumice, and fragments of burnt erupted matter in these strata, it is easy to trace them up to their source, which I have done more than once in the neighbourhood of Puzzole, where explosions have been frequent. The gradual decrease in the size and quantity of the erupted matter in the stratum abovementioned, from Pompeii to Castle-a-Mare, is very visible: at Pompeii, as I said before, I have found them of eight pounds weight, when at Castle-a-Mare the largest do not weigh an ounce.

The matter which covers the ancient town of Herculaneum is not the produce of one eruption only; for there are evident marks that the matter of six eruptions has taken its course over that which lies immediately above the town, and was the cause of its destruction. These strata are either of lava or burnt matter, with veins of good soil between them.

(e) The Abate Giulio Cesare Braccini describes very elegantly, in his account of the eruption of Vesuvius in 1631, his having made an observation of the like nature—his words are (after having particularized the different strata of erupted matter lying one over another)—" parendo appunto che la natura ci abbia voluto lasciare scritto in questa terra tutti gli incendii memorabili raccontati delli autori " ».

Nel riscontrare la citazione dall'opera dell'abbate Giulio Cesare Braccini, Dottore di Leggi e Protonotario Apostolico nativo di Gioviano di Lucca, abbiamo avuto la sorpresa di trovare la descrizione minuziosa di una sezione con numerosi paleosuoli intercalati, insieme alla proposta di attribuzione dei singoli livelli piroclastici a eruzioni storicamente note (3), che, se non fosse per la lingua arcaica, potrebbe essere stata scritta ai giorni nostri. La riportiamo per intero perché ben merita anch'essa di venir sottratta all'oblio.

« *Avanti di venire a raccontare i danni e gli altri effetti particolari cagionatisi da questo incendio* [del 16 dicembre 1631], *narrerò brevemente il viaggio, che io feci a 13. del mese di Febbraio sopra l'istessa montagna. ... Passato Somma trovai un vallone pro-*

(3) La serie delle eruzioni menzionate dal Braccini non è completa e le date non sono sempre corrette. Per le notizie storiche sulle eruzioni vesuviane nel periodo considerato si veda Giov. Batt. Alfano, *Le eruzioni del Vesuvio tra il 79 e il 1631*, (Pubblicazione dell'Osservatorio Pio X in Valle di Pompei), Valle di Pompei, 1924, pp. 1-60.

fondo 25. palmi [ca. 6,50 m], e largo più di 40. [ca. 10,50 m] *nelle sponde del quale, che erano tagliate a perpendicolo osservai diverse tavole o liste* [oggi si direbbe strati o livelli] *di varie terre, e materie: perché nella superficie era solo un palmo* [ca. 26 cm] *di quella cenere, e arena bituminosa, e fangosa, che v'era piovuta alli 16. di Decembre, senza che vi fusse pure una minima pietruccola: appresso seguivano sei palmi* [ca. 1,58 m] *di terra, la quale si conosceva essere stata cultivata tutta, e cresciuta a poco, a poco per le inondazioni delle acque piovane. Sotto questa era un mezzo palmo* [ca. 13 cm] *o piede geometrico di cenere, o arena poco differente dalla prima: e questa stimo io, che cadesse in uno di quegl'anni 1138 o 1139. parendo appunto, che la natura ci abbia voluto lassare scritto in questa terra tutti gli incendij memorabili raccontatici dalli Autori: appresso seguiva un palmo e mezo* [ca. 40 cm] *di buona terra, e sotto questa un'altro mezzo piede di varie brecciole, da liste diverse distinte, le quali giudicai, che cadessero dall'anno 993. e 1036. sin' al 1049. Dopoi ci erano altri due palmi* [ca. 53 cm] *pur di terra, che appariva essere stata cultivata. Sotto questa seguivano due palmi scarsi di altre brecciuole arenose, e queste calculai, che cadessero nel 685. Dopo queste era un palmo, o più di terra buona, e appresso si vedevano due altri palmi di arena, e ghiare tramezzate con alcune tavolette sottili di ceneri, e terra cultivata: e queste giudicai, che cadessero negli anni 471. 472. 473. e 512. Seguivano più giù tre altri palmi* [ca. 80 cm] *di terra quasi tutta uguale, sebbene aveva qualche lista, che differenziava l'una dall'altra: sotto la quale erano quattro palmi* [ca. 1,05 m], *e più di breccie, rapillo, o pietre abbruciate, e calcinate di diverse sorti, delle quali io presi alcune, e avendole conferite con quelle, che sono piovute adesso, le trovai assai simili, ma molto più arse, e consumate: a segno tale* [...]: *e questa materia tutta stimai, che piovesse dal Vesuvio l'anno 81. a tempo di Tito* [79]. ... *Il vallone è a mezzo il cammino tra Somma, e Ottaiano, dove da ogn'huomo può con grandissima facilità vedersi* ». (p. 51-53).

APPENDICE II

LE TESTIMONIANZE STORICHE RELATIVE A ERUZIONI E EVENTI VULCANO-TETTONICI NELL'ISOLA D'ISCHIA

PERIODO GRECO-ROMANO

Strabo, *Geographica*, V, 247-248 C.

Τοῦ μὲν οὖν Μισηνοῦ πρόκειται νῆσος ἡ Προχύτη, Πιθηκουσσῶν δ' ἐστὶν ἀπόσπασμα. Πιθηκούσας δ' Ἐρετριεῖς
ᾤκισαν καὶ Χαλκιδεῖς, εὐτυχήσαντες ⟨δὲ⟩ δι' εὐκαρπίαν καὶ
διὰ τὰ χρυσεῖα, ἐξέλιπον τὴν νῆσον κατὰ στάσιν, ὕστερον
δὲ καὶ ὑπὸ σεισμῶν ἐξελαθέντες καὶ ἀναφυσημάτων πυρὸς
C 248 καὶ θαλάττης καὶ θερμῶν ὑδάτων· ἔχει γὰρ τοιαύτας ἀπο-
φορὰς ἡ νῆσος, ὑφ' ὧν καὶ οἱ πεμφθέντες παρὰ Ἱέρωνος τοῦ
τυράννου τῶν Συρακουσίων ἐξέλιπον τὸ κατασκευασθὲν
ὑφ' ἑαυτῶν τεῖχος καὶ τὴν νῆσον· ἐπελθόντες δὲ Νεαπολῖται
κατέσχον. ἐντεῦθεν καὶ ὁ μῦθος ὅτι φασὶ τὸν Τυφῶνα ὑποκεῖσθαι τῇ νήσῳ ταύτῃ, στρεφομένου δὲ τὰς φλόγας ἀναφυ-
σᾶσθαι καὶ τὰ ὕδατα, ἔστι δ' ὅτε καὶ νησῖδας ἐχούσας ζέον
ὕδωρ. πιθανώτερον δὲ Πίνδαρος εἴρηκεν ἐκ τῶν φαινομένων
ὁρμηθείς, ὅτι πᾶς ὁ πόρος οὗτος ἀπὸ τῆς Κυμαίας ἀρξάμε-
νος μέχρι τῆς Σικελίας διάπυρός ἐστι, καὶ κατὰ βάθους ἔχει
κοιλίας τινὰς εἰς ἓν συναπτούσας πρός τε ἀλλήλας καὶ πρὸς
τὴν ἤπειρον. διόπερ ἥ τε Αἴτνη τοιαύτην ἔχειν δείκνυται
φύσιν οἵαν ἱστοροῦσιν ἅπαντες, καὶ αἱ τῶν Λιπαραίων νῆσοι καὶ τὰ περὶ τὴν Δικαιάρχειαν καὶ Νεάπολιν καὶ Βαίας
χωρία καὶ αἱ Πιθηκοῦσσαι. ταῦτ' οὖν διανοηθεὶς τῷ παντὶ
τόπῳ τούτῳ φησὶν ὑποκεῖσθαι τὸν Τυφῶνα·

νῦν γε μὰν
ταί θ' ὑπὲρ Κύμας ἁλιερκέες ὄχθαι
Σικελία τ' αὐτοῦ πιέζει
στέρνα λαχνάεντα.

καὶ Τίμαιος δὲ περὶ τῶν Πιθηκουσσῶν φησιν ὑπὸ τῶν πα-
λαιῶν πολλὰ παραδοξολογεῖσθαι, μικρὸν δὲ πρὸ ἑαυτοῦ
τὸν Ἐπωπέα λόφον ἐν μέσῃ τῇ νήσῳ τιναγέντα ὑπὸ σεισμῶν ἀναβαλεῖν πῦρ καὶ τὸ μεταξὺ αὐτοῦ καὶ τῆς θαλάττης ἐξῶσαι [[πάλιν]] ἐπὶ τὸ πέλαγος, τὸ δ' ἐκτεφρωθὲν τῆς
γῆς, μετεωρισμὸν λαβόν, κατασκῆψαι πάλιν τυφωνοειδῶς εἰς
τὴν νῆσον, καὶ ἐπὶ τρεῖς τὴν θάλατταν ἀναχωρῆσαι στα-
δίους, ἀναχωρήσασαν δὲ μετ' οὐ πολὺ ὑποστρέψαι καὶ τῇ
παλιρροίᾳ κατακλύσαι τὴν νῆσον, καὶ γενέσθαι σβέσιν τοῦ
ἐν αὐτῇ πυρός· ἀπὸ δὲ τοῦ ἤχου τοὺς ἐν τῇ ἠπείρῳ φυ-
γεῖν ἐκ τῆς παραλίας εἰς τὴν ⟨ἄνω⟩ Καμπανίαν. δοκεῖ δὲ τὰ
θερμὰ ὕδατα ἐνταῦθα θεραπεύειν τοὺς λιθιῶντας. αἱ δὲ Κα-
πρέαι δύο πολίχνας εἶχον τὸ παλαιόν, ὕστερον δὲ μίαν.
Νεαπολῖται δὲ καὶ ταύτην κατέσχον, πολέμῳ δὲ ἀποβαλόν-
τες τὰς Πιθηκούσσας ἀπέλαβον πάλιν, δόντος αὐτοῖς Καί-
σαρος τοῦ Σεβαστοῦ, τὰς δὲ Καπρέας ἴδιον ποιησαμένου
κτῆμα καὶ κατοικοδομήσαντος. αἱ μὲν οὖν παράλιο πόλεις
τῶν Καμπανῶν καὶ αἱ προκείμεναι νῆσοι τοιαῦται.

(recens. Fr. Sbordone, Roma, 1970).

« Di fronte a Capo Miseno si trova l'isola di Procida che è un pezzo distaccato dell'isola di Pithecusa (1).

Pithecusa fu colonizzata (2) da Eretriesi e Calcidesi che ebbero la fortuna di vivere prosperamente grazie alla fertilità del suolo e alla produzione di oreficerie (3); [in seguito] essi abbandonarono l'isola, [prima] a causa di contrasti politici e più tardi anche scacciati da terremoti e eruzioni di

(1) Si allude alla opinione riportata anche da Plinio (v. sotto) che l'isola di Procida sia stata formata da materiale emesso dai vulcani di Ischia e che le due isole siano state quindi un tempo congiunte. Nel primo libro della sua opera Strabone tratta più diffusamente delle modifiche della superficie terrestre, sollevamenti e sprofondamenti, causate dalle forze endogene che si manifestano attraverso terremoti e eruzioni vulcaniche. Si deve ritenere, egli specifica, che la stessa Sicilia sia stata sollevata dal fuoco dell'Etna e che allo stesso modo siano sorte le isole Eolie e Pithecusa (I, 54 C, e cfr. I, 57 C). Più avanti (I, 60 C) egli riferisce che altri sono invece del parere che la Sicilia e altre isole rappresentino pezzi strappati dal continente e che anche Procida e Pithecusa siano state staccate da Capo Miseno.

(2) Sbordone segue qui uno dei codici più antichi e migliori che reca ᾤκισαν, da οἰκίζω, colonizzo, mentre altri codici e editori presentano la variante ᾤκησαν, da οἰκέω, abito, dimoro. La sottile distinzione, non priva di significato, è peraltro irrilevante nel presente contesto.

(3) Fino a non molti anni fa, la parola χρυσεῖα è stata da tutti intesa nel significato di '' miniere d'oro '' e poiché per ragioni geologiche l'esistenza di giacimenti auriferi ad Ischia è da escludere, il passo è stato o scartato come invenzione gratuita, o emendato sostituendovi altre parole che sembravano più credibili (χαλκεῖα, fonderie di bronzo, oppure χυτρεῖα, fabbriche di ceramica). Basta peraltro consultare un dizionario di greco per rendersi conto che questo termine può significare ugualmente '' laboratori di orefici '' e lo stesso Strabone usa altrove la parola in questo senso. Dall'apparato critico fornito da

174

fuoco, del mare e di acque bollenti (4). L'isola va soggetta infatti a emanazioni di tal genere a causa delle quali anche coloro che vi erano stati mandati da Hierone, tiranno di Siracusa, abbandonarono la fortezza che essi vi avevano costruito e l'isola stessa. Sopraggiunsero poi i Napolitani e la occuparono.

Donde nacque anche la leggenda che sotto quest'isola giace il gigante Tifone, e quando egli si rigira erompono fiamme e acque e talvolta anche isolette contenenti acqua bollente (5).

Ma più verosimile è ciò che ha detto Pindaro il quale deduce da questi fenomeni che tutto il tratto di mare che va da Cuma alla Sicilia contiene del fuoco sotterraneo e presenta in profondità delle cavità tutte collegate tra di loro e con la terraferma: e perciò manifestano la medesima natura tanto l'Etna, come tutti riferiscono, quanto le isole Lipari e il territorio di Dicearchia [= Pozzuoli], di Napoli e di Baia, e l'isola di Pithecusa.

Questo intese il poeta quando disse che sotto tutta quest'area giace Tifone:

> . . . ma ora
> le rive di Cuma cinte dal mare
> e la Sicilia gli premono
> il petto villoso.

> (Pindaro. Ode Pitia I, v. 17-19)

Sbordone si rileva poi che la lezione χρυσεῖα, accettata da Casaubono (1587) e seguita da tutti gli editori successivi compreso lo stesso Sbordone, si trova in un unico codice tardo del XV sec., mentre tutti gli altri, e più antichi, manoscritti recano χρυσία, che ha il significato di " oro lavorato, oreficerie ". Tenendo conto, inoltre, che gli scavi hanno fornito testimonianze sicure che a Pithecusa, nell'VIII e VII sec. a.C., si lavoravano non soltanto il ferro e il bronzo, ma anche metalli preziosi, la notazione di Strabone, a torto ritenuta incredibile perché sempre mal tradotta, riacquista in pieno il suo valore storico, archeologicamente confermato (vedi a proposito: P. Mureddu, ΧΡΥΣΕΙΑ a Pithekoussai, *La Parola del Passato*, fasc. 147, 1972, pp. 407-409; Buchner 1975, p. 81; Ridgway 1984, p. 48 sg.).

(4) Vedi la nota seguente.

(5) Non è stata finora mai presa in alcuna considerazione la notizia che quando Tifone si rigira appaiono " talvolta anche isolette contenenti acqua bollente " e lo stesso vale per l'affermazione che i primi coloni greci siano stati scacciati, oltre che da terremoti e eruzioni di fuoco, anche da " eruzioni del mare e di acque bollenti ". Eppure, indicazioni così specifiche non possono essere state inventate di sana pianta, specie perché non sono affatto fantastiche come avranno giudicato, è da pensare, quanti precedentemente si sono occupati di questo brano di Strabone.

Le due notizie sono senz'altro da collegare e riteniamo perciò che siano state disgiunte soltanto in un secondo tempo, mentre dovevano trovarsi unite nella fonte originaria. Così restituito, il racconto è dunque il seguente: si è avvertita vicino all'isola d'Ischia prima una particolare agitazione del mare, poi sono apparsi getti di acqua calda e successivamente si è formata un'isoletta che racchiudeva acqua bollente. Nient'altro, cioè, che la descrizione concisa di un'eruzione sottomarina, del tutto analoga a quella avvenuta nel luglio del 1831 nel mare tra Sciacca e Pantelleria che ha formato l'isola Ferdinandea o isola Giulia, composta interamente di materiale piroclastico sciolto, tanto da essere nuovamente demolita dai marosi dopo pochi mesi di vita. I visitatori che vi sbarcarono quando era cessata l'attività eruttiva, trovarono che l'isola conteneva due crateri ormai spenti pieni di acqua in stato di ebollizione che formavano due laghetti gorgoglianti e fumanti. Si spiega così l'affermazione apparentemente assurda che l'isoletta ischitana conteneva acqua bollente, ed è proprio questo particolare che maggiormente conferma la nostra interpretazione.

Proponiamo l'ipotesi che quest' " isoletta di Tifone ", la cui eruzione dovrebbe essere avvenuta nel VII o VI sec. a.C., potrebbe essere forse identificata con il piccolo vulcano sommerso della " Secca verso Ventotene " che si trova a 3 Km verso W da Forio, situata tra le isobate di -100 e -150 m e elevata fino a -38 m (vedi R-G 1980, p. 221-224, con la cartina batimetrica fig. 74).

(Per la numerosa bibliografia contemporanea sull'isola Ferdinandea, battezzata isola di Graham dagli inglesi, isola Giulia

Timeo (6) dice ancora che gli antichi scrittori raccontavano cose straordinarie di Pithecusa e che solo poco prima dei suoi tempi il Monte Epopeo (7) situato nel mezzo dell'isola, scosso da terremoti, eruttò fuoco e rigettò di nuovo in alto mare (8) ciò che era posto tra se medesimo e la riva; la parte ridotta in cenere del suolo scagliata in alto, ripiombò come un turbine sull'isola; e il mare si ritrasse per tre stadi [ca. 550 m] e, ritornando poco dopo indietro, con il riflusso inondò l'isola spegnendovi il fuoco; tale fu il frastuono che gli abitanti della terraferma fuggirono dalla costa verso l'interno della Campania.

dai francesi e Nerita dai tedeschi, vedi la monografia di L. Scaturro, *Storia della città di Sciacca e dei comuni della contrada saccense, tra il Belice e il Platani*, voll. 2, Napoli 1925-1926, in appendice. Tra le relazioni più importanti sono da ricordare: C. Gemellaro, *Relazione dei fenomeni del nuovo vulcano sorto dal mare tra le coste della Sicilia e l'isola di Pantelleria*, Atti Accad. Gioenia, ser. 2, *8*, Catania 1834, pp. 271-298; F. Hoffmann, *Intorno al nuovo vulcano presso la città di Sciacca*, Giorn. di Scienze, Lettere ed Arti per la Sicilia, *34*, Palermo 1831, pp. 138-148; D. Scinà, *Breve ragguaglio del novello vulcano*, Effemeridi scientifiche e letterarie per la Sicilia, *1*, Palermo 1832, pp. 136-165. La cronistoria dell'avvenimento che allora suscitò enorme interesse internazionale, è stata di recente piacevolmente raccontata da S. Mazzarella, *Dell'isola Ferdinandea e di altre cose*, Palermo 1984, purtroppo privo di indicazioni bibliografiche più precise delle fonti).

(6) È molto probabile che la citazione dei versi di Pindaro e la loro interpretazione come allusione poetica alla connessione geologica dei fenomeni vulcanici dall'Etna, attraverso le Eolie e Ischia, fino ai Campi Flegrei, si trovassero già nell'opera di Timeo. Saremmo anzi propensi di ritenere che Timeo sia stata la fonte unica per tutto il brano di Strabone su Pithecusa. (Cfr. G. Beloch, *Le fonti di Strabone nella descrizione della Campania*, Mem. Acc. Linc., Cl. sc. mor., stor. e filolog., ser. III, *10*, pp. 429-448, Roma 1882; F. Sbordone, *La Campania nella Geografia di Strabone*, Atti XVII Congresso Geogr. Ital., 1957, pp. 591-600).

(7) I codici, come si rileva dall'apparato di Sbordone, recano Ἐπωμέα e in un caso Ἐπωμαία, che tutti gli editori, a cominciare da Casaubono (1587), correggono però in Ἐπωπέα.
La parola ἐπωπή che significa " luogo donde si scorge ampiamente intorno " (da ἐπωπάω, guardo, osservo) è attestato infatti anche altrove quale toponimo di alture (Steph. Byz., s.v. Ἐπωπή e il probabile Ἐπωπίς presso Locri, Strab. VI, 259 C) e anche Plinio, che probabilmente deriva dal medesimo passo di Timeo (v. sotto), riporta il nome del monte nella forma Epopon. Se si considera ancora che il toponimo appare particolarmente appropriato per questo monte dalla cui vetta l'occhio spazia libero per tutto l'orizzonte su un meraviglioso panorama, non si può dubitare che l'emendamento colga nel giusto.
Che la forma errata Epomeo sia ormai irrimediabilmente radicata, è dovuto a Giulio Jasolino (1588) il quale, quando scrisse il suo libro, non poteva conoscere ancora l'emendamento di Casaubono. E più ancora che al testo di Jasolino in cui è riportato per intero il brano di Strabone in traduzione italiana e menzionato varie volte il nome Epomeo accanto a quello volgare di S. Nicola, la fortuna del toponimo artificiosamente reintrodotto è dovuta alla carta topografica dell'isola in grande scala che accompagnava il suo libro e sulla quale è indicato in grandi lettere maiuscole *MAXIMUS MONS EPOMEUS*. Dalle riproduzioni di questa carta che ebbero vasta diffusione (v. D. Buchner Niola, *Ischia nelle carte geografiche del '500 e '600*, Bologna 1984), il nome è passato successivamente alle carte più recenti e a tutti gli scritti che trattano dell'isola. Dall'impiego erudito la voce Epomeo, negli ultimi decenni, è ormai penetrata stabilmente anche nel parlare degli isolani, tanto che oggi soltanto i contadini anziani usano ancora la genuina denominazione locale di San Nicola, derivata dalla chiesa del Santo scavata nel tufo della vetta.

(8) Tutti i codici recano qui la parola πάλιν, nuovamente, che viene peraltro concordemente espunta da tutti gli editori moderni di Strabone che la ritengono senza senso e introdotta dai copisti per geminazione del πάλιν che ricompare nel rigo seguente. La circostanza che la parola sia così ben documentata da tutti i manoscritti, avrebbe dovuto rendere più cauti gli emendatori. L'espressione acquista infatti un ben preciso significato se viene messa in relazione con l'opinione riportata da Strabone all'inizio della sua opera (vedi sopra nota 1) e da Plinio che l'isola sia sorta dal mare. È da ritenere che questa ipotesi sulla genesi dell'isola sia stata già formulata da Timeo nella parte precedente e purtroppo perduta del suo brano su Pithecusa, e che qui l'autore abbia voluto alludere a quanto aveva esposto poco prima. Se si potesse ritenere valida l'ipotesi di Rittmann (v. sopra) che l'eruzione descritta da Timeo si riferisca a quella della regione Bocca durante la quale " le enormi frane si spinsero lontano sul mare, spostando la costa di qualche centinaio di metri verso occidente " (R-G 1980, p. 257), le parole di Timeo καὶ τὸ μεταξὺ αὐτοῦ καὶ τῆς θαλάττης ἐξῶσαι πάλιν ἐπὶ τὸ πέλαγος troverebbero precisa corrispondenza nella realtà.

176

Le sorgenti calde di quest'isola hanno fama di curare coloro che soffrono di mal di pietra.

L'isola di Capri un tempo conteneva due cittadine, in seguito una sola. I Napolitani avevano occupato anche quest'isola. Dopo aver perduto in guerra l'isola di Pithecusa, la ottennero nuovamente per concessione di Cesare Augusto, il quale si prese [in cambio] Capri come suo possedimento privato e la coprì di costruzioni.

Queste sono le città costiere della Campania e le isole adiacenti ».

Questa pagina di Strabone (ca. 64 a.C. - 21 d.C.) costituisce la fonte scritta più importante e completa sulla storia di Ischia nell'antichità.

Abbiamo ritenuto opportuno di riportare il brano per intero, in modo da non isolare dal loro contesto le notizie sui fenomeni vulcanici, e di aggiungere a maggior chiarimento alcune annotazioni.

C. Plinus Secundus, *Naturalis Historia*, II, 203.
(dopo aver elencato altre isole sorte nel mare per eruzioni vulcaniche, prosegue):
Sic et Pithecussas in Campano sinu ferunt ortas, mox in his montem Epopon, cum repente flamma ex eo emicuisset, campestri aequatum planitie. In eadem et oppidum haustum profundo alioque motu terrae stagnum emersisse et alio provolutis montibus insulam exstitisse Prochytam.

« Riferiscono che in tale modo sia sorta anche Pithecusa nel golfo Campano e che in seguito in quest'isola il monte Epopeo, mentre improvvisamente dal medesimo prorompeva una fiamma, sia stato ridotto a una pianura, e che nella stessa [isola] una cittadina sia stata inghiottita dalla profondità e che con un altro movimento della terra sia emerso un lago e con un altro ancora, con rivolgimento di montagne, si sia formata l'isola di Procida ».

Plinio il Vecchio aveva da poco terminato la compilazione della sua *Naturalis Historia*, quando trovò la morte durante l'eruzione del Vesuvio del 79 d.C.

A quanto io sappia, nessuno si è finora mai chiesto a quali fonti egli possa aver attinto per il suo breve sunto sul vulcanismo ischitano che, nel libro II, *De mundo et elementis*, fa parte del capitolo 88 della vecchia numerazione, intitolato *Insularum enascentium ratio*. Egli non conosceva Strabone, o comunque non se n'è servito per la compilazione della sua enciclopedia, poiché questi non viene mai citato negli elenchi degli autori consultati. (Il primo libro della *N.H.* contiene l'indice degli argomenti trattati e, per ciascuno degli altri 36 libri, i nomi degli autori dai quali derivano le notizie riportate).

Plinio conosceva però l'opera dello storico siciliano: *Timaeus Siculus* si trova infatti citato tra gli autori usati per i libri IV, VI e XXXVII. *Timaeus* è citato anche per il libro II, ma senza epiteto, per cui resta incerto se si tratta del nostro.

A prima vista non sembra esserci somiglianza tra le parole di Plinio e il brano conservato di Timeo. La frase . . . *montem Epopon, cum repente flamma ex eo emicuisset*. . . è tuttavia così simile alle parole iniziali τὸν Ἐπωπέα λόφον ἐν μέσῃ τῇ νήσῳ τιναγέντα ὑπὸ σεισμῶν ἀναβαλεῖν πῦρ che appare giustificato sospettare una derivazione dalle stesse, tanto più se si considera che il toponimo non è altrimenti documentato. La frase seguente *campestri aequatum planitie* non trova riscontro nella comune lezione di Strabone, ma se si tiene presente che alcuni codici portano a margine invece di τιναγέντα scosso, squassato (da terremoti), la variante più forte ῥαγέντα rotto, infranto, spezzato, e un altro ancora reca καταπεσόντα che significa, usato anche in senso traslato, digerito, smaltito, inghiottito (v. l'apparato dell'edizione di Sbordone), sorge il dubbio che possa trattarsi di una esagerata parafrasi delle parole di Timeo, che si aggiungerebbe ai non pochi altri casi in cui Plinio cade in malintesi nel sunteggiare le sue fonti.

Se così fosse, le parole *campestri aequatum planitie* non avrebbero alcun valore documentario e l'ipotesi che possano riferirsi allo sprofondamento della Falanga (v. sopra) sarebbe inconsistente.

Ne conseguirebbe che molto probabilmente anche le parole *oppidum haustum profundo alioque motu terrae stagnum emersisse* derivino da Timeo e che questi eventi siano stati compresi tra quelle "moltre cose straordinarie che gli scrittori antichi raccontavano dell'isola di Pithecusa ", purtroppo non riportate da Strabone.

É da rilevare ancora che Plinio non distingue tra le notizie storiche contenute nella parte centrale del brano e le affermazioni ipotetiche che con ogni probabilità dovevano già trovarsi nel testo di Timeo, vale a dire la emersione dell'isola dal mare in seguito a eruzioni vulcaniche e la formazione di Procida ad opera di eruzioni riversatesi da Ischia. Quest'ultima ipotesi trae origine dall'etimologia che fa derivare il nome di Prochyte da προχέω, riversare (part. aor. neutr. προχυθέν), riportata in altro luogo della *N.H.* (III, 82: *Prochyta non ab Aeneae nutrice, sed quia profusa ab Aenaria erat*).

Che Plinio abbia usato una fonte piuttosto antica si desume anche dalla circostanza che egli ignora le due eruzioni più vicine ai suoi tempi, avvenute nel 91 a.C. e sotto Augusto (come del resto anche Strabone), e che adopera qui il nome di Pithecusa, allora non più usato, e non quello latino di Aenaria, come in altri luoghi della sua opera.

In conclusione, riteniamo che molto probabilmente tanto il brano di Strabone, quanto quello di Plinio derivino interamente da Timeo.

Julius Obsequens, *Prodigiorum liber*, 54, 114.
L. Marcio Sex. Julio coss. Livio Druso tr. pl. leges ferente cum bellum Italicum consurgeret, prodigia multa apparuerunt urbi. ... Aenariae terrae hiatu flamma exorta in caelum emicuit.
(recens. O. Jahn, Lipsia, 1853).

« Sotto il consolato di Lucio Marcio e Sesto Giulio, quando Livio Druso era tribuno della plebe proponente le leggi, all'insorgere della Guerra Sociale [91 a.C.], molti presagi apparvero a Roma.
. . .
In Aenaria una fiamma prorompente da una voragine del suolo divampava in cielo ».

Julius Obsequens (IV sec. d.C.) compilò elenchi di prodigi dal 249 al 12 a.C., di cui sono conservati quelli dal 190 al 12 a.C., basati sulla tradizione delle epitome liviane o su liste consolari cui erano aggiunte notizie di prodigi tratte da Livio.

Aetna, v. 430-431.
Dicitur insidiis flagrans Aenaria quondam,
Nunc exstincta super, ...
(recens. S. Sudhaus, Leipzig, 1898).

« Si dice che un tempo Aenaria ardeva insidiando [i suoi abitanti], ma adesso, [almeno] in superficie, è spenta ».

La data della compilazione di questo poema didascalico di ignoto autore, il quale cerca di dare una spiegazione scientifica dell'attività vulcanica dell'Etna, è controversa. Poiché non menziona il Vesuvio, dev'essere comunque anteriore al 79 d.C. Secondo Sudhaus cui si deve un'edizione critica con traduzione e ampio commento assai utile per chi si interessa delle teorie antiche sul vulcanismo, sarebbe stato scritto tra il 30 e il 20 a.C. L'affermazione, a prima vista sorprendente, che il fuoco d'Ischia sia ormai spento in superficie, come si rileva dal contesto, è inteso in contrapposizione con il cratere dell'Etna nel quale il fuoco è acceso continuamente. Questo passo come quello analogo dello Pseudo-Aristotele, anche se non contiene notizie sulle eruzioni, ci dà comunque una conferma che a Ischia non esistevano vulcani rimasti per lungo tempo attivi, ma soltanto centri eruttivi monogenici la cui attività si esauriva rapidamente.

Pseudo-Aristoteles, *De mirabilibus auscultationibus*, 37.
Εἶναι δὲ καὶ ἐν Πιθηκούσσαις φασὶ πυρῶδες μὲν καὶ θερμὸν ἐκτόπως, οὐ μὴν καιόμενον.

« Si dice che anche a Pithecusa esista straordinariamente della sostanza ignea e termica, ma tuttavia non ardente ».

E' una raccolta di notizie estratte da opere di argomento naturalistico e storico che era stata falsamente attribuita ad Aristotele. Quando sia stata compilata è controverso, ma comunque non può essere anteriore alla prima metà del II sec. d.C. Il testo è così simile ai v. 430-431 dell'*Aetna* che è da pensare sia tratto da questi oppure da una fonte comune.

Eruzioni sotto Augusto, Tito, « Antonino quarto » e Diocleziano

Simone Porzio napoletano, *De conflagratione agri puteolani* (1538).

Imperante Tito, anno secundo imperii Vesuvius mons ab altero vertice magnos eructavit ignes. Item, Caesare Augusto, Tito et Antonino quarto atque Diocletiano imperantibus, nec non L. Martio ac Sex.Iul. Coss. in Ischia insula, aperta huiusmodi voragine simile natum dicitur incendium, unde tanti eruperunt ignes anno salutis 1300, ut totam modo non insulam conflagraverint.

I ed. di 4 cc. n.n. senza indicazioni tipografiche, ma Napoli (Sultzbach ?) 1538. Il brano citato sta alla fine dell'opuscolo redatto in forma di lettera al Vicerè D. Pietro di Toledo. II ed. Firenze, Torrentino, 1551.

Ristampato in: Lorenzo Giustiniani, *I tre rarissimi opuscoli di Simone Porzio di Girolamo Borgia e di Marcantonio delli Falconi scritti in occasione della celebre eruzione avvenuta in Pozzuoli nell'anno 1538, colle memorie storiche de' suddetti autori.* Napoli, 1817 (donde il brano citato).

Traduzione italiana: Giuseppe Amenduni, *Dell'incendio dell'agro puteolano epistola di Simone Porzio al Vicerè D. Pietro di Toledo.* Traduzione italiana preceduta da una illustrazione critica. Napoli, 1878, pp. 24.

Tommaso Fazello, *De rebus siculis decades duae* (1558).

...poco inanzi all'età di Timeo un monticello, ch'era nel mezzo dell'isola, chiamato Epomeo, cominciò prima a essere scosso da grandissimi terremoti, di poi aprendosi, e facendo una gran voragine, mandò fuori grandissimi fuochi: da' quali spaventati i Siciliani abbandonarono la terra, e l'isola. Ma dipoi al tempo del consolato di Lucio Martio e di Sesto Giulio Consoli, e sotto l'Imperio di Cesar Augusto, di Tito, e d'Antonino Quarto, e Dioclitiano, ella arse grandemente. (segue la descrizione dell'eruzione dell'Arso).

I ed. Palermo, 1558, II ed. riveduta dall'autore, Palermo, 1560, p. 8, e numerose successive ristampe. Si riporta qui il testo tratto dalla traduzione italiana, Palermo, 1628.

Giulio Cesare Capaccio, *Historiae Neapolitanae libri duo* (1607).

Qui mons L. Marcio, et Sex. Julio Cos. deinde, Tito, Antonino quarto, et Diocletiano Imperatoribus ignem evomit.

I ed. Napoli, 1607; ristampa Napoli, Gravier, 1772 (donde, lib. II, p. 181, il brano citato).

L'autore antico da cui derivano i passi citati è rimasto tuttora misteriosamente sconosciuto. Nella bibliografia ischitana più recente si trova citato soltanto il Capaccio quale fonte (G. D'Ascia, *Storia dell'isola d'Ischia*, Napoli, 1867, p. 36; Mercalli, 1884, p. 106, donde anche Rittmann, 1930, p. 138). Nel 1940 potevamo riferire che il Capaccio aveva tratto la notizia dal Fazello, una scoperta che non era difficile, poiché lo stesso Capaccio cita non molto prima quest'autore, senza peraltro indicare chiaramente fino a quale punto del suo testo egli segue lo storico siciliano. Si ebbe così la sorpresa di trovare notizia di una quarta eruzione avvenuta sotto Augusto, menzionata dal Fazello e inspiegabilmente omessa dal Capaccio. Oggi aggiungiamo che già vent'anni prima il filosofo napolitano Simone Porzio aveva riportato la medesima notizia delle quattro eruzioni di età romana imperiale. E nemmeno è gran merito, dal momento che Simone Porzio viene citato a proposito già da Chevalley de Rivaz (V ed. 1846, p. 30; VI ed. 1859, p. 31, ma non nelle precedenti edd.), nè ci porta molto avanti poiché anch'egli non cita la sua fonte e, con ogni probabilità, deriva ugualmente di terza mano da qualche autore degli inizi del '500 non ancora identificato.

Resta poi da spiegare la locuzione del tutto insolita di « Antoninus quartus ». Nella nostra nota del 1940 pensavamo che potesse trattarsi di Commodo quale « quarto nella serie degli imperatori Antonini », svista inspiegabile perché Commodo è soltanto il terzo imperatore che porta, tra gli altri, questo nome (*Antoninus Pius* 138-161 d.C., *Marcus Aurelius Antoninus*

161-180, *Marcus Aurelius Commodus Antoninus* 180-193), mentre il quarto è il secondo *Marcus Aurelius Antoninus*, meglio noto con il sopranome di Caracalla (212-217). Una designazione degli imperatori Antonini col numerale ordinale è tuttavia del tutto inusitata. Un'altra spiegazione ci sembra perciò più probabile, vale a dire che nella ignota fonte originale sia stato precisato l'anno dell'eruzione con la indicazione *Antoninus cos. IV*, ossia l'anno 145 d.C. in cui Antonino Pio ebbe per la quarta volta il titolo di console, e che le lettere *cos* siano poi state omesse da un successivo copista.

Le quattro eruzioni sarebbero avvenute dunque 1: tra il 27 a.C. (anno in cui Ottaviano ricevette il titolo di Augusto) e il 14 d.C.; 2: 79-81; 3: 145 (oppure, meno probabilmente, 212-217); 4: 284-305.

Sorgenti termali

Strabo, *Geographica*, V, 248 C:
δοκεῖ δὲ τὰ θερμὰ ὕδατα ἐνταῦθα θεραπεύειν τοὺς λιθιῶντας.

C. Plinius Secundus, *Naturalis Historia*, XXXI, 12:
... *in Aenaria insula calculosis mederi*, ...

P. Papinius Statius, *Silvae*, III, 5, v. 104 (scritto 92-96 d.C.):
Aenarumque lacus medicos ...
(recens. Vollmer, Leipzig, 1898 - *Aenarumque* corr. Vollmer per il corrotto *Denarumque* dei codd.; *Aenares incolae Aenariae insulae*).

Caelius Aurelianus, *De morbis chronicis*, V, 77 (V sec. d.C.):
Iis vero qui lapidibus, vel scabro vesicae afficiuntur, erunt eligendae aquae salsae, vel quae nitri habeant qualitatem, ut apud Aenariam insulam, quae potandae, atque lavacro adhibendae sunt.

PERIODO MEDIOEVALE

Riccardo da San Germano, *Chronica*
1228: *Eodem mense Julii mons Isclae subversus est, et operuit in casalibus sub eo degentes fere septingentos homines inter viros et mulieres.*

(L.A. Muratori, *Rerum Italicarum Scriptores*, Nuova edizione riveduta ampliata e corretta, Tomo VII, parte II: Ryccardi de Sancto Germano, *Chronica*, a cura di C.A. Garufi, Bologna 1937-38, p. 152).

Terremoto del 1275: già Archivio di Stato Napoli, Registri angioini 1275 B, n. 23, f 32b.
Carmagno de Neapoli et notario Johanni de Barolo. Ex parte hominum Yscle ... porrecta excellencie nostre peticio continebat, quod, cum nuper ex quodam infortunio terremotus nonnulli ipsorum hominum, parte dicte terre in mari submersa, perierint et possessiones multe omnino perdite et alique edes sint destructe, quod nulli possunt proventus seu redditus, quibus pro magna parte substentabantur actenus, provenire propter quod nequeunt alii remanentes impositam eidem terre generalem collectam exolvere et alia, que pro parte curie nostre eis imponuntur, implere, ut super hoc providere de benignitate regia dignaremur. Nos igitur ipsorum supplicacionibus inclinati, fidelitate vestre ... mandamus, quatinus ad terram Yscle vos personaliter conferentes, si terremotus ipse fuit, ut ponitur, quando et in qua parte ipsius terre, quodque dampnum evenit propterea, ... inquiratis, quidquid inveneritis ... nostre curie rescripturi.
Dat. Neapoli II. novembris III. ind. (1275).

Questo testo inedito, comunicatoci a suo tempo dal prof. Eduard Sthamer che lo ha trascritto personalmente, viene qui pubblicato per la prima volta.

ERUZIONI VULCANICHE E FENOMENI VULCANO-TETTONICI NELL'ISOLA D'ISCHIA

Eruzione dell'Arso

Chronicon Cavense.

1301 Ind. 14: In hoc anno mense ianuarii die iovis, decimo octavo ejusdem mensis, in sero in noctis tenebris, arenam parvissimam pluit Dominus super terram; et in eadem nocte ante aurorem usque ad diem pluit cinerem mixtum cum sulphure in aliquibus partibus in maxima quantitate, et eodem die iovis insula Yscle ardere incepit, ita quod homines habitantes in ipsa insula abinde recesserunt.

Codex Diplomaticus Cavensis, Tom. V, Milano, 1878, Appendix, a cura di B.G. D'Aragona, p. 67.

Si tratta di annotazioni scritte ai margini del codice Cavense delle Tavole Decennovenali di Beda che dal 1034 al 1315 sono notazioni contemporanee di monaci diversi. Fu pubblicato la prima volta dal Muratori, *R.I.S.*, VI, p. 195 sgg. sopra una copia scorretta, con il nome di *Chronicon Cavense* (donde dal Pelliccia, *Raccolta di varie croniche ... appartenenti alla storia del Regno di Napoli*, 1780-82, IV, p. 135 sgg.) e in seguito più correttamente dal Pertz, *Mon. Germ. Hist., Script.*, III. p. 135 sgg. e dal D'Aragona, *cit.*, che collazionarono l'originale. Nel 1940 riportammo invece il testo dato dal Pelliccia che, a prescindere da piccole varianti non sostanziali, reca *arenam plurimam* al posto del corretto e ben più credibile *arenam parvissimam*. A Cava dei Tirreni, infatti, non poteva arrivare che cenere fine e in quantità limitata.

Bibbia di Bovino.

In anno dominice incarnationis MCCCII, anno regis Karoli secundi regis Sicilie anno XVII mense Januarij, XV Indictionis magnum chaos cecidit in Ysulam Yschie, sic quod ore illius fornacis ardentis exiuit ignis et cinis: ex ipsa cinere quedam pars principatus usque Auellinum quasi ex niue coperta fuit.

Cod. Vat. Lat. 10511, f. 112 v., pubblicato da M. Vatasso, *Le due Bibbie di Bovino ora codici vaticani latini 10510 - 10511 e le loro note storiche* (Studi e testi, 2), Roma, Tipografia Vaticana, 1900, p. 41-44.

Annotata da un anonimo contemporaneo al margine di un codice della Bibbia che si trovava a Bovino, questa testimonianza, pur pubblicata già 85 anni or sono, era sfuggita a quanti da allora si sono occupati della storia e della geologia ischitana. Siamo vivamente grati all'amico prof. Vladimiro Valerio per averci comunicato questo documento importante per la conoscenza della diffusione raggiunta dalle ceneri eiettate dall'eruzione e per la precisazione della sua data (vedi più sotto).

Bartolomeo Fiadoni (Ptolomaeus Lucensis), *Annales.*

Anno Domini 1302. In Februario ignis virtute sulphuris et ventorum evaporavit de insula Ischie, qui ascendit super aerem cum materia terrestri effuditque se super villam, et combussit eam; factaque est magna nebulositas per totam regionem et mare repletum est lapidibus combustis et consumta terrestri substantia, quos pumices vocant, natantes super aquam ratione suorum foraminum, qui aerem continent, et propter consumptionem terrestris materie in ipsis; factique sunt cineres in tanta multitudine et quantitate, quod eorum acervi quasi montes videbantur diffuderuntque se super mare ad ducenta milliaria.

Si riporta il testo tratto dall'edizione critica curata da B. Schmeidler, in *Monumenta Germaniae Historica, Scriptores*, vol. VIII, Berlin 1930, p. 238 seg. che differisce in alcuni particolari non sostanziali da quello della vecchia edizione del Muratori che si trova riprodotto negli studi di geologia ischitana.

Il domenicano Bartolomeo Fiadoni, nato verso il 1240 a Lucca e perciò detto anche Ptolomaeus Lucensis, scrisse *Annales seu gesta Tuscorum ab anno 1061 ad 1303* e una *Historia ecclesiastica nova* che ambedue contengono, con le medesime parole, il passo citato.

181

Giovanni Pontano, *De bello Neapolitano.*

Annis enim circiter centum ac sexaginta tribus antequam haec geruntur, ruptis repente terrae visceribus, ex anhelato incendio, non modica sui parte Aenaria conflagraverat: quae eruptio et viculum igne absumptum post voragine absorpsit: et qua Cumanum spectat littus, provolutis ingentis magnitudinis in sublime saxis, fumo, flammis, pulvereque immistis, postque per agros sparsim impetu suo iactatis, maxime uberem atque amoenam insulae regionem vastavit.
Scritto nel 1499, I ed. a stampa Napoli, 1509; il brano riportato è tratto dall'ed. *Opera Omnia*, Basileae, 1556, tom. II, p. 1934.

Giovanni Pontano, *Antonius Dialogus.*

Vidimus in Aenaria insula factum, quod Virgilius de Aetna scribit, cum e quadam eius parte ignis erupisset centum ante annis, aut paulo amplius. Nam et ad mare, et sparsim per agros, praeter fluxum illum magna mole lapides iacent, et in ipso littore, et paulum etiam intra mare grandes eminent scopuli adeo excocti, exustique, ut hodie quoque appareat spumosa illa liquefactio: quinetiam Pindarica fluenta lapidum sunt in spumam solutorum, non materiae continuae liquescentisque, quale liquefactum fluere aes solet. . . . Hoc quod in Aenaria factum diximus, legimus scriptum in monimentis Caroli Neapolitanorum regis: quo incendio etiam castellum haustum est.
Scritto nel 1471 o poco dopo; il brano riportato è tratto dall'edizione cit., tom. II, p. 1231.

Questo testo, nascosto in un'opera di argomento puramente filologico, rivolta contro la futilità dei vecchi grammatici, sfuggito anche agli autori del Cinquecento che si sono occupati dell'eruzione dell'Arso, viene qui citato per la prima volta a tal proposito. L'esempio ischitano è portato a conferma della descrizione dell'Etna in eruzione di Virgilio (*Aen.* III, 571-582) che l'autore difende dalle critiche di Aulo Gellio e di Macrobio.

L'interesse del testo non sta tanto nel contenuto che anticipa quanto il Pontano scrisse più tardi con altre parole nel *De bello neapolitano* (forse non è superfluo osservare che la parola *castellum* qui va intesa ovviamente nel significato di villaggio, borgata, e non in quello di fortezza), ma nella notazione finale *hoc quod in Aenaria factum diximus, legimus scriptum in monimentis Caroli Neapolitanorum regis*, vale a dire nei registri angioini di Carlo II ai quali il segretario di re Ferdinando I d'Aragona poteva avere facile accesso. Si tratta dunque di un sunto delle notizie contenute nella pratica relativa alla petizione per lo sgravio fiscale che dobbiamo presupporre, ma di cui non è rimasta purtroppo memoria alcuna. (È da pensare che questi documenti fossero già scomparsi negli ultimi decenni del sec. XVI, quando il Summonte scrisse la sua storia di Napoli, dal momento che questi cita a proposito soltanto la notizia tratta dai registri angioini del 1305 più sotto riportata, mentre per la descrizione dell'eruzione si limita a ripetere quanto scrissero Giovanni Villani e il Pontano nel *De bello neapolitano*; Gio. Antonio Summonte, *Dell'historia della città e regno di Napoli*, tom. II, I ed. Napoli 1601, II ed. Napoli 1675, p. 355 sg.; tom. III, I ed. Napoli 1640, p. 386).

Di conseguenza il valore documentario dei testi del Pontano viene rivalutato in misura notevole. Inoltre si comprende meglio, ora, che i dati di fatto narrati dal Pontano, relativi all'ingente quantità del materiale piroclastico eiettato e al casale distrutto dalla colata lavica, sono i medesimi riferiti dall'autore sincrono Bartolomeo Fiadoni la cui cronica era quasi certamente sconosciuta all'umanista che non si è mai occupato di storia medioevale.

È molto probabile che il Pontano abbia sentito confermare anche dagli abitanti del posto, tra i quali doveva essere allora ancora vivo il ricordo della catastrofe, quanto aveva letto nei documenti d'archivio. Si sa infatti che egli possedeva una proprietà rurale nell'isola d'Ischia che nel 1497 concedeva in compenso di lunghi servizi resigli a un suo servitore, Jacopo di Ferrara, con la espressa richiesta che rimanga per sempre legato il suo cognome a quel terreno (E. Percopo, *Vita di Giovanni Pontano*, Arch. stor. prov. nap., LXI 1936, LXII 1937, p. 107 del volume separato); e poco meno di cent'anni più tardi Giulio Jasolino precisa che la proprietà del Pontano era situata a poca distanza del Borgo di Celsa (oggi detto Ischia Ponte), tra la località detta tuttora Casa Lauro e il margine orientale della colata dell'Arso, e che nella stessa si trova una fonte termale chiamata perciò Bagno del Pontano (G. Jasolino, 1588, p. 27 e, con maggiori particolari, p. 335; sulla sua carta dell'isola la sorgente è indicata con la dicitura *Balneum in pomerio Ioviani Pontani*; vedi anche il capitolo *Eau de Pontano* in Chevalley de Rivaz, III ed. 1837, p. 52 ss. Oggi la sorgente si trova in stato di abbandono e non viene più usata).

182

Giovanni Villani, *Nuova Cronica*, lib. VIII, cap. 54: *Come l'isola d'Ischia gittò meraviglioso fuo-co.*

Nel detto anno 1302 l'isola d'Ischia, la quale è presso a Napoli, gittò grandissimo fuoco per la sua solfaneria, per modo che gran parte dell'isola consumò, e guastò infino al Girone d'Ischia; e molte genti, e bestiame, e la terra medesima per quella pestilenza morirono e si guastarono. E molti per iscampare fuggirono all'isola di Procita e a quella di Capri, e a terra ferma a Napoli, e a Baja, e a Pozzuolo e in quelle contrade, e durò la detta pestilentia più di due mesi.

Si riporta il testo dell'ed. curata da I. Moutier e F. Gh. Dragomanni, Firenze 1844-1845, vol. II, p. 59.

Il testo del Villani manca delle informazioni contenute nelle altre fonti, in compenso ci fa sapere che l'eruzione durò per oltre due mesi.

Non vogliamo tacere che i curatori dell'edizone citata (p. 59, n. 1), mentre indicano che si leggono anche le varianti *solfonaria* e *solfanaria*, spiegano *solfaneria* = *cava di zolfo*, il che, se fosse confermato, potrebbe essere addotto in appoggio all'ipotesi di Rittmann da noi messa in dubbio (v. sopra, n. 18).

Libellus de mirabilibus civitatis Putheolorum, 1475.

De combustione insule Iscle. Et licet in hoc libello de Ciuitate Putheolorum et locis conuicinis scribere propositum sit: tamen quia insula Iscle etiam vicina est: aliquid de eadem dicendum videtur: maxime de eius destructione: Nam olim in anno a natiuitate domini M:CCC: primo Regnante in hoc regno Sicilie rege Carolo secundo: in dicta insula Iscle vicina insule Procide exiuit et processit ex venis terre ignis sulfureus: qui magnam ipsius Insule partem consumpsit atque combussit quasi usque ad Ciuitatem Iscle que tunc Gerunda nominabatur: ex quo igne multi homines et animalia consumpti fuerunt et ex ea peste perierunt: que duobus fere mensibus perdurauit multique ex eisdem ut hanc pestem effugerent insula ipsa derelicta aliqui ad vicinam insulam Procide alii ad insulam Capream alii Bayas, Puteolum et Neapolim confugerunt: cuius ignis usque in hodiernum diem vestigia remanent: nec in eodem loco herba vel quodcumque aliud virens nascitur: et (1) locus alicui rei comodus est: sed asper et incultus: durans quasi per duo miliaria in longitudine et per medium miliare in latitudine: et vulgo dicitur le cremate.

(1) L'edizione del 1507 e Elisio hanno più correttamente *nec* invece di *et*.

Libellus de mirabilibus Ciuitatis Putheo/lorum et locorum vicinorum: ac de nomini/bus virtutibu-sque balneorum ibidem existen/tium: Et primo ponitur epistola clarissimi/Francisci aretini: ad Pium pontificem maxi/mum: Cui prius Eneas de picolominibus/nomen erat in fine: *Hoc opusculum recol-lectum et Inpressum/est per Arnaldum de Bruxella in Ciuitate Ne/apolis in renouationem memorie ciuitatis Pu/theolorum locorumque conuicinorum: ac balneorum/et aliarum antiquitatum. Die ultimo mensis De/cembris. Anno a natiuitate domini. M.CCCC.LXXV.* - foglio (non numerato) 35 r. e v. (Una copia di questo rarissimo incunabolo è nella Biblioteca Nazionale di Napoli, S.Q. VI B 55).

È in sostanza una traduzione del brano di Giovanni Villani, con l'aggiunta di brevi notizie sulla colata lavica: il suo aspetto desolato, le sue dimensioni, il suo toponimo locale. Questo testo che per noi non aggiunge nulla di nuovo, ha avuto tuttavia in passato notevole importanza perché è stato la fonte principale attraverso la quale la conoscenza dell'eruzione si è largamente diffusa a partire dalla metà del Cinquecento, come abbiamo riferito più sopra (v. nota 17).

La circostanza che il *Libellus*, riscoperto da Francesco Accolti detto l'Aretino, sia stato da costui dedicato a Pio II Enea Silvio Piccolomini, morto nel 1464, insieme a un accenno aggiunto alla lettera dedicatoria, fanno supporre che sia esistita un'altra edizione a stampa più antica (Francescantonio Soria, *Memorie storico-critiche degli storici napolitani*, Napoli 1781-82, p. 370; Erasmo Percopo, *I bagni di Pozzuoli*, Arch. Stor. Prov. Napol., XI 1886, p. 616 n. 2).

Quando sia stato compilato questo trattato, - importante specialmente per le sue descrizioni dei monumenti antichi di Pozzuoli e dei Campi Flegrei in genere, e che meriterebbe una edizione critica moderna -, non è al presente meglio precisabile. C. M. Kauffmann, *The Baths of Pozzuoli*, Oxford 1959, p. 24, pone la sua origine vagamente nel XIV o XV sec.; se Percopo (op. cit., p. 618) scrive che " quest'opuscolo fu composto durante il secolo XII [sic], perché in un capitoletto al foglio 35 r. si parla della ' Combustione insule Iscle ' che avvenne nel 1301 ", si tratta ovviamente di una svista dell'erudito autore. Il brano sull'eruzione dell'Arso, che potrebbe essere anche un'aggiunta posteriore, è stato scritto comunque parecchio tempo dopo l'avvenimento, come rivelano la parola *olim* all'inizio, la circostanza che la città sullo scoglio del Castello viene ormai già chiamata *Civitas Iscle* e non più *Girone* o *Gerunda* e l'espressione *cuius ignis usque in hodiernum diem vestigia remanent*.

All'edizione del 1475 fece seguito un'altra con il medesimo titolo, fatta stampare a Napoli per i tipi di Sigismundo Mair nel 1507 dal letterato tedesco Agostino Tiferno che volle far cosa grata ai suoi connazionali in visita a Napoli, come precisa nella prefazione, essendo l'edizione precedente diventata quasi introvabile (il brano sull'eruzione al foglio n. n. 27 r. e v.).

Con piccole varianti insignificanti il medesimo testo sull'eruzione si trova ripetuto alla fine dell'opuscolo del medico napolitano Giovanni Elisio: *Succinta instauratio de Bal/neis totius cāpanie Joānis/elisij medici neap̄. cum/libello contra malos/medicos Sere/nissimo prin/cipi bisiniani directa*. Senza indicazioni tipografiche, ma Napoli, 1519 (?). (Una copia, completa della versione in volgare di cui più sotto, legata insieme con una copia dell'edizione del 1507 del *Libellus*, nella Biblioteca Nazionale di Napoli, S.Q. XXII C 22). L'operetta dell'Elisio che contiene ben poco di originale, è stata inserita poi nel noto volume collettaneo giuntino *De balneis omnia quae extant apud Latinos, Graecos et Arabes*, Venetia 1553, p. 212 sgg.

Delle varie ristampe posteriori, tanto del *Libellus* quanto dell'Elisio, ricordiamo soltanto il volume di Giovan Francesco Lombardo, *Synopsis eorum, quae de balneis, aliisque miraculis Puteolanis scripta sunt*, I ed. Napoli 1559, II ed. Venezia 1566. È da notare che nel suo commento alla descrizione dell'eruzione del *Libellus* il Lombardo (ed. 1566, p. 101 sg.) riporta anche il relativo brano del *De bello Neapolitano* del Pontano.

Tractato utilissimo de li Bagni Neapolitani & de Puzolo & de Ischia (1526).

Dela destructione o vero incendio de quella al presente e da dire inel tempo elapso nellanno dela natiuita del S. M.CCC primo regnante in questo regno di Sicilia re Carlo secundo in la dicta Insula de Ischia uicino procida processi dalle uene dela terra Sulfureo foco il quale gran parte dela insula consumo quasi fin ala cita de Ischia quale allhora gerunda se nominaua daquale foco molti homini et animali furono consumpti et da quella peste pererono che duro per spacio de circa doi mesi et molti de quelli per fugire tale peste lassata la insula alcune ala uicina insula andarno alcuni ala insula de capre alcune baia puzolo et napoli confugerno de qual foco fino in nostri di le uestigie son remase in quello loco nulla herba ne altra cosa uiuente nasce nelo luoco ad alcuna cosa comodo existe ma aspro et inculto dura quasi per doe miglia in longitudine et per mezo miglio in latitudine et se dice le cremate.

Chroniche de la Inclyta Cita de Napole Emendatissime: Con li Bagni de Puzolo et Ischia: Nouamente Ristampate. Napoli, per M. Evangelista di Presenzani de Pavia, 1526, c. LXXXV (ultima) verso. Nell'editio princeps della Cronaca di Partenope (senza luogo nè anno, ma Napoli, Tuppo, fra il 1486 e 1490) è ugualmente aggiunto un « tractato de li bagni ... » che però tratta soltanto dei bagni di terraferma e non di Ischia.

È la traduzione del brano del *Libellus* che si trova identica già in *La volgare instauratione Elisiana de li bagne neapolitane et puteolane ad commone utilita del li indocte. Et recreatione delle gente maxime per le primarie femine de la felice Campania*, aggiunta al trattato latino dell'Elisio (v. sopra).

Pagamento delle decime dopo l'eruzione.

1305: *Episcopo Isclano conceduntur solite decime non obstante, quod introitus sint diminuti ob incendium, quo insula a terrenis visceribus nature secreto vastata est.*

Registri angioini 1304-1305, lit. F, III Indict., fol. 8.

Testo secondo M. Camera, *Annali delle Due Sicilie*, vol. II, Napoli 1860, p. 82.

La notizia, con la indicazione precisa del volume e foglio dei Registri angioini, era stata già riferita da Giovan Antonio Summonte, *Dell'historia della città, e regno di Napoli*, tom. II, I ed. Napoli 1601, II ed. Napoli 1675, p. 356.

Sulla data dell'eruzione dell'Arso.

Le diverse fonti, come s'è visto, indicano la data dell'eruzione in maniera discordante. L'anonimo del Chronicon Cavense precisa che ebbe inizio giovedì, 18 gennaio 1301, quello della Bibbia di Bovino indica il mese di gennaio 1302, Bartolomeo Fiadoni il febbraio 1302, Giovanni Villani genericamente il 1302, soggiungendo che l'eruzione durò per più di due mesi. Il Pontano, che nel dialogo *Antonius* resta volutamente nel vago, nel *De bello neapolitano*, narrando di un episodio bellico avvenuto a Ischia nel 1464 a proposito del quale inserisce un excursus sull'isola, afferma che l'eruzione ebbe luogo " circa 163 anni prima ". Il *Libellus de mirabilibus civitatis putheolorum* nel 1475 indica invece il 1301, e così i numerosi autori fino ai tempi nostri che indirettamente ne dipendono.

La questione è stata risolta in modo definitivo, come ci sembra, a favore del 1302 da Marco Vatasso nel suo commento alla notazione marginale della Bibbia di Bovino (op. cit., p. 42 sg.).

Dopo aver osservato che l'anonimo del *Chronicon Cavense* (detto anche *Annales Cavenses*) è l'unico cronista sincrono che riferisce l'eruzione al 1301, egli prosegue: " Senonché anche questa testimonianza che in apparenza contraddice a quella de'cronisti succitati, in realtà la conferma: imperocché, qui pure come altrove avendo l'autore degli *Annales Cavenses* computato l'anno a cominciare dal 1° settembre, come usavasi allora in alcune regioni dell'Italia meridionale, i primi otto mesi del 1302 dovevano essere, secondo questo computo, gli ultimi otto del 1301. Ora essendo appunto l'eruzione dell'Epomeo avvenuta nel gennaio o nel febbraio nel 1302, questi due mesi dovevano appartenere per l'anonimo degli *Annales* al 1301 ". Ad ulteriore conferma che il monaco di Cava dei Tirreni computasse l'anno in quel modo, il Vatasso adduce ancora altri due esempi analoghi che si riferiscono agli anni 1299/1300 e 1293/1294.

Resta peraltro inspiegato per quale ragione il compilatore del *Libellus*, pur basandosi sul testo di Giovanni Villani, abbia poi cambiato la data in 1301, salvo a voler ipotizzare che egli si sia servito di una copia manoscritta napoletana di quella cronaca in cui le date erano state cambiate secondo lo stesso computo locale usato dall'anonimo di Cava dei Tirreni.

Che il Fiadoni indichi il mese di febbraio invece del gennaio si spiega facilmente: egli deve aver avuto da un suo corrispondente napoletano, presumibilmente un confratello domenicano, copia di un documento analogo a quello più sopra riportato relativo al terremoto del 1275 oppure, forse più probabilmente, un sunto della relazione della commissione d'inchiesta, che portavano la data del mese successivo a quello dell'inizio dell'eruzione.

Non è casuale che soltanto il Villani riporti la durata dell'eruzione: egli riferisce notizie generiche, avute quando il parossismo era ormai cessato, mentre i racconti del Fiadoni e del Pontano derivano da documenti scritti quando l'eruzione era ancora in atto, e al suo inizio sono state annotate le testimonianze sulla caduta di ceneri dagli anonimi di Cava dei Tirreni e di Bovino.

BIBLIOGRAFIA

ALESSIO M., BELLA F., BELLUOMINI G., CALDERONI G., CORTESI C., FORNASERI M., FRANCO E., IMPROTA S., SCHERILLO A., TURI B. (1971a), *Datazioni con il metodo del carbonio-14 di carboni e livelli umificati (paleosuoli) intercalati nelle formazioni piroclastiche dei Campi Flegrei (Napoli)*. Rend. Soc. Ital. di Mineralogia e Petrologia, 27, Pavia, 1971, pp. 305-308.

ALESSIO M., BELLA F., IMPROTA S., BELLUOMINI G., CORTESI C., TURI B. (1971b). *University of Rome Carbon-14 Dates IX, Radiocarbon, 13*, Roma, 1971. pp. 403-409.

ALESSIO M. et al. (1973), *University of Rome Carbon-14 Dates X, Radiocarbon, 15*. Roma, 1973, pp. 171-176.

ALESSIO M. et al. (1974), *University of Rome Carbon-14 Dates XII, Radiocarbon, 16*. Roma, 1974, pp. 358-367.

ALESSIO M. et al. (1976), *University of Rome Carbon-14 Dates XIV, Radiocarbon, 18*. Roma, 1976, pp. 321-349.

ANDRIA N. (1783), *Trattato delle acque minerali*, II ed. Napoli, 1783.

BORTOLUZZI G., GRIMALDI R., ITALIANO A. (1984 [1983]), *Osservazioni geomorfologiche sul versante meridionale dell'isola d'Ischia*, Centro di Studi su l'isola d'Ischia, Ricerche, contributi e memorie, 2, Atti relativi al periodo 1970-1984, Napoli, 1984, pp. 257-265.

BRACCINI G.C. (1632), *Dell'incendio fattosi nel Vesuvio a XVI. di dicembre MDCXXXI, e delle sue cause, ed effetti*, Napoli, 1632.

BUCH L. VON (1809), *Ischia. Moll's Neue Jahrbücher der Berg- und Hüttenkunde, 1*. Nürnberg, 1809, pp. 343-353; ristampato in: *Gesammelte Schriften, 2*. Berlin. 1870, pp. 62-68.

BUCHNER G. (1949), *Ricerche sui giacimenti e sulle industrie di ossidiana in Italia. I., Riv. di Scienze Preistoriche, 4*, Firenze, 1949, pp. 162-186.

— (1969), *Mostra degli scavi di Pithecusa, Dialoghi di Archeologia, 3*, Milano, 1969, pp. 85-101.

— (1971 [1962]), *Gli scavi di Pithecusa. Centro di Studi su l'isola d'Ischia, Ricerche, contributi e memorie, 1*, Atti relativi al periodo 1944-1970, Napoli, 1971, pp. 515-531.

— (1971), *Recent work at Pithekoussai (Ischia), 1965-71. Archaeological Reports*. 1970-71, pp. 63-67.

— (1975), *Nuovi aspetti e problemi posti dagli scavi di Pithecusa*, in: *Contribution à l'étude de la Société et de la Colonisation Eubéennes, Cahiers du Centre Jean Bérard, 2*, Napoli, 1975, pp. 59-86.

— (1977), *Cuma nell'VIII sec. a.C., osservata dalla prospettiva di Pithecusa, I Campi Flegrei nell'archeologia e nella storia, Atti dei Convegni Lincei, 33*, Roma 1977, pp. 131-148.

— (1984 [1980]), *La scoperta archeologica di Pithecusa. Centro di Studi su l'isola d'Ischia, Ricerche, contributi e memorie, 2*, Atti relativi al periodo 1970-1984, Napoli, 1984, pp. 205-211.

BUCHNER G. e RIDGWAY D. (in corso di pubblicazione). *Pithekoussai I, La necropoli, tombe 1-723 (1952-1961), Monumenti Antichi dei Lincei*, Serie Monografica.

BUCHNER P. (1939), *Felsenhäuser auf Ischia. Natur und Volk, 69*, Frankfurt a.M. 1939, pp. 377-385.

BUCHNER P. (1943), *Formazione e sviluppo dell'isola d'Ischia. Studi di geologia, zoologia e preistoria, Riv. di Scienze naturali « Natura », 34*, Milano, 1943, pp. 39-62.

BUCHNER P. e G. (1940), *Die Datierung der vorgeschichtlichen und geschichtlichen Ausbrüche auf der Insel Ischia, Die Naturwissenschaften, 28*, Berlin, 1940, pp. 553-564.

BUCHNER NIOLA D. (1965), *L'isola d'Ischia. Studio geografico, Memorie di Geografia economica e antropica*, n.s. 3, Napoli, Ist. di Geogr. dell'Univ., 1965, pp. 1-155.

CAPALDI G., CIVETTA L., GASPARINI P. (1976), *Volcanic History of the Island of Ischia (South Italy), Bulletin Volcanologique 40*, 1976, Napoli, 1977, pp. 1-12.

CAVALIER M. (1978), *L'Uomo e i vulcani nelle isole Eolie, Magna Grecia, 13*. fasc. 5-6, Cosenza, 1978, pp. 1-6, 26.

CHEVALLEY DE RIVAZ J.E. (1835), *Description des eaux minéro-thermales et des étuves de l'île d'Ischia*, II ed. Napoli, 1835 (III ed. Napoli, 1837; IV ed., tradotta in italiano e fornita di note da M. Ziccardi, Napoli, 1838; V ed. Napoli, 1846; VI ed. Napoli, 1859).

CHIESA S. e VEZZOLI L. (1983), *Guida dell'escursione all'isola d'Ischia: Gruppo vulcanico*, Riunione del 18-19-20 maggio 1983. s.i.t., pp. 19 nn.

D'ARBITRIO N. e ZIVIELLO L. (1982), *Le case di pietra. Architettura rupestre nell'isola d'Ischia*, Napoli, 1982.

DE FIORE O. (1920), *Materiali archeologici della regione etnea (III millennio a.C. - II sec. p.C.) e loro rapporti con le eruzioni ed i bradisismi, Archivio Storico per la Sicilia Orientale, 16*, 1919-1920, Catania, 1920, pp. 84-99.

DI GIROLAMO P., GHIARA M. R., LIRER L., MUNNO R., ROLANDI G., STANZIONE D., (1984), *Vulcanologia e petrologia dei Campi Flegrei, Boll. Soc. Geol. Ital., 103*, Roma 1984, pp. 349-413.

DI GIROLAMO P. e STANZIONE D. (1973), *Lineamenti geologici e petrologici dell'isola di Procida, Rend. Soc. Ital. Mineral. e Petrol., 29*, Pavia 1973, pp. 81-125.

DONZELLI E. (1910), *L'alluvione del 24 ottobre 1910 nell'isola d'Ischia e l'opera della squadra napoletana di soccorso*, Napoli, 1910, pp. 1-24. Cfr. anche: *Il Mattino, 19*, n. 299, Napoli, 27-28 ottobre 1910.

FAZELLO T. (1558), *De rebus siculis decades duae*, I ed. Palermo, 1558.

FONSECA F. (1847), *Descrizione e carta geologica dell'isola d'Ischia, Annali Accad. degli Aspiranti Naturalisti*, ser. 2a, *1*, Napoli, 1847, pp. 163-200 (anche ed. separata, pp. 1-40); II ed. Firenze, 1870, pp. 31.

FORCELLA F., GNACCOLINI M., VEZZOLI L. (1981), *Stratigrafia e sedimentologia dei depositi piroclastici affioranti nel settore sud-occidentale dell'isola d'Ischia, Riv. Ital. Paleont. Strat., 87*, Milano, 1981, pp. 329-366.

FORCELLA F., GNACCOLINI M., VEZZOLI L. (1983), *I depositi piroclastici del settore sud-orientale dell'isola d'Ischia, Riv. Ital. Paleont. Strat., 89*, Milano, 1983.

FUCHS C. W. C. (1873), *L'isola d'Ischia, monografia geologica, Mem. per serv. alla descr. carta geol. d'It., 2*, pp. 1-59, Firenze 1873.

GILLOT P-Y., CHIESA S., PASQUARÉ G., VEZZOLI L. (1982), *< 33,000-yr K-Ar dating of the vulcano-tectonic horst of the Isle of Ischia, Gulf of Naples, Nature, 299*, London, 1982, pp. 242-245.

HAMILTON W. (1773), *Observations on Mount Vesuvius, Mount Etna, and other Volcanos, in a series of letters, addressed to the Royal Society*, London, 1773 (e ristampe identiche London, 1774 e 1783).

JASOLINO G. (1588), *De rimedi naturali che sono nell'isola di Pithecusa, hoggi detta Ischia*, Napoli, 1588.

JOVENE F. (1971 [1945]), *Una fase esplosiva durante l'ultima eruzione dell'Epomeo 1300-1303, Centro di Studi su l'isola d'Ischia, Ricerche, contributi e memorie, 1*, Atti relativi al periodo 1944-1970, Napoli, 1971, pp. 95-101.

KELLER J. (1967), *Alter und Abfolge der vulkanischen Ereignisse auf den Äolischen Inseln-Sizilien, Ber. naturforsch. Ges. Freiburg/Br., 57*, Freiburg/Br., 1967, pp. 33-67.

— (1970a), *Datierung der Obsidiane und Bimstuffe von Lipari, N. Jahrb. Geol. Paläontol. Mh., Jg. 1970*, Stuttgart, 1970, pp. 90-101.

— (1970b), *Die historischen Eruptionen von Vulcano und Lipari (Deutungen alter Berichte aufgrund neuer geologischer Befunde), Z. deutsch. geol. Ges., 121*, Hannover, 1970, pp. 150-155.

MERCALLI G. (1884), *L'isola d'Ischia e il terremoto del 28 luglio 1883, Mem. R. Istituto Lombardo, Cl. di sc. mat. e nat., 15*, Milano, 1884, pp. 99-154.

— (1907), *I vulcani attivi della terra*, Milano, 1907.

MONTI P. (1980), *Ischia, archeologia e storia*, Napoli, 1980.

PEROZZI A. (1949), *Ritrovamenti di resti dell'eneolitico in provincia di Napoli, La Ricerca scientifica, 19*, Roma, 1949, p. 1025.

PICHLER H. (1967), *Neue Erkenntnisse über Art und Genese des Vulkanismus der Äolischen Inseln (Sizilien), Geol. Rundschau, 57*, Stuttgart, 1967, pp. 102-126.

— (1968), *Zur Altersfrage des Vulkanismus des Äolischen Archipels und der Insel Ustica (Sizilien), Geol. Mitt., 7*, Aachen, 1968, pp. 299-332.

— (1970), *Italienische Vulkangebiete II. Phlegräische Felder, Ischia, Ponza-Inseln, Roccamonfina. (= Sammlung geologischer Führer, 52)*. Berlin-Stuttgart, 1970 (Ischia, pp. 92-149).

— (1980), *The Island of Lipari, Rend. Soc. Ital. di Mineralogia e Petrologia, 36* (1), Pavia, 1980, pp. 415-446.

— (1981), *Italienische Vulkangebiete III. Lipari, Vulcano, Stromboli, Tyrrhenisches Meer. (= Sammlung geologischer Führer, 69)*. Berlin-Stuttgart, 1981 (Lipari, pp. 71-129).

RITTMANN A. (1930), *Geologie der Insel Ischia. Z.f. Vulkanol,. Ergänzungsband, 6*, Berlin, 1930.

— (1936), *Vulkane und ihre Tätigkeit*, Stuttgart, 1936.

— (1948), *Origine e differenziazione del magma ischitano, Schweiz. mineralog. petrogr. Mitt., 28*, Zürich, 1948, pp. 643-698.

— (1951), *Cenni sulla geologia di Procida, Boll. Soc. Geol. Ital., 70* (1951), Roma 1953, pp. 1-12 estr.

— (1960), *Vulkane und ihre Tätigkeit*, II ed., Stuttgart, 1960. (Trad. francese di Haroun Tazieff: *Les volcans et leur activité*. Paris, 1963. Trad. italiana: *I vulcani e la loro attività*, Bologna, 1967).

RITTMANN A., VIGHI L., FALINI F., VENTRIGLIA U., NICOTERA P. (1950), *Rilievo geologico dei Campi Flegrei, Boll. Soc. Geol. Ital., 69* (1950), Napoli 1951, pp. 117-362.

RITTMANN A. e GOTTINI V. (1980), *L'isola d'Ischia - Geologia, Boll. del Servizio Geologico d'Italia, 101* (1980), Roma, 1981, pp. 131-274.

SPALLANZANI L. (1792-1797), *Viaggi alle Due Sicilie e in alcune parti dell'Appennino*, Tom. I-VI, Pavia, 1792-1797 (*Ischia*: tom. I, 1792, pp. 132-171).

SAPPER K. (1927), *Vulkankunde*, Stuttgart, 1927.
THORARINSSON S. (1944), *Tefrokronologiska Studier på Island, Geografiska Annaler, 26*, Stockholm, 1944, pp. 1-127.
WOLFF F. VON (1914, 1929), *Der Vulkanismus*. I. Band: *Allgemeiner Teil*, Stuttgart, 1914; II. Band: *Spezieller Teil*, Stuttgart, 1929.

GIORGIO BUCHNER

CLAUDE ALBORE LIVADIE

CONSIDÉRATIONS SUR L'HOMME PRÉHISTORIQUE
ET SON ENVIRONNEMENT DANS LE TERRITOIRE PHLÉGRÉEN.
(pl. LXXXVIII-XCIX)

La terre « phlégréenne » que secouent les soubresauts d'une gestation sans fin, est, en fait, une région exclusivement volcanique. Les reliefs, terrasses et collines, les dépressions, conques et lacs, sont entièrement dus aux mouvements structuraux tecto-volcaniques (fig. 1). Sources chaudes, fumerolles, exhalations sous-marines, émissions de substances volatiles (mofettes et solfatares), toutes les manifestations les plus typiques sont conditionnées directement ou indirectement par le volcanisme; la sismicité de la région a la même origine — que ce soit le bradysisme, ce tremblement de terre lent, qui fait s'élever ou s'abaisser le sol — que les secousses de faible amplitude, rarement de grande violence, qui, de tous temps, ont intéressé ce territoire.

Cette terre en travail, d'une vitalité toujours jeune, a inscrit son histoire sur les roches de tuf, de pouzzolanes, au coeur des différents matériaux pyroclastiques qui se transforment continuellement.

La vie de l'homme dans ces espaces mutables apparaît plus qu'ailleurs étroitement, indiscutablement liée à l'histoire de la Terre. Histoire souvent violente qui a pu modifier l'évolution autonome des communautés antiques ou tout au moins conditionner de façon plus ou moins durable leur cadre écologique et économique.

La présence de ponces et de lapilli au-dessus d'un certain nombre de gisements archéologiques permet de confirmer que des événements volcaniques ont effectivement eu une incidence sur la vie de l'homme (fig. 2). Leur date, leur importance, les conséquences qu'ils ont pu avoir restaient à préciser. Il nous a semblé utile de reprendre ces différentes données, afin d'évaluer à la lumière des études chronostratigraphiques récentes, l'histoire volcanique de l'arc phlégréen et, dans la mesure du possible, l'histoire du peuplement en rapport avec l'évolution paléogéographique du paysage régional.

Profil de l'histoire morphologique et volcanique de la région phlégréenne.

L'absence de l'homme primitif dans le territoire phlégréen est diversement interprétée par les rares auteurs qui se sont intéressés à la Préhistoire campanienne. Pour certains, les éruptions et le bradysisme auraient effacé les traces des plus antiques présences; pour d'autres, en raison du milieu naturel peu propice à l'installation humaine, l'homme préhistorique aurait déserté la région.

Bien que nous ne possédions aucun témoignage de cette période, il paraît surprenant que le littoral campanien ait été laissé à l'écart des territoires de chasse des populations qui, dès le Paléolithique ancien, fréquentaient Capri. Différents facteurs géologiques (volcanisme et tectonique) et climatiques (variation du niveau marin) ont, cependant, depuis cette époque, profondément modifié la morphologie du plateau continental qui émergeait au-devant de la ligne de rivage actuel. Il est possible que les dépôts du Paléolithique ancien se trouvent, aujourd'hui, dans les zones immergées du golfe napolitain.

Durant le Paléolithique moyen, les grottes du Circeo et de Mondragone au nord, et au sud, la péninsule de Sorrente et le Cilento étaient habités avec une certaine densité et il est hors de doute que les groupes caractérisés par l'industrie pontinienne sur galets durent nécessairement traverser la Campanie, avant de s'installer sur les falaises et les dunes fossiles du Cap Palinuro et dans la plaine pestane. Jusqu'à présent, seul, un instrument, et de plus isolé, trouvé sur les pentes occidentales de l'acropole de Cumes, lors d'une prospection de surface, témoignerait de l'antiquité de la présence de l'homme sur ce site (1). Toutefois, autour de 40.000 ans B.P., la région a connu une grosse activité explosive (formation des Tufs de Torre Franco, du Monte Grillo, de Marina di Vita Fumo) et effusive (formation de la coupole de lave de Cumes (2) et de San Martino), concentrée dans le secteur oriental. De larges portions du précontinent étaient alors accessibles à l'homme préhistorique puisqu'en ce début du Würm III (époque du maximum régressif) la mer devait se trouver à environ 150 mètres au-dessous du niveau actuel. A la place du golfe de Naples s'étendait une vaste plate-forme (plage fossile tyrrhénienne) que dominaient les volcans des bancs de Misène et de Penta Palummo. Capri était sans doute encore reliée à la côte de Sorrente. Le rocher trachytique de Cumes avait une morphologie allongée qui émergeait de la plate-forme littorale, tout comme une série de proches reliefs d'origine volcanique et de récente formation (Marina di Vita Fumo, Monte Grillo, etc.). L'épouvantable éruption d'ignimbrites qui dévasta, il y a près de 31.000 ans B.P., la plus grande partie de la Campanie en l'ensevelissant sous un linceul de cendres grises incandescentes et en l'enveloppant de gaz brûlants épargna le littoral et le secteur insulaire de la région phlégréenne. Partout ailleurs, elle recouvrit et cacha les traces du passé, annula tous les reliefs sous plusieurs dizaines de mètres de tuf gris et empêcha durant plusieurs millénaires tout établissement humain sur la terre campanienne (3).

Il s'agissait d'éruptions nées de fractures; les événements volcaniques ont dû être nécessairement précédés par une intense activité sismique d'origine tectonique qui a pu éloigner de ces lieux les populations et les inciter à s'installer dans les régions moins troublées.

Le secteur côtier, qui avait été épargné par l'éruption de "Tuf gris campanien" fut, au contraire, au centre de l'activité volcanique qui se manifesta entre 29.000 ans B.P. ± 800 et 19.200 ans B.P. ± 270 autour de Prochyda (volcan de Fiumicello et édifices volcaniques situés dans le canal de Prochyda ou le long des principales lignes de faille qui parcourent l'île) et sur la bordure des Champs Phlégréens (volcans de S. Martino, de Torrefumo, de Torregaveta). Des cendres, des ponces et des scories recouvrirent les paléosols sur une épaisseur de plusieurs mètres; une partie fut projetée à grande distance par les vents dominants. A Serino, en particulier, au-delà d'Avellino, les produits éruptifs, attribués aux volcans du canal de Prochyda, ont été reconnus au-dessus

(1) Il s'agirait d'une "pointe droite à retouches bilatérales, en silex blond à grains fins (inv. Musée Arch. Nat. n. 212735). Longueur 3 cm; largeur 1,7 cm. " Elle a été recueillie par C. Pierattini (septembre 1982) le long des pentes occidentales de l'acropole, dans le secteur méridional qui regarde la mer.

(2) La coulée trachytique qui forme le rocher cumain a été datée par analyse au K/Ar. autour de 36.750 B.P. (moyenne de deux datations) voir C. CASSIGNOL et P.Y. GILLOT, *Range and effectiveness of unspiked potassium-argon dating: experimental group work and application*, pp. 160-179, en particulier p. 173, fig. 5, Numerical dating in stratigraphy (G.S.O. din, Y. Will et Sons édit.) New York, 1982. B.P. = Before Present. La liste complète des analyses K/Ar et ^{14}C des paléosols et des bois brûlés provenant des Champs Phlégréens est publiée par G. CAPALDI, L. CIVETTA, P. Y. GILLOT, *Geochronology of Plio-Pleistocene volcanic rocks from southern Italy, Rend. Soc. It. Miner. Petrol.*, 40, 1985, pp. 36-40.

Les datations utilisées dans le présent article ne sont pas calibrées.

(3) Le seul exemple certain d'une éruption d'ignimbrites d'époque historique est celle advenue en 1912, près du Katmai (Alaska), mais elle ne fut observée par aucun volcanologue. Le mécanisme éruptif et de déposition n'est pas encore défini dans ses détails: il apparaît cependant que les ignimbrites se forment par dépôts de gigantesques nuées de gaz incandescents

du gisement proto-aurignacien (4).

Dès lors, un long silence s'étend sur ce territoire. Il durera tout au long du Paléolithique supérieur. Une exploration attentive des paléosols anciens pourrait cependant être riche d'informations. Au-dessous des produits du volcan de Torregaveta, des ossements animaux ont été recueillis (5). Ils devraient être, par leur position stratigraphique, vieux environ de 16.000 ans B.P. Leur étude et leur datation précise pourraient enrichir, en l'absence de matériel archéologique, le panorama paléontologique de la Campanie phlégréenne.

Avec le 3ème cycle phlégréen, l'activité volcanique reprend avec une violence inattendue. Durant ce cycle mouvementé, il est possible de reconnaître des événements volcaniques de basse et très basse fréquence à intervalles chronologiques de 1.500-1.000 ans environ (6). Au cours du cycle se formèrent un certain nombre de volcans, dont le Monte Echia et ceux qui sont à l'origine des " Tufs blanchâtres ". Les volcans rejetèrent une masse énorme de cendres qui comblèrent la région où s'étendent aujourd'hui Soccavo et Pianura (7). C'est encore durant le Paléolithique supérieur que se forma le volcan de Torregaveta avant que l'éruption du " Tuf Jaune napolitain " ne modifie radicalement, dans l'espace limité de quelques jours ou de quelques semaines, la physionomie de la région. Une épaisseur homogène de plus d'une centaine de mètres formée de fins dépôts pyroclastiques, projetés à température élevée et à grande vitesse, recouvrit toute la région; le réseau hydrographique disparut, la végétation fut détruite, les reliefs aplanis. Tout changea du Volturne jusqu'à Naples pour devenir durant de longs siècles une steppe désertique et poudreuse. L'effet destructeur sur d'éventuelles présences humaines et animales fut sans aucun doute total.

Les épaisses couches stériles de tuf volcanique qui séparent les niveaux avec industries de type paléolithique supérieur aux restes de macrofaunes des niveaux mésolithiques des grottes de la péninsule amalfitaine (grotte La Porta, grotte du Mezzogiorno en particulier) et des grottes de l'arrière-pays campanien témoignent de l'étendue de la catastrophe.

Les conséquences ont été immenses: même dans les régions périphériques, indirectement intéressées par l'éruption, la vie semble avoir connu une longue interruption. Dans le territoire napo-

et de fragments de liquides magmatiques et de particules solides. Ces nuées pénètrent et envahissent les vallées et réussissent à cause de leur vitesse élevée (elle a été estimée à environ 100 kilomètres/heure au Katmai) à franchir des obstacles morphologiques — collines, petits reliefs — et à recouvrir des morphologies plates. Elles se propagent à des centaines de kilomètres de la bouche éruptive, dévastant radicalement d'immenses étendues de territoire. Des instruments « moustériens » auraient été trouvés au-dessous du « *Tuf gris campanien* » à Cerreto Sannita, cf. A. DE BLASIO, *Briciole di Paletnologia Meridionale*, *Rivista Italiana di Scienze Naturali*, XXVIII, 3-4, 1908, pp. 2-4 et plus récemment dans les environs d'Atripalda (localité Case Spaccate). Pour cette dernière information, je remercie C. Porcelli de l'Institut de Minéralogie de l'Université de Naples.

(4) C.A. ACCORSI, E. AIELLO, C. BARTOLINI, L. CASTELLETTI, G. RODOLFI, A. RONCHITELLI, *Il giacimento paleolitico di Serino (Avellino): stratigrafia, ambienti e paletnologia, Atti della Società Toscana di Scienze Naturali, Memorie*, LXXXVI, 1979 (1980), pp. 435-487. Sur le 2e cycle phlégréen, voir T. PESCATORE et G. ROLANDI, *Osservazioni preliminari sulla stratigrafia dei depositi vulcanoclastici nel settore S-W dei Campi Flegrei, Boll. Soc. Geol. It.*, 100 (1981), pp. 233-254. La fin de la période a connu des événements parmi lesquels l'éruption de la Secca di Ventotene. Le volcan, situé à environ 3 kilomètres à l'ouest de Forio d'Ischia a eu son activité, il y a près de 20.000 ans. Certains considèrent l'éruption comme l'une des majeures catastrophes méditerranéennes de l'Holocène. L'île d'Ischia fut complétement recouverte par une couche de cendres et de ponces qui atteint à certains endroits près de 100 mètres d'épaisseur (tuf de Cetara). Les produits de l'éruption furent trouvés lors de sondages sous-marins en Méditerranée orientale.

(5) Je tiens ces renseignements de G. Rolandi que je remercie.

(6) Pour une étude récente de la volcanologie phlégréenne, P. DI GIROLAMO, M.R. GHIARA, L. LIRER, R. MUNNO, G. ROLANDI, D. STANZIONE, *Vulcanologia e petrografia dei Campi Flegrei, Boll. Soc. Geol. It.*, 103 (1984), pp. 349-413.

(7) Les analyses des paléosols dans la formation des Tufs blanchâtres stratifiés de Soccavo ont donné les datations radio-carbones suivantes: 16.390 B.P. et 15.090 B.P.

litain, l'absence totale de sites mésolithiques pourrait être due aux conditions d'existence impossibles que présentait désormais tout le territoire.

Au lendemain de la mise en place du " Tuf Jaune napolitain " — c'est-à-dire vers 13.000 B.P. — une grande partie de la masse projetée s'affaissa selon les lignes tectoniques d'orientation apenninique et antiapenninique. Il en résulta une large dépression, dont les bords correspondent aux hauteurs du Pausilippe, aux Camaldoli, à l'est et au nord, et de l'autre côté, à la bordure orientale de Quarto, au Mont S. Severino et au Mont de Prochyda.

L'effondrement a dû se produire dans un intervalle de temps d'à peine quelques millénaires (entre 11.000 B.P. et 8.000 B.P. ans) — temps longs, certes, pour les historiens, temps courts pour les volcanologues —; il coïncide sans doute avec les premières manifestations du 4ème cycle des Champs Phlégréens. La région centrale abaissée devint alors le théâtre d'une importante activité volcanique, à l'origine de la physionomie actuelle du secteur occidental de la plaine phlégréenne. De cette période date la formation du volcan du Monte Gauro (vers 11.000 ans B.P.) (8). Les volcans de Punta dell'Epitaffio et de l'Archiaverne, se forment entre 10.000 ans B.P. et 8.000 ans B.P. Une puissante éruption (l'éruption des « ponces principales » d'Agnano) provenant d'un centre éruptif aujourd'hui enseveli par les formations volcaniques plus récentes recouvre alors la région de Naples sous plusieurs mètres de produits pyroclastiques (10.000 ans B.P.) (9). Aux pieds de la colline des Camaldoli apparaît le volcan de Minopoli.

L'évolution des lignes de rivage au cours de l'Holocène.

En deçà de ces nouveaux édifices monogéniques, affleurent dans la dépression centrale des îlots volcaniques aux formes jeunes et quelques vestiges mineurs de la formation du " Tuf Jaune napolitain ". Ces bastions formidables qui offraient et offrent encore dans le cadre incertain d'une terre en gestation un refuge solide et salubre, dominant tout le reste du territoire, formaient jusqu'à Cumes, un groupe de reliefs peu éloignés des côtes que dominaient les hauteurs massives de l'Archiaverne (10) et du volcan de Punta dell'Epitaffio (11). C'est là qu'il faudrait chercher aujourd'hui d'éventuels vestiges des installations humaines que les grottes et les abris profonds ont pu conserver.

Isolé, lui aussi, mais à brève distance du chapelet d'îles qui s'égrenait d'Ischia à la côte phlégréenne (Vivara, Prochyda, les îles aujourd'hui submergées du canal de Prochyda), le Mont de Prochyda a dû constituer longtemps un formidable relais vers la terre ferme. Il suffit d'imaginer, qu'avant la naissance des volcans côtiers du golfe de Pouzzoles, lorsque la mer bordait le mont « della Ginestra » et les reliefs du vieil édifice, antérieur au " Tuf Jaune napolitain ", qui se dres-

---

(8) Le Mt. Gauro devait apparaître au lendemain de sa formation comme un édifice énorme. La reconstruction faite en raccordant les courbes de niveau, permet d'évaluer à 4 Km environ le diamètre de sa base. Il a été ensuite limité par la formation des édifices volcaniques qui se sont implantés sur ses flancs: Fondo Riccio, Concola et Montagna Spaccata.

(9) Cette éruption est comprise chronologiquement entre 11.500 e 8.565 B.P. (Dates ^{14}C des paléosols respectivement au-dessous et au-dessus du niveau de ponces).

(10) La structure massive de l'Archiaverne se reconnait aujourd'hui encore dans le Monte della Ginestra au sud-ouest du lac d'Averne et dans le bord septentrional du lac; l'ancien volcan est cependant largement masqué par les produits de l'activité du plus récent Averne.

(11) La Punta dell'Epitaffio devait s'allonger profondément dans la mer, sur plus de 200 m; aujourd'hui l'action de la mer, du bradysisme et la formation de plus récents volcans ont fait presque entièrement disparaître l'édifice primitif.

sait dans le secteur de Capella, et pénétrait jusqu'au bas de la colline de Cumes, envahissant largement le chenal de Torre Cappella, le Mont de Prochyda formait une vaste île qu'un bras de mer peu profond reliait à Prochyda.

Plus au large, les bancs de Penta Palummo et de Misène, sous l'action du mouvement général de subsidence qui intéressait le centre du golfe, subissaient une lente abrasion marine.

Du côté du Pausilippe, la mer s'avançait jusqu'au quartier de la Canzanella, baignant toute une vaste région qu'occupent aujourd'hui les volcans d'Agnano et des Astroni. Aux pieds des Camaldoli, les conques de Soccavo et de Pianura, à côte élevée (actuellement elles sont respectivement à 50 m et à 150 m sur le niveau marin) constituaient des hauteurs morphologiques qui bordaient l'ancienne ligne de rivage. Le paléogolfe s'avançait jusqu'à l'enceinte de tuf jaune de l'Archiquarto, volcan situé à l'emplacement de l'actuelle plaine de formation plus récente. A l'ouest, il longeait la base du Mont Gauro et le bord de l'Archiaverne. La dépression de Toiano et de Pezza Lucana, formée successivement par un affaissement volcano-tectonique, n'existait pas encore (fig. 3).

Le secteur entre l'Averne et le Mont Olibano est actuellement occupé par une falaise côtière (la terrasse de « La Starza ») qui s'élève au dessus du niveau marin de 25 à 40 m. Elle est formée principalement de dépôts de produits volcaniques qui se sont déposés alternativement à l'air libre et en milieu marin et témoignent des différentes phases de soulèvement et d'abaissement qu'a connues ce secteur. A cette époque, une partie de la terrasse de La Starza devait émerger. En effet, on remarque au bas de la série stratigraphique de la terrasse une couche de ponces, d'origine subaérienne, projetées par l'Archiaverne. Elles sont recouvertes sur une épaisseur de 6 à 8 mètres par des cendres fossilifères correspondant à la première transgression marine sur l'ancienne morphologie de la terrasse.

Entre la seconde moitié du VIIème millénaire et le Vème millénaire avant J.-C. (8400-6750 ans B.P.) les principaux changements de lignes du rivage se localisèrent au centre du golfe. L'édifice volcanique du Paleoagnano, formé antérieurement à 6750 B.P., séparait celui-ci en deux baies distinctes. Le volcan de La Pietra dont les dimensions étaient bien plus vastes de celles d'aujourd'hui formait un promontoire qui séparait le golfe de Pouzzoles de celui de Bagnoli.

Le premier dépôt de La Starza, constitué de cendres riches de coquillages fossiles (niveau B) a été daté dans l'intervalle chronologique 8400 ans B.P. - 6640 ans B.P. A cette même période appartiennent les dépots de plage signalés aux pieds du volcan de Quarto, lors de la construction d'un tunnel de la ligne de chemin de fer. Ces dépôts avaient été recouverts par les produits du volcan de Montagna Spaccata (12).

Ainsi il apparaît, que durant la période de transgression marine indiquée la ligne de rivage courait aux pieds du volcan de Quarto. L'ample zone de dépression était limitée à l'ouest par les reliefs du Mont Gauro et à l'est par le vaste cratère du Paleoagnano. Un bras de mer, bordé de chaque côté par les hauteurs des volcans, envahissait toute la plaine de S. Vito.

Jusqu'à la Punta dell'Epitaffio, le golfe à l'ouest s'échancrait largement occupant toute la dépression de Toiano, aux pieds des jeunes volcans du Fondo Riccio et Concola. Monte Ruscello et Fondo Riccio avaient transformé le territoire depuis le Mont de Prochyda jusqu'au Mont San Severino en côte basse, envahie de lagunes par l'accumulation de leurs produits qui ont comblé les anfractuosités de la ligne côtière primitive.

(12) G. ROLANDI, *L'andamento della linea di costa durante il ciclo vulcanico recente dei Campi Flegrei (IV Ciclo Flegreo)*, *Tremblements de terre, Histoire et Archéologie*, Actes des IV. Rencontres Internationales d'Archéologie et d'Histoire d'Antibes, Antibes 1983, pp. 155-164; A. CINQUE, G. ROLANDI, V. ZAMPARELLI, *L'estensione dei depositi marini olocenici nei Campi Flegrei in relazione alla vulcano-tettonica*, *Boll. Soc. Geol. It.*, 104 (1985), pp. 327-348, en part. p. 334.

Un autre golfe, limité d'un côté par les reliefs du Paleoagnano et du volcan de la « grotte du Chien » et de l'autre, par la colline de Pausilippe, occupait la plaine de Bagnoli (fig. 4).

Dans le golfe, les bancs de Penta Palummo et de Misène étaient désormais submergés.

A partir de la première moitié du Vème millénaire avant J.-C., sur le pourtour du golfe de Pouzzoles, apparaissaient de nouveaux édifices volcaniques qui faisaient reculer, petit à petit, la ligne de rivage. Les volcans, Montagna Spaccata et Pisani au nord, contraignaient la mer au delà des pieds du Paleoagnano; le volcan de Cigliano restreignait encore le bras de mer qui pénétrait dans la plaine de S. Vito. Les produits des éruptions s'accumulaient dans la plaine qui devait apparaître désormais comme une vaste étendue marécageuse aux eaux stagnantes.

Durant cette période, la partie centrale du golfe de Pouzzoles subissait un intense mouvement lié au bradysisme et au tecto-volcanisme; la colline de La Starza connaissait une seconde phase d'immersion permettant une nouvelle transgression marine à l'intérieur du territoire phlégréen et avant 4.100/4.050 ans B.P. un soulèvement successif du sol. La ligne de rivage était repoussée en deçà de la ligne côtière actuelle (13). La mer ne pénétrait désormais que de façon très limitée dans la plaine de S. Vito (fig. 5).

Dans le secteur oriental du golfe, le volcan du banc de Nisida apparaît. Au lendemain de sa formation (6.000 B.P.), l'édifice volcanique, vraisemblablement aérien, subit une transgression marine rapide qui aplanit le sommet du volcan; le niveau marin s'étant ultérieurement abaissé, la transgression transforme la bordure du banc en falaise au pied de laquelle apparait une plage de gravier riche en coquillages. Une reprise de la subsidence submerge au cours de cette période ou au début de celle successive les restes du volcan (13bis).

En moins de deux millénaires, le volcan de Cap Misène, le volcan de Misène, qui doit lui être plus ou moins contemporain, puis le volcan de Bacoli et les volcans I et II des Fondi di Baia virent le jour. Un peu plus tard se formait le volcan de Baies.

La détermination par analyse K/Ar. des scories trouvées dans le tuf jaune pseudo-stratifié du volcan de Cap Misène, fixe sa naissance autour de 4.000 ans B.P. (14). Cette date est cependant difficilement acceptable. Sur la base des données chronologiques fournies par un nouveau site néolithique, il semble possible de mieux préciser l'âge des volcans de la côte de Misène et de revoir la géochronologie de la région.

Le site néolithique de Bellavista (Mont de Prochyda) et la chronologie de l'éruption des Fondi di Baia.

Ce gisement — le plus ancien gisement préhistorique de la côte de Misène et de tous les Champs Phlégréens — est un site d'habitat, occupé depuis le Néolithique moyen (culture de Serra d'Alto), qui s'étendait largement à l'extrémité sud-est du promontoire du Mont de Prochyda (localité Bellavista). Sa position dominante (cote 120 m) lui permettait de contrôler le territoire environnant et tout le littoral, depuis Pouzzoles jusqu'au Volturne.

(13) La date 4.110 B.P. a été obtenue par la datation avec la méthode ¹⁴C sur un paléosol. L'analyse a été effectuée par le Laboratoire LA n. 11 du C.N.R.S. (Centre de Datations et d'Analyses Isotopiques - Département des Sciences de la Terre - Université Claude Bernard - Lyon 1) dans le cadre du programme de l'U.R.A. 18 sur l'évolution des lignes de rivages de la Campanie antique.

(13bis) G. LATMIRAL, A. SEGRE, M. BERNABINI, L. MIRABILE, *Prospezioni sismiche per riflessione nei golfi di Napoli e Pozzuoli ed alcuni risultati geologici, Boll. Soc. Geol. It.*, 90 (1971), pp. 164-172.

(14) P. DI GIROLAMO, M.R. GHIARA, L. LIRER, R. MUNNO, G. ROLANDI, D. STANZIONE, *art. cit.*, p. 371, tab. I.

Signalé dès 1979, il n'a pas fait cependant l'objet d'une fouille systématique. Le matériel ci-dessous considéré provient de plusieurs prospections de surface, effectuées entre 1978 et 1985 (15).

Jusqu' alors, le Néolithique de la région phlégréenne était connu uniquement par quelques objets, fruit de trouvailles sporadiques du siècle dernier: un petit « javelot » que C. Bonucci avait trouvé entre Pouzzoles et Baies, « deux gros couteaux de silex hépatique » qui provenaient de Pouzzoles et que G. Nicolucci conservait dans sa collection; une « hache polie de Naples », enfin, qui appartenait à la collection Foresi (16). Des environs de Naples encore, mais s'agit-il vraiment de la région phlégréenne, proviendrait une belle hache de pierre polie aujourd'hui conservée au Musée Pigorini (17).

Le matériel trouvé sur le Mont de Prochyda est peu abondant, mais extrêmement significatif. Il consiste en fragments d'impasto et de céramique en argile fine et en quelques pièces lithiques (fig. 6 et 7). De nombreux petits galets arrondis, sans doute utilisés pour les retouches de taille, des coquillages et des ossements d'animaux auraient été observés lors des premières prospections; cependant, seuls quelques galets ont été conservés. Ce matériel provient de minces lentilles de terre sombre, à la base d'une couche de cendres stratifiées, emportées en grande partie par les travaux d'une carrière de pouzzolane. Le paléosol d'une épaisseur d'une trentaine de centimètres environ se reconnait parfaitement dans les sections de la carrière et au delà de la route qui s'est implantée précisément sur le niveau d'occupation préhistorique. Les pyroclastites qui le recouvrent sur une épaisseur de 2 à 3 mètres au sud et à l'ouest sur une épaisseur supérieure au nord, correspondent au dernier niveau de la série stratigraphique du Mont de Prochyda.

La céramique fine en argile dépurée, de couleur jaunâtre, est comparable aux fragments trouvés dans les couches de la période du style de Serra d'Alto du Château de Lipari. Les fragments les plus caractéristiques appartiennent à des vases ouverts avec motifs peints de couleur brune (18).

Le motif décoratif constitué de fines lignes formant des croisillons disposés sur le bord du vase, est assez commun (fig. 6, nn. 3-4). Sur un fragment de lèvre court une file de triangles pleins, que souligne une ligne horizontale (fig. 6, n. 1). Sur un autre fragment de bord plat, de petits triangles pleins sont alternés à des lignes obliques (fig. 6, n. 2). Sur les parois, des groupes de lignes et de bandes horizontales (fig. 6, nn. 6-7-8), verticales encadrant un motif en clepsydre (fig. 6, n. 3) ou ondulées (fig. 6, n. 5), animent le corps convexe du récipient. Une anse de petite dimension, d'argile fine, en canon cylindrique relevé vers les extrémités, est semblable à certains exemplaires liparotes de la culture de Serra d'Alto (fig. 6, n. 11).

Parmi la céramique d'impasto dépuré appartenant à cette culture, il faut signaler une petite anse formée de deux files de trois éléments renflés — les éléments au centre étant légèrement plus gros — qui rappelle la typologie de certaines anses complexes de l'acropole de Lipari (19). Une perforation fine verticale — semble-t-il — permettait la suspension.

(15) Pour une première signalation du site, voir A. MARZOCCHELLA, Notiziario R.S.P., XXXIV, 1-2, 1979, p. 326; M. R. BORRIELLO - A. d'AMBROSIO, Forma Italiae, XIV, Regio I, Baiae-Misenum, 1979, p. 30.

(16) A. DE MORTILLET, Matériaux pour l'Histoire de l'Homme, I, Paris, 1865 p. 505; G. NICOLUCCI, L'âge de la pierre dans les Provinces Napolitaines, Compte rendus du Congrès International d'Anthropologie et d'Archéologie Préhistorique, Bologne, 1871 p. 18. Dans le catalogue de sa collection, cf. catalogo della Collezione di oggetti preistorici dell'età della pietra, Naples 1977, p. 13, G. Nicolucci annote pour Pouzzoles deux racloirs. S'agit-il des couteaux signalés en 1871? Une recherche attentive faite par F. Fedele, Directeur de l'Institut d'Anthropologie de l'Université de Naples, dans la collection G. Nicolucci partiellement conservée auprès du Musée d'Anthropologie, n'a pas permis de retrouver ce matériel.

(17) Sans numéro d'inventaire (Réserves du Musée Pigorini). Je remercie le Surintendant archéologue F. Zevi qui a bien voulu me permettre de prendre vision du matériel provenant de la Campanie.

(18) Cfr. M. CAVALIER - L. BERNABÒ BREA, Meligunìs Lipára, IV, Pl. XCII, nn. 3 et 4.

(19) Pour le type voir M. CAVALIER - L. BERNABÒ BREA, Meligunìs Lipára, IV, fig. 67, p. 470.

Les fragments d'impasto (brun et noir) sont en assez grand nombre; ils sont comparables au matériel des stations préhistoriques du plateau de Piano Conte. Dans les sites, comme « predio Mercorella » et les propriétés voisines (Castellaro Vecchio) où a été trouvé du matériel caractéristique des phases évoluées (C 1) de la culture de Diane (20), sont fréquentes les anses à canon, de formes lourdes, assez rigides, arquées, aux extrémités relevées (fig. 6, nn. 12 à 15) dont la perforation n'est souvent que symbolique (fig. 6, nn. 12-13-15), les anses à « rocchetto » avec fausse perforation et légèrement resserrées au centre (fig. 6, nn. 12 à 14).

Ce matériel se distingue en effet de celui de la phase initiale (phases A et B) de la culture de Diane (en particulier de la céramique de la station de Mulino a Vento), comme de celui des phases finales de cette culture (Spatarella et autres stations du Monte, Château de Lipari, qui rentrent dans la phase D).

La céramique, très fragmentaire, est toutefois d'excellente facture: les parois bien lissées sont parfois lustrées. Les formes reconnaissables sont surtout des écuelles à calotte de sphère à paroi rigide ou convexe avec anses placées sur le bord plat ou arrondi, parfois distinctes de ce dernier par une légère incision.

L'industrie lithique appartient elle aussi aux phases tardives du Néolithique (fig. 7).

Les instruments, en majorité plats, sont de petites dimensions.

L'industrie sur obsidienne, la plus abondante, est à base de lames et de lamelles qui conservent quelquefois trace du cortex. Les pièces sont taillées à partir de galets de petites dimensions recouverts d'une patine opaque, qui est habituellement caractéristique de l'obsidienne de Palmarola (21). Les instruments sont souvent fragmentaires, mais d'aspect physique plutôt frais. La figure illustre un certain nombre de pièces caractéristiques recueillies au cours de différentes prospections. Les nucléus ont été préparés pour l'obtention de lamelles. Les lames et les lamelles sont généralement (sauf le n. 10, fig. 7) brutes de débitage.

n. 1. Nucléus. Le plan de frappe est très incliné.

n. 2. Nucléus. Le plan de frappe est abrupt.

n. 3. Nucléus. A remarquer les lamelles réfléchies au milieu du nucleus et la tentative de rattrapage par plan de frappe opposé.

n. 4. Nucléus. Le plan de frappe est perpendiculaire au plan de débitage.

n. 5. Nucléus. Lamelle plus longue-légèrement outrepassée.

n. 6. Nucléus. Le plan de frappe est perpendiculaire au plan de débitage. Il est repris par plusieurs petites retouches.

Les lamelles sont en géneral de petites dimensions; elles ont toutes été débitées par pression.

n. 7. Lamelle - partie corticale - talon lisse.

n. 8-9. Fragments de lamelles.

n. 10. Lamelle.

(20) Voir en particulier M. CAVALIER - L. BERNABÒ BREA, *Stazioni preistoriche delle isole Eolie*, Bull. Paletn. Ital., IV, 66, 1957, p. 29 et suiv., fig. 7-9. Sur l'évolution de ce facies culturel, voir M. CAVALIER, *Ricerche Preistoriche nell'arcipelago Eoliano*, R.S.P. XXXIV, 1-2, 1979, pp. 101-107. Pour le matériel préhistorique de la « contrada Diana », nous renvoyons à M. CAVALIER - L. BERNABÒ BREA, *Meligunìs Lipára*, I, pl. VIII-XVI. Les différents moments de l'évolution typologique de la céramique du style de Diane y sont cependant moins nettement distincts que dans les stations mineures des hauteurs de l'île qui ont eu en général une vie brève, chacune d'elles durant une période bien déterminée de cette évolution typologique.

(21) G. Bigazzi (Institut de Géochronologie - C.N.R., Pise) a en cours l'analyse de l'obsidienne.

n. 11. Lamelle à bord abattu; cassures aux extrémités distales et proximales.

n. 12. Eclat de rattrapage de nucléus.

n. 13. Lamelle légèrement outrepassée.

n. 18. Perçoir aménagé sur un " décalotage " de galet. Deux coches pour dégager la partie aiguë du perçoir.

L'abondance des éclats et des déchets de taille indique bien que les pièces ont été travaillées sur place.

L'industrie sur silex est constituée essentiellement de lames; le silex est blond, brun et rougeâtre, étranger à la région phlégréenne.

n. 14-15-17. Lames de silex cassées aux extrémités distales et proximales.

n. 16. Lame de silex reprise en « perçoir »; retouche semi-abrupte et abrupte.

Le caractère des produits volcaniques — cendres légèrement stratifiées contenant des fragments d'obsidienne et de petites pierres ponces — et leur position stratigraphique par rapport à la série pyroclastique du Mont de Prochyda semblent attribuer l'éruption aux volcans des Fondi di Baia.

Les deux volcans de ce nom ont eu une activité importante, vraisemblablement à brefs intervalles l'un de l'autre. Bien qu'une datation précise de ces éruptions n'existe pas, les Fondi di Baia comme les autres volcans de la côte de Baies sont, en ligne générale, considérés comme étant contemporains des volcans du secteur oriental des Champs Phlégréens (22).

Pour l'un de ces volcans — le Monte Spina — et pour lui seulement, nous possédons une datation ^{14}C effectuée sur un bois brûlé: 4.050 ans B.P.. De récents travaux ont proposé pour l'ordre d'apparition des différents appareils de la côte de Baies la succession suivante: Cap Misène, port de Misène, Bacoli, Fondi di Baia, Baies. L'absence de corrélations stratigraphiques directes entre les produits de ces volcans interdit cependant une reconstruction générale sûre de la séquence stratigraphique de ces six appareils (23).

Sur la base du matériel archéologique, il nous est possible de proposer pour l'activité des Fondi di Baia la date de 3.000 avant J.C. [14]C, époque à laquelle s'est développée à Lipari la phase finale de la culture de Diane.

La chronologie ^{14}C de la culture de Diane et des faciès culturels analogues du Néolithique récent est parmi les mieux caractérisées en raison des différentes mesures faites dans des sites diversifiés. Ces mesures sont toutes cohérentes et situent grosso modo la phase tardive et finale de cette culture entre 5.140 ± 150 B.P. et 5.000 ± 150 B.P. (24). La calibration des dates ^{14}C en âges réels selon les tables MASCA donne la plage - 4.190 à - 3.665/3.640 avant J.C. L'intervalle chronologique durant lequel se serait développée cette culture est quasi identique si l'on applique les tables de corrections récemment mises au point par le Groupe de Tucson : - 4.120 à - 3.670 avant J.C. (25).

(22) P. Di Girolamo, M.R. Ghiara, L. Lirer, R. Munno, G. Rolandi, D. Stanzione, *art. cit.*, p. 371.

(23) P. Di Girolamo, M. R. Ghiara, L. Lirer, R. Munno G. Rolandi, D. Stanzione, *art.cit.*, p. 371, Tab. I.

(24) Les différentes datations ^{14}C relatives à la culture de Diane sont réunies par M. Alessio, F. Bella, C. Cortesi, B. Turi, *Datazione con il carbonio-14 di alcuni orizzonti degli insediamenti preistorici dell'Acropoli e di Contrada Diana*, in M. Cavalier - L. Bernabò Brea, *Meligunìs Lipára*, IV, pp. 839-844.

(25) Pour les tables MASCA, voir E. K. Ralph, H. N. Michael, M. C. Han, *Radiocarbon dates and reality: MASCA Newsletter*, 1973, vol. 9, pp. 1-20; les tables de corrections du Groupe de Tucson sont publiées dans la *Revue d'Archéométrie*, supplément 1983, p. 3 et suiv.

A Ischia, località Cilento, la découverte d'un paléosol riche de matériel archéologique identique à celui de Bellavista — là encore recouvert par un niveau éruptif aux caractères semblables à ceux de l'éruption identifiée comme celle des Fondi di Baia — confirme ultérieurement la date proposée et permet de préciser l'axe de dispersion (26). L'éruption volcanique semble avoir intéressé principalement le secteur insulaire (îlot de Prochyda, îlot de Vivara, secteur occidental de l'île d'Ischia) qui fut recouvert sous plusieurs mètres de cendres et dut être entièrement ravagé; elle a nivelé l'extrémité du promontoire de Prochyda sous une énorme épaisseur de cendres stériles. Les sites de Cilento et de Bellavista ne montrent aucune trace de vie pour tous les siècles successifs. La masse des produits a dû contribuer à rattacher le Monte Grillo aux hauteurs de l'Archiaverne et de Punta dell'Epitaffio et au plus ancien édifice sous-jacent les Fondi di Baia. L'îlot du Monte di Prochyda a dû être, au moins partiellement, transformé en péninsule.

Le hiatus archéologique que l'on constate dans la région durant tout le début de l'âge des métaux pourrait donc dépendre de l'accélération des phénomènes tecto-volcaniques et des changements morphologiques qui caractérisent grande partie du IVème et du IIIème millénaires.

Les sites littoraux du Premier Age des Métaux et les éruptions récentes des Champs Phlégréens.

A brefs intervalles de temps, dans le courant du IIIème millénaire, des volcans localisés dans le secteur central du golfe apparaissent: Pigna San Nicola, puis la coupole de Mt. Olibano et celle de la Caprara, enfin vraisemblablement la Solfatare. Ils ont tous leur période d'activité avant l'éruption du volcan des Astroni, que de nombreuses datations ^{14}C placent vers la fin du IIIème et le début du IIème millénaire. L'éruption du Monte Spina avait dû déjà raccorder l'îlot de La Pietra au nouvel édifice volcanique; l'oeuvre dut être complétée par les dépôts pyroclastiques de La Solfatare et par l'activité du Mont Olibano (fig. 8).

Il s'agit là d'une des périodes de principale activité des Champs Phlégréens, au cours de laquelle se situent une série d'événements éruptifs de grande intensité. Les plus importants sont certainement l'éruption du Monte Spina et celle des Astroni. Nous ignorons leur durée, mais il est possible que dans un même site soient survenues différentes éruptions, chacune selon des modalités diverses. Ce fut le cas des Astroni, pour lesquels nous savons qu'une phase d'explosions violentes a suivi la formation d'un dôme de lave; le cratère de la Senga quant à lui montre trois enclos volcaniques bien distincts, qui témoignent de différents événements explosifs. La Solfatare et la coupole du Mont Olibano, qui appartiennent au même système d'alimentation magmatique ont dû avoir leur activité à brefs intervalles. A la base du Monte Spina, enfin, existe un dôme volcanique plus ancien.

On s'étonne donc de trouver durant cette intense phase d'activité un certain nombre de témoignages archéologiques. Ils semblent tous se rapporter à la période qui précéda l'éruption des Astroni, et pourraient indiquer que pendant cette période, un repos prolongé de la Terre a permis l'épanouissement d'une culture que l'on peut attribuer à la fin du Chalcolithique sur la base, cependant, d'indices bien ténus.

Aux pieds du Mont Sant'Angelo, à Fuorigrotta (loc. Terracina) à l'occasion de relevés géologiques, un modeste groupe de fragments céramiques accompagnés d'un instrument (?) en silex et de restes ostéologiques furent prélevés dans une épaisse couche d'humus recouverte par les produits des Astroni. Le matériel fut daté à l'époque énéolithique (Chalcolithique) (27).

(26) Voir l'article de G. BUCHNER, *Eruzioni vulcaniche e fenomeni vulcano-tettonici di età preistorica e storica nell'isola d'Ischia*, dans ce volume.
(27) A. PEROZZI, *Ritrovamento di resti dell'Eneolitico in Provincia di Napoli*, La Ricerca Scientifica, 1949, p. 1025.

CONSIDÉRATIONS SUR L'HOMME PRÉHISTORIQUE DANS LE TERRITOIRE PHLÉGRÉEN.

Ce matériel pourrait témoigner de la présence d'un habitat: il occupait les pentes de la colline, aux bords du paléogolfe qui pénétrait largement dans l'actuelle plaine de Bagnoli-Coroglio. La population, à en juger par l'analyse des restes d'ossements trouvés avec la céramique, aurait pratiqué l'élevage bovin; les dents de suidés qui leur étaient associées ne permettent guère de préciser si elles appartiennent à des animaux domestiques ou à des animaux sauvages.

Le site possédait une couverture végétale constituée en partie de petits chênes (*Quercus sp.*) (28); la région environnante était, elle-aussi, boisée de chênes verts (*Quercus ilex*) et de peupliers (*Populus sp.*) (29).

A Naples, l'éruption des Astroni aurait été reconnue dans les niveaux 3 et 4 du paléosol qui recouvre les deux tombes chalcolithiques creusées au nord de la colline de Materdei (30).

Peut-être, est-ce encore à cette éruption des Astroni qu'appartiennent les dépôts pyroclastiques délavés de la colline, qui furent signalés à Cumes, lors de la fouille dans la nécropole samnite (31)? Ils étaient associés à plusieurs fragments d'impasto décorés d'une série de cordons parallèles écrasés quand l'argile était encore fraîche selon une technique caractéristique de l'énéolithique final et à des flèches en silex.

Les datations au ^{14}C obtenues sur un certain nombre de bois brûlés par l'éruption situent celle-ci entre 3640 ± 50 et 4070 ± 50 ans B.P., soit entre 1690 et 2121 ans B.C. ^{14}C.

La calibration des dates ^{14}C en âge réel à partir des tables de conversions publiées per le groupe de travail de Tucson place l'événement éruptif entre 2650 ± 50 et 2080 ± 50 avant J.C., c'est-à-dire au cours d'une phase avancée du Chalcolithique.

La découverte récente d'un site d'habitat appartenant à la phase avancée de la culture du Gaudo, à Licola, abandonné, semblait-il, à la suite d'une éruption volcanique, laissait espérer une meilleure connaissance de la date et du dynamisme de l'événement et des conséquences sur les populations qui peuplaient la région (32).

Pourtant, ici, encore, les éléments d'un cadre trop fragmentaire et incertain n'autorisent pas une telle approche. L'hypothèse même d'une catastrophe éruptive qui aurait détruit l'habitat, avancée lors de la découverte sur la base des caractères d'un abandon rapide et des cassures fraîches que présentaient la majorité des vases, ne paraît plus aujourd'hui acceptable. La disposition stratigraphique de la couche d'humus archéologique ferait plutôt penser à des alluvions ou à un glissement de terrain.

Ainsi, à la fin du IIIe Millénaire, eut lieu une violente éruption de cendres et de ponces qui épargna les îles du golfe et la région occidentale.

Elle a essentiellement intéressé la région E-NE de la plaine napolitaine. Les données volcanologiques précisent que près de 1.000 Km^2 furent touchés. Entre le volcan des Astroni et le quartier de Poggioreale, près de 60 cm de pyroclastites se sont accumulés; plus de 40 cm de matériaux volcaniques se sont déposés sur les Camaldoli, et à plusieurs dizaines de kilomètres du volcan, encore 20 cm de ponces recouvraient le territoire de Pomigliano d'Arco. Tout le secteur oriental de la région

---

(28) M. ALESSIO, F. BELLA, S. IMPROTA, G. BELLUOMINI, G. CALDERONI, C. CORTESI, B. TURI, *Radiocarbon*, vol. 15, n. 1, 1973, p. 175 (R-785).

(29) M. ALESSIO, F. BELLA, S. IMPROTA, G. BELLUOMINI, G. CALDERONI, C. CORTESI, B. TURI, *art.cit.*, vol. 15, n. 1, 1973, p. 176 (R-709; R-710).

(30) A. MARZOCCHELLA, *Le tombe eneolitiche di Napoli Materdei*, Riv. Sc. Preist. XXXV, 1-2, 1980, p. 148, n. 8.

(31) Fouilles de la Surintendance Archéologique de Naples localité « Depuratore » de Cumes (Printemps 1980), sous la direction de G. Tocco Sciarelli que je remercie vivement pour l'échange d'information. Pour une brève signalation, G. TOCCO SCIARELLI, *Rassegna Archeologica della Campania*. XX Convegno di Studi sulla Magna Grecia, Tarente 1980 (sous presse).

(32) Le site n'a jamais été fouillé. Une quantité assez considérable de fragments a été recueillie lors de différentes pros-

phlégréenne fut considérablement transformé et les reliefs adoucis sous le double niveau de ponces intercalées à la couche de cendres qu'éjecta le nouveau cratère.

Si au delà de 2-3 kilomètres du centre éruptif, la chute des matériaux pyroclastiques ne provoque pas de grandes pertes de vies humaines, toutefois les dommages aux villages et aux cultures sont catastrophiques. L'épaisseur des produits accumulés durant une éruption explosive varie, nous l'avons vu, de plusieurs mètres à proximité du cratère à quelques dizaines de centimètres à une distance de l'ordre des kilomètres. La reprise des travaux agricoles et de l'élevage est soumise à l'élimination, quasi impossible dans une économie primitive, de milliers de tonnes de produits volcaniques accumulés sur le sol, en quelques heures. La stérilité du territoire conduit bien vite à la famine et à l'anéantissement de tous les aspects de la vie communautaire, et il est compréhensible alors que les populations rescapées quittent ce territoire.

L'absence de sites appartenant aux cultures du Bronze ancien sur la côte phlégréenne pourrait ête le témoignage d'une grave crise écologique consécutive à l'éruption des Astroni.

Les habitats de hauteurs de l'Age du Bronze et les dernières éruptions de l'arc phlégréen.

Un petit nombre de fragments sporadiques provenant d'une prospection de surface sur les pentes du Mont Gauro (cotes 160-204) atteste la présence, sur les hauteurs du volcan, d'un site appartenant à un moment ancien (phase 1) du « Protoapenninique B » (33). Quelques larges bords évasés de plats tronconiques ou de grandes *ollae,* une tasse basse à vasque hémisphérique avec paroi concave, une anse en ruban d'une tasse carénée, une épaisse anse à hache placée sur la carène d'une tasse et de nombreux récipients ornés de cordons digitaux appartiennent au répertoire céramique de cette culture. La présence d'un plat profond, de forme tronconique, avec sur le fond, à l'intérieur de la vasque, une large anse percée d'un trou au sommet et formant une sorte de pont constitue une donnée culturelle et chronologique particulièrement intéressante (34).Les inventeurs du site attribuent au volcan des Astroni la couche de matériel pyroclastique (cendres et lapilli) qui l'aurait enseveli.

La phase ancienne du « Protoapenninique B » est datée d'après les recherches récentes généralement dans le courant du XVIème siècle avant J.-C. (35). Pour une raison chronologique évidente (plus de 11 datations au radio-carbone ont fixé la date de l'éruption des Astroni bien antérieurement) l'événement éruptif qui a intéressé le village protoapenninique ne peut être qu'une éruption

pections, les plus significatifs ayant été présentés lors du IIème Congrès du GAI de Campanie, Maddaloni 1981, (Communication non publiée) et récemment à l'occasion de l'exposition *Napoli antica (Musée Archéologique National de Naples),* voir C. ALBORE LIVADIE, *Il territorio flegreo: dall'eneolitico al preellenico di Cuma - Licola,* catalogue de l'exposition, Naples 1985, pp. 56-59. Pour une brève notice sur le site, A. MARZOCCHELLA, *Notiziario, Scoperte e scavi preistorici in Italia negli anni 1978 e 1979, R.S.P.,* XXXIV, 1-2, 1979, p. 326; R. ADINOLFI, *Campi Flegrei nella Preistoria,* Naples 1982, p. 117 et suiv.

(33) V. TURCO, *I materiali preistorici di Monte Sant'Angelo,* I Convegno dei Gruppi Archeologici della Campania, Pouzzoles 1980, pp. 42-43, pl. 6 a 8; C. ALBORE LIVADIE, *Notiziario, Scoperte e scavi preistorici in Italia nell'anno 1982, R.S.P.* XXXVII, 1-2, 1982, p. 319.

(34) Ce type d'objet, d'un usage bien particulier, apparaît à Lipari à un moment avancé de la culture de Capo Graziano; en Campanie des comparaisons peuvent être faites avec les exemplaires de Pertosa, d'Ariano I et de Tufariello. Sur la base de parallèles caucasiens, ce récipient a été interprété récemment comme une coupe à filer la laine. Voir L. BERNABÒ BREA, *Gli Eoli e l'inizio dell'età del Bronzo nelle isole Eolie e nell'Italia meridionale. Archeologia e Leggende,* Naples, 1985, p. 79 et suiv..

(35) Pour une définition récente de ce facies et le problème chronologique, voir I. DAMIANI, M. PACCIARELLI, A.C. SALTINI, *Le facies archeologiche dell'isola di Vivara e alcuni problemi relativi al protoappenninico B,* in *AION,* pp. 1-38, VI, 1984.

postérieure. Les circonstances de la découverte des fragments ne permettent guère d'évaluer si celle-ci a eu lieu quelques siècles après l'éventuel abandon du village ou bien si elle a été la cause de sa destruction, comme ce fut, semble-t-il, le cas pour l'habitat du Bronze moyen établi à moins de 2 kilomètres plus bas, sur les flancs de Montagna Spaccata (36).

Des travaux agricoles ayant mis au jour une fosse de décharge, une exploration fut entreprise en mai 1983 sur ce site, dont plusieurs trouvailles sporadiques de matériel céramique avaient souligné l'intérêt. Cinq sondages profonds (A/1 - A/5 - A/6 - I/8 - C-D/4-5) destinés à vérifier l'emplacement de l'habitat préhistorique et celui d'éventuelles cabanes, révélèrent une succession stratigraphique qui définit les différents aspects de l'éruption qui l'avait enseveli (37).

Au-dessous d'une faible épaisseur de terrain végétal, variable en raison de la pente d'un sondage à l'autre, où se trouvaient mélangés du matériel d'époque romaine (tuiles, céramiques communes, etc.) et des tessons d'impasto préhistoriques, se présente régulièrement un niveau de couleur gris noirâtre constitué principalement de pyroclastites fins (sable gris et pierres ponces blanchâtres) délavés depuis la partie plus élevée du plateau. Il contient essentiellement de la céramique d'impasto apenninique. Il surmonte un double niveau *in situ* complètement stérile correspondant aux différents moments de l'éruption: un premier niveau de faible épaisseur est constitué de sable grossier gris et suit exactement la conformation du niveau inférieur de cendres fines compactes. Particulièrement nette dans le sondage A/5 (niveau 9), la stratigraphie se répète dans le secteur I/8 (3a e 3b) et dans le secteur CD-4/5 (niveau 5). Généralement ces niveaux éruptifs surmontent un mince paléosol où abondent des fragments de bois carbonisés.

Dans le secteur I/8, la partie sommitale du niveau éruptif (couche 2) se confond avec le terrain agricole. Le niveau lui même est caractérisé par une alternance de fines ponces mélangées à du sable volcanique. L'éruption s'est terminée par une dense explosion de ponces.

Le double niveau (3a et 3b) appartient à la même éruption volcanique dont il représente les moments initiaux, marqués par l'éjection de sable et de cendres grises.

Dans le sondage C-D 4/5, au-dessous du niveau de sables et de cendres et d'un mince paléosol se sont concentrées dans une poche de terrain de grosses ponces qui appartiennent à une éruption antérieure à l'éruption dont témoignent les couches 3a e b. L'aspect des ponces blanches et de grandes dimensions est celui des matériaux de l'éruption des Astroni.

Entre les deux ensembles éruptifs un niveau d'humus irrégulièrement conservé (couche 4) constitue un paléosol peu épais qui contient relativement peu de matériel archéologique. Il n'a pu être conservé qu'en partie en raison de la rigueur de la pente.

Au-dessus de la fosse de décharge se répète la même stratigraphie; à l'intérieur de la fosse où l'humus apparaît noir, charbonneux et riche de matières organiques, la céramique apenninique, les fragments de bois carbonisés et les os étaient particulièrement abondants. Au-dessus de la fosse nous retrouvons le terrain gris, cendreux.

Le dépôt apenninique de Montagna Spaccata se présente comme un complexe homogène. La céramique est très fragmentaire (seul un petit nombre de fragments appartient à un même vase). L'impasto fin de couleur sombre a été utilisé essentiellement pour des tasses de diamètre non supérieur à 10-12 cm, et dont la hauteur est inférieure au diamètre (fig. 9 et 10) et pour des coupes

(36) Pour une première signalation du site de Montagna Spaccata, voir V. TURCO, *art. cit.*, Pouzzoles, 1980, pp. 38-41; C. ALBORE LIVADIE, *Notiziario, Scoperte e scavi preistorici in Italia durante il 1982*, R.S.P., XXXVII; 1-2, 1982, pp. 319-320. Plus récemment, *eadem, Il territorio flegreo: dall'eneolitico al preellenico di Cuma - Montagna Spaccata*, catalogue de l'exposition *Napoli antica*, Naples 1985, pp. 59-62.

(37) La fouille d'urgence nous a été confiée par la Surintendance Archéologique des Provinces de Naples et Caserte; l'étudiant P. Talamo a collaboré à cette exploration.

larges dont le diamètre maximum est compris entre 12 et 18-20 cm, la hauteur étant égale ou legèrement inférieure à la moitié du diamètre (fig. 9 et 10). Les anses sont du type en ruban avec bords relevés et extrémités repliées, un trou circulaire et plus souvent triangulaire (fig. 10 nn. 7, 12, 13) au centre du ruban. Quelques prises cylindriques, une anse en poignée plate (fig. 12 n. 36), une splendide anse zoomorphe en impasto fin (fig. 9 n. 6) qui décoraient des tasses ou des coupes larges, sont également à signaler.

L'impasto grossier brun-clair, riche d'inclusions, était réservé à des récipients profonds décorés de languettes horizontales ou de cordons marqués d'impressions digitales (fig. 12). Plusieurs récipients en impasto grossier possédaient des anses à anneau large aplati placées sur la paroi (fig. 12 nn. 34, 40).

En argile grossière, riche d'inclusions, ont été fabriqués les fusaioles à section ronde, de grosses briques et certains vases à denrée dont sont conservés le fond et la paroi.

Les motifs décoratifs sont constitués de files de triangles excisés, les extrémités opposées (figg. 10 et 11 nn. 7, 20, 26), d'excisions profondes en dents de loups (fig. 10 n. 11), en triangles opposés en alternance avec des motifs en losanges (fig.11 n. 27), de méandres (figg. 11 nn. 22, 29, 32) et de damiers (fig. 10 n. 10); quelques parois décorées de spirales pointillées (fig. 11 nn. 30, 31) attestent la contemporanéité de la technique du pointillage sur argile crue avec celle de l'excision, plus couramment utilisée à Montagna Spaccata.

Le contexte céramique trouve des similitudes avec le répertoire décoratif des stations appartenant à un moment avancé de la culture apenninique. En Campanie, des comparaisons peuvent être faites avec le matériel des dépôts datés au Bronze moyen tardif; en particulier avec la céramique provenant du sondage B exécuté en 1937 par G. Buchner sur la Punta Capitello, à l'extrémité nord de l'île de Vivara et avec une partie du matériel trouvé dans différents sites du golfe de Naples - Capri, Sorrente, Castiglione d'Ischia et plus récemment dans l'arrière-pays campanien, Sarno et Solofra (38).

Les analyses des fragments d'os découverts dans la fosse de décharge attestent la présence, sur le site, d'une faune domestique. Les produits de l'élevage (voir ci-après l'étude de F. Fedele) devaient être complétés par ceux de la chasse (présence d'une corne de cerf).

L'analyse pollinique n'a donné, hélas, aucun résultat (39).

L'éruption attestée par les différents niveaux de cendres et de ponces semblerait avoir conduit à l'abandon du village.

Les chercheurs du Groupe Archéologique Napolitain, à qui l'on doit le signalement du site, considèrent que l'habitat a dû être quitté à la suite des dernières éruptions de la Senga. Cependant les ponces — de grosses dimensions et de teintes légèrement violacées — éjectées par ce volcan ne correspondent pas exactement aux produits volcaniques trouvés dans les couches explorées. Le caractère de ces produits n'exclut pas l'éruption du volcan Averne (40). Postérieure, comme celle de la Senga, à l'éruption des Astroni (et ce point est confirmé par la fouille), l'activité du volcan Averne est datée par les analyses ^{14}C après 3.700 B.P. Elle a dû se produire encore dans le courant de l'âge du Bronze.

(38) F. Gucci, *Preistoria e storia della valle solofrana. La stazione appenninica di Passatoia di Solofra*, II, Salerne, 1979. p. 88 et suiv., fig. 17 et 17A en particulier.

(39) Les quatre échantillons analysés auprès du Laboratoire de bioarchéologie-palynologie de Valbonne (CRA-CNRS) par M. Girard se sont révélés stériles, mais très riches en charbons de bois.

(40) C'est l'opinion de G. Rolandi qui a effectué un certain nombre d'observations durant la fouille.

CONSIDÉRATIONS SUR L'HOMME PRÉHISTORIQUE DANS LE TERRITOIRE PHLÉGRÉEN.

Les données archéologiques pourraient préciser la chronologie de l'activité de l'un de ces volcans. Le matériel céramique mis au jour au cours des sondages de Montagna Spaccata appartient, en effet, au Bronze moyen avancé, qui, sur la base des céramiques mycéniennes trouvées dans un certain nombre de sites, est habituellement daté autour du XIVème siècle avant J.-C. ou peu avant.

S'il est possible de soutenir de façon générale que la violence des éruptions phlégréennes a diminué avec le temps, les exceptions à cette règle ne manquent pas. Nous avons vu que l'éruption des Astroni a dû être d'une grande violence à en juger par l'ampleur du cratère qui s'est formé en cette occasion et la masse des cendres éjectées. L'éruption de l'Averne, qui provoqua l'éventrement de l'ancien Archiaverne, ne dut pas être de puissance inférieure.

Nous ignorons tout des éventuelles installations humaines de la région jusqu'à ce que la présence de quelques fibules en bronze et d'autres objets d'usage courant nous informe que le site de Cumes a été choisi par un groupe indigène vers la fin de l'âge du Bronze et occupé, semble-t-il, sans solution de continuité durant le Premier âge du Fer (41). Les fouilleurs de la nécropole antérieure à la fondation de la colonie grecque qui travaillèrent pour le Comte de Syracuse, puis Emilio Stevens et Alessandro Osta, avaient noté une particularité des sépultures préhelléniques (42). Celles-ci étaient constamment recouvertes par une épaisse couche de matériel volcanique. Pour cette raison les fouilleurs les indiquaient habituellement comme les tombes des « morts des lapilli ». Stevens dans son journal de fouille précise l'épaisseur des pierres ponces (qu'il nomme ailleurs indistinctement lapilli) qui surmonte les tombes du Parco Cimitero (propriété Correale): entre 60 cm et 1 mètre sur les deux premières, sur la troisième, environ 1 mètre (43). De même, pour les trois autres sépultures indigènes fouillées dans la propriété de Gennaro d'Isanto (Gennariello), Stevens décrit la couche éruptive, précisant que le « tumulus de ponces » qui recouvre la tombe 6 a une épaisseur de 1,25 m (44).

Cette particularité de la stratigraphie interprétée par certains comme un rituel « propre aux peuples indigènes méditerranéens » (45) nous est décrite avec minutie: « la sépulture du mort advient dans des réceptacles ou des fosses de formes quasi elliptiques, creusés dans la terre volcanique (« tasso »), entourés de gros blocs de tuf et recouverts d'une couche de lapilli (ponces volcaniques) de cm. 30 à 60 cm » (46).

Mais plus qu'un tumulus de ponces construit au-dessus de la tombe, qui reflèterait une singulière coutume funéraire, ne pourrait-on pas y voir plutôt le témoignage d'une éruption volcanique? Elle aurait eu lieu vers la fin de l'utilisation de la nécropole indigène et de toutes façons avant que le site n'accueille aussi les sépultures des premiers colons grecs. Certes, il est curieux que ce niveau de ponces ne soit jamais signalé au-dessous des tombes grecques. Mais les modalités de la fouille et la nappe aquifère qui, généralement baignait le fond de la fosse, ont pu ne pas révéler sa présence.

---

(41) Pour une récente présentation du matériel, voir C. ALBORE LIVADIE, *Il territorio flegreo: dall'eneolitico al preellenico di Cuma - Cuma Preellenica*, catalogue de l'exposition *Napoli antica*, pp. 62-69 et en part. p. 65 (9.1) et pp. 68 (9.15 à 9.19).

(42) E. GABRICI, *Cuma, Mon. Ant. Lincei*, XXII, 1913, p. 91 et suiv.

(43) Journal de fouilles d'E. Stevens (texte manuscrit); E. GABRICI, *op. cit.*, coll. 62-63.

(44) Journal de fouilles d'E. Stevens (texte manuscrit); E. GABRICI, *op. cit.*, col. 64.

(45) V. MARAGLINO, *Cuma e gli ultimi scavi, Atti della Reale Accademia di Arch. Lett. e Belle Arti*, vol. XXV, parte II, Naples, 1908, p. 22.

(46) V. MARAGLINO, *art. cit.*, p. 22.

L'hypothèse d'un événement volcanique, qui vers le milieu du VIIIème siècle avant J.-C. aurait intéressé le site préhellénique, est renforcée par la constatation qu'un niveau de pyroclastites a été reconnu dans plusieurs sondages sur la terrasse inférieure de l'acropole de Cumes, au-dessous des plus anciens niveaux d'occupation grecque. E. Gabrici le décrit comme une couche de « lapillo blanchâtre, mélangé à de grosses pierres ponces »; ailleurs, il fait allusion à cette « couche vierge de lapillo » qu'il aurait rencontrée dans « tous les sondages exécutés sur la terrasse à différentes profondeurs selon la majeure ou la mineure conservation des couches supérieures » (47).

Ces observations porteraient donc à penser qu'une éruption a précédé de peu la fondation de Cumes par les oecistes chalcidiens? On serait tenté d'y voir l'une des explications possibles du hiatus qui, sur la base des données archéologiques actuelles, sépare les tombes indigènes des plus anciennes sépultures grecques connues, ou l'une des possibles raisons d'une prise par la force de l'habitat indigène, affaibli, par les Grecs qui occupaient « les îles en face ». Hypothèses que quelques sondages profonds et minutieux pourraient aisément vérifier.

Si le toponyme « phlégréen », que les navigateurs eubéens donnèrent au territoire autour de Cumes, n'apparaît pas nécessairement lié aux manifestations volcaniques, mais à un concept plus spécifiquement « politique », qui oppose la civilisation au Chaos (48), toutefois, la vitalité des phénomènes éruptifs de la région n'a pu qu'enraciner en ces lieux les mythes et les légendes liés aux Géants, compris comme expressions des forces violentes et incontrôlées de la Terre. La punition infligée aux rebelles gigantesques, rétifs au règne de Zeus, précise le lien entre leur brutalité et les aspects physiographiques de la région. Au lendemain de leur défaite, Mimas fut enseveli sous l'île de Prochyda (49), Encélade sous Ischia (50). Typhon fut écrasé sous Pithécusses (51) ou gisait sur la plage de Cumes (52). Ischia, île éminemment volcanique, apparaissait la patrie des Géants (53).

On sait désormais que de réelles catastrophes éruptives, auxquelles les marins grecs avaient pu assister ou tout au moins sur lesquelles ils auraient pu recueillir traditions et témoignages, ont eu lieu. La part qu'elles ont eue dans la localisation de la lutte des Géants et des autres légendes antiques ne doit pas être sous-estimée.

Il apparaît hors de doute que les marins liparotes, qui faisaient le trafic de l'obsidienne, ont dû avoir connaissance de l'éruption des Fondi di Baia, comme plus tard les Mycéniens, dans leurs rapports avec les populations des îles phlégréennes, n'ont pu ignorer l'événement catastrophique qui ensevelit le secteur à l'entour de Montagna Spaccata. Il est vraisemblable que la nature volcanique de l'arc phlégréen était connue des Grecs de Pithécusses bien avant l'éruption du Rotaro I (fin du VIIème siècle) dont Strabon semble se faire l'écho. Dès leur installation sur l'île s'était manifesté le Cafieri et dans le courant du VIIIème siècle encore, la côte de Cumes semblerait avoir été dévastée par une éruption de ponces que les anciennes fouilles ont révélées. Les sources thermominérales, les vapeurs des mofettes, les fumerolles et autres exhalations de gaz étaient jadis beaucoup plus actives

(47) E. GABRICI, op. cit., col. 759.

(48) Sur le problème, voir le récent travail de N. VALENZA MELE, Eracle euboico a Cuma, la Gigantomachia e la via Heraclea, Recherches sur les cultes grecs et l'Occident, 1, Cahier du Centre Jean Bérard. V. Naples 1979. en particulier p. 32 et suiv.

(49) Silius Ital. XII, 147.

(50) Serv. Aen. IX, 712.

(51) Iliad. II, 783, Lycoph. Alex, v. 687.

(52) Pind., Pyth. I, v. 15 et suiv.

(53) Timée, apud Strabon, V, 4, 8-9=C 248; en général, P.W., Supplém. III: coll. 661-667.

et diffuses qu'elles ne le sont de nos jours; les sons sourds du sous-sol se joignaient alors aux couleurs sombres d'une terre encore en formation et les contrastes troublants du feu et la terre bouillonnante étaient vus comme de dangereux prodiges. Tout cet ensemble de phénomènes naturels a dû créer très tôt un halo suggestif et fantastique qui, à travers l'histoire et les légendes, a consacré la région phlégréenne à la géographie spirituelle de l'Homme.

Si l'archéologie signifie la reconstruction intégrale d'une présence humaine à travers l'étude systématique du passé ou mieux recueillir, documenter et interpréter les objets et les transformations apportées par l'Homme au milieu, une approche du territoire qui tienne compte des événements tectoniques et volcaniques et des transformations morphologiques, apparaît un moment essentiel de la recherche. Peut-être plus qu'ailleurs, dans la région phlégréenne, dans ce territoire instable, où la présence de l'homme est rare et encore peu significative, et se résume par un certain nombre d'objets sporadiques trouvés çà et là dans toute la région et par quelques interventions plus heureuses sur un nombre limité de sites, une approche géoarchéologique apparait indispensable pour replacer le document antique dans le cadre biophysique qui fut le sien. La reconstruction des anciennes lignes du rivage et des caractères paléogéographiques, en un mot de la physionomie du paysage antique, permet de mieux évaluer les paramètres qui ont conduit les populations à s'installer dans tel ou tel site et les possibles ressources de l'écosystème. Une telle approche n'est possible qu'à travers une étroite collaboration entre archéologues et spécialistes des Sciences de la Terre, au sens large.

L'apport des volcanologues, en particulier, apparaît de première importance en ce qui concerne, et la reconstruction générale de l'Histoire tecto-volcanique de la région, et, dans le cas d'un site intéressé par une éruption, quantà l'identification du volcan et à l'analyse des différentes phases éruptives. En revanche, les données archéologiques permettent une meilleure appréciation des causes et de l'extension des dommages subis et constituent un précieux *terminus ante et post quem* susceptible de préciser les chronologies relatives proposées par les volcanologues. Nous avons vu ainsi que le site néolithique de Bellavista sur le mont de Prochyda a permis de dater l'éruption des Fondi di Baia aux environs de la première partie du IVème millénaire. De même, le matériel de Montagna Spaccata fixe la formation de la Senga ou de l'Averne dans le courant du XVème ou mieux du XIVème siècle avant J.-C. L'identification du volcan, responsable de l'abandon du site, et la délimitation de l'aire de dispersion des produits volcaniques ne pourront se faire qu'à la suite de l'analyse comparée des produits provenant du cratère du volcan lui-même (Senga ou Averne) et de ceux retrouvés sur le site de Montagna Spaccata.

Nous savons donc, aujourd'hui, que les gisements préhistoriques sont plus nombreux qu'il n'apparaissait de prime abord. Ils ont pour la plupart été intéressés par des éruptions, contemporaines ou successives à leur période de vie. Leur recherche et leur étude doivent donc tenir nécessairement compte de l'histoire des changements morphologiques et des épisodes volcaniques plus ou moins récents qui ont remodelé le territoire.

*Les photographies sont de M.A. Foglia; je remercie pour les dessins M.mes E. Calvanese Nardella (Surintendance Archéologique de Naples et Caserte), M. Pierobon (Centre J. Bérard), M. Reduron (URA 28-CNRS) et M.A. Musto (Institut de Géologie de l'Université de Naples).

CNRS - URA 18 (NAPLES)   CLAUDE ALBORE LIVADIE

FRANCESCO FEDELE

RESTI ANIMALI DI MONTAGNA SPACCATA, CAMPI FLEGREI (BRONZO MEDIO)

I materiali esaminati provengono dallo scavo condotto a Montagna Spaccata nella primavera 1983, per cura di C. Albore Livadie ed in particolare dello scavo della fossetta di scarico. Essi comprendono un piccolo quantitativo di resti scheletrici animali e frustuli di carboni.

Le ossa, per quanto bene conservate nella morfologia, sono molto leggere e hanno superficie friabile o grattabile, talvolta debolmente porosa.

Pecora o Capra: adulti o subadulti

1 femore s. sub-intero (trocantere maggiore perduto, fr testa a parte; terzo distale frantumato in antico o in terreno ma ricomponibile), adulto (juv.), esile e piccolo; dimensione GL stimata = 183 (parte conservata = 157); fr diafisario radio, adulto, con grosso solco ulnare; fr scapola d. (estremità glenoidea), adulto (juv.), piccolo ma robusto, di forma quadrangoloide per usura, abito giallognolo, dimensioni GLP = 30, BG = 20; fr diafisario di metatarsale, adulto o sub-adulto; frr vari diafisari, cf. Ovicapride adulto;

M^2 s. adulto (sen.), cf. Pecora/Capra (L corona all'usura = 20), con pilastro distale eccezionalmente espanso, uniforme, e con disegno occlusale angolare.

Pecora o Capra (Capra?)

fr omero d. (epifisario distale, scisso longitudinalmente), adulto (juv.); fr diafisario cfr. Capra/ Pecora adulto (juv.); fr tibia s. (epifisario distale, rottura antica), adulto di piccole dimensioni: articolazione distale molto stretta, con accentuata faccetta laterale peroneale (rettangolare piana e priva di scissura); malleolo mediale eroso post-mortem; dimensioni ([1]) Bd = 22, Dd = 18

Ovicapridi immaturi

frr mandibolari (goniaci); frr mandibola + i cf. Ovicapride; frr mandibolari e dentari diversi; frr splancnocranio e frr neurocranio; diafisi di metacarpale cf. Ovicapride;

frr combusti, 1 astragalo (?) di abito grigio-bianco, e altri frr ossei ([2]).

Maiale

grande fr mascellare d. + M^1-M^3, adulto, di abito « giallo-rossiccio », dimensioni M^2 corona = 16 x 22, M^3 base-corona = 18 x 32 (= VDD 30 e 31), fila M^2-M^3 corona = 53; probabilmente ap-

---

(1) Misurazioni secondo A. Von Den Driesch, *A guide to the measurement of animal bones from archaeological sites*, Cambridge. MA (Peabody Museum), qui di seguito anche citato come VDD; in mm. Abbreviazioni: fr = frammento (pl. frr). d. = destro, s. = sinistro.

(2) La temperatura di combustione può essere stimata di 600-800°C (dati inediti dell'autore).

partenenti allo stesso cranio, frr mandibolari (condilo e ramo ascendente) di adulto o subadulto; fr mandibola s. (parte ramo orizzontale, molto consunto e con tracce di macellazione) + M_3 s. in eruzione (piccolo, disegno occlusale semplice), adulto (juv.) età possibile anni 1 1/2; C superiore femminile; frr denti e osso alveolare; frr P/M di immaturo (?); frr diafisari vari di adulto cf. *Sus*, con abito « giallo-rossiccio ».

Cane domestico

fr mandibola d. (estremità mesiale-sinfisaria) + I_2-P_2, adulto di varietà piccola e/o a muso breve: forame mentoniero sotto P_2; C scheggiato « abbattuto »; fr di P_2 e isolato fr apice radice cf. *Canis*; dimensioni H ramo a livello P_2/P_3 = 19 (VDD 20), a livello P_2 = 21.

Cervide

fr centimetrico di base corno cf. *Cervus* juv., estremamente corroso e friabile.

Alcune considerazioni
sui reperti animali

La fauna documentata è esclusivamente domestica, a eccezione di un isolato reperto di corno cervino. Sono presenti *Ovicapridi* (alcuni reperti sembrano indicare la *Capra*) e *Maiale*. V'è inoltre un isolato frammento mandibolare di *Cane*. Gli Ovicapridi sono rappresentati in grande prevalenza da individui subadulti e immaturi, riferibili almeno in parte a forme piccole o esili. Alcuni resti portano segni di rottura intenzionale e di combustione. Per quanto estremamente limitati, i reperti suggeriscono quindi azioni di macellazione connesse all'alimentazione carnea. I resti di Maiale sembrano indicare individui di entrambi i sessi e di diverse età; anch'essi sembrano riferibili ad attività di cucina.

Carboni

Il campione comprende una decina di frustuli di diametro max. 10-25 mm. Alcuni di essi provengono dalla combustione di un ramo a struttura debolmente contorta del diametro di circa 50 mm.

ISTITUTO E MUSEO DI ANTROPOLOGIA,
    UNIVERSITÀ DI NAPOLI

FRANCESCO FEDELE

MAURO ROSI - ROBERTO SANTACROCE

BREVE GLOSSARIO DEI PRINCIPALI TERMINI VULCANOLOGICI

AIR FALL - AIR FALL DEPOSIT - Ital. = caduta (deposito di caduta).
In seguito all'eruzione esplosiva di materiale dalla bocca del vulcano, si forma una colonna eruttiva che si espande nella atmosfera come un pennacchio convettivo (« pino vulcanico »). Man mano che il pennacchio si espande, i prodotti solidi e liquidi in esso contenuti cadono sotto l'influenza della gravità distribuendosi a varia distanza dalla bocca in funzione dell'altezza della colonna eruttiva, della velocità e della direzione del vento. I depositi di caduta ammantano uniformemente la morfologia con spessori costanti (per aree ovviamente limitate), sono in genere ben classati granulometricamente e talvolta mostrano stratificazioni interne legate ad eventuali cambiamenti nel regime della colonna eruttiva.

ASH CLOUD - ASH CLOUD SURGE - Ital. = nube di cenere (poco usato).
Flussi turbolenti a bassa densità derivanti dalla nube di gas e cenere che costituiscono la parte superiore delle colate piroclastiche. Spesso possono staccarsi dalla colata madre e muoversi indipendentemente.

ASH FLOW - ASH FLOW DEPOSIT - Ital. = colata di cenere (poco usato).
Colata piroclastica (deposito di) costituita quasi interamente da cenere (vedi colata piroclastica).

BLOCCO (VULCANICO) - Frammento solido di materiale eiettato durante un'esplosione vulcanica avente diametro medio superiore di 5 cm.

BOMBA (VULCANICA) - Frammento plastico di materiale eiettato durante un'esplosione vulcanica avente diametro medio superiore agli 8 cm.

BRECCIA FREATICA - Deposito di caduta costituito esclusivamente da materiale grossolano della copertura, originatosi in seguito ad eruzioni freatiche.

CADUTA AEREA - DEPOSITO DI CADUTA AEREA - Vedi *air fall*.

CALDERA - Depressione a contorno pressoché circolare e pareti sub-verticali di notevoli dimensioni (>1 Km. diametro) legata ad un collasso gravitativo successivo in genere all'eruzione rapida di grandi volumi di magma.

CAMERA MAGMATICA - Serbatoio in genere prossimo alla superficie all'interno del quale il magma di origine profonda può stazionare per tempi diversi modificando la sua composizione in seguito a processi di interazione con le rocce incassanti o di cristallizzazione frazionata (vedi *frazionamento*).

CENERE - Particelle con diametro medio inferiore ai 2 mm.

COLATA DI FANGO - Sinonimo: LAHAR (DEPOSITO DI) - Materiale vulcanico sciolto mobilizzato dall'acqua. Spesso si genera durante le eruzioni ma può anche formarsi a prescindere da esse.

COLATA LAVICA - Flusso variabilmente viscoso costituito da un continuo liquido di magma che, fuoriuscito da una bocca eruttiva, si mette in posto seguendo un percorso condizionato dalla gravità e dalla morfologia del substrato.

COLATA PIROCLASTICA (DEPOSITO DI) - Scorrimento di masse gassose calde ad alta densità in quanto contenenti in sospensione grandi quantità di particelle solide. Hanno comportamento analogo a quello di flussi pesanti essendo controllati nel loro movimento dalla gravità e dalla morfologia del substrato. I depositi sono in genere non classati e questo fatto è attribuibile ad un meccanismo di flusso laminare. Spesso contengono « pipes » fumaroliche fossili.

CONO DI SCORIE - Accumulo attorno alla bocca eruttiva di brandelli di magma più o meno viscoso che possono, in funzione della viscosità, più o meno saldarsi tra loro.

DIFFERENZIAZIONE MAGMATICA - Processi diversi che possono portare al cambiamento della composizione di un liquido magmatico. Es. differenziazione per cristallizzazione frazionata (vedi frazionamento).

ERUZIONE EFFUSIVA - Eruzione caratterizzata prevalentemente dalla fuoriuscita più o meno tranquilla di colate laviche.

ERUZIONE FREATICA - Eruzione esplosiva generatasi in seguito al riscaldamento di acqua freatica senza partecipazione diretta di magma.

ERUZIONE PLINIANA - Eruzione esplosiva altamente distruttiva caratterizzata dalla emissione di grandi volumi di pomici e ceneri attraverso una successione tipica (del Vesuvio) fall - surge - flow.

FALL - Vedi *air fall*.

FLOW - Vedi *pyroclastic flow*.

FRAZIONAMENTO - CRISTALLIZZAZIONE FRAZIONATA - Processo attraverso il quale un magma in raffreddamento segrega minerali diversi alle diverse temperature. La segregazione progressiva delle fasi formate precocemente può portare al cambiamento della composizione dei liquidi residuali (differenziazione per cristallizzazione frazionata).

JUVENILE - Aggettivo riferito a qualsiasi tipo di materiale emesso durante un'eruzione e derivato dal raffreddamento del magma coinvolto in quella eruzione.

LAHAR - Termine indonesiano ormai in uso comune nella letteratura vulcanologica = *colata di fango*.

LAPILLI - Frammenti liquidi o solidi di materiale eiettato durante le fasi esplosive di un'eruzione. aventi diametro medio compreso tra i 5 e gli 0.25 cm.

LAPILLI ACCREZIONARI - Sferule di cenere delle dimensioni dei lapilli caratterizzate interamente da una struttura a straterelli concentrici. Si formano in seguito al concrescimento di cenere fine attorno ad una gocciolina d'acqua o ad una particella solida (« armed lapilli »). Si possono rinvenire in depositi piroclastici legati a fenomenologie eruttive diverse (di caduta, di flusso di surge). Sono considerati indizi pressoché certi di attività freatomagmatica.

LITICI - Frammenti solidi di materiale eiettato durante le fasi esplosive di un'eruzione avente diametro medio compreso tra i 5 e gli 0.25 cm.

MAGMA - Fuso silicatico ad alta temperatura originatosi in seguito a processi di fusione parziale di rocce profonde (magma primario), o per processi di differenziazione impostatisi su magmi primari (magma differenziato).

NUBE ARDENTE - Fenomenologia vulcanica sostanzialmente analoga alle colate piroclastiche. Caratterizzata in genere da volumi limitati e da dimensioni notevoli dei frammenti magmatici.

NUBE DI CENERE - Vedi *ash cloud*.

PIPES - Canali di risalita di gas fumarolici all'interno dei depositi di colata piroclastica. Tipicamente impoveriti in particelle fini per l'azione di trascinamento operata dai gas.

PIROCLASTICI - Termine generico per indicare il complesso di prodotti legato ad attività di tipo esplosivo.

PISOLITI - Termine più o meno equivalente a lapilli accrezionari (comprensivo anche degli « armed lapilli »).

POMICE - E' il prodotto comune di eruzioni esplosive di magmi viscosi. Esiste confusione nella terminologia vulcanologica in quanto i prodotti piroclastici dovrebbero essere classificati su basi granulometriche e non come è il caso della pomice, sul grado e sul tipo di vescicolazione. In questo contesto pomice è intesa come un frammento magmatico estremamente vescicolato e con le diverse vescicole non comunicanti tra loro. Questo fatto conferisce al prodotto una densità apparente estremamente bassa.

PUMICE-FLOW - Colata piroclastica costituita in grande prevalenza da pomici.

PYROCLASTIC FLOW - Ital. = colata piroclastica.

SURGE - SURGE PIROCLASTICO - Termine comprensivo di fenomenologie vulcaniche abbastanza diverse accomunate, a livello di definizione, dalla rapida diminuzione di energia cinetica.
Si tratta di un continuo gassoso carico di tefra che si muove in seguito ad un impulso energetico istantaneo: in grazia di ciò il flusso è instabile ed effimero. E' in questa incapacità del surge di mantenere a lungo la sua energia cinetica che esso si distingue dalla colata piroclastica.
Sotto il termine di *pyroclastic surge* si raggruppano *ash clouds, ground surges, uragani di fan-*

go (entro certi limiti) e *base-surges* (fenomeno legato ad esplosioni superficiali caratterizzate da componenti energetiche tangenziali sotto la spinta delle quali si forma una nube di gas e cenere a forma di anello intorno al centro dell'esplosione, la quale si allarga orizzontalmente con la velocità di un uragano).

TUFO VESCICOLATO - Depositi cineritici massivi caratterizzati dalla presenza di vescicolazioni legate alla debole emissione di gas delle particelle ancora calde al momento della messa in posto. Tipicamente legati alle facies distali di ogni tipologia di *surge*.

URAGANO DI FANGO - Fenomenologia connessa ai *surges* piroclastici, delle zone distali, quando la temperatura scende al di sotto del punto di ebollizione dell'acqua. Depositi tipici sono i tufi vescicolati.

MAURO ROSI - ROBERTO SANTACROCE

GLOSSAIRE DES
PRINCIPAUX TERMES VOLCANOLOGIQUES UTILISÉS *

AIR FALL - AIR FALL DEPOSITS - Franç. = Retombée (dépôt de retombée). A la suite d'une éruption explosive de matériel issu de la bouche d'un volcan, il se forme une colonne éruptive ascendante qui s'étale dans l'atmosphère sous la forme d'un panache qui dans les cas des éruptions pliniennes a l'allure d'un pin parasol (« pin volcanique »). Au fur et à mesure que le panache s'élargit, les produits solides et liquides qu'il contient retombent par gravité et se répandent à plus ou moins grande distance de la bouche du volcan, en fonction de la hauteur de la colonne éruptive, de la vitesse, de la direction du vent, et de la taille des produits eux-mêmes. Les dépôts de retombée recouvrent la topographie en couches homogènes dont l'épaisseur (constante pour des zones limitées) dépend de la granulométrie; ces couches présentent parfois des stratifications dues à d'éventuelles modifications du dynamisme de la colonne éruptive.

ASH CLOUD - ASH CLOUD SURGE - Franç. = Nuée de cendres et gaz. Flux turbulents de faible densité, produits par mélange de gaz à haute température et de cendres, qui constituent la partie supérieure des coulées pyroclastiques. Ils peuvent se séparer de la couche principale et suivre des directions indépendantes.

ASH FLOW - ASH FLOW DEPOSITS - Franç. = Coulée de cendres. Coulée pyroclastique (dépôt de) constituée en majeure partie de cendres (voir Coulée pyroclastique).

BLOC (VOLCANIQUE) - Fragment solide de matériel éjecté pendant une explosion volcanique et dont le diamètre est en moyenne supérieur à 5 cm.

BOMBE (VOLCANIQUE) - Fragment de lave éjecté à l'état plastique pendant une explosion volcanique, dont le diamètre est en moyenne supérieur à 8 cm et qui au cours de sa trajectoire acquiert une forme particulière (bombe fuselée ou bombe en croûte de pain).

BRÈCHE PHRÉATIQUE - Dépôt de retombée exclusivement constitué par du matériel de surface, d'assez grande taille, formé à la suite d'éruptions phréatiques.

CALDERA (ou CALDEIRA) - Dépression de forme généralement circulaire ayant des parois subverticales, de dimensions considérables (> 1 Km de diamètre), due à un effondrement gravitationnel souvent consécutif à l'éjection rapide d'une grande quantité de magma.

CENDRES - Particules dont le diamètre moyen est inférieur à 2 mm.

CHAMBRE MAGMATIQUE - Réservoir intermédiaire sous un volcan, dans lequel le magma d'origine profonde peut séjourner pour une durée variable. Lors de ce séjour, la composition du magma peut évoluer sous l'effet des processus de cristallisation fractionnée (Voir Fractionnement) ou par interaction avec les roches encaissantes.

CÔNE DE SCORIES - Accumulation autour d'une bouche éruptive de gros fragments de lave plus ou moins visqueuse, susceptibles selon leur viscosité de se souder entre eux.

COULÉE DE BOUE - Synonyme : LAHAR (DÉPÔT DE) - Écoulement de matériel volcanique (cendres et blocs) mobilisé par l'eau. Elle est fréquemment associée aux éruptions, mais peut aussi se produire indépendamment.

COULÉE DE LAVE - Écoulement de magma dégazé ou en cours de dégazage, de viscosité variable, qui, sorti par une bouche éruptive, se dispose sur le sol suivant un parcours conditionné par la gravité et par la morphologie du substrat.

COULÉE PYROCLASTIQUE (DÉPÔT DE) - Écoulement de masses gazeuses chaudes de haute densité qui contiennent en suspension de grandes quantités de particules solides. Elles ont un comportement analogue à celui des fluides lourds et leurs mouvements sont contrôlés par la gravité et la morphologie du terrain. Les dépôts sont généralement peu classifiés, du fait d'un mécanisme d'écoulement laminaire. Elles contiennent souvent des « conduits » de fumerolles fossiles.

DIFFÉRENCIATION MAGMATIQUE - Résultat de processus divers qui peuvent entraîner un changement dans la composition d'un liquide magmatique. Ex.: différenciation par cristallisation fractionnée (Voir Fractionnement).

ÉRUPTION EFFUSIVE - Éruption caractérisée surtout par des coulées de lave et par des phénomènes de dégazage peu violents.

ÉRUPTION PHRÉATIQUE - Éruption « explosive » provoquée par la vaporisation brutale des eaux phréatiques dans le sol d'un volcan. sans implication directe du magma.

ÉRUPTION PLINIENNE - Éruption explosive verticale. qui peut être particulièrement destructive, caractérisée par l'émission de gros volumes de ponces et de cendres à travers une succession typique (décrite par Pline le Jeune pour l'éruption de 79 ap. J.-C. du Vésuve): chutes aériennes, « surges », coulées pyroclastiques.

FLOW = PYROCLASTIC FLOW - voir Coulée pyroclastique.

FRACTIONNEMENT - CRISTALLISATION FRACTIONNÉE - Processus de séparation entre le magma liquide et certains minéraux lors de variations des conditions de température et pression. Cette séparation progressive de différentes phases cristallines entraîne une modification de la composition des liquides résiduels (différenciation par cristallisation fractionnée).

JUVÉNILE - Adjectif se rapportant à n'importe quel type de matériel solide. qui. éjecté au cours d'une éruption, dérive directement du magma.

LAHAR - Terme indonésien désormais d'usage courant dans la littérature volcanologique = Coulée de boue.

LAPILLI - Fragments liquides ou solides de matériel éjecté pendant les phases explosives d'une éruption. Diamètre moyen compris entre 5 et 0,25 cm.

LAPILLI ACCRÉTIONNAIRES - Petites sphères de cendres, ayant les dimensions des lapilli, dont la structure est caractérisée par une série de minces couches concentriques. Elles se forment à la suite de concrétions successives de cendre fine autour d'une minuscule goutte d'eau ou d'une particule solide (« armed lapilli »). On les retrouve dans les dépôts pyroclastiques liés à des phénoménologies éruptives de différente nature (de retombée, de « surge »). Ils sont considérés comme des témoignages à peu près sûrs d'une activité phréato-magmatique.

MAGMA - Masse de minéraux silicatés en fusion, à température très élevée. C'est le produit des processus de fusion partielle des roches profondes de la terre (magma primaire) ou des processus de différenciation (ex.: cristallisation fractionnée) que subissent ces magmas primaires (magma différencié).

NUÉE ARDENTE - Phénomène volcanique analogue en nature aux coulées pyroclastiques. Suspensions de gaz et de blocs rocheux à haute température engendrée par la décompression brutale d'un magma visqueux.

NUÉE DE CENDRES - Voir Ash Cloud.

OURAGAN DE BOUE - Violentes averses de cendres mouillées associées aux « surges » pyroclastiques, qui peuvent se produire à grande distance d'un volcan, lorsque la température des gaz devient inférieure à la température d'ébullition de l'eau. Les dépôts typiques de ce phénomène sont les tufs vacuolaires.

PIPES - Conduits d'échappement des gaz de fumerolles à l'intérieur des dépôts de coulées pyroclastiques. Typiquement appauvris en particules fines par l'action d'entraînement des gaz.

PISOLITHES - Terme à peu près équivalent à celui des lapilli accrétionnaires (il inclut aussi les « armed lapilli »).

PONCE - C'est le produit commun d'éruptions explosives de magma visqueux. Il y a confusion dans la terminologie volcanologique, car la classification des produits pyroclastiques devrait se faire sur une base granulométrique, et non pas, comme c'est le cas pour les ponces, sur la base du degré et du type de vacuolisation. Dans ce contexte le terme indique un fragment de magma caractérisé par une grande quantité de vacuoles qui ne communiquent pas entre elles. Cette caractéristique confère aux ponces une densité apparente extrêmement faible (inférieure à celle de l'eau).

PUMICE-FLOW - Coulée pyroclastique constituée pour la plus grande partie de ponces.

PYROCLASTIC FLOW - Franç. = Coulée pyroclastique.

PYROCLASTITES - Terme général décrivant tout produit magmatique solide formé par fragmentation lors des éruptions explosives.

RETOMBÉE AÉRIENNE - DÉPÔT DE RETOMBÉE AÉRIENNE - Voir Air Fall.

SURGE - SURGE PYROCLASTIQUE - Terme dont la signification embrasse des phénomènes volcaniques assez différents dont l'élément commun, au niveau de la définition, est la diminution rapide de l'énergie cinétique. Il s'agit d'un continuum gazeux riche en pyroclastites qui a été mis en mouvement par une impulsion énergétique instantanée; c'est pourquoi le flux est instable et éphémère. C'est dans cette incapacité à conserver longtemps l'énergie cinétique que réside la différence entre le « surge » et la coulée pyroclastique.

   A l'intérieur du terme « pyroclastic surge » on regroupe les « ash clouds », les « *ground surges* », les *ouragans de boue* (dans une certaine mesure) et les « *base-surges* » caractérisées par des composantes énergétiques tangentielles (nuées de gaz et de cendres en forme d'anneau, qui s'étalent horizontalement à la vitesse d'un ouragan et qui résultent soit d'explosions superficielles, soit de l'effondrement gravitationnel d'une colonne éruptive).

TUF VACUOLAIRE - Dépôts massifs de cendres volcaniques caractérisés par la présence de vacuoles formées par vésiculation des particules de cendres encore chaudes au moment du dépôt. Ils sont typiques des dépôts de « surges » mis en place à distance des centres explosifs.

* Traduction française par Patrick Allard
   (Laboratoire des Faibles Radioactivités
   - CNRS. - Gif sur Yvette)
   et Maria Francesa Buonaiuto. (Centre Jean Bérard).

INDEX DES NOMS CITÉS ET DES PRINCIPAUX SUJETS TRAITÉS

INDEX ANALYTIQUE

Marc Aurèle 157 n. 14.
Marcien 132 n. 56.
Marcellinus Comes 135 et n. 68.
Maximien 131 et 132 n. 56.
Maximin le Thrace 130 n. 39.

Néron 67, 72, 78 n. 63.

Pindare 175, 204 n. 52.
Pline l'Ancien 125 n. 18, 156, 161, 162, 174 n. 1, 176 n. 7 et 8, 177-178.
Pline le Jeune 26, 68 n. 10, 180, 214.
Polybe 55.
N. Popidius 70 n. 22.
Procope de Césarée 138-141.
Pseudo-Aristote 178.

Regulus, consul, 67 (sous le consulat de -, séisme de 62 après J.-C.).

Sénèque 7, 67 n. 2 et 3, 86.
Silius Italicus 204 n. 49.
Stace 180.
Stéphane de Byzance 176 n. 7.
Strabon 55-56, 64-65, 98, 160, 162, 168 n. 31, 169, 173-177, 174 n. 3, 175 n. 5, 176 et n. 6 et 7, 8, 180, 204.
Suétone 71 n. 32, 169.

Tacite 7, 67 n. 2, 68 n. 7.
Théodoric 135 n. 70, 136, 137 n. 73, 138 n. 74.
Tibère 169.
Timée 160 n. 20, 162, 176 n. 6-8, 177, 204 n. 53.
Titus 71-72, 169, 172.
Trajan 78 n. 63.

Valens 124 (monnaies).
Valentinien I 124, 132 n. 56 (monnaies).
Valentinien II 124.
Virgile 182.
Virginius, consul, 67 (sous le consulat de - et de Regulus, séisme de 62 après J.-C.).
Vitigès 132 n. 56 (monnaies).
Vitruve 55, 63.

2) AUTEURS ET PERSONNAGES MÉDIÉVAUX ET MODERNES

Accolti F., 183.
Accorsi C.A., 191 n. 4.
Adam J.P., 67-89.
Aiello E., 191 n. 4.

220

222

Walker G.P.L., 11, 21, 110 n. 20, 121 n. 1 et 4.
Widemann F., 107-112.
Wilson L., 16.
Withehouse D., 131 n. 52, 132 n. 62.
Wohletz K.L., 21, 24, 26.
Wolff F. (von), 145.
Wood H., 89.
Wynia S.L., 60.

Zamparelli V., 193 n. 12.
Zevi F., 69 n. 20, 71 n. 31, 97 n. 10, 98 n. 13, 110 n. 19, 111 n. 26, 115 n. 9, 195 n. 17.

II. INDEX GÉOGRAPHIQUE

Abellinum 121-141, voir Atripalda.
Agnano (volcan des Champs Phlégréens) 193-194.
Archiaverne (volcan des Champs Phlégréens) 192 n. 10, 193, 198, 203.
Arso (éruption de l'-, à Ischia, en 1302) 151, 158, 159 n. 17, 181-185.
Astroni 7, 146, 198-200, 202-203.
Atripalda (antique *Abellinum*) 121-141, (matériel moustérien) 191 n. 2.
Avella (loc. S. Paolino) 121 n. 4.
Averne (volcan des Champs Phlégréens) 192 n. 10, 193, 202, 203, 205.

Baies (volcan de Champs Phlégréens) 194-195, 197.
Barano (Ischia) 163 (céramique préhistorique); 169 n. 34 (source votive).
Bellavista (Monte di Procida, Champs Phlégréens) 152, 194-198 (site néolithique).
Bezymianny (péninsule du Kamchatka) 70.
Boscoreale (villa romaine de Villa Regina) 99.

Cafieri (Ischia) 155, 167 (éruption du -).
Camaldoli, 192, 199.
Camposauro (Bénévent) 42 n. 30, 43 n. 37, 44 (site de l'âge du Bronze).
Campotese (Ischia) 151.
Capoue 55, 116.
Castellammare di Stabia 67.
Castiglione d'Ischia 49 n. 82, 154-155, 167 (site préhistorique).
Cerreto Sannita 191 n. 3 (instruments '' moustériens '').
Cigliano (volcan des Champs Phlégréens) 194.
Cilento (Ischia) 151, 152, 198.
Citara (Ischia) 163 (céramique romaine).
Cumes 55, 59, 168, 190 n. 1 et 2, 192, 199, 203-204.

Epomeo, mont (Ischia) 56, 150, 161 n. 22, 162, 163, 167, 176 n. 7, 177.
Etna 146, 174 n. 1, 178, 182.

Fellino, mont (Naples) 39, 42 n. 30, 44 n. 46 (céramique du Bronze ancien).
Fondi di Baia (volcans des Champs Phlégréens) 152, 198, 204-205.

Gauro, mont (volcan des Champs Phlégréens) 7, 192 n. 8, 193, 200.
Grillo, mont (volcan des Champs Phlégréens) 190, 198.
Guatémala 112 n. 31.

Herculaneum, 11, 25-26 (éruption de 79 après J.-C.), 67 (tremblement de terre de 62 après J.-C. 80
            n. 69 (alimentation en eau), 72, 93 n. 7 (inscriptions épigraphiques relatives à la
            reconstruction après 62), 95-106 (villa de Cava Montone).

Ischia 145-186 (éruptions volcaniques et phénomènes volcano-tectoniques), 204 (éruption
            protohistorique).

Katmai (Alaska) 190 n. 3.
Kilanea (Hawaï) 70-71 n. 26.

La Pietra (volcan des Champs Phlégréens) 193.
La Senga (volcan des Champs Phlégréens) 198, 202.
La Starza (terrasse de -, Champs Phlégréens) 193-194.
Licola 44 n. 47, 199 (site préhistorique).
Lipari 38 (loc. Mulino a Vento I, acropole, Diane) 42 n. 31 et 34, 43 n. 37 (Pignataro), 48 n. 75, 147
            (loc. Papesca, matériel néolithique), 195 (acropole), 200 n. 34.

Manua Loa (Hawaï) 70 n. 26.
Maronti (Ischia) 163-165, 166.
Materdei (Naples) 199 (tombes chalcolithiques).
Mercogliano (Avellino) 121 n. 2 (céramique du Bronze ancien), 132 n. 60 (borne miliaire).
Mezzano 41 n. 25, 42 n. 30 et 34, 43 n. 38.
Misène (cap) 7, 174 n. 1, 194.
Misène (banc de -) 190, 193-194.
Misène (port de -) 80 n. 68.
Molara, cratère de -, (Ischia) 153, 154, 155, 163.
Montagna Spaccata (volcan des Champs Phlégréens) 192 n. 8, 193-194, 200-207.
Montagnone (Ischia) 151, 164.

Naples 115 n. 9, 119 n. 29, 128 n. 32, 195, 199.
Naxos 41 n. 27, 45.
Nisida 194.
Nitroli (Ischia) 169 n. 34 (sources de nymphes Nitrodes).
Nocera 35 n. 4, 67, 91-93.
Nola 55, 60-61, 113-119, 132 n. 58.

Olibano, mont (volcan des Champs Phlégréens) 193, 198.
Oplontis, voir Torre Annunziata.
Ottaviano 28 (éruption de 1631), 56 (éruption protohistorique), 62 (analyses chimiques), 138 (éruption
            de l'Antiquité tardive).

Aqueduc, aqueduc augustéen du Serino: photo principale de la jaquette, 80, 117-118.

Amphores, amphores vinaires: 97, 104, 107-112; amphores utilisées comme sépultures: 118 n. 26, 122.

Apenninique, céramique appartenant à cette culture: 41, 49 n. 76 et 80, 122 n. 5, 201-202.

Ateliers, production de céramique arétine (atelier de M. *Perennius Crescens*): 122, 123 n. 7; atelier métallurgique (Ischia): 163.

Bains thermaux: 145, 165, 166, 169 n. 34, 180.

Bible de Bovino, source pour l'éruption de l'Arso à Ischia en 1302: 159 n. 17, 181.

Bradysisme: 163-166, 192 n. 11.

Bronze antique: 151; facies de Palma Campania: 121 et n. 2, 200. Voir Capo Graziano, culture éolienne de C.

Campanienne, céramique campanienne à Sarno: 35; à Ischia: 163.

Capo Graziano, culture éolienne de C.: 39-40, 44-46, 200 n. 34.

Cardini, grotte de Praia a Mare: 39, 41 n. 25 et 27, 45-46.

Chalcolithique, 38 et n. 9, 41 (Sarno); 147 (Sant'Angelo di Fuorigrotta); 151 (Ischia, loc. San Michele); 198 (Sant'Angelo di Fuorigrotta); 199 (Licola).

Chronicon Cavense, source pour l'éruption de l'Arso à Ischia en 1302: 159 n. 17, 181, 185.

Diane, culture éolienne de D.: 37-39 (Sarno); 39 n. 14 (Paestum); 15-17 (Mont de Prochyda).

Eruptions volcaniques, activité du Monte Somma: 18 (25.000 B.P. - « Ponces de Codola »), 18-19 (17.000 B.P. - « Ponces de base »), 19 (15.000 B.P. - « Ponces vertes »), 20 (11.000 B.P. - « Ponces du Lagno Amendolare »), 21, 121 n. 4, 122-123 (7.900 B.P. - « Ponces de Mercato »), 22, 35-37, 47, 55-56, 121 n. 4, 123, 125, (3.800 B.P. - « Ponces d'Avellino »); 22-23, 55-66 (éruptions intercallées entre les deux dernières éruptions pliniennes du Somma-Vésuve); activité du Vésuve: 24-26 (79 après J.C. - aspects des différents dépôts), 26 (caractères de l'éruption de 203 après J.C.), 116 (témoignage de Dion Cassius sur cette éruption), 115 (éruption de 395 après J.C.), 26-28, 35, 118, 121-123, 137 (éruption de 472 après J.C., ou de Pollena), 27, 137-138 (éruption de 512 après J.C.), 28, 171 (éruption de 1631); voir également Villa romaine; éruptions volcaniques à Ischia: 151, 158, 159 n. 17 et 18, 181-185 (éruption de l'Arso), 164 (éruption du Montagnone), 169 (éruptions d'époque romaine).

Etablissements thermaux: 126 (Atripalda); 165-166 (Cava Scura, Ischia).

Gaudo, ce faciès énéolithique dans la grotte Cardini: 39, 44; nécropole du Gaudo à Paestum: 44; tombes du quartier Materdei à Naples: 198 et n. 30: site d'habitat à Licola: 198.

Grotte, matériel de la gr. Cardini (Praia a Mare): 39, 41 n. 25, 45-46; - de la gr. Nicolucci (Sorrente): 41, 42 n. 29, 48 n. 75, 49 n. 80, 50 n. 83; grottes amalfitaines: 191.

Ignimbrites campaniennes: 7, 17, 189 et 190 n. 3.

Industries lithiques: 121 n. 4, 146 n. 4 et 147, 151, 160, 190 n. 1, 191 et n. 3, 195 n. 16, 197-198.

Inscriptions épigraphiques: 70 (Pompéi); 91 (Nocera); 93 n. 6 (Naples); 93 n. 7 (Herculanum); 115 n. 12 (Nola); 125 n. 18 (*Abellinum*); 132 n. 57 (Montoro); 132 n. 60 (Mercogliano).

Lampes romaines: 122, 124.

Meules de lave: 153-154.

Monnaies: 114 et n. 9, 124-126, 130-132 n. 39, n. 47, n. 55, 132 n. 61, 148, 160.

Nécropoles, nécropole préromaine de Nola: 116-117; nécropole du IVème siècle après J.-C. à Palma Campania: 118 n. 28; nécropole monumentale d'*Abellinum*: 121-122; ant. *Abellinum*, Nécropole de via Cesinali: 122-125; *Abellinum*, sépultures d'enfants et d'adultes « intra muros » 126; *Abellinum*: nécropole du Vème siècle après J.-C.: 127, 133; nécropole de la vallée de San Montano à Ischia: 156; nécropole chalcolithique de Materdei à Naples: 199; nécropole de Cumes préhellénique: 203-204.

Néolithique, matériel néolitique à Sarno: 35-39; à Avella: 121 n. 4; instruments d'obsidienne dans un paléosol de Lipari: 151; matériel céramique et industrie lithique à Ischia: 151-152, 198, - sur le Mont de Prochyda (Champs Phlégréens): 152, 194-198. Voir également Diane (culture éolienne de D.) et Serra d'Alto (culture éolienne de Serra d'Alto).

Nicolucci, grotte de Sorrente, 41, 42 n. 29, 48 n. 75, 49 n. 80, 50 n. 83; collection G. Nicolucci (Naples): 35 n. 4, 195 n. 16.

Nymphes, culte à Apollon et aux nymphes Nitrodes à Barano (Ischia): 169 n. 34.

Obsidienne, outillage lithique: 121 n. 4, 147, 151, 195-197.

Paléolitique: 189-191.

Paschale Campanum 137-138 et n. 7.

Protoapenninique A; matériel de cette période dans la grotte Cardini: 39.

Protoapenninique B; division de cette période en deux phases: 39; comparaisons avec les sites des Pouilles: 39-40; problèmes de chronologie: 47; site sur le Mont Gauro: 200.

Remparts, à *Abellinum*: 125-126.

Serra d'Alto, culture néolithique de S. d'Alto: 37-38 (Sarno); 195 (mont de Prochyda).

Sigillée claire, céramique trouvée en fouilles: 35, 99, 124, 128-129.

Sources thermales, reliefs votifs à Apollon et aux nymphes Nitrodes à Barano d'Ischia: 169 n. 34. Voir aussi Bains thermaux.

Théâtre, inscription de *Nuceria Alfaterna* relative au théâtre: 91, 93; inscriptions de Nola relatives à la reconstruction d'un théâtre: 115 n. 12.

Tremblements de terre, effets du tremblement de terre de 62 après J.-C.: 67-87, 91-93; - de 1980 à Pompéi: 82; - du IVème siècle après J.-C.: 82 n. 81, 127; tremblement de terre de 1275 à Ischia: 159, 166, 180; autres évènements sismiques à l'époque romaine à Ischia: 164-166; tremblement de terre de 1228 à Ischia: 163.

Tsunami, ses traces dans la vallée de San Montano, à Ischia: 166.

Tuf gris campanien: 7, 17, 189 et 190 n. 3.

Tuf jaune napolitain: 192.

Tuf vert du Mont Epomeo: 148 n. 5 et 149, 161-162 et n. 23, 163.

Vaisselle, *instrumentum domesticum* en bronze: 99 (de Boscoreale, villa Regina); 95-99 (de la villa, dans la carrière de Cava Montone, à Herculanum).

Villa romaine, à *Oplontis*: 24; à Nola: 113-116; à Sant'Anastasia: 117; à Atripalda: 126-133; à Herculanum: 95-106; à Pompéi: 113, 114 n. 7.

TABLE DES MATIÈRES

PLANCHES

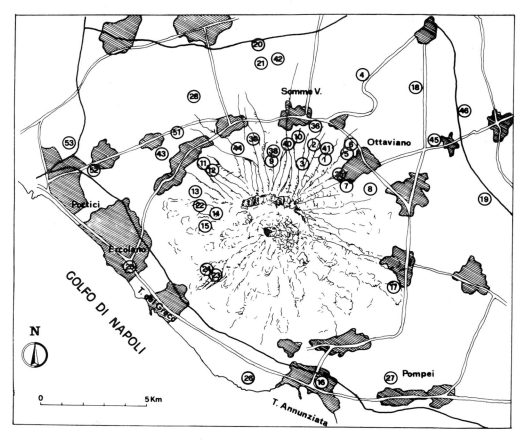

Fig. 1. Ubicazione delle sezioni stratigrafiche misurate e loro numerazione. Alcune delle sezioni descritte nel lavoro risultano esterne a questa carta e la loro approssimativa localizzazione è ricavabile dall'appendice 1.

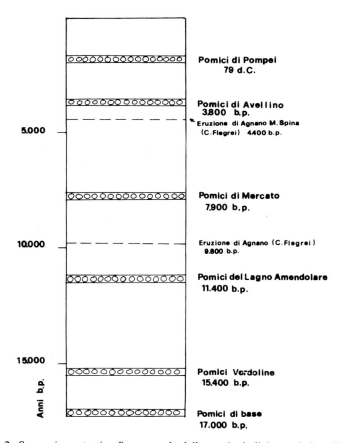

Fig. 2. Successione stratigrafica generale delle eruzioni pliniane relative all'attività post caldera (ultimi 17.000 anni) del Vesuvio. È anche indicata la posizione stratigrafica e cronologica delle due eruzioni flegree i cui depositi sono generalmente riconoscibili nell'area vesuviana.

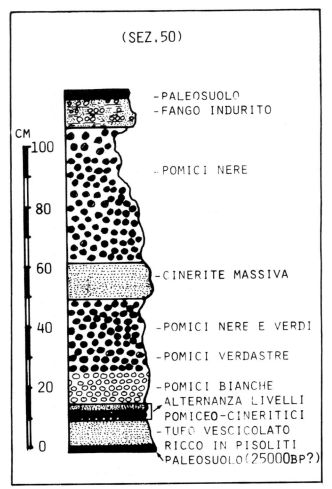

(SEZ.50)

CM

100

80

60

40

20

0

- PALEOSUOLO
- FANGO INDURITO
- POMICI NERE
- CINERITE MASSIVA
- POMICI NERE E VERDI
- POMICI VERDASTRE
- POMICI BIANCHE
  ALTERNANZA LIVELLI
  POMICEO-CINERITICI
- TUFO VESCICOLATO
  RICCO IN PISOLITI
- PALEOSUOLO (25000 BP?)

Fig. 3. Successione dei depositi piroclastici di caduta riferibili ad un'eruzione, probabilmente vesuviana, verificatisi circa 25.000 anni or sono (« Pomici di Codola »).

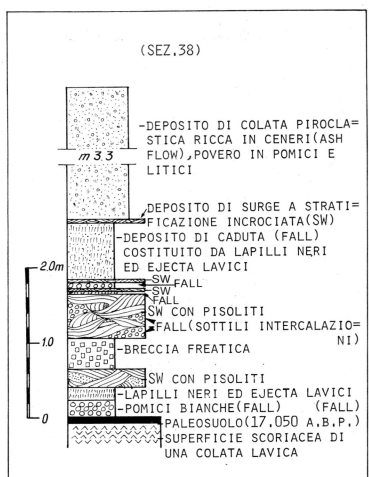

(SEZ.38)

m 3.3

2.0m

1.0

0

- DEPOSITO DI COLATA PIROCLA=
  STICA RICCA IN CENERI (ASH
  FLOW), POVERO IN POMICI E
  LITICI
- DEPOSITO DI SURGE A STRATI=
  FICAZIONE INCROCIATA (SW)
- DEPOSITO DI CADUTA (FALL)
  COSTITUITO DA LAPILLI NERI
  ED EJECTA LAVICI
- SW FALL
- SW FALL
- SW CON PISOLITI
- FALL (SOTTILI INTERCALAZIO=
  NI)
- BRECCIA FREATICA
- SW CON PISOLITI
- LAPILLI NERI ED EJECTA LAVICI (FALL)
- POMICI BIANCHE (FALL)
- PALEOSUOLO (17.050 A.B.P.)
- SUPERFICIE SCORIACEA DI
  UNA COLATA LAVICA

Fig. 4. Successione dei depositi piroclastici riferibili all'eruzione pliniana delle « Pomici di Base », (età di circa 17.000 anni), osservabile nella cava del Lagno Amendolare (n. 38 in fig. 1).

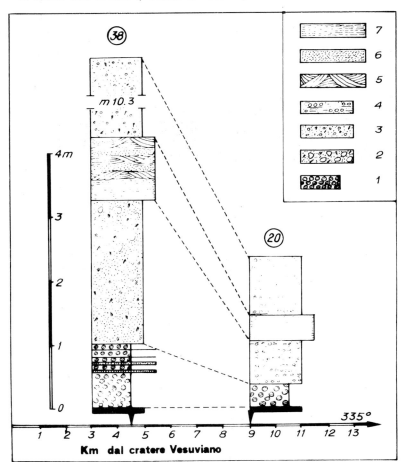

Fig. 5. Successione dei depositi piroclastici dell'eruzione pliniana delle « Pomici Verdoline » (circa 15.000 anni b.p.) osservabile nelle cave del Lagno Amendolare (n. 8) e di Passariello, presso Pomigliano d'Arco (n. 20). 1: depositi di pomici di caduta; 2: depositi di colate piroclastiche prevalentemente cineritiche (« ash flows »); 4: depositi lahar; 5, 6, 7: depositi di surges piroclastici rispettivamente a stratificazione incrociata (5), massivi (6) ed a stratificazione parallela (7).

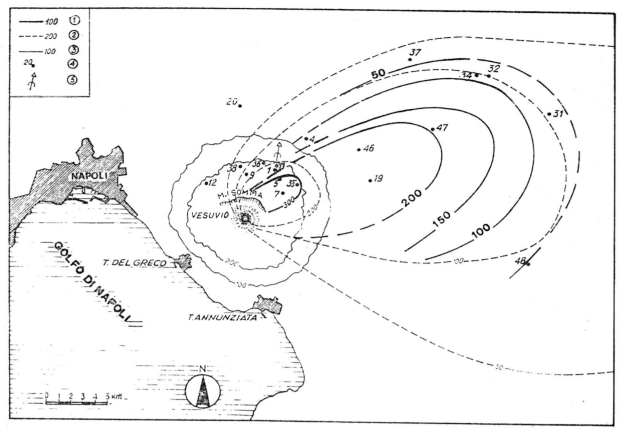

Fig. 8. Curve isopache dei depositi di caduta dell'eruzione di Mercato. 1: curve isopache ricostruite da dati originali; 2: curve isopache riportate da Walker, 1977; 3: isoipse (solo per l'edificio Vesuviano); 4: sezioni misurate utilizzate per il disegno delle isopache (1); 5: direzione di messa in posto di alcuni depositi di surge (probabilmente riferibili ad attività di ash cloud: vedi il testo).

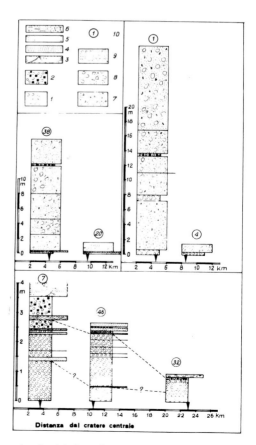

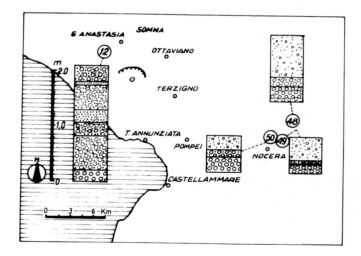

Fig. 6. Sezioni dei depositi di caduta dell'eruzione delle Pomici del Lagno Amendolare (circa 11.400 anni b.p.). I cerchietti aperti schematizzano la presenza di pomici chiare, i punti neri quella di lapilli e scorie scure.

Fig. 7. Sezioni scelte tra le più significative della successione piroclastica delle Pomici di Mercato (circa 7.900 anni b.p.). La distanza delle singole sezioni dal cratere centrale vesuviano è indicata in scala chilometrica. 1: depositi pomicei di caduta; 2: depositi pomicei di caduta molto ricchi in ejecta litici; 3, 4, 5: depositi di surges piroclastici rispettivamente a stratificazione incrociata (3), massivi (4), ed a stratificazione parallela (5); 6: tufi vescicolati; 7: depositi di pumice-flow; 8: depositi di ash-flow; 9: depositi di lahar; 10: numeri delle sezioni la cui ubicazione è indicata in fig. 1 ed in Appendice.

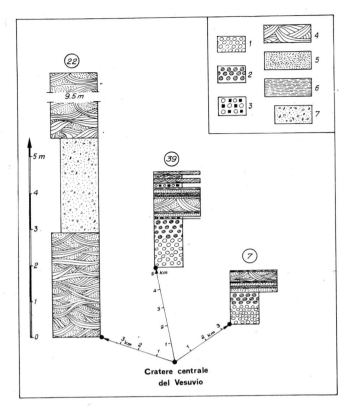

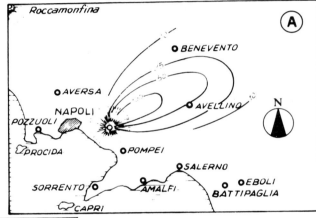

Fig. 9. Sezioni rappresentative della successione eruttiva delle Pomici di Avellino (circa 3.800 anni b.p.). 1: depositi di pomici bianche di caduta; 2: depositi di pomici grigie di caduta; 3: depositi di caduta molto ricchi in ejecta litici; 4, 5, 6: depositi di surges piroclastici rispettivamente a stratificazione incrociata (4), massivi (5) ed a stratificazione parallela (6); 7: depositi cineritici compatti probabilmente riferibili alla messa in posto di colate piroclastiche.

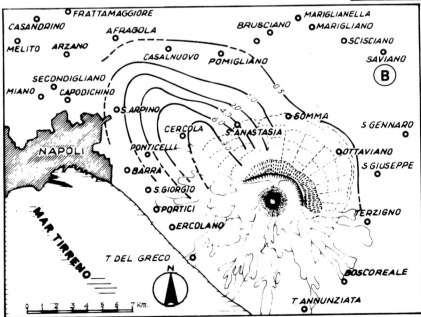

Fig. 10. A: Curve isopache (spessori in centimetri) dei depositi pomicei di caduta dell'eruzione di Avellino (ridisegnato da Lirer et al., 1973).
B: Curve isopache (spessori in metri) dei depositi di surge piroclastico dell'eruzione di Avellino.

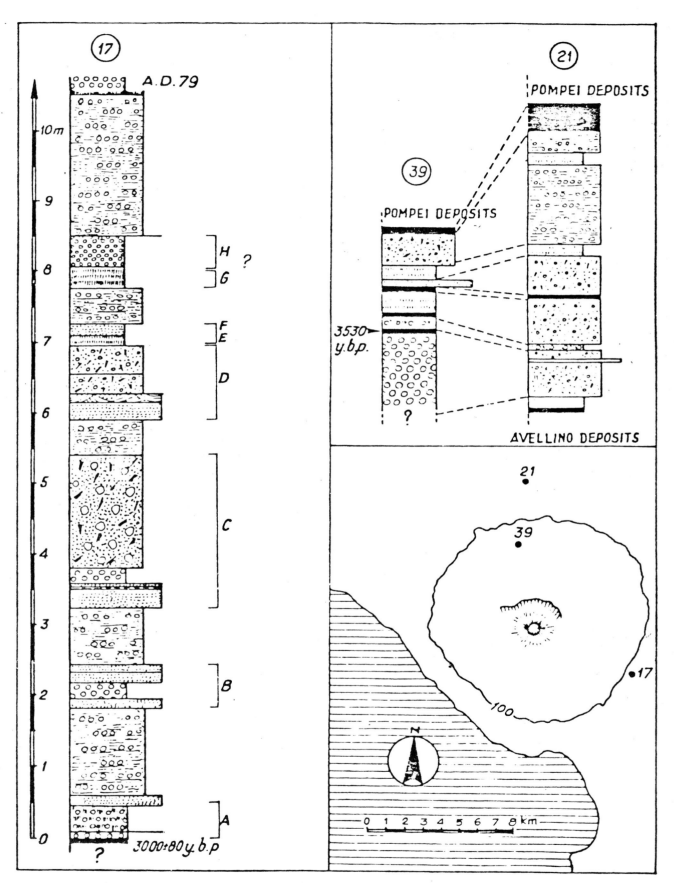

Fig. 11. Sezioni stratigrafiche relative all'attività del Vesuvio con età compresa tra quella delle eruzioni di Avellino e Pompei. In nero i paleosuoli con l'eventuale età 14C. Le lettere suggeriscono i possibili diversi eventi eruttivi distinguibili. La simbologia dei prodotti è la stessa di fig. 7.

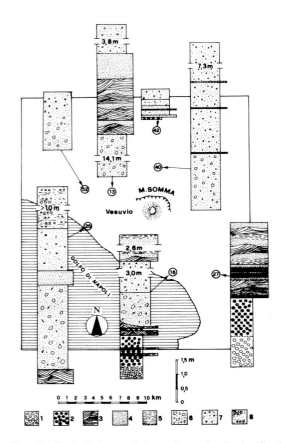

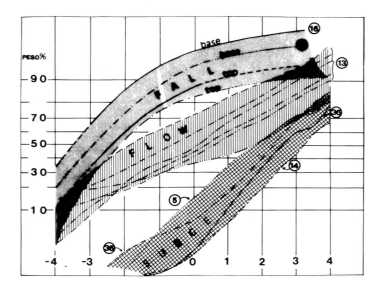

Fig. 12. Sezioni stratigrafiche scelte tra le più significative della eruzione di Pompei del 79 d.C.
1: depositi di caduta di pomici bianche; 2: depositi di caduta di pomici grigie; 3, 4, 5: depositi di surges piroclastici (come per fig. 7); 6: depositi di pumice-flow; 7: depositi di ash-flow; 8: depositi di lahar (tratto da Principe et al., 1982).

Fig. 13. Popolazioni granulometriche dei diversi depositi dell'eruzione di Pompei. Nei depositi di surge non sono compresi quelli con stratificazione incrociata, molto più eterogenei. I dati per i depositi di caduta (fall) sono relativi alle successioni analizzate a Pompei (sez. 27, linee tratteggiate), ed ad Oplonti (sez. 16, linee intere). Per i depositi di colata piroclastica i dati provengono dalle sezioni di Pollena (13), Oplonti, Ottaviano. Per i depositi di surge sono indicate le sezioni di provenienza.

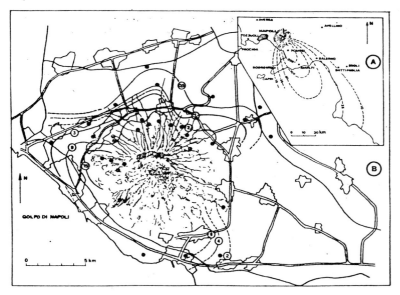

Fig. 14. Distribuzione areale dei depositi piroclastici dell'eruzione di Pompei.
A: curve isopache (spessori in cm.) dei depositi pomicei di caduta (ridisegnate da Lirer et al., 1973); B: curve isopache (spessori in m.) dei depositi di surge e di colata piroclastica (tratto da Rosi et al., 1983). I punti neri indicano le sezioni misurate utilizzate per il disegno delle isopache.

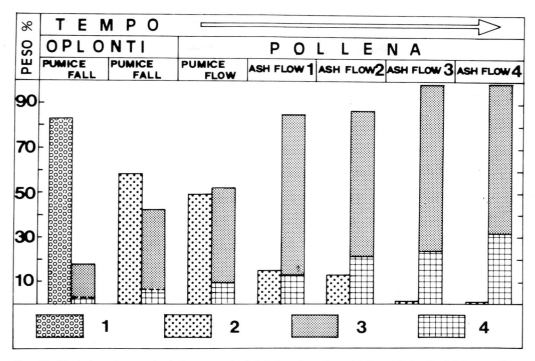

Fig. 15. Variazione temporale delle proporzioni dei diversi costituenti i depositi piroclastici durante l'eruzione di Pompei.
1: pomici bianche; 2: pomici grigie; 3: litici non carbonatici; 4: litici carbonatici.

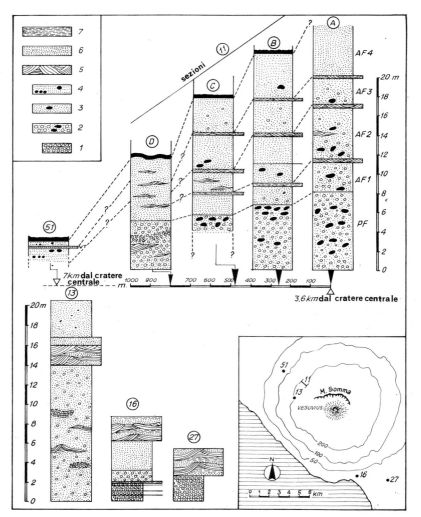

Fig. 16. Variazione degli spessori e delle facies dei depositi di colata piroclastica dell'eruzione di Pompei osservata nelle cave di Pollena. Le successioni osservate a San Sebastiano (13), Oplonti (16) e Pompei (27) sono riportate per confronto.
1: depositi pomicei di caduta; 2: depositi di pumice-flow; 3: depositi di lahar; 5, 6, 7: depositi di surges piroclastici (come fig. 5).

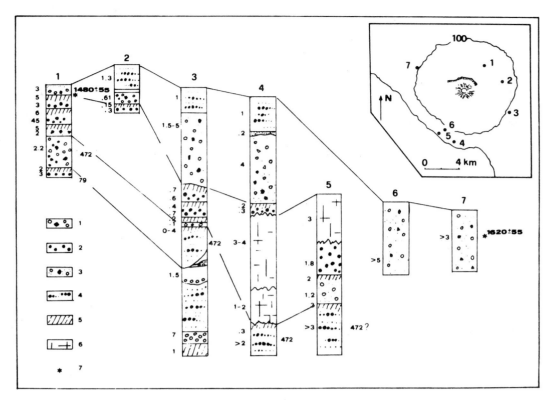

Fig. 17. Sezioni stratigrafiche scelte tra le più significative dei prodotti eruttati dal Vesuvio tra il 79 ed il 1631. L'ubicazione delle sezioni è indicata nel riquadro; i numeri relativi *non* corrispondono a quelli di fig. 1.

1: depositi pomicei di caduta; 2: depositi di caduta di lapilli e scoriette nere; 3: depositi di colata piroclastica; 4: depositi di lahar; 5: paleosuoli; 6: colate laviche; 7: determinazioni 14C di età; tratto da Rosi et al., 1983.

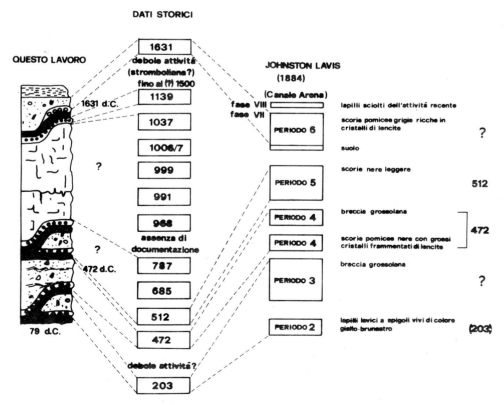

Fig. 18. Messa a confronto dei dati stratigrafici disponibili con le notizie storiografiche (preliminarmente interpretate) relative all'attività del Vesuvio nel periodo 79-1631, (tratto da Rosi et al., 1983).

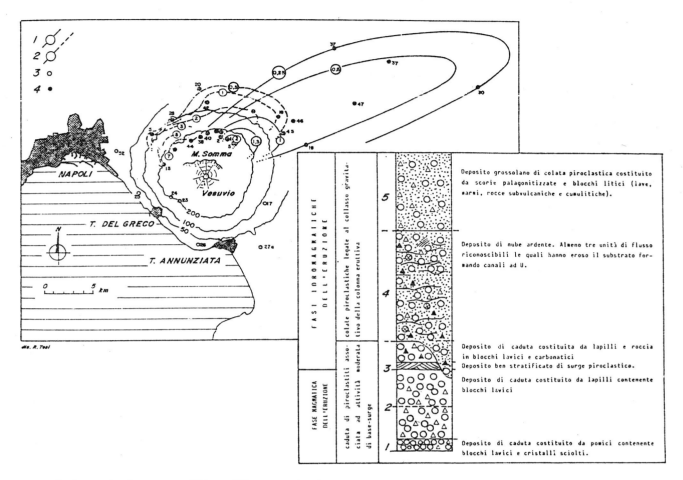

Fig. 19. (da Rosi e Santacroce, 1983, modificata e tradotta).
A: Curve isopache (spessori in m.) dei depositi di caduta (1) e di colata piroclastica (2) dell'eruzione di Pollena del 472 d.C. 3: ubicazione di località in cui i prodotti di questa eruzione non si sono depositati.
4: ubicazione delle sezioni misurate utilizzate per il disegno delle curve isopatiche.
B: Successione degli eventi a sezione stratigrafica idealizzate dell'eruzione di Pollena. L'incremento del carattere idromagmatico dell'eruzione è marcato dall'apparizione di depositi indicativi di surges piroclastici e dall'incremento verso l'alto della successione della quantità di materiale proveniente dallo sgretolamento delle rocce del condotto e della copertura.

SARNO-FOCE 83-84
SAGGIO Nº1
STRATIGRAFIA PARETE
Nord-Est

1   humus vegetale
2   cenere compatta
3   lapillo grigio [472 d.c]
4   sabbia + pietrisco
5   humus + sabbia + pietrisco
6   pietrisco + sabbia
7   humus + sabbia + pomici
8   pomici + sabbia + humus
9   sabbia
10 humus + sabbia + pomici + pietrisco
11 pomici del 79 d.c.
12 humus + sabbia + pietrisco
13 humus + sabbia
14a cenere compatta
14b sabbia
15 cenere antropizzata
16 cenere + sabbia
17 pomici di avellino
18 humus + pomici
✷✷ battuto 2 con copertura
20 humus + pomici
21 humus + pomici + pietrame
22 humus + pomici
23 humus + pomici
24 cenere
25 pomici
✷   sabbia + pietrame
26 cenere
27 pomici + cenere + sabbia
28 cenere
29 sabbia + cenere
30a pomici rimaneggiate
30b pomici

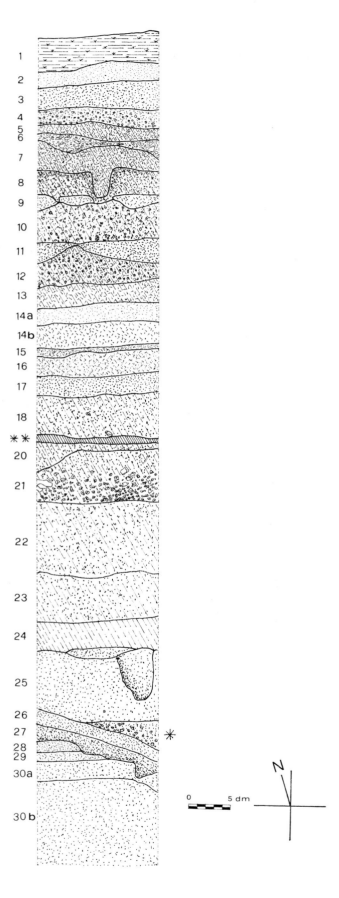

0   5 dm

N

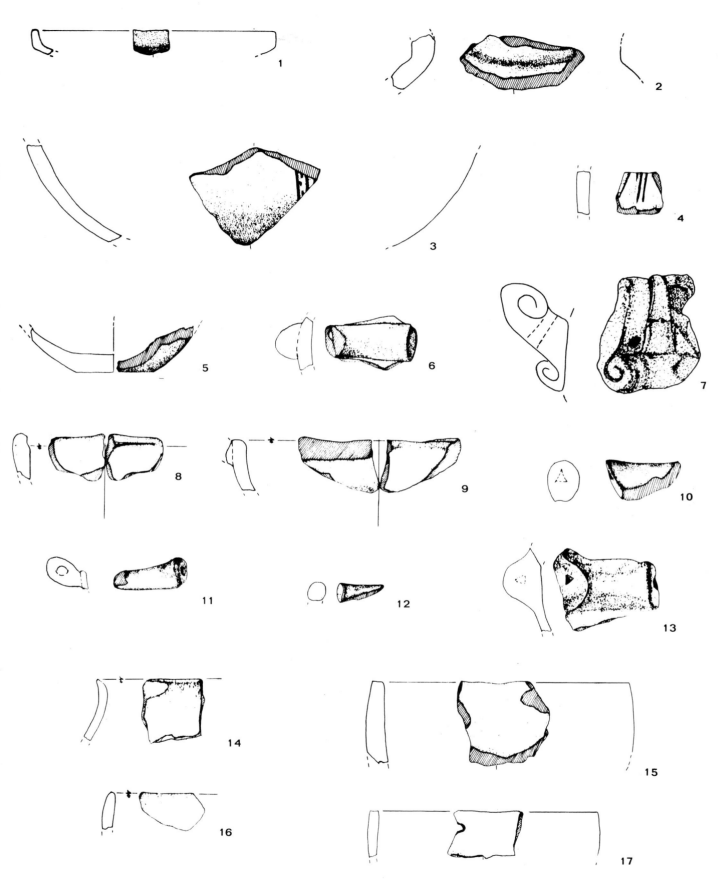

I disegni di tutte le tavole sono ridotti a 1/2, tranne il n. 7 della presente tavola.

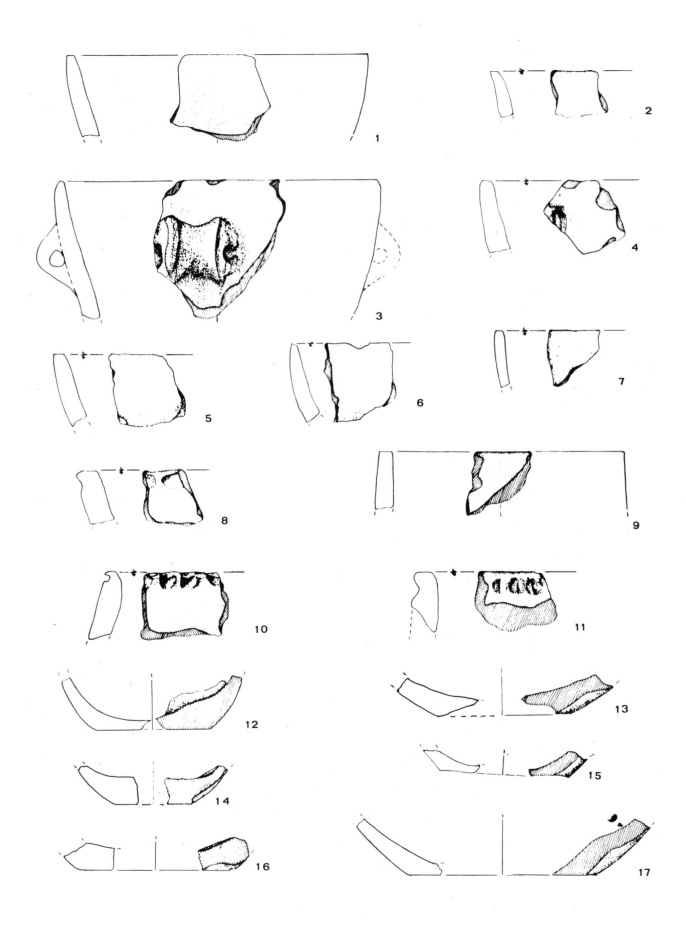

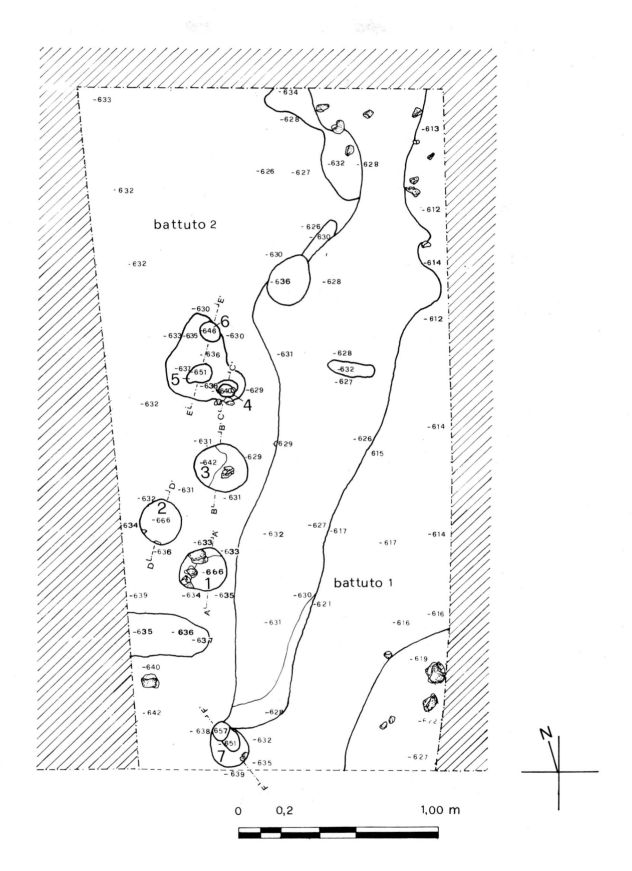

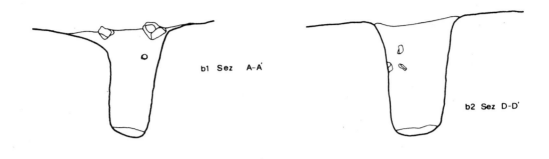

b1 Sez A-A'

b2 Sez D-D'

b3 Sez B-B'

b4 Sez C-C'

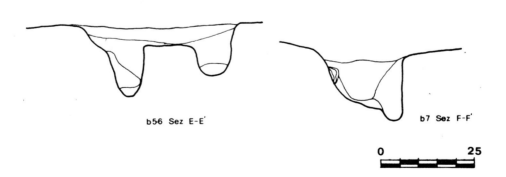

b56 Sez E-E'

b7 Sez F-F'

0   25

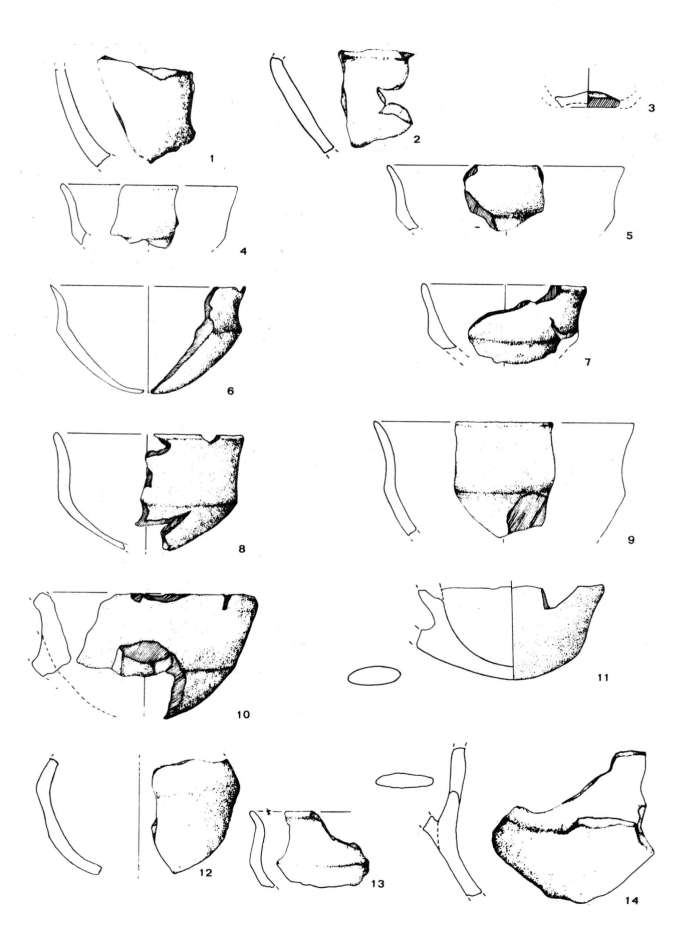

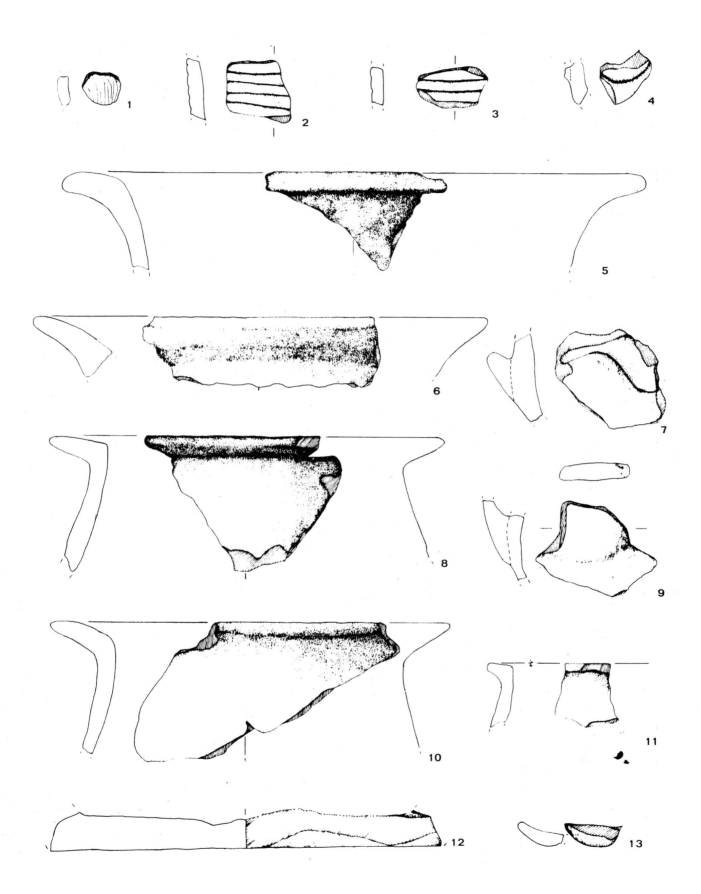

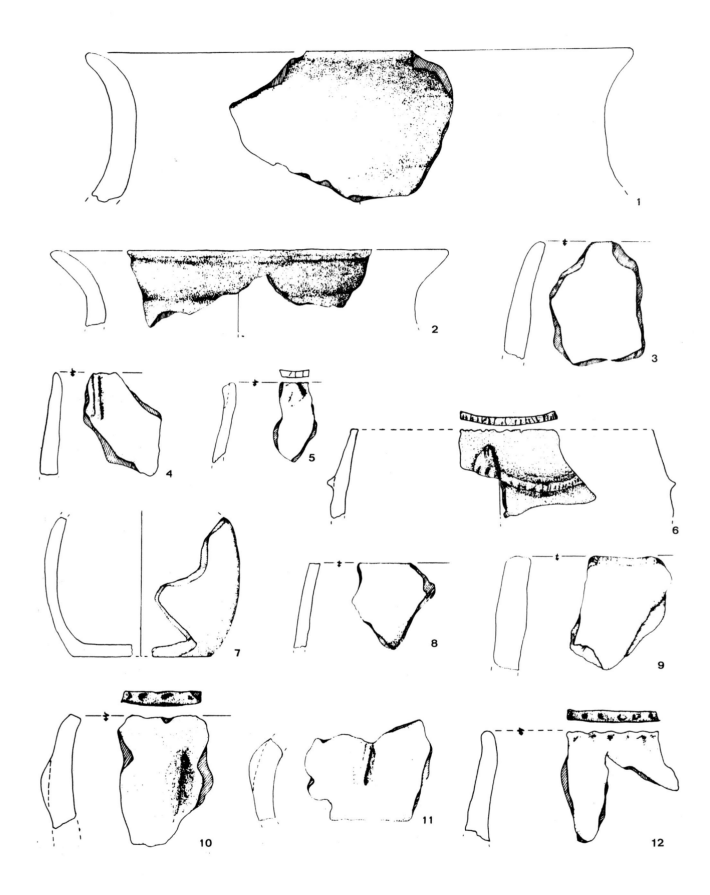

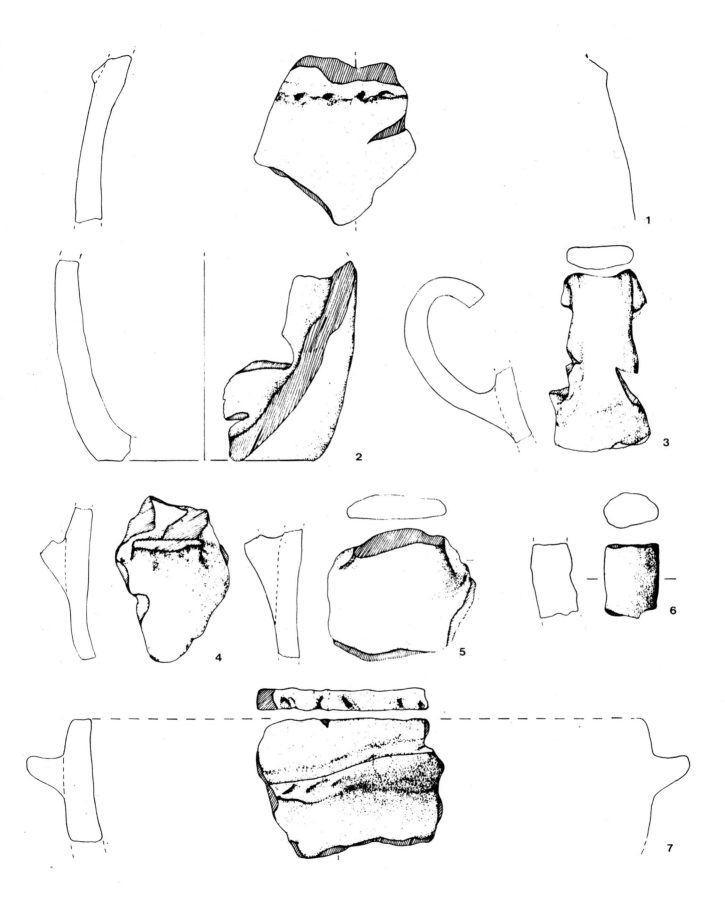

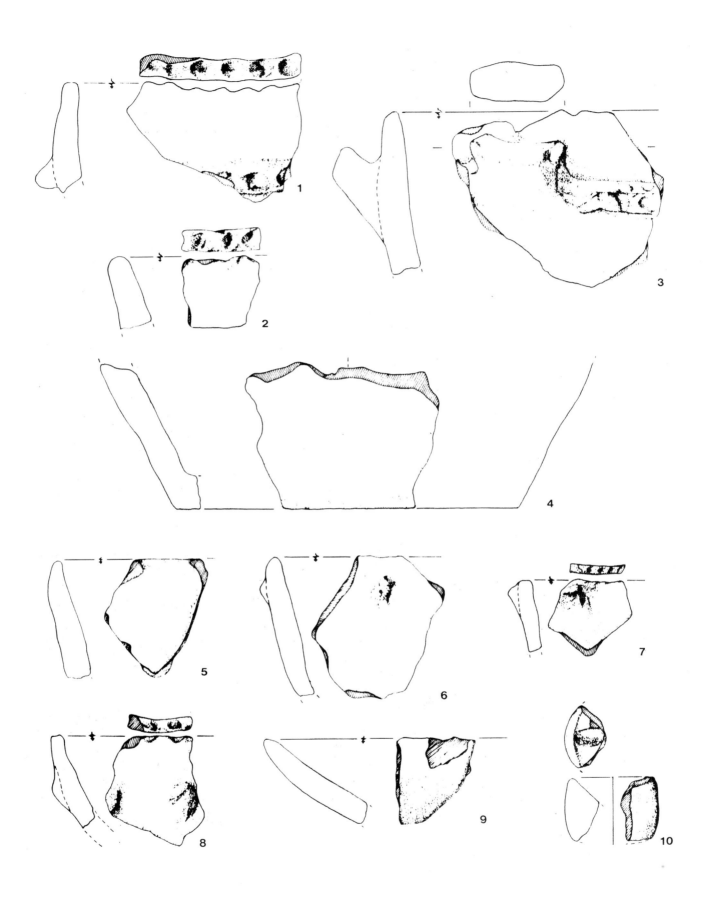

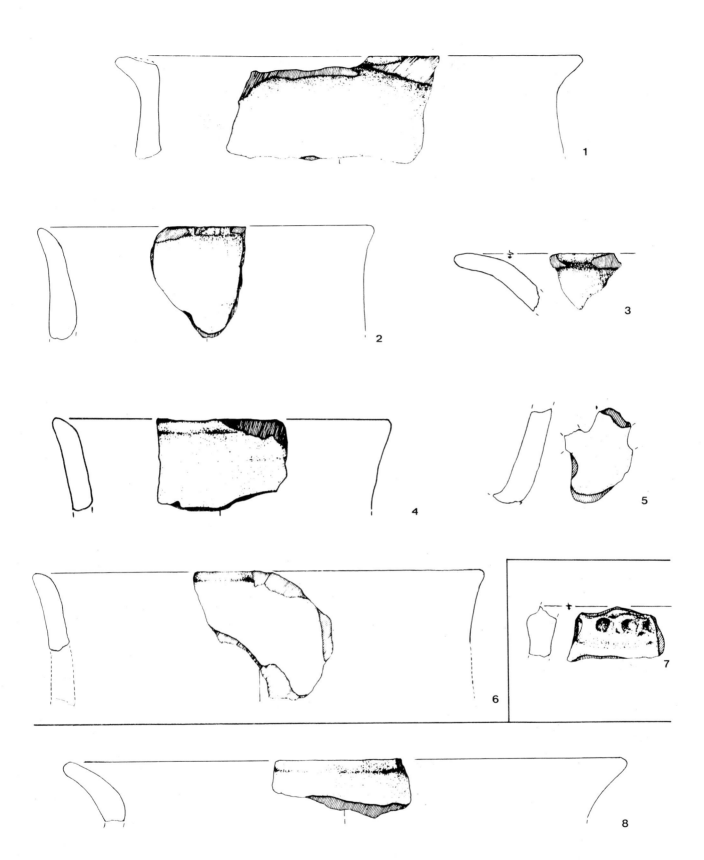

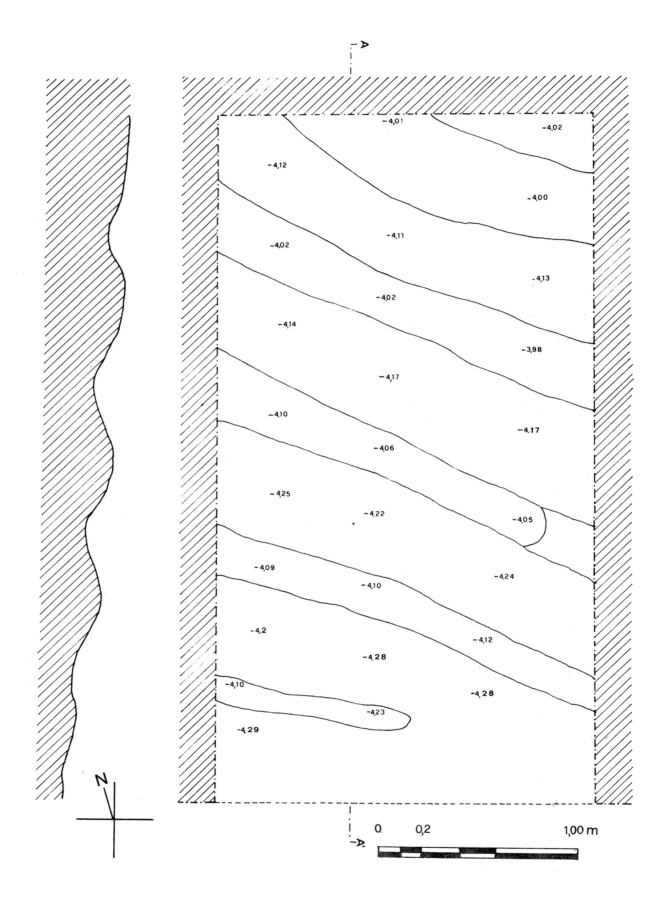

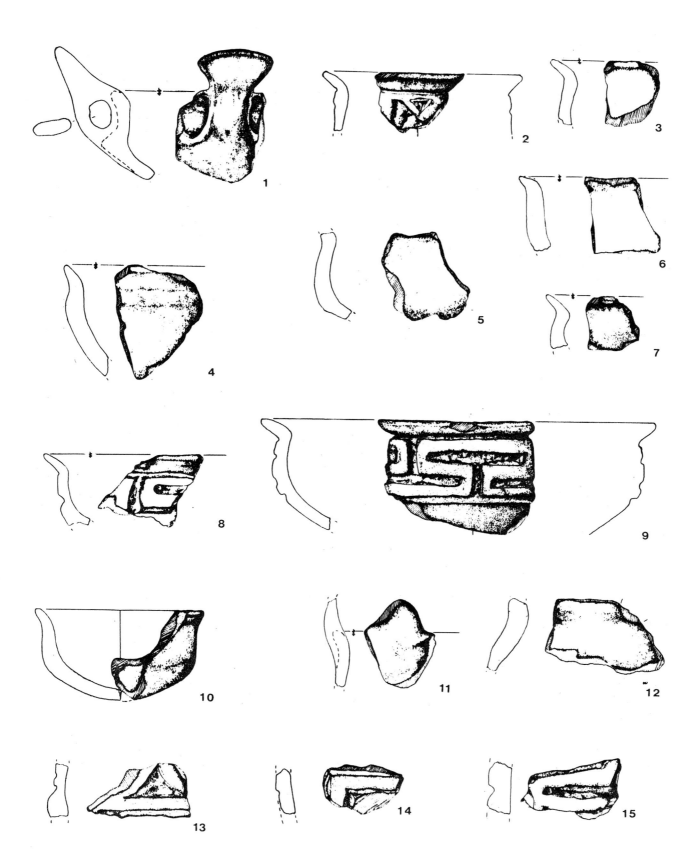

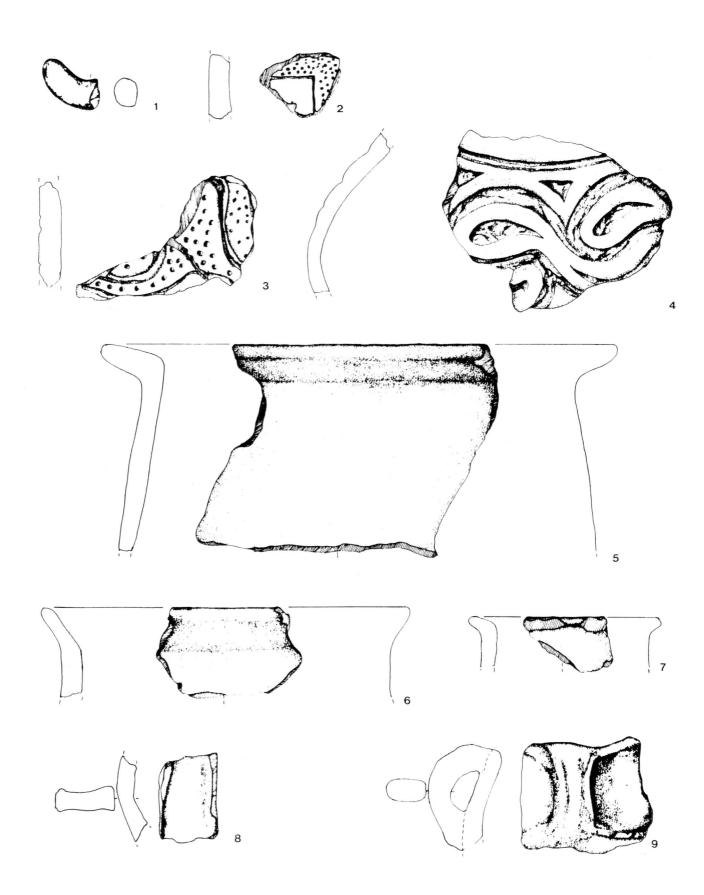

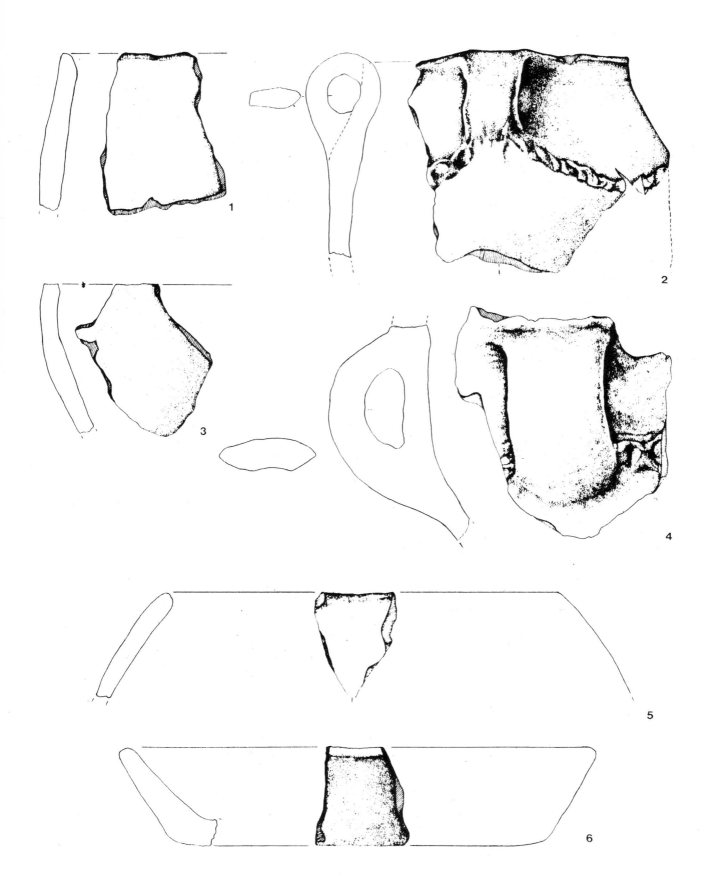

C. ALBORE LIVADIE - G. D'ALESSIO - G. MASTROLORENZO - G. ROLANDI

Fig. 1. Affioramento presso il centro abitato di Ottaviano. Sono visibili i due atti eruttivi (A e B) separati da un paleosuolo (Pa) e posti tra la formazione di Avellino (in basso) e quella di Pompei (FP).

Fig. 2. Livello piroclastico inferiore (A) in affioramento in località Spartimento (Somma-Scisciano). Il pacchetto di strati con caratteristiche strutturali simili a quello mostrato in fig. 1 ma con spessore inferiore (circa 20 cm) è separato da un livello umificato dai sottostanti prodotti costituenti la formazione di Avellino (FA).

C. ALBORE LIVADIE - G. D'ALESSIO - G. MASTROLORENZO - G. ROLANDI

Fig. 3. Lo stesso atto eruttivo mostrato nella fig. 1 come appare in località Seggiari; a letto le " Pomici di Avellino " (FA).

Fig. 4. Cava di pozzolana in località " Passanti " nel settore orientale del Somma-Vesuvio. È visibile la sequenza eruttiva completa dell'evento esplosivo inferiore con livelli da " fall " e strati di ceneri pisolitiche (A). L'intera sequenza è separata attraverso un paleosuolo (Pa) dalle pomici e dai " surge " della formazione di Pompei (FP).

C. ALBORE LIVADIE - G. D'ALESSIO - G. MASTROLORENZO - G. ROLANDI

Fig. 5 a. Località " Passanti " (settore orientale dell'apparato).
Sono visibili i prodotti della formazione di Pompei (FP). Le grosse *ollae* ben allineate, e praticamente integre, sono state salvaguardate dalla distruzione dallo stendimento di un primo manto di " fall " nelle fasi iniziali dell'eruzione di Pompei.

Fig. 5 b. Stessa località della fig. 5a: è mostrata una parte dell'intera formazione di Pompei; sulla sinistra è visibile lo scavo archeologico.

C. ALBORE LIVADIE - G. D'ALESSIO - G. MASTROLORENZO - G. ROLANDI

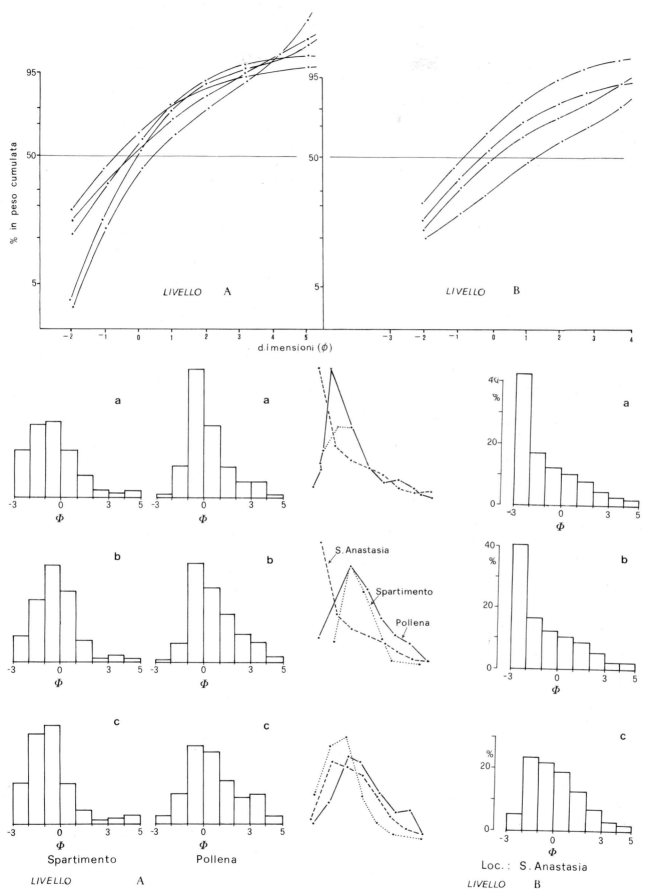

Fig. 6. Curve cumulative ed istogrammi della distribuzione granulometrica dei prodotti dei diversi livelli pomicei costituenti due episodi (A e B) campionati in alcune delle località indicate nel testo. L'andamento delle curve, di tipo unimodale, (con una evidente convessità verso l'alto) è caratteristico-dei prodotti di tipo " fall ".

Gli istogrammi della distribuzione in peso delle diverse classi granulometriche (le dimensioni in ascissa sono riportate in scala Phi; 0 Phi = 1 mm., 1 Phi = 0.5 mm.). Per i tre diversi orizzonti costituenti gli atti eruttivi A e B prelevati negli affioramenti indicati. L'unimodalità è caratteristica per i depositi di tipo " fall "; è riportata anche la migrazione della classe modale.

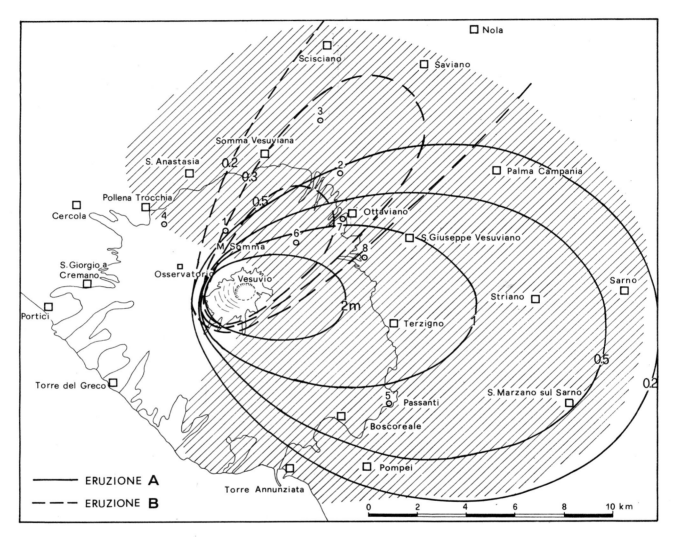

Fig. 7. Aree di distribuzione dei prodotti delle due eruzioni protostoriche.

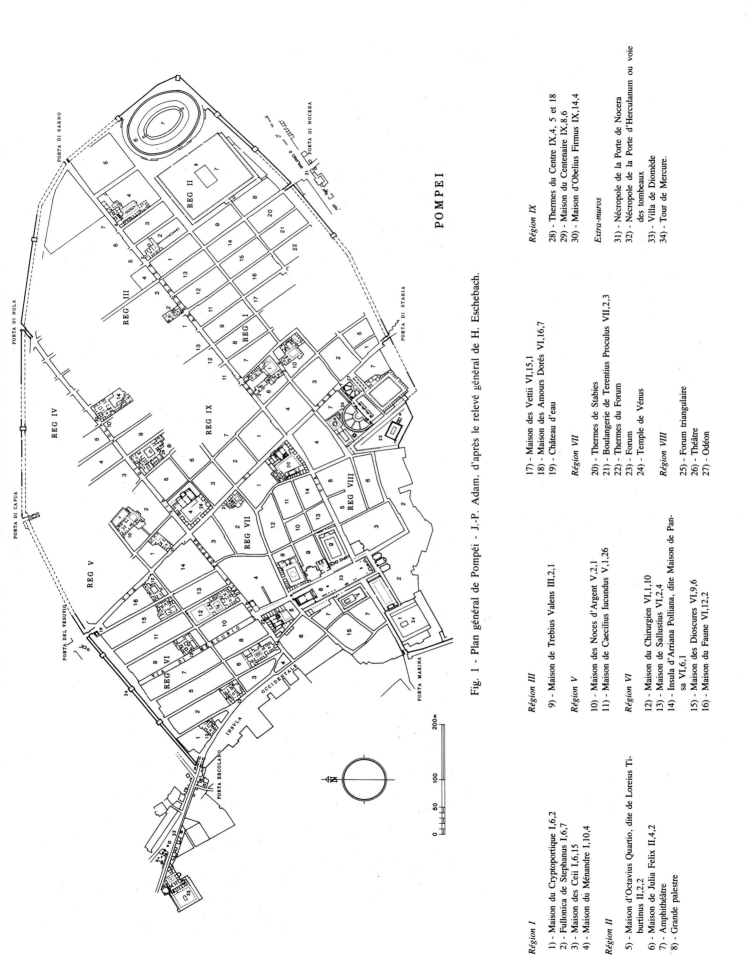

POMPEI

Fig. 1 - Plan général de Pompéi - J.-P. Adam. d'après le relevé général de H. Eschebach.

Région I

1) - Maison du Cryptoportique I,6,2
2) - Fullonica de Stephanus I,6,7
3) - Maison des Ceii I,6,15
4) - Maison du Ménandre I,10,4

Région II

5) - Maison d'Octavius Quartio, dite de Loreius Tiburtinus II,2,2
6) - Maison de Julia Felix II,4,2
7) - Amphithéâtre
8) - Grande palestre

Région III

9) - Maison de Trebius Valens III,2,1

Région V

10) - Maison des Noces d'Argent V,2,1
11) - Maison de Caecilius Iucundus V,1,26

Région VI

12) - Maison du Chirurgien VI,1,10
13) - Maison de Sallustius VI,2,4
14) - Insula d'Arriana Polliana, dite Maison de Pansa VI,6,1
15) - Maison des Dioscures VI,9,6
16) - Maison du Faune VI,12,2

17) - Maison des Vettii VI,15,1
18) - Maison des Amours Dorés VI,16,7
19) - Château d'eau

Région VII

20) - Thermes de Stabies
21) - Boulangerie de Terentius Proculus VII,2,3
22) - Thermes du Forum
23) - Forum
24) - Temple de Vénus

Région VIII

25) - Forum triangulaire
26) - Théâtre
27) - Odéon

Région IX

28) - Thermes du Centre IX,4, 5 et 18
29) - Maison du Centenaire IX,8,6
30) - Maison d'Obelius Firmus IX,14,4

Extra-muros

31) - Nécropole de la Porte de Nocera
32) - Nécropole de la Porte d'Herculanum ou voie
des tombeaux
33) - Villa de Diomède
34) - Tour de Mercure.

Fig. 2. Relief votif décorant autrefois le laraire de la maison de L. Caecilius Jucundus (V, 1, 26) figurant le temple de Jupiter sur le forum et l'arc de triomphe le jouxtant, ébranlés par le séisme, tandis que les cavaliers des groupes statuaires s'efforcent désespérément de reprendre leur équilibre!

Fig. 3. Fissure dans un mur en *opus incertum* (VI, 7, 5) rebouchée avec des matériaux céramiques (briques et tuiles) et des moellons rectangulaires.

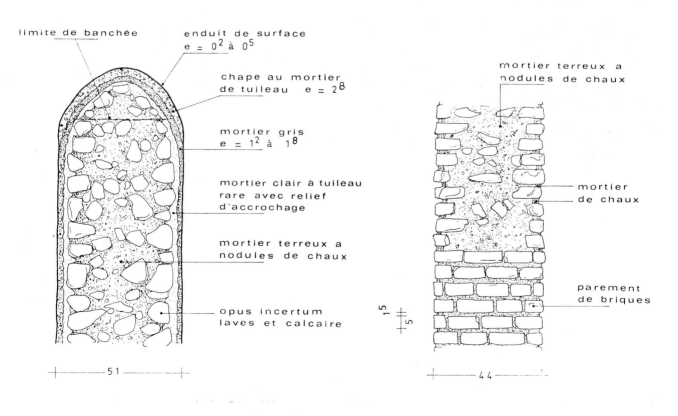

limite de banchée

enduit de surface
$e = 0^2$ à 0^5

chape au mortier
de tuileau $e = 2^8$

mortier gris
$e = 1^2$ à 1^8

mortier clair à tuileau
rare avec relief
d'accrochage

mortier terreux a
nodules de chaux

opus incertum
laves et calcaire

mortier terreux a
nodules de chaux

mortier
de chaux

parement
de briques

Via dei sepolcri
tomba 20 sud

Terme centrali
apodytherium

Fig. 4. Maçonneries pompéiennes.

Fig. 5. Exemplaire rare de mur reconstruit presque uniquement avec des fragments de céramique de récupération (IX, 6, 3).

Fig. 6. Mur reconstruit avec un échantillonnage à peu près complet de tous les matériaux naturels et artificiels mis en oeuvre dans l'architecture pompéienne (VI, 7, 2). On y trouve: les différentes variétés de tuf du Vésuve (tuf de Nocera, pappamonte), des laves alvéolaires (cruma di lava), de la lave dure, du calcaire du Sarno, des céramiques diverses (briques, tuiles) et des bétons de sol de deux types: à éclats de céramique et à galets. L'ensemble est lié par un mortier terreux et très médiocre dans le remplissage et mieux dosé en chaux dans le parement.

Fig. 7. La partie de la façade de cette *domus* (IX, 5, 2) trop ruinée fut reconstruite en *opus incertum* à chaînes de briques (au premier plan) jusqu'à son raccord avec le secteur de mur demeuré en place mais affecté d'une gîte sensible non corrigée. La surface neuve n'avait pas reçu d'enduit.

Fig. 8. Angle et mur latéral d'une *domus* d'époque samnite (I, 7, 1) reconstruits en *opus mixtum* et en *opus incertum*. Sur la gauche de la porte une fissure a été bouchée avec des matériaux céramiques. Le raccord des deux maçonneries devait être assuré par un enduit non encore apposé.

Fig. 9. Contreforts de briques sur les parois intérieures d'un *atrium* (VI, 5, 10).

Fig. 10. Mur contrefort adossé au côté méridional de la maison de Salluste (VI, 2, 4). La maçonnerie de cette adjonction fut enduite et peinte.

Fig. 11. Porte latérale des thermes de Stabies (sur le côté Est) disloquée et murée. Les pilastres, fortement inclinés vers l'extérieur, n'ont pas été démontés mais ravalés.

Fig. 12. Angle sud-ouest de l'édifice d'Eumachie montrant le raccord de la façade, abattue en 62 et entièrement reconstruite en briques, avec la maçonnerie de moellons demeurée debout.

Fig. 13. Mur en « opera a telaio » à chaînes verticales de calcaire et moellons de lave remonté avec des matériaux de remploi (VI, 6, 17).

Fig. 14. Façade sur la rue de Mercure d'une vieille maison de l'époque calcaire (maison de l'ancre) dont le mur de grand appareil a été remonté avec des moellons d'*opus incertum* et des briques (VI, 10, 8).

Fig. 15. Angle de la maison d'Orphée (VI, 14, 20) reconstruit en utilisant partiellement les blocs de calcaire d'origine et des assises de tuiles de briques.

Fig. 16. Angle reconstruit en briques et *opus reticulatum* à la maison du Labyrinthe (VI, 11, 10).

Fig. 17. Grand vomitoire nord de l'amphithéâtre, renforcé après 62, par des arcs doubleaux de briques. Largeur de la galerie: 4,05 m. Saillie des contreforts: 0,50 m.

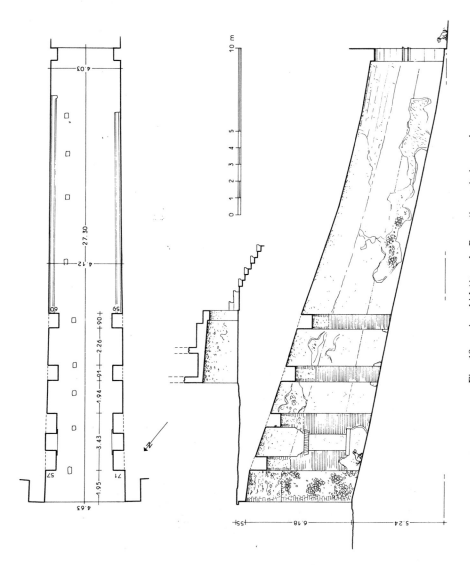

Fig. 18 a. Amphithéâtre de Pompéi, vomitoire nord.

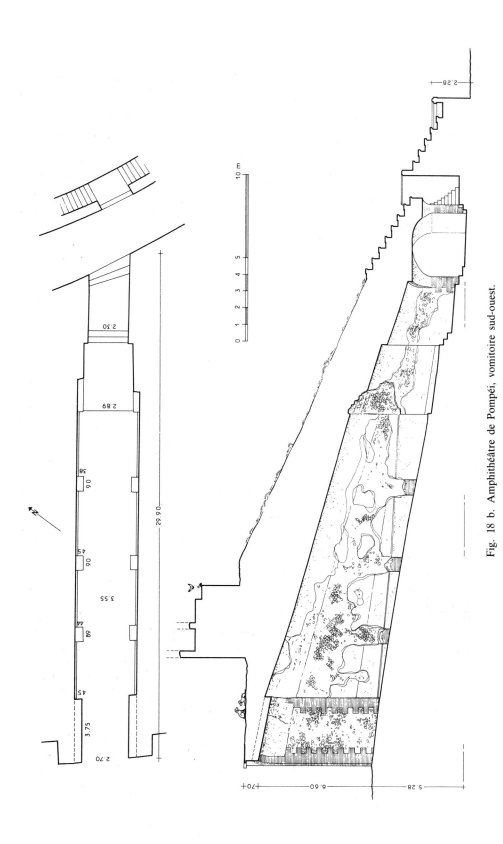

Fig. 18 b. Amphithéâtre de Pompéi, vomitoire sud-ouest.

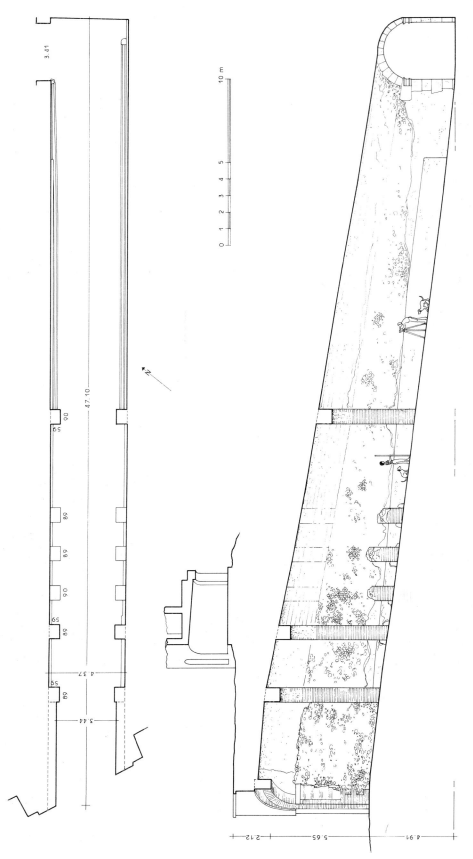

Fig. 18 c. Amphithéâtre de Pompéi, vomitoire sud.

Fig. 19. Péristyle d'une maison de Pompéi, reconstruit (VIII, 3, 27). Au premier plan, une colonne originelle en grand appareil de tuf volcanique, puis deux colonnes en maçonnerie de moellons de lave, avec enduit, une autre colonne primitive et la dernière en *opus mixtum* (moellons et briques).

Fig. 20. Base d'une colonne de maçonnerie de la grande palestre redressée puis calée par une coulée de plomb, visible dans la brèche au niveau de la scotie.

Fig. 21. Emplacement d'un édifice thermal d'époque républicaine rasé jusqu'au sol après 62 et non reconstruit (VIII, 5, 36, près de l'entrée du forum triangulaire).

Fig. 22. Intérieur de la maison en I, 6, 13, découverte en 1929, à l'état de ruine totale et renfermant des tas de sable, de pouzzolane et de moellons récupérés.

Fig. 23. Les blocs destinés au temple de Vénus disséminés sur le chantier de taille installé autour du *podium*.

Fig. 24. Le stylobate, partiellement posé, du portique de la palestre aux nouveaux thermes du centre; les dalles sont encore munies de leurs tenons de bardage. A l'arrière-plan d'autres blocs étaient en cours de taille.

Fig. 25. Le four à chaux provisoire aménagé dans une courette de la maison de la chapelle Iliaque (I, 6, 4). Photo prise au moment de la découverte par V. Spinazzola (aujourd'hui très dégradé).

Fig. 26. L'un des trois tas de blocs de gypse déposés dans la maison de la chapelle Iliaque.

Fig. 27. Amphore emplie de chaux grasse trouvée dans une maison en cours de restauration (V, 3, 4).

Fig. 28. Chaux entreposée en vrac dans le corridor d'entrée de la maison du Moraliste (III, 4, 3).

Fig. 29. Peinture murale de IVe style inachevée, à la maison de la chapelle Iliaque. Travaillant sur l'enduit frais le peintre ne faisait préparer (en commençant par le haut) que la surface qu'il pouvait décorer avant l'achèvement de la prise du mortier.

Fig. 30. Façade refaite en briques, de la maison de Marcus Lucretius (IX, 3, 5). La décoration (peut-être prévue sur l'enduit) a été sacrifiée à la solidité de deux robustes contreforts.

Fig. 31. L'entrée sur la rue de l'Abondance, des *praedia* de Julia Felix, refaite après 62, reflète parfaitement la nouvelle mode technique et monumentale: parement de briques et colonnes d'encadrement engagées supportant un fronton (II, 4).

Fig. 32. *Atrium* de la maison de Caius Vibius (VII, 2, 18) totalement reconstruit après 62, en maçonnerie de briques et d'*opus incertum*.

Fig. 33. Très bel exemple de réticulé d'une façade entièrement construite après 62 en matériaux neufs (VIII, 2,
14), les moellons de tuf (8 x 8 cm.) parfaitement dressés
et finement jointoyés sont limités aux angles par des
chaînes de briques (porte) ou de moellons (fenêtre). On
remarque les trous des boulins de l'échafaudage.

Fig. 35. Les trois édifices municipaux reconstruits à l'extrémité méridionale du forum ont reçu, comme le marché de la laine et les thermes du
centre, un parement de briques.

Fig. 34. Jeu de polychromie pittoresque réalisé par un
maçon dans une façade réticulée (VIII, 2, 30).

Fig. 36. Aux nouveaux thermes, dits thermes du centre, s'affirment à la
fois un nouvel aspect de parement à usage systématique de briques et une
nouvelle conception des thermes où l'on n'hésite plus à ouvrir de larges
baies, y compris dans les salles chaudes.

Fig. 37. Le temple d'Isis, le seul sanctuaire pompéien entièrement reconstruit avant 79, dut ce privilège à la générosité d'un particulier, N. Popidius Celsinus, dont le geste était rappelé par une inscription placée au-dessus de la porte de clôture. Ses parements de briques étaient totalement revêtus de stuc richement décoré.

Fig. 38. Exemple de maçonnerie à matériaux spécifiques sans appel au remploi: *opus mixtum* à assises de « tufelli » alternant avec des assises doubles de briques aux boutiques des thermes du centre (IX, 4). On remarque les fondations en moellons de lave.

Fig. 39. Façade extérieure du mur méridional du *macellum* à gauche de la porte. La fissure séparant les deux types de parements témoigne d'un raccord mal réalisé.

Fig. 40. Pratiquement intact (quelques brèches superficielles du couronnement restaurées) le château d'eau principal était entièrement remis en état en 79. Ce sont les pillards qui, après l'éruption, sont descendus dans les lapilli et ont arraché les pièces métalliques intérieures et les grosses canalisations de départ.

Fig. 41. Canalisation de plomb de l'adduction provisoire installée le long d'un trottoir en VII, 12, 23.

Fig. 42. Tuyauterie provisoire posée en surface pendant la refection des canalisations souterraines de Pompéi après le séisme de Novembre 1980.

Fig. 43. Façade sur la rue de Stabies d'une maison d'époque samnite, à chapiteaux cubiques encadrant primitivement la porte. La hauteur des *fauces* d'entrée permit d'y aménager un étage en occultant une partie de la baie, tandis que le four et les meules d'une boulangerie prenaient place dans l'*atrium* (VIII. 4, 26).

Fig. 44. Le péristyle d'une *domus*, occulté au moment de sa transformation en boulangerie. Meunerie - boulangerie de Terentius Proculus (VII, 2, 3).

Fig. 45. *Domus* transformée en boulangerie après 62, avec un four installé dans un angle de l'*atrium* (V, 3, 8).

Fig. 47. Bassins à fourneaux d'une teinturerie, installés sous le portique d'une ancienne *domus* de la rue de Stabies (VII, 2, 11).

Fig. 46. *Atrium* de la *domus* transformée en boulangerie (VI, 3, 3) (on voit les meules dans l'espace du fond), muni après 62 de quatre forts piliers de briques.

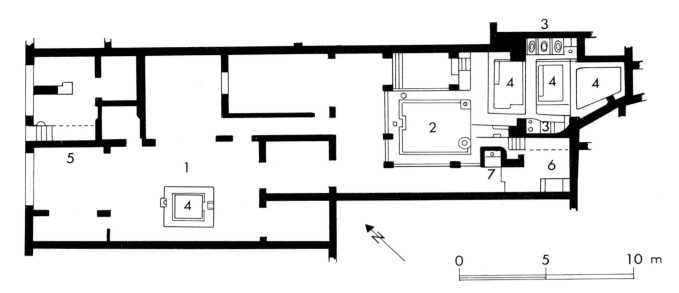

Fig. 48. La *fullonica* de Stephanus, aménagée dans une *domus* de la rue de l'Abondance, I, 6, 7 (d'après V. Spinazzola).

    1 - Atrium

    2 - Péristyle

    3 - Bacs de foulage

    4 - Bassins de rinçage

    5 - Emplacement de la presse

    6 - Cuisine

    7 - Latrine

Fig. 49. Les bassins de la *fullonica* de Stephanus (I, 6, 7) entièrement achevée et alimentée en eau courante en 79. Le tuyau de plomb de l'adduction est partiellement visible sur la droite.

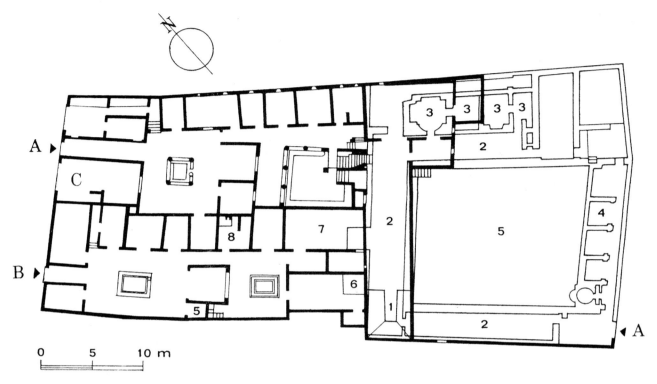

Fig. 50. A: la maison du Cryptoportique. B: la maison de la chapelle Iliaque (d'après V. Spinazzola).

Fig. 1. Iscrizione frammentaria da Nuceria Alfaterna.

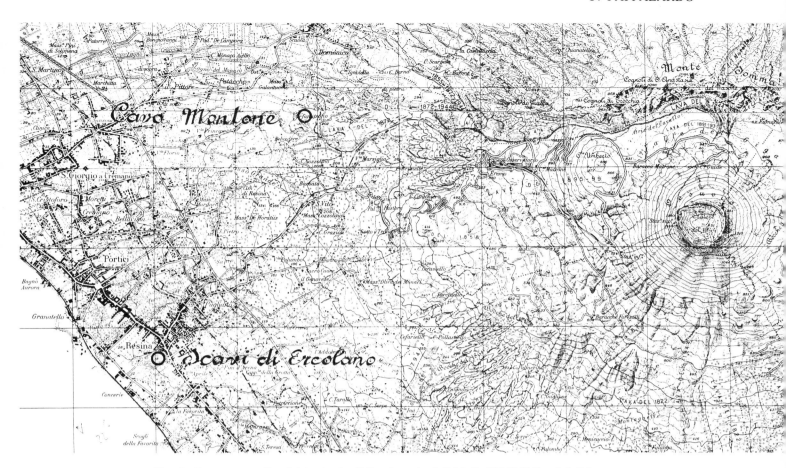

Fig. 1. Carta topografica del territorio di Ercolano (= I.G.M. F. 184 II N.E. - I S.E.).

Fig. 2. Ercolano, Cava Montone, parete est (sullo sfondo la vetta del Vesuvio).

Fig. 3. Cava Montone, parete est, muri in crollo sotto il flusso piroclastico del 79 d.C.

Fig. 4. Cava Montone, resti di villa romana al centro della cava (veduta da ovest).

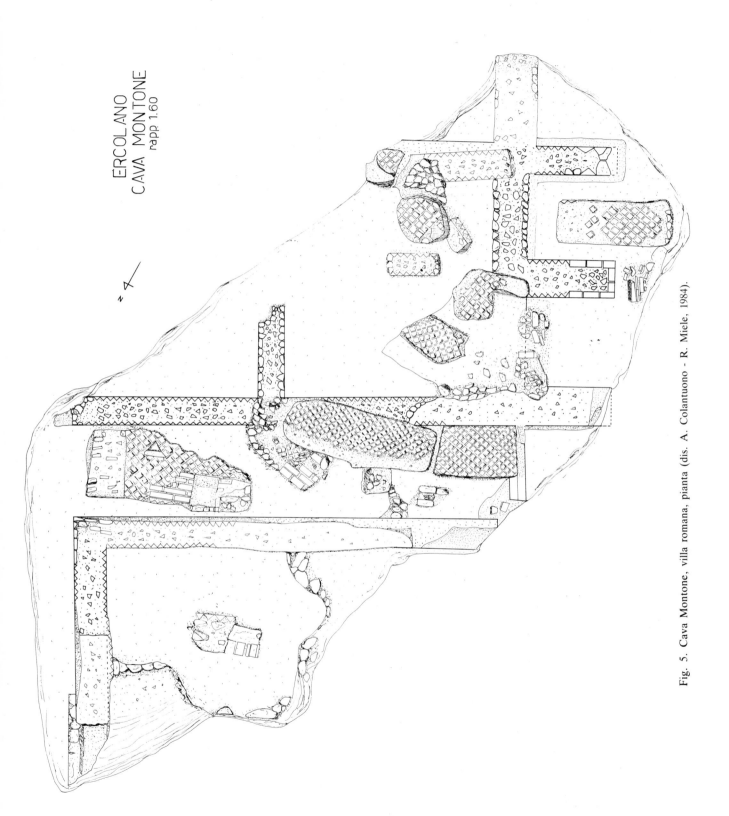

ERCOLANO
CAVA MONTONE
rapp. 1.60

Fig. 5. Cava Montone, villa romana, pianta (dis. A. Colantuono - R. Miele, 1984).

Fig. 6. Cava Montone, villa romana, particolare della soglia.

Fig. 7. Cava Montone, villa romana, muri e fondazioni (veduta da sud).

Fig. 8. Cava Montone, villa romana, partic. dei rinforzi angolari dei muri (veduta da nord-est).

Fig. 9. Cava Montone, villa romana, corridoio: muri in crollo con finestre strombate.

Fig. 10. Cava Montone, villa romana, ambiente a nord: crollo di mattoni e struttura a conci di tufo (veduta da nord).

Fig. 11. Cava Montone, tronchi di alberi carbonizzati inglobati nel flusso piroclastico del 79 d.C.

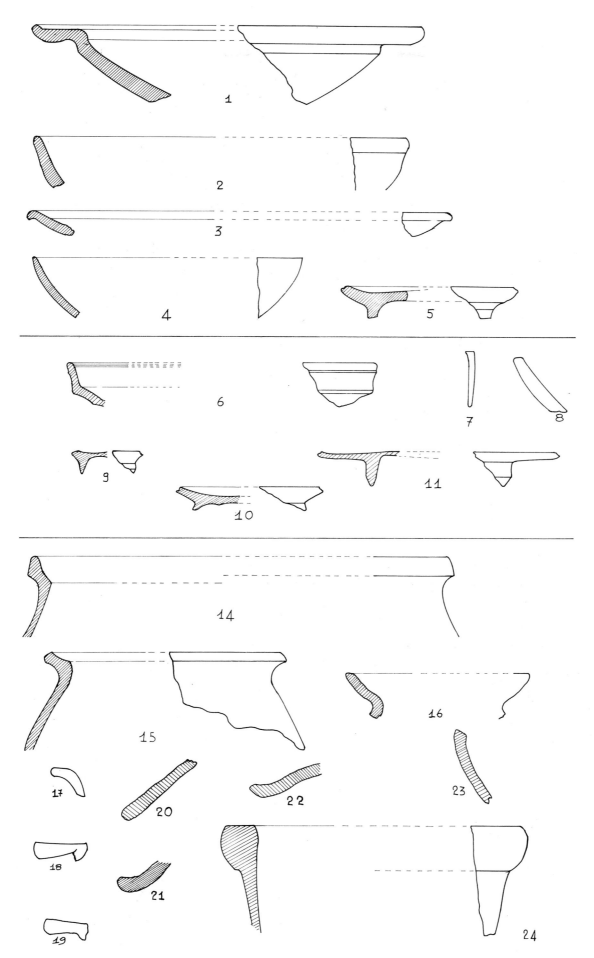

Fig. 12. Ceramica a vernice nera (1 - 5); ceramica sigillata (6 - 11); ceramica comune (14 - 23); anfora (24).

Fig. 13. Lucerna (Cat. n. 12).

Fig. 14. Lucerna (Cat. n. 13).

Fig. 15. Oinochoe (Cat. n. 26).

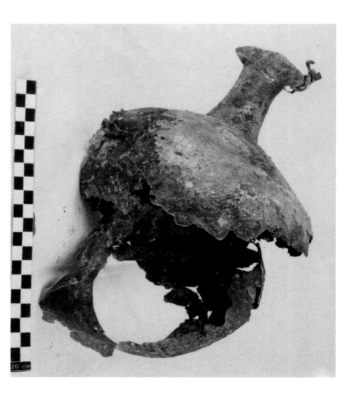

Fig. 16. Oinochoe (Cat. n. 27).

Fig. 17. Bacile (Cat. n. 28).

Fig. 18. Olletta (Cat. n. 29).

Fig. 19. Patera (Cat. n. 30).

Fig. 20. Anforetta (Cat. n. 31).

Fig. 22. Pentola (Cat. n. 33).

Fig. 21. Caldaia (Cat. n. 32).

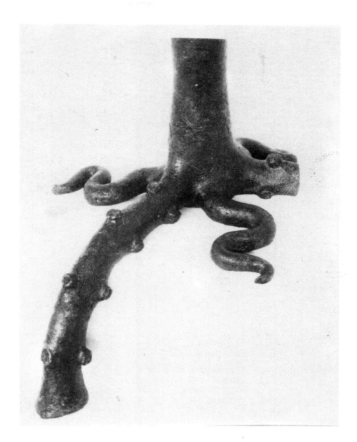

Fig. 24. Candelabro. Particolare del piede (Cat. n. 34).

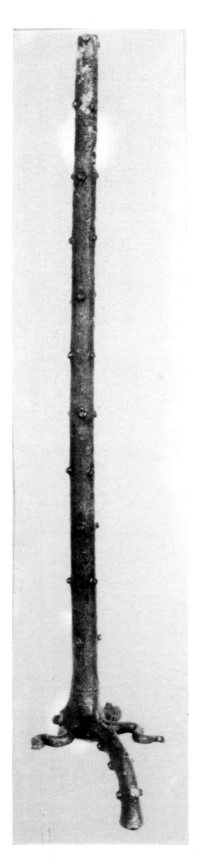

Fig. 23. Candelabro (Cat. n. 34).

Fig. 25. Cornice in stucco (Cat. n. 40).

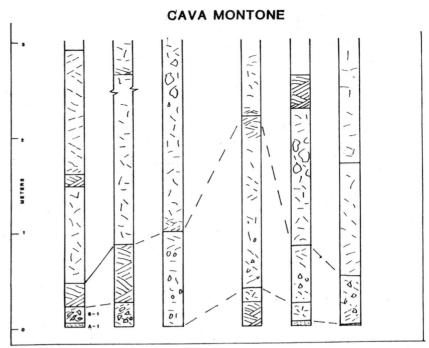

Fig. 26. Stratigraphic sections in quarries at Cava Montone area.

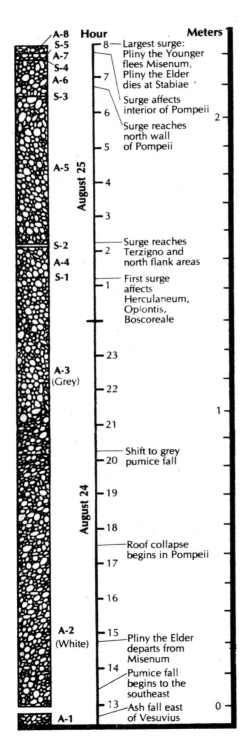

Fig. 27. Chronology of the A.D. 79 eruption, based on correlation of events described in the letters of Pliny the Younger with the volcanic stratigraphy at Villa Regina, Boscoreale. The stratigraphic section (left) shows the thickness of the fall layers as a measure of duration. The thickness of the surge layers is omitted from this column, as surges are considered to be nearly instantaneous events.

Fig. 1. Amphore du type Gauloise 1 dont la production est très importante en Languedoc oriental; ne fut apparemment pas exportée vers Ostie et Rome.

Fig. 2. Amphore du type Gauloise 4. Hauteur = 0,65 m.

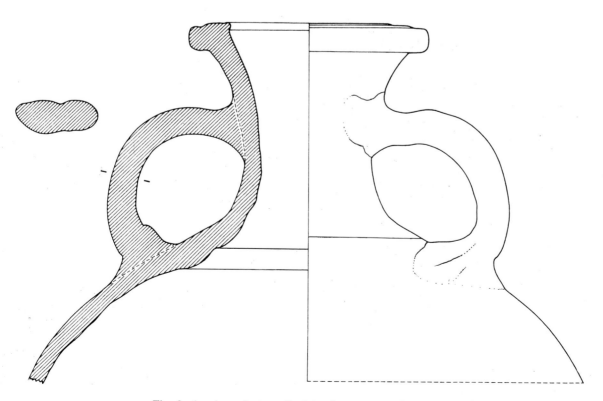

Fig. 3. Amphore du type Gauloise 5 retrouvée à Pompéi (réf. 14).

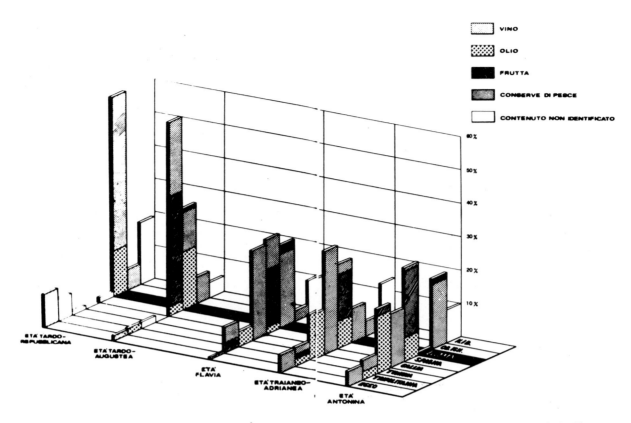

Fig. 4. Distribution par origine des amphores des Thermes du Nageur à Ostie. D'après C. Panella (réf. 15).

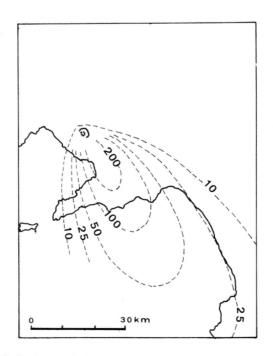

Fig. 5. Isopaques de l'éruption de 79 d'après Lirer et al. (réf. 20).

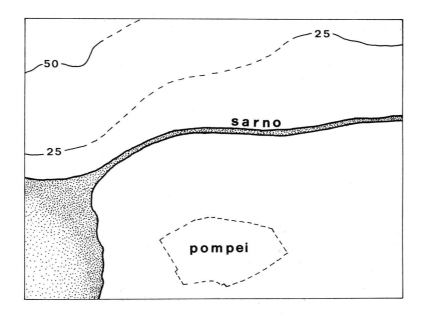

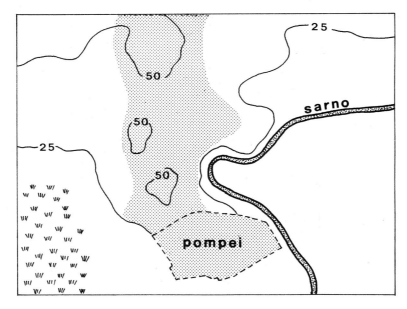

Fig. 6. Carte montrant le déplacement hypothétique du rivage maritime
et du tracé du fleuve Sarno à la suite de l'éruption de 79 (réf. 22).

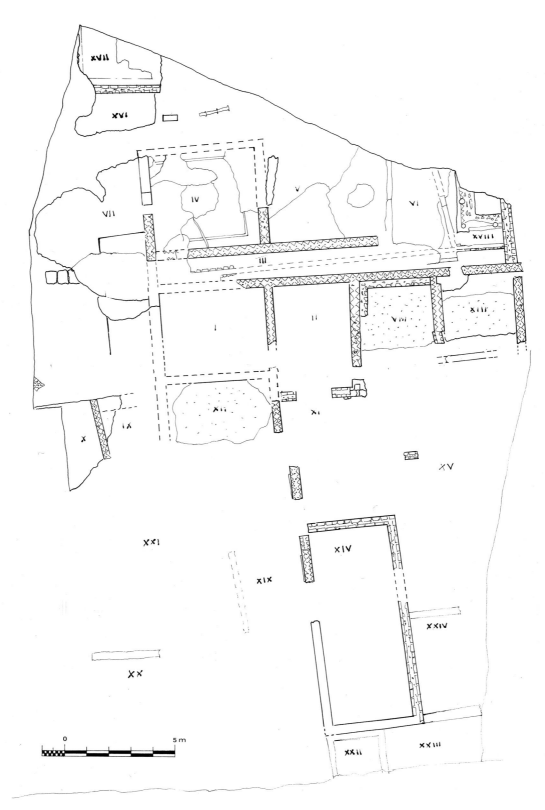

Fig. 1. Schizzo planimetrico della Villa Romana in via Saccaccio (Nola).

Fig. 2.

Fig. 3.

Fig. 4.

Fig. 5.

Fig. 6.

Fig. 7.

Fig. 8.

Fig. 9.

Fig. 10.

Fig. 11.

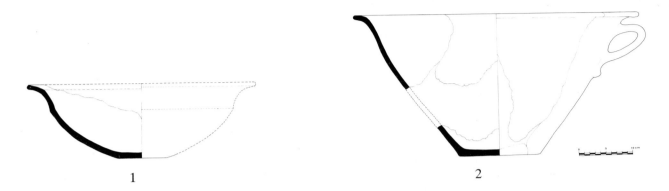

Figg. 1 e 2. Avellino. Cava dell'Arciprete: Piatti con labbro a tesa. (Collezione privata).

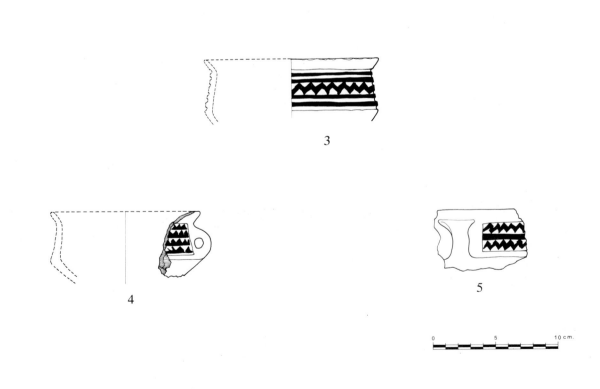

Figg. 3, 4 e 5. Atripalda (*Abellinum*). Cava Guanci: Tazze appenniniche. (Museo Provinciale Irpino, Avellino).

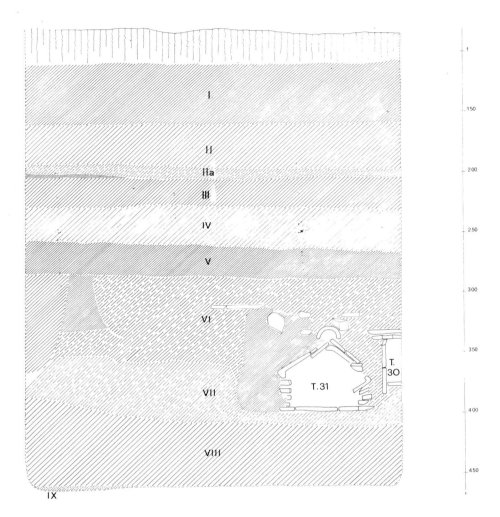

Fig. 6. Atripalda (*Abellinum*). Necropoli meridionale: Sezione II, a.

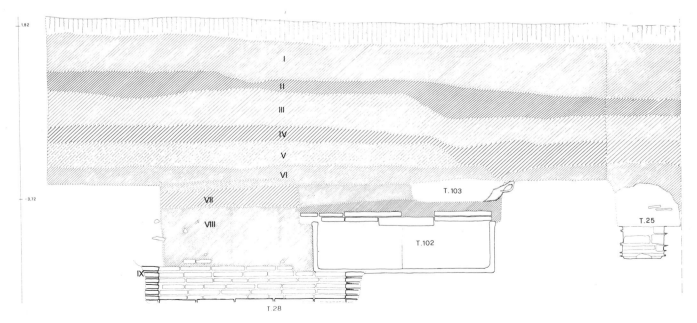

Fig. 7. Atripalda (*Abellinum*). Necropoli meridionale: Sezione II, b.

Fig. 8. Atripalda (*Abellinum*). Necropoli meridionale: Sezione II, b.

Fig. 9. Atripalda (*Abellinum*). *Domus*, atrio: saggio dei qq. E 21, 22, 23 degli ambienti di riutilizzo.

Fig. 10. Atripalda (*Abellinum*). *Domus*, peristilio: veduta dei crolli sul piano di calpestio. Si notano scheggioni di tufo accatastati in un angolo dell'ambiente.

CINTA MURARIA

AREA DELLE NECROPOLI

AREA DELL' ANFITEATRO

AREA DELLA CITTÀ ANTICA

AREA DEGLI SCAVI

NUCLEO PALEOCRISTIANO

MONS TRUPPOALDI° PERIODO LONGOBARDO

CENTRO MEDIOEVALE

ACQUEDOTTI

50 100 m

Fig. 11. Atripalda (*Abellinum*). Planimetria dell'antico centro urbano.

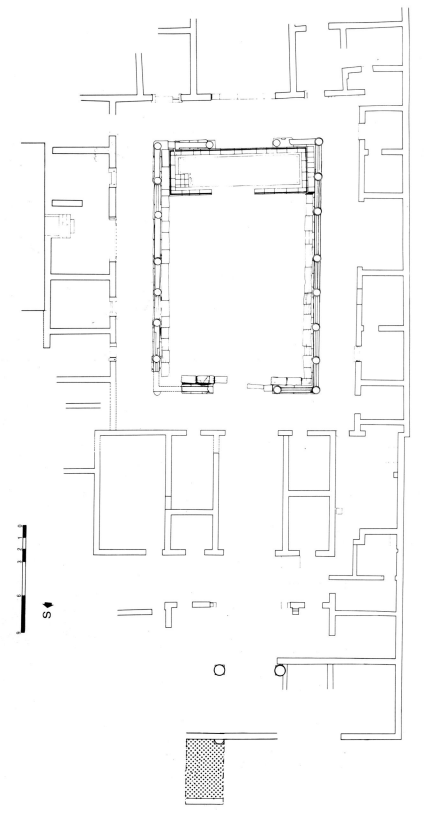

Fig. 12. Atripalda (*Abellinum*). Planimetria della *Domus* di tipo pompeiano; il retino evidenzia il saggio.

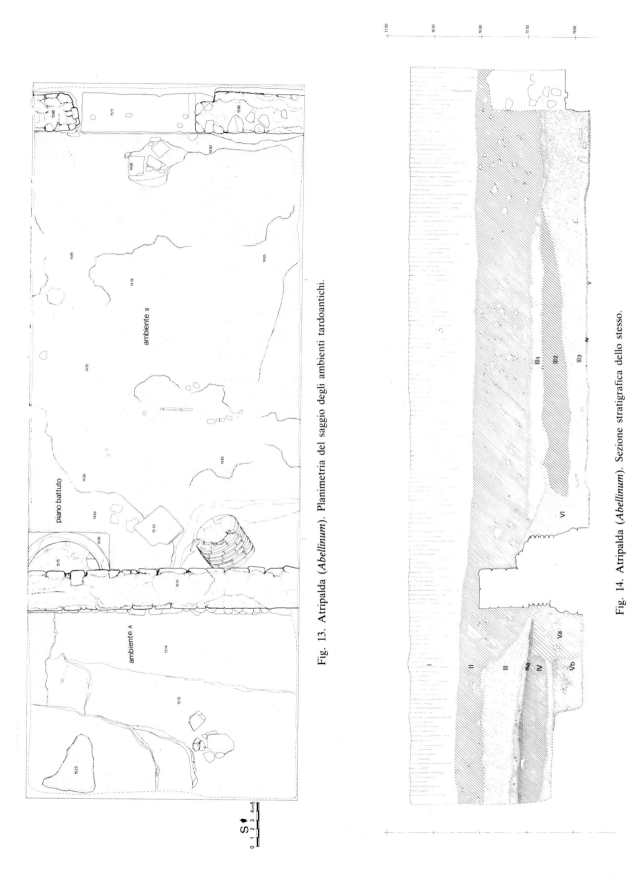

Fig. 13. Atripalda (*Abellinum*). Planimetria del saggio degli ambienti tardoantichi.

Fig. 14. Atripalda (*Abellinum*). Sezione stratigrafica dello stesso.

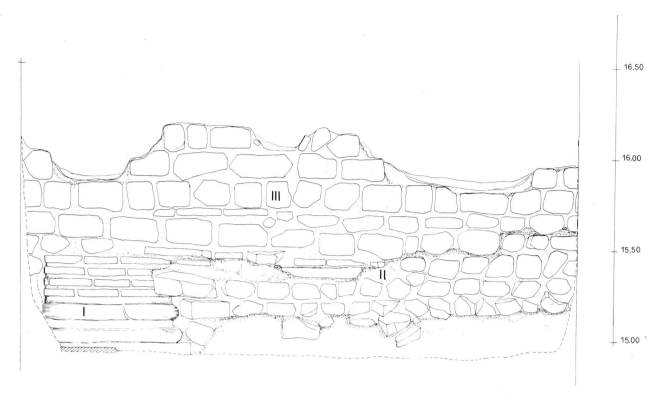

Fig. 15. Atripalda (*Abellinum*). *Domus*, atrio: Prospetto-sezione della struttura muraria « tardo-antica », vista da nord.

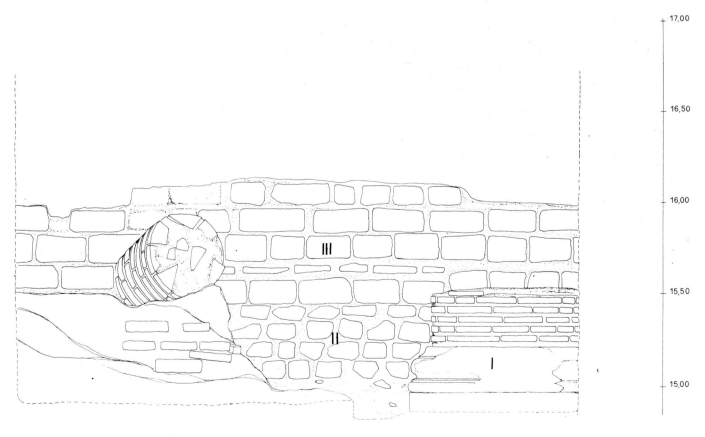

Fig. 16. Atripalda (*Abellinum*). *Domus*, atrio: Prospetto-sezione della struttura muraria « tardo-antica », vista da sud.

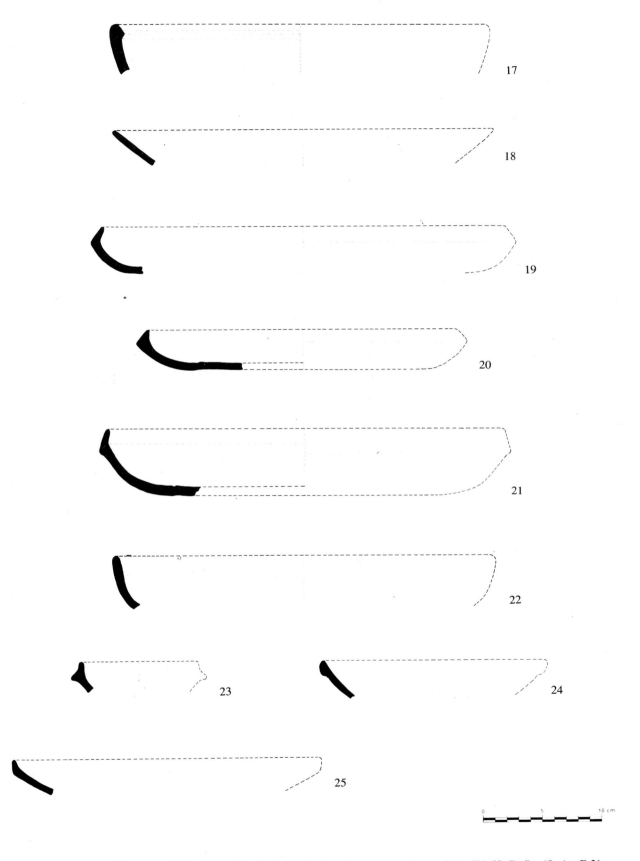

Atripalda (*Abellinum*). La terra sigillata (A). Fig. 17, At. E 21, IV: H. 23, B; fig. 18, At. E 21, IV: 50, B; fig. 19, At. E 21, IV: H. 61, B 7; fig. 20, At. E 22, II: H. 61 B, 29; fig. 21, At. E 21 IV: H. 61, B 7; fig. 22, At. E 21, IV: H. 62; fig. 23, At. E 22, II: H, 91 D (imitazione); fig. 24, At. E 22, II: tipo « Ostia IV » fig. 61; fig. 25, At. E 23, V: H. 61,21.

Atripalda (*Abellinum*). Lucerna cristiana: fig. 26; Classi ceramiche « post-classiche » (A, 1-H). Fig. 27, At. E 21, IV; fig. 28, At. E 23, II; fig. 29, At. E 21, I; fig. 30, At. E 23, II; fig. 31, At. E 23, II; fig. 32, At. E 23, II; fig. 33, At. E 21, IV; fig. 34, At. E 23, II; fig. 35, At. E 22, I; fig. 36, At. E 23, II; fig. 37, At. E 21, II; fig. 38, At. E 23, II; fig. 39, At. E 22, I; fig. 40, At. E 23, II; fig. 41, At. E 22, III; fig. 42, At. E 21, IV.

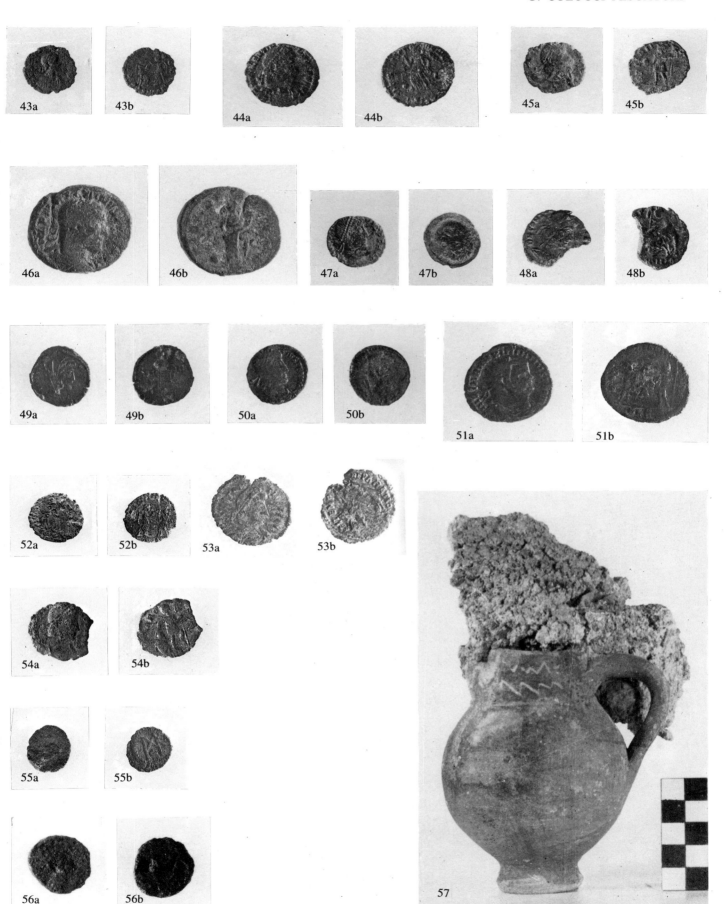

Atripalda (*Abellinum*). Le monete. Fig. 43, AE/4 di Valentiniano, fig. 44, AE/3 di Valentiniano II; fig. 45, AE/3 di Costanzo II; fig. 46, asse di bronzo di Massimino il Trace; fig. 47, AE/3 di Costanzo II; fig. 48, AE/3 di Costante; fig. 49, AE/3 di Costantino; fig. 50, AE/3 di Costanzo II; fig. 51, *follis* di Massimiano; fig. 52, AE/3 di Costanzo II; fig. 53, AE/3 di Costanzo II; fig. 54, AE/3 di Valentiniano I o Valente (?); fig. 55, AE/4 di Marciano; fig. 56, AE/4 di Vitige (al doppio); fig. 57 a-b, T. 15, brocchetta riempita dai prodotti dell'eruzione del 472 d.C.

Fig. 1. Ischia, località Cilento (fot. G. Buchner, 1963).

Fig. 2. Ischia, località Cilento, particolare del paleosuolo.

Figg. 3-4. Ischia, località Cilento, ceramica neolitica dipinta, dal paleosuolo.

Fig. 5. Ischia, Cava Scura (fot. G. Buchner, 1936).

Fig. 6. Ischia, necropoli di S. Montano, fenditure prodotte dal terremoto. (fot. G. Buchner, 1956).

Fig. 7. Ischia, necropoli di S. Montano, fenditure prodotte dal terremoto, particolare.

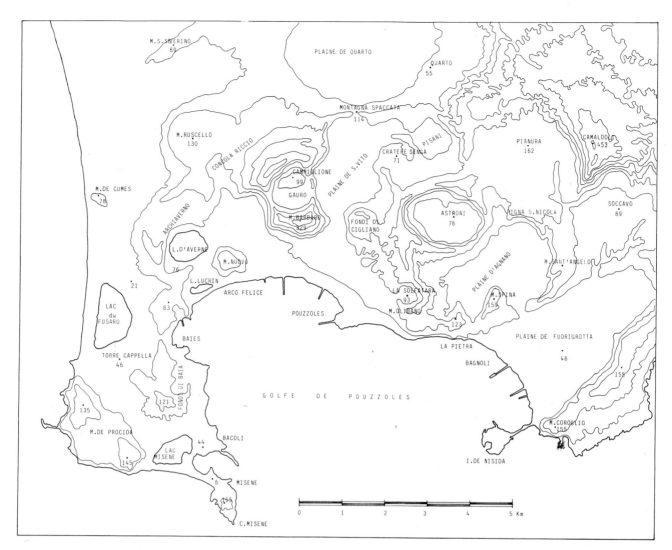

Fig. 1. Carte des principaux centres volcaniques.

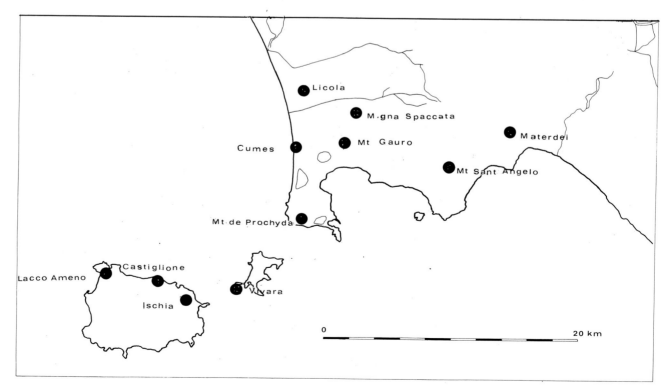

Fig. 2. Localités archéologiques de la région phlégréenne citées dans l'article.

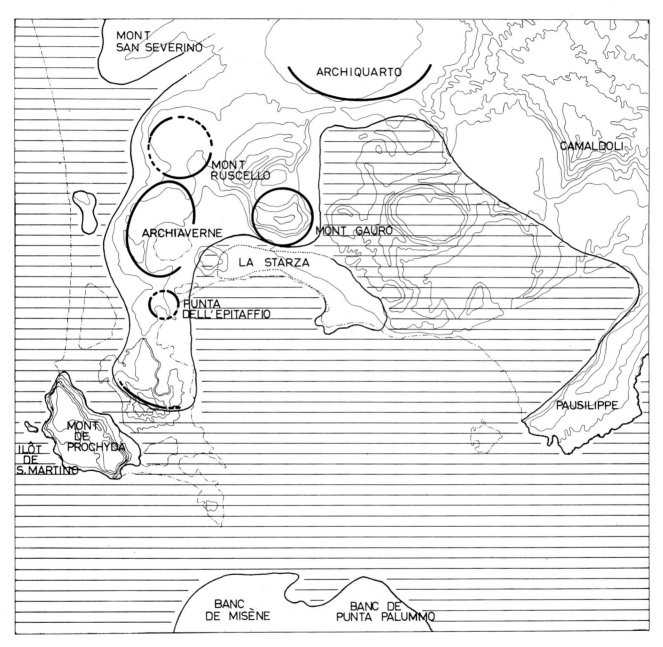

Fig. 3. Champs Phlégréens. I — Hypothétique ligne de rivage aux environs de 10.000 B.P. (successivement à la formation du " Tuf Jaune napolitain " et à l'affaissement de l'aire qui constitue le golfe de Pouzzoles).
Subsidence progressive du bassin central et des édifices volcaniques (Bancs de Misène et de Penta Palummo).

Fig. 4. Champs Phlégréens. II — Hypothétique ligne de rivage entre 8.400 B.P. et 6.640 B.P.
Transgression marine dans le secteur de Pouzzoles (premier épisode marin de La Starza); formation de la dépression de Toiano par affaissement vulcano-tectonique; subsidence générale du bassin central (édifices volcaniques de Penta Palummo et de Misène submergés).

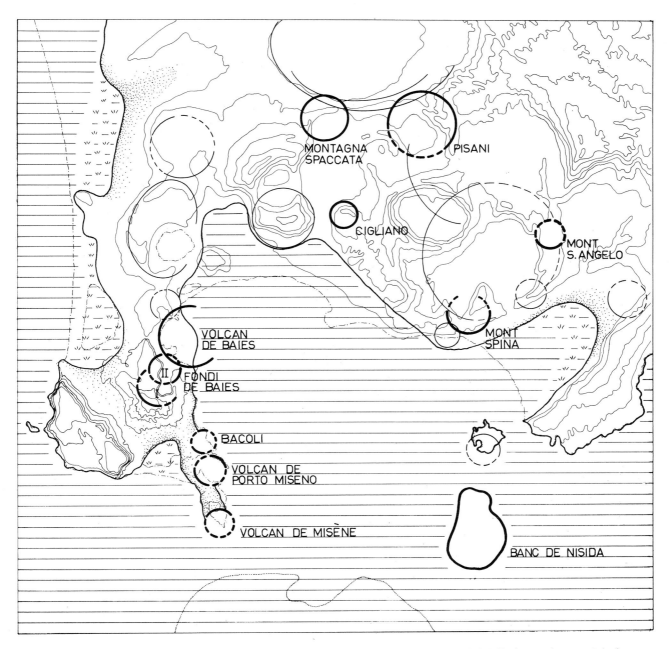

Fig. 5. Champs Phlégréens. III — Hypothétique ligne de rivage entre 6.640 B.P. et 4.050 B.P. (successivement à la formation de la Grotte du Chien à Agnano et antérieurement à l'éruption du Monte Spina).
Deux épisodes de transgression marine alternés avec deux phases de régression dans le golfe de Pouzzoles. Subsidence continue du bassin central.

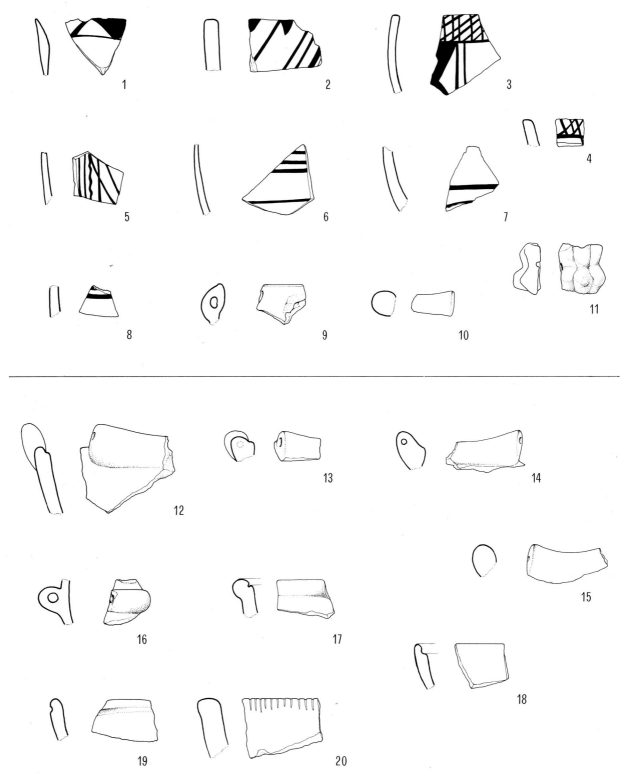

Fig. 6. Localité Bellavista (Mont de Prochyda). Céramique néolithique: fragments peints et achromes de la culture du style de Serra d'Alto (1 à 11), fragments d'impasto de la culture de Diane (12 à 20). Echelle 1:3.

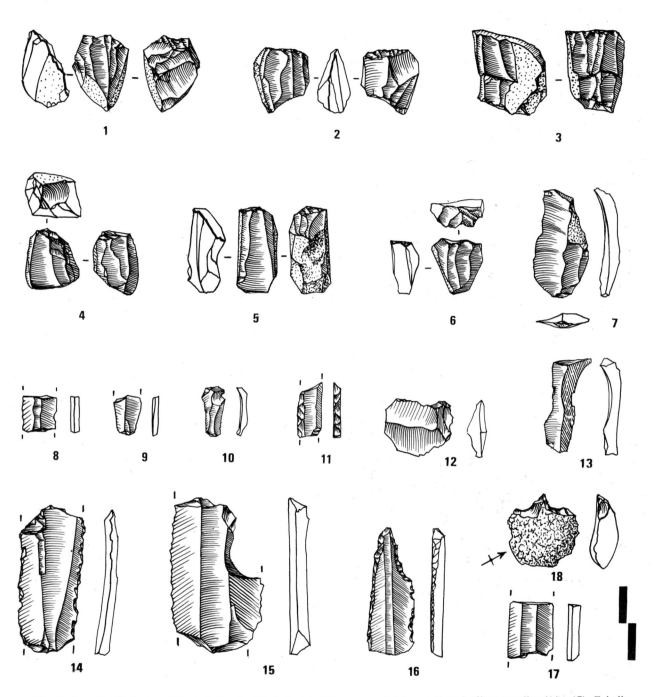

Fig. 7. Localité Bellavista (Mont de Prochyda). Industrie lithique sur obsidienne (1 à 13-18) et sur silex (14 à 17). Echelle 1:1.

Fig. 6 a. Localité Bellavista (Mont de Prochyda). Céramique néolithique du style de Serra d'Alto et de Diane.

Fig. 7 a. Localité Bellavista (Mont de Prochyda). Industrie lithique sur obsidienne et sur silex.

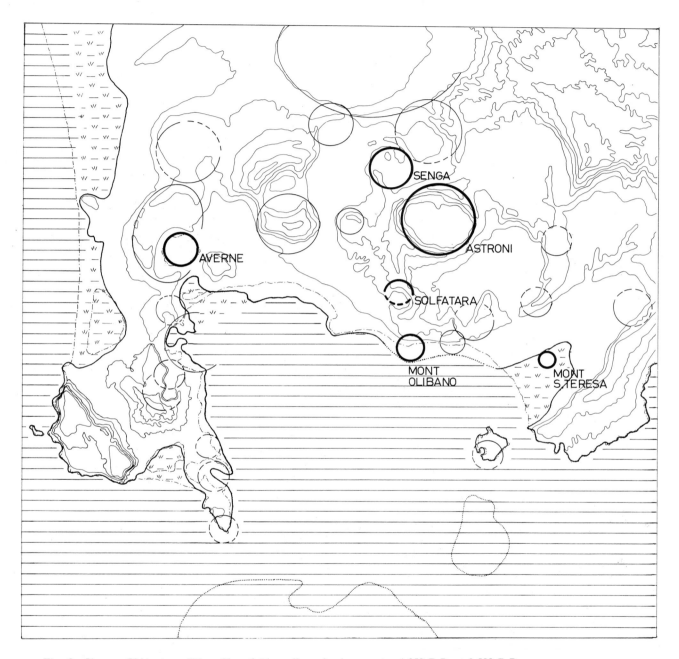

Fig. 8. Champs Phlégréens. IV — Hypothétique ligne de rivage entre 4.050 B.P. et 2.500 B.P.
Dislocation par failles de la terrasse de La Starza et du Monte Spina. Remplissage de la dépression de Fuorigrotta par les produits du Monte Spina et de la dépression de Toiano par ceux de l'Averne. Effondrement du secteur de Lucrin à la suite de l'éruption de l'Averne (?). Extension des zones palustres. Formation d'un cordon de dunes littorales devant le Lucrin.

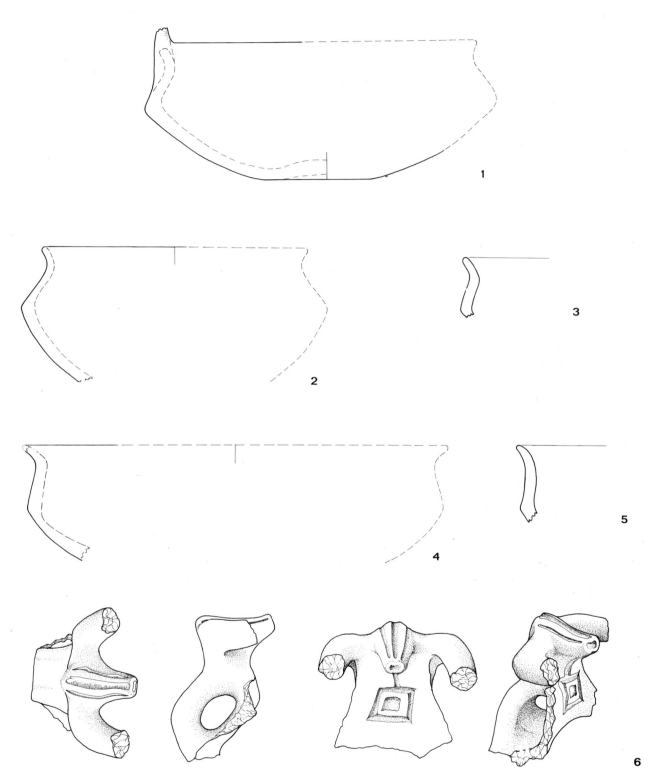

Fig. 9. Montagna Spaccata. Tasses apenniniques (1-5) et anse zoomorphe (6). Echelle 1:3.

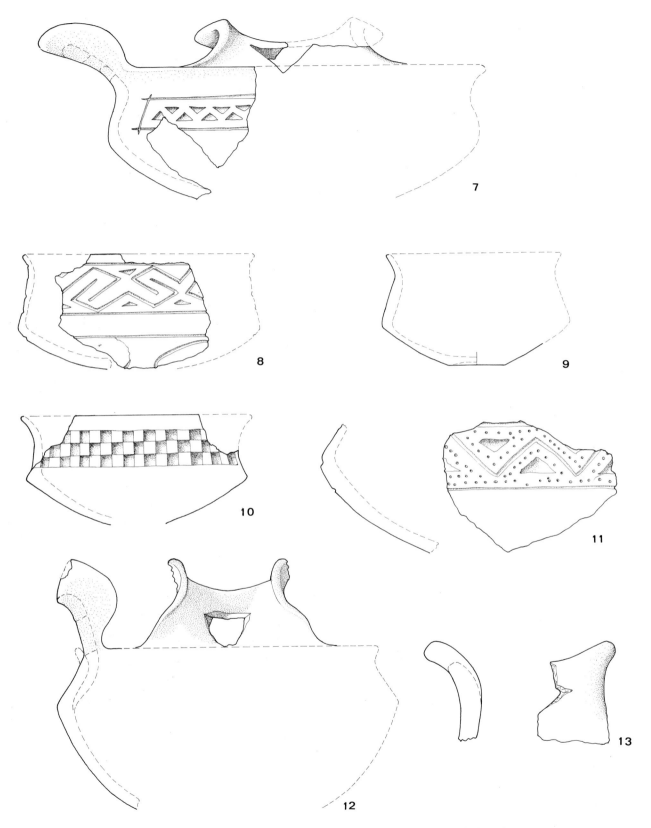

Fig. 10. Montagna Spaccata. Céramique apenninique. Echelle 1:3.

Fig. 11. Montagna Spaccata. Fragments décorés de céramique apenninique. Echelle 1:3.

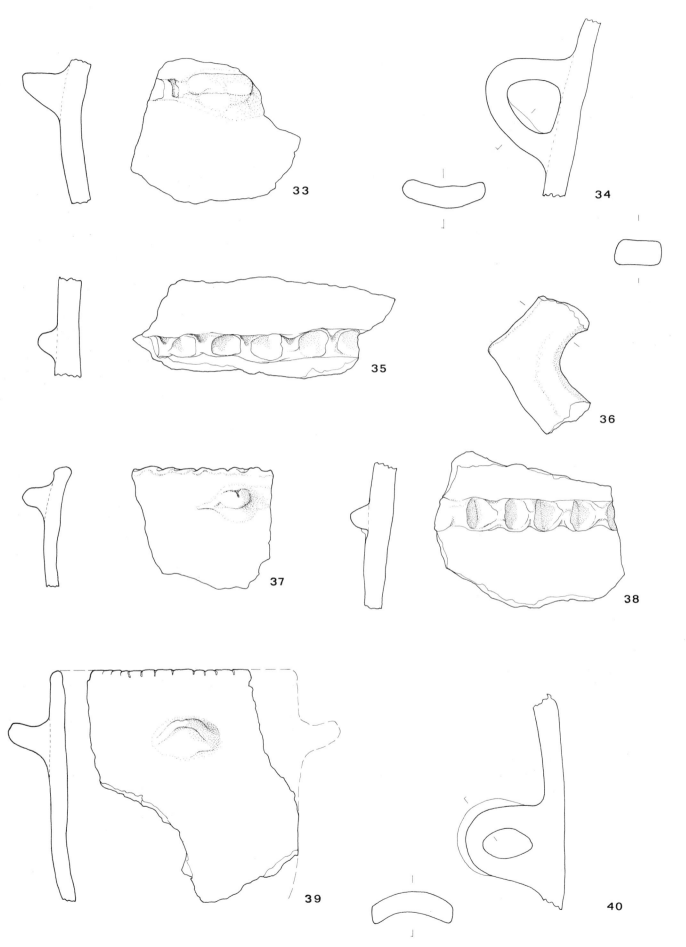

Fig. 12. Montagna Spaccata. Fragments de vases d'impasto grossier. Echelle 1:3.

Tip. CENTENARI - Via della Luce 32/A - Roma